LE NOM DE LA ROSE

UMBERTO ECO

LE NOM DE LA ROSE

roman

traduit de l'italien par
JEAN-NOËL SCHIFANO

Édition augmentée
d'une apostille traduite de l'italien par
MYRIEM BOUZAHER

FRANCE LOISIRS
123, boulevard de Grenelle, Paris

L'édition originale de cet ouvrage a été publiée en 1980 par Gruppo Editoriale Fabbri-Bompiani, Milan, sous le titre :

Il nome della rosa

Édition du Club France Loisirs, Paris,
réalisée avec l'autorisation des Éditions Grasset & Fasquelle.

ISBN : 2-7242-8371-6

UN MANUSCRIT, NATURELLEMENT

Le 16 août 1968 on me mit dans les mains un livre dû à la plume d'un certain abbé Vallet, Le manuscrit de Dom Adson de Melk, traduit en français d'après l'édition de Dom J. Mabillon *(aux Presses de l'Abbaye de la Source, Paris, 1842). Le livre, accompagné d'indications historiques en vérité fort minces, affirmait qu'il reproduisait fidèlement un manuscrit du* XIVe *siècle, trouvé à son tour dans le monastère de Melk par le grand érudit du* XVIIe *siècle, qui a tant fait pour l'histoire de l'ordre bénédictin. La docte trouvaille (la mienne, troisième dans le temps donc) me réjouissait tandis que je me trouvais à Prague dans l'attente d'une personne chère. Six jours après, les troupes soviétiques envahissaient la malheureuse ville. En suivant un parcours hasardeux, je réussissais à atteindre la frontière autrichienne à Linz, de là je me dirigeais sur Vienne où je rejoignais la personne attendue, et ensemble nous remontions le cours du Danube.*

En un climat mental de grande excitation je lisais, fasciné, la terrible histoire d'Adso de Melk, et elle m'absorba tant que, presque d'un seul jet, j'en rédigeai une traduction sur ces grands cahiers de la Papeterie Joseph Gibert où il est si agréable d'écrire avec une plume douce. Et ce faisant, nous arrivâmes à proximité de Melk, où, à pic sur une boucle du fleuve, se dresse encore le très beau Stift plus d'une fois restauré au cours des siècles. Comme le lecteur l'aura imaginé, dans la bibliothèque du monastère je ne trouvai trace du manuscrit d'Adso.

Avant d'arriver à Salzbourg, une nuit tragique dans un petit hôtel sur les rives du Mondsee, et mon voyage à deux s'interrompit brusquement : la personne avec qui je voyageais disparut en emportant dans son bagage le livre de l'abbé Vallet, non point par malignité, mais à cause de la façon désordonnée et abrupte dont avait pris fin notre liaison. Il me resta ainsi une série de cahiers écrits de ma propre main, et un grand vide au cœur.

Quelques mois plus tard à Paris, je décidai d'aller au bout de ma recherche. Des renseignements plutôt chiches que j'avais tirés du livre français, me restait la référence à la source, exceptionnellement détaillée et précise :

Vetera analecta, sive *collectio veterum aliquot operum* & opusculorum ommis generis, carminum, epistolarum, diplomaton, epitaphiorum, &, *cum itinere germanico, adnotationibus* & aliquot disquisitionibus R.P.D. Joannis Mabillon, Presbiteiri ac Monachi Ord. Sancti Benedicti e Congregatione S. Mauri. — *Nova Editio* cui accessere *Mabilonii* vita & aliquot opuscula, scilicet Dissertatio de *Pane Eucharistico, Azymo et Fermentato,* ad Eminentiss. Cardinalem *Bona.* Subjungitur opusculum *Eldefonsi* Hispaniensis Episcopi de oedem argumento *Et Eusebii* Romani ad *Theophilum* Gallum èpistola, *De cultu sanctorum ignotorum,* Parisiis, apud Levesque, ad Pontem S. Michaelis, MDCCXXI, cum privilegio Regis.

Je trouvai tout de suite les Vetera Analecta *à la bibliothèque Sainte-Geneviève, mais, à ma grande surprise, l'édition repérée divergeait sur deux détails : d'abord l'éditeur, qui était Montalant, ad Ripam P. P. Augustinianorum (prope Pontem S. Michaelis), et ensuite la date, de deux années postérieure. Inutile de dire que ces* Analecta *ne contenaient aucun manuscrit d'Adso ou Adson de Melk — et qu'il s'agit en revanche, comme tout un chacun peut le vérifier, d'un recueil de textes de courte et moyenne longueur, quand l'histoire transcrite par Vallet s'étendait sur plusieurs centaines de pages. Je consultai à l'époque des médiévistes illustres comme le cher et inoubliable Etienne Gilson, mais il fut clair que les uniques* Vetera Analecta *étaient ceux que j'avais vus à Sainte-Geneviève. Une pointe jusqu'à l'Abbaye de la Source, qui s'élève du côté de Passy, et un entretien avec l'ami Dom Arne Lahnestedt me convainquirent pareillement qu'aucun abbé Vallet n'avait publié de livres aux presses (d'ailleurs inexistantes) de l'abbaye. On ne sait que trop la négligence des érudits français à fournir des indications bibliographiques d'une certaine crédibilité, mais le cas en question dépassait tout pessimisme raisonnable. Je commençai à penser qu'un faux m'était tombé dans les mains. Désormais le livre même de Vallet était irrécupérable (ou du moins ne me sentais-je pas le courage d'aller le quémander à qui me l'avait distrait). Il ne me restait donc que mes notes, dont je commençais dès lors à douter.*

Il est des moments magiques, de grande fatigue physique et d'intense excitation motrice, où surgissent des visions de personnes connues par le passé (« en me retraçant ces détails, j'en suis à me demander s'ils sont réels, ou bien si je les ai rêvés »). Comme je l'appris plus tard dans le beau livre de l'abbé de Bucquoy, surgissent pareillement des visions de livres non encore écrits.

Si rien de nouveau ne s'était produit, j'en serais encore à me demander d'où peut bien venir l'histoire d'Adso de Melk ; seulement en 1970, à Buenos Aires, comme je fouinais sur les étagères d'un petit libraire antiquaire dans la Corrientes, pas très loin du plus fameux Patio du Tango de cette grande rue, voici que me tomba entre les mains la version castillane d'un opuscule de Milo Temesvar, De l'utilisation des miroirs dans le jeu des échecs, *que j'avais déjà eu l'occasion de citer (de seconde main) dans mon* Apocalyptiques et intégrés, *en rendant compte de son plus récent* les Marchands d'Apocalypse. *Il s'agissait de la traduction introuvable de l'original en langue géorgienne (Tbilissi, 1934), et dans ces pages, à ma grande surprise, je lus de copieuses citations du manuscrit d'Adso, sauf que la source n'était ni Vallet ni Mabillon, mais bien le père Athanasius Kircher (quel ouvrage au juste ?). Un savant — que je ne juge pas opportun de nommer — m'a assuré par la suite que (et il citait les index de mémoire) le grand jésuite n'a jamais parlé d'Adso de Melk. Mais les pages de Temesvar se trouvaient sous mes yeux et les épisodes auxquels il se référait étaient absolument analogues à ceux du manuscrit traduit par Vallet (en particulier, la description du labyrinthe ne laissait place à aucun doute). Quoi qu'en ait écrit ensuite Beniamino Placido*[1]*, l'abbé Vallet avait existé et de même certainement Adso de Melk.*

J'en conclus que les mémoires d'Adso semblaient justement participer de la nature des événements qu'il relate : enveloppés de nombreux et vagues mystères, à commencer par l'auteur, pour finir avec l'emplacement de l'abbaye dont Adso ne souffle mot, tenacement pointilleux là-dessus, à telle enseigne que les conjectures permettent de dessiner une zone imprécise entre Pomposa et Conques, avec de raisonnables probabilités que le lieu se situât le long de la dorsale des Apennins, entre Piémont, Ligurie et France (autant dire entre Lerici et Turbie). Quant à l'époque où se déroulent les événements décrits, nous sommes à la fin du mois de novembre 1327 ; en revanche le moment où écrit l'auteur est incertain. En calculant qu'il se dit novice en 1327 et proche de la mort quand il écrit ses mémoires, nous pouvons conjecturer que le manuscrit a été rédigé au cours des dix ou vingt dernières années du XIVe *siècle.*

1. *La Repubblica*, 22 septembre 1977.

Tout bien réfléchi, elles étaient plutôt minces, les raisons qui pouvaient me porter à faire imprimer ma version italienne d'une obscure version néo-gothique française d'une édition latine du XVIIe *siècle d'un ouvrage écrit en latin par un moine allemand vers la fin du* XIVe *siècle.*

Et d'abord, quel style adopter ? Il fallait repousser comme tout à fait injustifiée la tentation d'imiter les modèles italiens de l'époque : non seulement Adso écrit en latin, mais il est clair d'après toute l'allure du texte que sa culture (ou la culture de l'abbaye qui si clairement l'influence) est beaucoup plus datée ; il s'agit évidemment d'une somme pluriséculaire de connaissances et de coquetteries stylistiques qui se rattachent à la tradition du bas moyen âge latin. Adso pense et écrit comme un moine resté imperméable à la révolution de la langue vulgaire, lié aux pages abritées par la bibliothèque dont il parle, formé sur des textes patristico-scolastiques, et son histoire (au-delà des références et des événements du XIVe *siècle, que cependant Adso enregistre au milieu de mille perplexités, et toujours par ouï-dire) aurait pu être écrite, quant à la langue et aux citations érudites, au* XIIe *ou au* XIIIe *siècle.*

Il ne fait d'autre part aucun doute qu'en traduisant dans son français néo-gothique le latin d'Adso, Vallet s'est permis diverses libertés, et pas toujours stylistiques. Par exemple, les personnages parlent quelquefois des vertus des herbes en se rapportant d'évidence à ce livre des secrets attribué à Albert le Grand, qui subit au cours des siècles d'innombrables remaniements. Sans l'ombre d'un doute, Adso le connaissait, mais reste le fait qu'il en cite des passages qui évoquent trop littéralement soit des prescriptions de Paracelse soit d'évidentes interpolations d'une édition d'Albert le Grand à coup sûr de l'époque Tudor[1]*. Par ailleurs j'ai vérifié ensuite qu'aux temps où Vallet transcrivait (?) le manuscrit d'Adso, il circulait à Paris une édition du* XVIIIe *siècle du* Grand *et du* Petit Albert[2] *désormais irrémédiablement frelatée. Pourtant, comment être certain que le texte à quoi se référaient Adso et les moines dont il annotait les discours, ne contenait aussi, entre les gloses, les scolies et divers appendices, des remarques destinées à nourrir ensuite la culture à venir ?*

Enfin, devais-je laisser en latin les passages que l'abbé Vallet lui-même ne jugea pas opportun de traduire, peut-être pour garder un air

1. *Liber aggregationis seu leber secretorum Alberti Magni, Londinium,* juxta pontem qui vulgariter dicitur Flete brigge, MccccLxxxv.

2. *Les Admirables Secrets d'Albert le Grand,* A Lyon, chez les Héritiers Beringos, Fratres, à l'Enseigne d'Agrippa, MDCCLXXV ; *Secrets merveilleux de la Magie Naturelle et Cabalistique du Petit Albert.* A Lyon, *ibidem,* MDCCXXIX.

d'époque ? Il n'y avait point de justifications précises pour le faire, si ce n'est un sentiment, peut-être mal compris, de fidélité à ma source... J'ai élagué de manière à conserver certaines choses. Et je crains d'avoir fait comme les mauvais romanciers qui, s'ils mettent en scène un personnage français, lui font dire « parbleu ! » et « la femme, ah ! la femme ! ».

Pour conclure, je suis plein de doutes. Je ne sais vraiment pas pourquoi je me suis décidé à prendre mon courage à deux mains pour présenter comme s'il était authentique le manuscrit d'Adso de Melk. Disons : un geste d'énamouré. Ou, si on veut, une façon de me libérer de nombreuses et anciennes obsessions.

Je transcris sans me soucier de l'actualité. Dans les années où je découvrais le texte de l'abbé Vallet, se répandait la conviction qu'on ne devait écrire que pour s'engager dans le présent, et pour changer le monde. A un peu plus de dix ans de là, c'est maintenant la consolation de l'homme de lettres (recouvrant sa très haute dignité) qu'on puisse écrire par pur amour de l'écriture. C'est ainsi qu'à présent je me sens libre de raconter, par simple goût fabulateur, l'histoire d'Adso de Melk, et que j'éprouve réconfort et consolation à la retrouver si incommensurablement éloignée dans le temps (maintenant que la veille de la raison a chassé tous les monstres que son sommeil avait engendrés), si glorieusement dénuée de rapport avec les temps où nous vivons, intemporellement étrangère à nos espérances et à nos certitudes.

Parce que c'est là une histoire de livres, non de misères quotidiennes, et sa lecture peut incliner à réciter avec le grand imitateur a Kempis : « In omnibus requiem quaesivi, et nusquam inveni nisi in angulo cum libro. »

5 janvier 1980.

NOTE

Le manuscrit d'Adso est divisé en sept journées et chaque journée en périodes correspondant aux heures liturgiques. Les sous-titres, à la troisième personne, ont été probablement ajoutés par Vallet. Mais comme ils sont utiles à l'orientation du lecteur, et que cet usage est commun à tant de littérature en langue vulgaire de ce temps-là, je n'ai pas jugé opportun de les éliminer.

Les références d'Adso aux heures canoniales m'ont laissé quelque peu perplexe, parce que non seulement elles se caractérisent différemment selon les localités et les saisons, mais selon toute probabilité, au XIVe siècle, on ne se conformait pas avec une absolue précision aux indications fixées par saint Benoît dans la règle.

Cependant, pour orienter le lecteur, en se fondant en partie sur le texte, en partie en confrontant la règle originelle avec la description de la vie monastique fournie par Edouard Schneider dans *les Heures bénédictines* (Paris, Grasset, 1925), je crois qu'on peut s'en tenir à l'évaluation suivante :

Matines (que parfois Adso désigne aussi avec l'antique expression de *Vigiliae*). La nuit entre 2 h 30 et 3 heures.

Laudes (qu'on disait dans la tradition la plus ancienne *Matutini*). Entre 5 et 6 heures du matin, de façon à terminer quand pointe l'aube.

Prime vers 7 h 30, peu avant l'aurore.

Tierce vers 9 heures.

Sexte midi (dans un monastère où les moines ne travaillaient pas aux champs, c'était aussi, en hiver, l'heure du dîner).

None entre 2 et 3 heures de l'après-midi.

Vêpres vers les 4 h 30, au couchant (la règle prescrit de souper quand les ténèbres ne sont pas encore tombées).

Complies vers les 6 heures (à 7 heures au plus tard, les moines vont se coucher).

Ce calcul se fonde sur le fait que dans l'Italie septentrionale, à la fin novembre, le soleil se lève autour de 7 h 30 et se couche autour de 4 h 40 de l'après-midi.

PROLOGUE

Au commencement était le Verbe et le Verbe était auprès de Dieu, et le Verbe était Dieu. Il était au commencement auprès de Dieu et la tâche d'un moine fidèle serait de répéter chaque jour avec humilité psalmodiante l'unique inchangeable événement dont on puisse affirmer l'incontestable vérité. Mais videmus nunc per speculum et in aenigmate et la vérité, avant le face-à-face, se manifeste par fragments (hélas, combien illisibles) dans l'erreur du monde, si bien que nous devons en ânonner les signes fidèles, même là où ils nous semblent obscurs et comme le tissu d'une volonté visant exclusivement au mal.

Arrivé au terme de ma vie de pécheur, tandis que chenu, vieilli comme le monde, dans l'attente de me perdre en l'abîme sans fond de la divinité silencieuse et déserte, participant de la lumière immuable des intelligences angéliques, désormais retenu par mon corps lourd et malade dans cette cellule de mon cher monastère de Melk, je m'apprête à laisser sur ce vélin témoignage des événements admirables et terribles auxquels dans ma jeunesse il me fut donné d'assister, en répétant verbatim tout ce que je vis et entendis, sans me hasarder à en tirer un dessein, comme pour laisser à ceux qui viendront (si l'Antéchrist ne les devance) des signes de signes, afin que sur eux s'exerce la prière du déchiffrement.

Que le Seigneur m'accorde la grâce d'être le témoin transparent des événements qui eurent lieu à l'abbaye dont il est bon et charitable de taire même le nom désormais, vers la fin de l'année du Seigneur 1327 où l'empereur Louis descendit en Italie pour reconstruire la dignité du Saint Empire romain, suivant les plans du Très-Haut et pour confondre l'infâme usurpateur simoniaque et hérésiarque qui en Avignon couvrit de honte le saint nom de l'apôtre (je veux dire l'âme pécheresse de Jacques de Cahors, que les impies honorèrent sous le nom de Jean XXII).

Sans doute, pour mieux comprendre les situations où je me trouvai mêlé, est-il bon que je rappelle ce qui se passait en ce début de siècle, tel que je le compris alors, en le vivant, et comme je me le remémore maintenant, enrichi d'autres récits que j'ai entendus après — si ma mémoire est encore en mesure de renouer les fils de si nombreux et si confus événements.

Dès les premières années de ce siècle, le pape Clément V avait transféré le siège apostolique en Avignon, laissant Rome en proie aux ambitions des seigneurs locaux : et graduellement la ville très sainte de la chrétienté s'était transformée en un cirque, ou en un lupanar, déchirée par les luttes entre ses grands ; elle se disait république, et ne l'était pas, battue par des bandes armées, soumise aux violences et aux pillages. Des ecclésiastiques s'étant soustraits à la juridiction séculaire commandaient des groupes de rebelles et vivaient de rapines, l'épée à la main, prévariquaient et organisaient d'ignobles trafics. Comment empêcher que la Caput Mundi redevînt, et fort justement, le but de qui voulait coiffer la couronne du Saint Empire romain et restaurer la dignité de cette domination temporelle qui jadis avait été celle des césars ?

Voilà donc qu'en 1314 cinq princes allemands avaient élu à Francfort Louis de Bavière comme suprême gouverneur de l'Empire. Mais le jour même, sur l'autre rive du Main, le comte palatin du Rhin et l'archevêque de Cologne avaient élu à la même dignité Frédéric d'Autriche. Deux empereurs pour un seul trône et un seul pape pour deux : situation qui devint, en vérité, cause de grand désordre...

Deux années plus tard était élu en Avignon le nouveau pape, Jacques de Cahors, âgé de soixante-douze ans, sous le nom précisément de Jean XXII, et fasse le ciel que jamais plus aucun Pontife ne prenne un nom désormais si haï des bonnes gens. Français et dévoué au roi de France (les hommes de cette terre corrompue sont toujours enclins à favoriser les intérêts des leurs, et sont incapables de regarder le monde entier comme leur patrie spirituelle), il avait soutenu Philippe le Bel contre les Templiers, que le roi avait accusés (injustement je crois) de crimes ignominieux pour s'emparer de leurs biens, avec la complicité de cet ecclésiastique renégat. Entre-temps s'était inséré dans cette trame sans pareille Robert de Naples, qui, pour garder le contrôle de la péninsule italienne, avait convaincu le pape de ne reconnaître aucun des deux empereurs allemands, restant ainsi capitaine général de l'Etat de l'Eglise.

En 1322, Louis de Bavière l'emportait sur son rival Frédéric. Sa crainte d'un seul empereur étant encore plus grande qu'elle ne l'avait été de deux, Jean excommunia le vainqueur, et celui-ci en retour dénonça le pape comme hérétique. Il faut dire que justement cette année-là, avait lieu à Pérouse le chapitre des frères franciscains, et leur général, Michel de Césène, en accueillant les instances des « spirituels » (dont j'aurais encore l'occasion de parler) avait proclamé comme vérité de foi la pauvreté de Christ qui, s'il avait possédé quelque chose avec ses apôtres, cela avait été seulement comme usus facti. Digne résolution, visant à sauvegarder la vertu et la pureté de l'ordre, mais fort mal accueillie du pape qui sans doute y entrevoyait un principe susceptible de mettre en danger les prétentions mêmes que lui, chef de l'Eglise, avait de contester à l'Empire le droit d'élire les évêques, prétendant en retour pour le Saint-Siège celui d'investir l'empereur. Pour ces raisons, ou d'autres qui le poussaient à en agir ainsi, Jean condamna en 1323 les propositions des franciscains dans la décrétale *Cum inter nonnullos.*

Ce fut à ce moment-là, j'imagine, que Louis vit dans les franciscains, ennemis du pape désormais, de puissants alliés. En affirmant la pauvreté de Christ, ils fortifiaient en quelque sorte les idées des théologiens impériaux, à savoir de Marsile de Padoue et Jean de Jandun. Et enfin, quelques mois avant les événements que je vais raconter, Louis, qui avait conclu un accord avec le vaincu Frédéric, descendait en Italie, était couronné à Milan, entrait en conflit avec les Visconti, qui pourtant l'avaient accueilli avec faveur, mettait le siège devant Pise, nommait vicaire impérial Castruccio, duc de Lucques et de Pistoie (et je crois qu'il faisait mal car je ne connus jamais homme plus cruel, sauf peut-être Uguccione della Faggiola), et à présent il s'apprêtait à fondre sur Rome, appelé par Sciarra Colonna seigneur du lieu.

Telle était la situation quand — déjà novice bénédictin au monastère de Melk — je fus arraché à la tranquillité du cloître par mon père, qui se battait dans la suite de Louis, non le moindre d'entre ses barons, et qui trouva sage de m'emmener avec lui pour que je connusse les merveilles d'Italie et fusse présent quand l'empereur serait couronné à Rome. Mais le siège de Pise l'absorba tout entier dans des préoccupations militaires. J'en tirai avantage en circulant, mi par oisiveté, mi par désir d'apprendre, dans les villes de la Toscane, mais cette vie libre et sans règle ne seyait point, pensèrent mes parents, à un adolescent voué à la vie contemplative. Et sur la suggestion de Marsile, qui s'était pris d'affection pour moi, ils décidèrent de me placer auprès d'un docte franciscain, frère Guillaume de Baskerville ; ce dernier allait entreprendre une mission qui devait le conduire jusqu'à des villes célèbres et des abbayes très anciennes. C'est ainsi que je devins son secrétaire en même temps que son disciple ; je n'eus pas à m'en repentir car je fus avec lui le témoin d'événements dignes d'être consignés, tel qu'à présent je le fais, et confiés à la mémoire de ceux qui viendront après moi.

Alors je ne savais pas ce que frère Guillaume cherchait, et à vrai dire je ne le sais toujours pas aujourd'hui, et je présume que lui-même ne le savait pas, mû qu'il était par l'unique désir de la vérité, et par le soupçon — que je lui vis toujours nourrir — que la vérité n'était pas ce qu'elle lui paraissait dans le moment présent. Et, en ces années-là, il était sans doute distrait de ses chères études par les devoirs impérieux du siècle. La mission dont Guillaume était chargé me resta inconnue tout au long du voyage, autrement dit il ne m'en parla pas. Ce fut plutôt en écoutant des bribes de conversations, qu'il eut avec les abbés des monastères où au fur et à mesure nous nous arrêtâmes, que je me fis quelque idée sur la nature de sa tâche. Cependant je ne la compris pas pleinement tant que nous ne parvînmes pas à notre but, comme je le dirai ensuite. Nous avions pris la direction du septentrion, mais notre voyage ne suivit pas une ligne droite et nous nous arrêtâmes dans plusieurs abbayes. Il arriva ainsi que nous virâmes vers l'occident tandis que notre destination dernière se trouvait à l'orient, comme pour longer la ligne montueuse qui depuis Pise mène dans la direction des chemins de saint Jacques, en faisant halte sur une terre que les terribles événements qui s'y passèrent me dissuadent de mieux identifier, mais dont les seigneurs étaient fidèles à l'empire et où les abbés de notre ordre d'un commun accord s'opposaient au pape hérétique et corrompu. Notre voyage dura deux semaines entrecoupées de moult vicissitudes, et dans ce laps de temps j'eus la possibilité de connaître (pas suffisamment, loin de là, comme j'en suis toujours convaincu) mon nouveau maître.

Dans les pages qui suivent, je ne veux pas m'attarder à des descriptions de personnes — sauf quand l'expression d'un visage, ou un geste, apparaissent comme les signes d'un langage muet mais éloquent — car, comme dit Boèce, rien n'est plus fugace que la forme extérieure, qui fane et se métamorphose comme les fleurs des champs au début de l'automne, et que signifierait aujourd'hui de dire que l'abbé Abbon avait l'œil sévère et les joues pâles, quand désormais lui-même et ceux qui l'entouraient sont poussière et que de la poussière leur corps a désormais la grisaille mortifère (l'âme seule, si Dieu le veut, resplendissant d'une lumière qui ne s'éteindra plus jamais) ? Mais Guillaume, lui, je voudrais le décrire, et une fois pour toutes, car chez lui me frappèrent aussi les traits singuliers, et c'est le propre des jeunes gens que de se lier à un homme plus âgé et plus sage, non seulement pour le charme de sa parole et la sagacité de son esprit, mais bien aussi pour la forme superficielle de son corps, qui se fait plus chère, comme il advient pour la figure d'un père, dont on étudie les gestes, et le courroux, dont on épie le sourire — sans qu'aucune ombre de luxure ternisse cette manière (unique peut-être en son extrême pureté) d'amour corporel.

Les hommes d'autrefois étaient beaux et grands (maintenant ce sont des enfants et des nains), mais c'est là fait parmi tant d'autres témoignant du malheur d'un monde qui vieillit. La jeunesse ne veut plus rien apprendre, la science est en décadence, le monde entier marche sur la tête, des aveugles guident d'autres aveugles et les font se précipiter dans les abîmes, les oiseaux se lancent dans le vide avant d'avoir volé, l'âne sonne de la lyre, les bœufs dansent, Marie n'aime plus la vie contemplative et Marthe n'aime plus la vie active, Léa est stérile, Rachel a l'œil charnel, Caton fréquente les lupanars, Titus Lucrèce devient femme. Tout est détourné de son propre cours. Dieu soit loué, moi, en ces temps-là, j'acquis de mon maître l'envie d'apprendre et le sentiment du droit chemin, qu'on garde quand bien même la sente serait tortueuse.

Or donc l'apparence physique de frère Guillaume était telle qu'elle attirait l'attention de l'observateur le plus distrait. Sa taille dépassait celle d'un homme normal, et il était si maigre qu'il en paraissait plus grand. Il avait les yeux vifs et pénétrants ; son nez effilé et légèrement aquilin conférait à son visage l'expression de quelqu'un qui veille, sauf dans les moments de torpeur dont je parlerai. Son menton aussi révélait en lui une forte volonté, même si son visage allongé et recouvert d'éphélides — comme souventes fois je le vis chez les gens nés entre l'Hibernie et la Northumbrie — pouvait parfois exprimer incertitude et perplexité. Je m'aperçus avec le temps que ce qui paraissait manque d'assurance était au contraire et seulement curiosité, mais au début je savais bien peu de cette vertu, que je croyais plutôt une passion de l'esprit concupiscible, pensant que l'esprit rationnel ne devait pas s'en nourrir, comme il ne se repaissait que du vrai, qu'on connaît déjà (arguais-je) dès le commencement.

Enfant que j'étais, la première chose qui m'avait frappé chez lui, c'étaient certains toupillons de poils jaunâtres qui sortaient de ses oreilles, et ses sourcils touffus et blonds. Il pouvait compter cinquante printemps et il était donc déjà très vieux, mais son corps infatigable se déplaçait avec une agilité qui me faisait souvent défaut à moi-même. Son énergie paraissait inépuisable, quand il devait affronter un excès d'activité. Mais de temps en temps, comme si son esprit vital participait de l'écrevisse, il allait à reculons dans des moments d'inertie, et je le vis rester des heures durant sur son grabat dans sa cellule, prononçant à grand-peine quelques monosyllabes, sans contracter un seul muscle de son visage. En ces occasions-là, apparaissait dans ses yeux une expression de vide et d'absence, et j'aurais soupçonné qu'il était sous l'empire de quelque substance végétale susceptible de donner des visions, si l'évidente tempérance qui réglait sa vie ne m'avait pas induit à repousser cette pensée. Toutefois je ne cacherais pas que, au cours du voyage, il s'était parfois arrêté au bord d'un pré, à l'orée d'une forêt, pour recueillir certaine herbe (toujours la même, je crois) : et il se mettait à la mastiquer l'air absorbé. Il en gardait sur lui une petite provision, et en mangeait dans les moments de plus grande tension (et nous en eûmes souvent à l'abbaye !). Quand une fois je lui demandai de quoi il s'agissait, il dit en souriant qu'un bon chrétien peut parfois prendre des leçons même chez les infidèles ; et quand je lui demandai d'en goûter, il me répondit que, comme pour les discours, il y a aussi des simples pour les *paїdikoї*, les *éphébikoї* et les *gynaїkeioї* et ainsi de suite, si bien que les herbes qui sont bonnes pour un vieux franciscain ne sont pas bonnes pour un jeune bénédictin.

Dans le temps que nous fûmes ensemble, nous n'eûmes pas l'occasion de mener une vie très régulière : à l'abbaye même nous veillâmes la nuit et tombâmes de fatigue le jour, et ne prîmes point régulièrement part aux offices sacrés. Pourtant rarement, en voyage, il veillait passé complies, et il avait des habitudes frugales. Quelquefois, comme il advint à l'abbaye, il déambulait toute la journée dans le potager, examinant les plantes comme si c'étaient des chrysoprases ou des émeraudes, et je le vis rôder dans la crypte du trésor en regardant un écrin constellé d'émeraudes et de chrysoprases comme si c'était un buisson de stramoine. D'autres fois il restait un jour entier dans la grand'salle de la bibliothèque en feuilletant des manuscrits comme pour son seul plaisir (quand autour de nous se multipliaient les cadavres de moines horriblement occis). Un jour je le trouvai qui se promenait dans le potager sans aucun but apparent, comme s'il ne devait pas rendre compte à Dieu de ses œuvres. Dans l'ordre, on m'avait enseigné une tout autre façon de répartir mon temps, et je le lui dis. Et lui répondit que la beauté du cosmos est donnée non seulement par l'unité dans la variété, mais aussi par la variété dans l'unité. Ce me sembla une réponse dictée par un empirisme sans gêne, mais j'appris par la suite que les hommes de sa terre définissent souvent les choses de façon telle qu'on dirait que la force illuminante de la raison n'y a pas grand rôle.

Pendant la période que nous passâmes à l'abbaye, je lui vis toujours les mains recouvertes de la poussière des livres, de l'or des enluminures encore fraîches, de substances jaunâtres qu'il avait touchées dans l'hôpital de Séverin. On aurait dit qu'il ne pouvait penser qu'avec les mains, chose qui alors me semblait plus digne d'un mécanicien (et on m'avait appris que le mécanicien est moechus, et commet un adultère au regard de la vie intellectuelle à laquelle il devrait être uni en un très chaste nœud) : mais quand bien même ses mains touchaient des choses très fragiles, comme certains codes aux miniatures encore fraîches, ou des pages consumées par le temps et friables comme du pain azyme, il possédait, me sembla-t-il, une extraordinaire délicatesse de tact, la même dont il usait pour toucher ses machines. Je dirai en effet que cet homme curieux emportait avec lui, dans son sac de voyage, des instruments que je n'avais jamais vus jusqu'alors, et qu'il qualifiait comme ses merveilleuses machines. Les machines, disait-il, sont effet de l'art, qui singe la nature, dont elles reproduisent non pas les formes mais la même opération. Il m'expliqua les prodiges de l'horloge, de l'astrolabe et de l'aimant. Mais au début, je craignis qu'il ne s'agît de sorcellerie, et je fis semblant de dormir par certaines nuits claires où il se mettait (un curieux triangle à la main) à observer les étoiles. Les franciscains que j'avais connus en Italie et sur ma terre étaient des hommes simples, souvent illettrés, et je lui fis part de mon étonnement devant sa science. Mais lui me dit en souriant que les franciscains de ses îles étaient d'une autre espèce : « Roger Bacon, que je vénère comme mon maître, nous a appris que le plan divin passera un jour par la science des machines, qui est magie naturelle et sainte. Et un jour par force de nature on pourra faire des instruments de navigation grâce à quoi les bateaux iront unico homine regente, et bien plus vite que poussés par des voiles ou des rames ; et il y aura des chariots " ut sine animali moveantur cum impetu inaestimabili, et instrumenta volandi et homo sedens in medio instrumenti revolvens aliquod ingenium per quod alae artificialiter compositae aerem verberent, ad modum avis volantis ". Et des instruments minuscules qui soulèvent des poids infinis et des véhicules qui permettent de voyager sur le fond de la mer. »

Quand je lui demandai où se trouvaient ces machines, il me dit qu'elles avaient déjà été faites dans l'antiquité, et certaines même à notre époque : « A l'exception de l'instrument pour voler, que je n'ai pas vu, et dont je n'ai rencontré personne qui l'eût vu, mais je connais un savant qui l'a conçu. Et on peut faire des ponts qui enjambent les fleuves sans colonnes ou autre appui et encore d'autres machines inouïes. Tu n'as pas à t'inquiéter si elles n'existent pas encore, parce que cela ne veut pas dire qu'elles n'existeront pas. Et moi je te dis que Dieu veut qu'elles soient, et déjà elles sont sûrement dans son esprit, même si mon ami d'Occam nie que les idées existent de cette façon, et non pas parce que nous pouvons décider de la nature divine, mais précisément parce que nous ne pouvons lui poser aucune limite. » Ce ne fut certes pas la seule proposition contradictoire que je lui entendis énoncer : mais même à présent que je suis vieux et plus sage qu'en ce temps-là, je n'ai pas définitivement compris comment il pouvait avoir une telle confiance en son ami Occam et à la fois ne jurer que sur Bacon, selon son habitude. Il n'en reste pas moins que c'étaient là des temps obscurs où un homme sage devait entretenir des pensées contradictoires.

Voilà, j'ai dit de frère Guillaume des choses peut-être insensées, comme pour recueillir dès l'abord les impressions décousues que j'en eus alors. Qui il fut, et ce qu'il fit, mon bon lecteur, tu pourras peut-être mieux le déduire des actions qu'il mena dans les jours que nous passâmes à l'abbaye. D'ailleurs je ne t'ai pas promis une composition parfaite, mais bien une liste de faits (ça oui) admirables et terribles.

Ainsi, en connaissant jour après jour mon maître, et en passant nos longues heures de marche en de très longues conversations dont, le cas échéant, je parlerai au fur et à mesure, nous parvînmes au pied du mont où se dressait l'abbaye. Et il est temps, comme jadis nous le fîmes, que mon récit s'approche d'elle : puisse ma main ne point trembler au moment où je m'apprête à dire tout ce qui ensuite arriva.

PREMIER JOUR

L'ABBAYE

K Hôpital
J Balnea
A Édifice
B Église
D Cloître

F Dortoirs
H Salle capitulaire
M Soues
N Écuries
R Forge

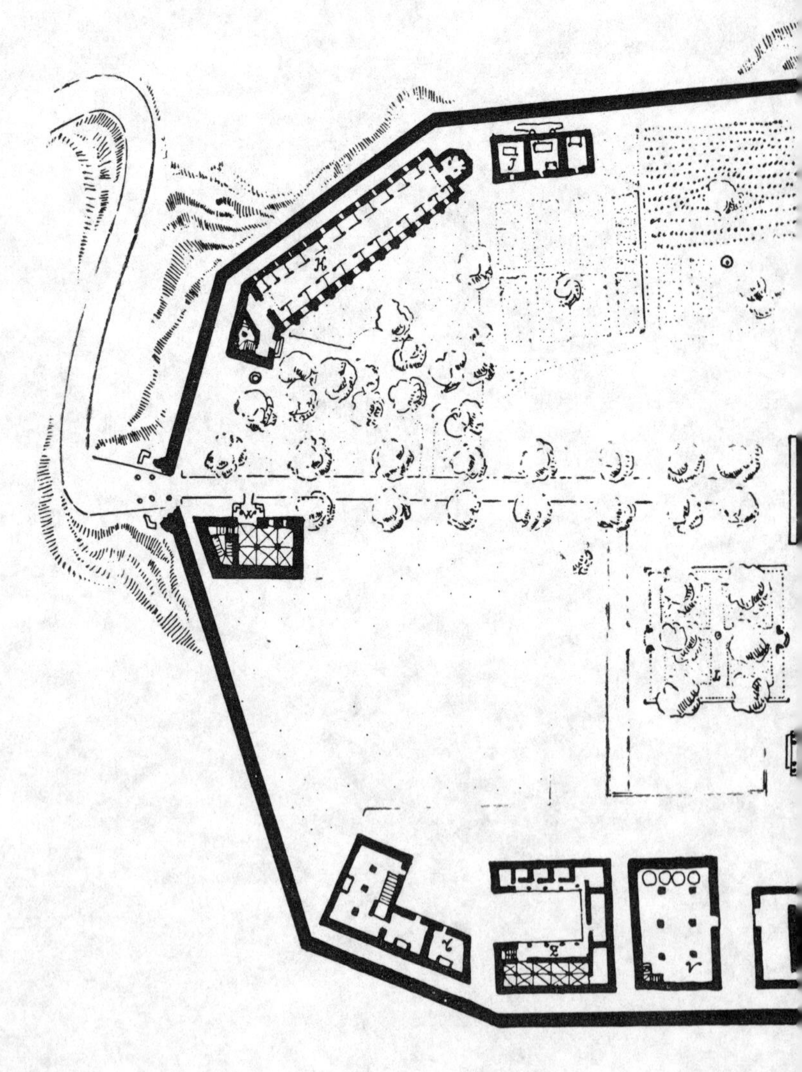

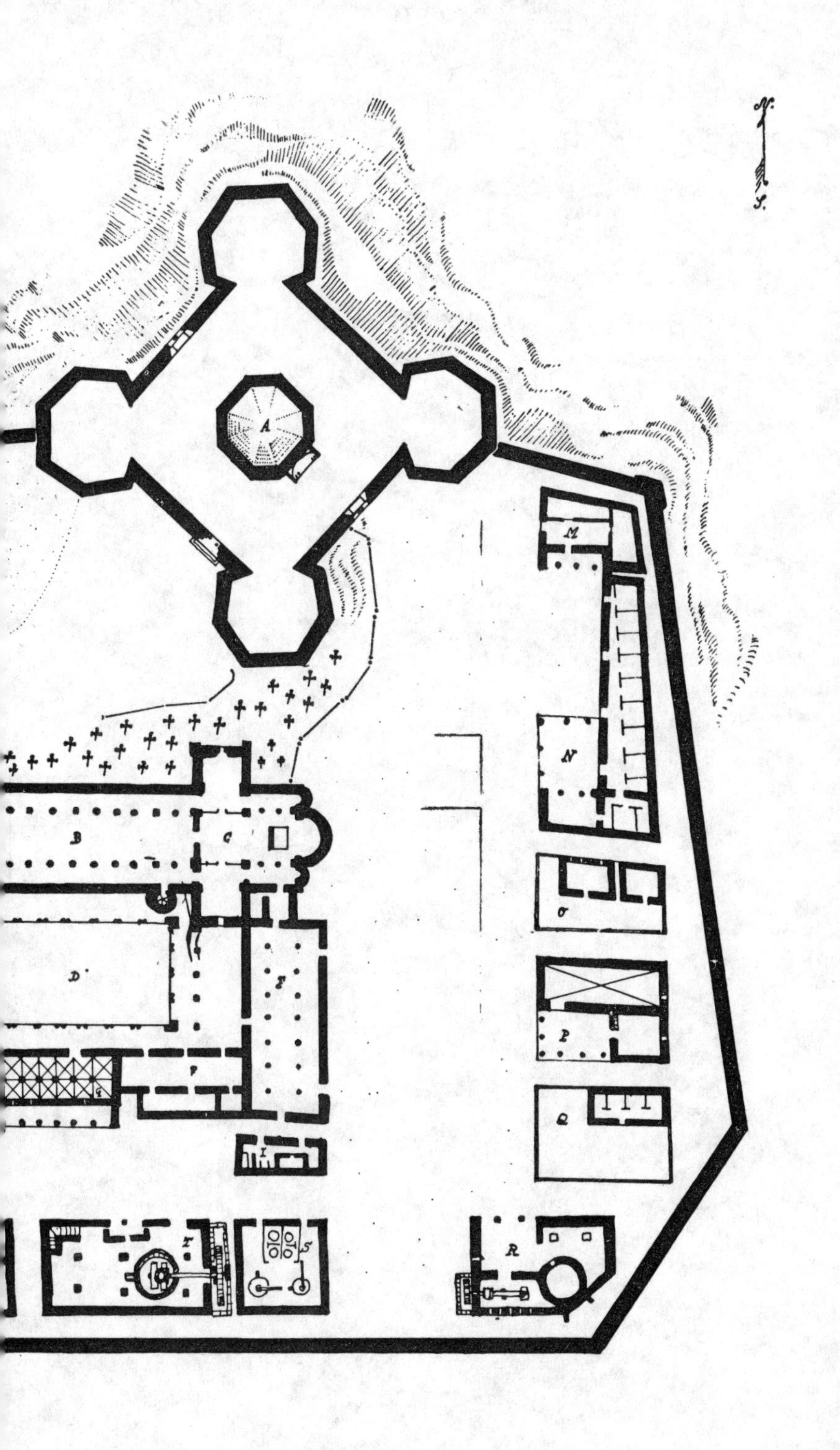
N.
S.
A
B
C
D
E
F
G
I
M
N
O
P
Q
R
S
T

Premier jour

PRIME

Où l'on arrive au pied de l'abbaye et Guillaume fournit une preuve de sa grande sagacité.

C'était une belle matinée de la fin novembre. Dans la nuit il avait neigé un peu, mais le terrain était recouvert d'un voile frais pas plus haut que trois doigts. En pleine obscurité, sitôt après laudes, nous avions écouté la messe dans un village de la vallée. Puis nous nous étions mis en route vers les montagnes, au lever du soleil.

Comme nous grimpions par le sentier abrupt qui serpentait autour du mont, je vis l'abbaye. Ce ne furent pas les murailles qui l'entouraient de tous côtés qui m'étonnèrent, semblables à d'autres que je vis dans tout le monde chrétien, mais la masse imposante de ce que j'appris être l'Edifice. C'était là une construction octogonale qui, vue de loin, apparaissait comme un tétragone (figure absolument parfaite qui exprime la solidité et le caractère inexpugnable de la Cité de Dieu), dont les côtés méridionaux se dressaient sur le plateau de l'abbaye, tandis qu'au septentrion ils paraissaient s'élever des pentes mêmes du mont d'où ils s'innervaient à pic. Je dis qu'en certains points, vu d'en bas, il semblait que le rocher se prolongeait vers le ciel, sans solution de teintes et de matière, et devenait à un certain point donjon et tour (ouvrage de géants qui auraient grande familiarité et avec la terre et avec le ciel). Trois ordres de verrières disaient le rythme ternaire de sa surélévation, si bien que ce qui était physiquement carré sur la terre était spirituellement triangulaire dans le ciel. A mesure qu'on s'en approchait davantage, on comprenait que la forme quadrangulaire produisait, à chacun de ses angles, une tour heptagonale, dont cinq côtés s'avançaient vers l'extérieur — quatre donc des huit côtés de l'octogone majeur produisant quatre heptagones mineurs, qui vus de l'extérieur apparaissaient comme des pentagones. Et il n'est personne qui ne voie l'admirable concordance de tant de nombres saints, chacun révélant un très subtil sens spirituel. Huit le nombre de la perfection de tout tétragone, quatre le nombre des évangiles, cinq le nombre des parties du monde, sept le nombre des dons de l'Esprit Saint. Par sa masse imposante, et par sa forme, l'Edifice m'apparut comme plus tard il me serait donné de voir dans le sud de la péninsule italienne Castel Ursino ou Castel dal Monte, mais par sa position inaccessible il était des plus terribles, et capable d'engendrer de la crainte chez le voyageur qui s'en approchait peu à peu. Et heureusement, par cette cristalline matinée d'hiver, la construction ne m'apparut pas telle qu'on la voit dans les jours de tempête.

Je ne dirais pourtant pas qu'elle suggérait des sentiments joyeux. Pour ma part j'en éprouvai de la peur, et une inquiétude diffuse. Dieu sait qu'il ne s'agissait pas de fantômes de mon âme immature, et que j'interprétais exactement d'indubitables présages inscrits dans la pierre, depuis le jour où les géants y mirent la main, et avant que la naïve volonté des moines ne s'enhardît à la consacrer à la garde de la parole divine.

Tandis que nos mulets avançaient péniblement dans le dernier tournant de la montagne, là où le chemin principal se divisait et donnait naissance à deux sentiers latéraux, mon maître s'arrêta quelques instants, observant les bas-côtés de la route, et la route, où une série de pins sempervirens formait sur une brève distance un toit naturel blanchi par la neige.

« Riche abbaye, dit-il. L'Abbé aime faire belle figure dans les occasions publiques. »

Habitué que j'étais à l'entendre émettre les plus singulières affirmations, je ne l'interrogeai pas. D'autant que, après un autre bout de chemin, nous entendîmes des bruits, et à un tournant apparut une troupe de moines et de servants. L'un d'eux, comme il nous vit, vint à notre rencontre avec une grande urbanité : « Bienvenu seigneur, dit-il, et point ne vous étonne si j'imagine qui vous êtes, parce que nous avons été avertis de votre visite. Moi je suis Rémigio de Varagine, le cellérier du monastère. Et si vous êtes, comme je le crois, frère Guillaume de Bacqueville, il faudra en aviser l'Abbé. Toi, ordonna-t-il en direction d'un de sa suite, remonte et avertis que notre visiteur s'apprête à franchir l'enceinte !

— Je vous remercie, seigneur cellérier, répondit cordialement mon maître, et j'apprécie d'autant plus votre courtoisie que pour me saluer vous avez interrompu votre poursuite. Mais n'ayez crainte, le cheval est passé par ici et a pris le sentier de droite. Il ne pourra pas aller bien loin car, arrivé au dépôt des litières, il devra s'arrêter. Il est trop intelligent pour se précipiter le long du terrain abrupt...

— Quand l'avez-vous vu ? demanda le cellérier.

— Nous ne l'avons pas vu du tout, n'est-ce pas, Adso ? dit Guillaume en se tournant vers moi d'un air amusé. Mais si vous cherchez Brunel, l'animal ne peut être que là où j'ai dit. »

Le cellérier hésita. Il regarda Guillaume, puis le sentier, et enfin demanda : « Brunel ? Comment savez-vous ?

— Allons, allons, dit Guillaume, il est évident que vous êtes en train de chercher Brunel, le cheval préféré de l'Abbé, le meilleur galopeur de votre écurie, avec sa robe noire, ses cinq pieds de haut, sa queue somptueuse, son sabot petit et rond mais au galop très régulier ; tête menue, oreilles étroites mais grands yeux. Il a pris à droite, je vous dis, et dépêchez-vous, en tout cas. »

Le cellérier eut un moment d'hésitation, puis il fit un signe aux siens et se précipita dans le sentier de droite, tandis que nos mulets se remettaient à monter. Alors que, piqué de curiosité, j'allais interroger Guillaume, il me fit signe d'attendre : et de fait, après quelques brèves minutes, nous entendîmes des cris de jubilation, et au tournant du sentier réapparurent moines et servants qui ramenaient le cheval par le mors. Ils repassèrent à côté de nous en continuant de nous regarder d'un air plutôt ahuri, et ils nous précédèrent sur le chemin de l'abbaye. Je crois que Guillaume ralentissait le pas de sa monture pour leur permettre de raconter ce qui était arrivé. De fait j'avais eu l'occasion de me rendre compte que mon maître, à tous égards homme de suprême vertu, s'abandonnait au vice de la vanité quand il s'agissait de donner la preuve de son acuité d'esprit et, comme j'en avais déjà apprécié les dons de subtil diplomate, je compris qu'il voulait arriver au but précédé d'une solide renommée d'homme savant.

« Et maintenant, dites-moi (à la fin je ne sus me retenir), comment avez-vous fait pour savoir ?

— Mon bon Adso, dit le maître. J'ai passé tout notre voyage à t'apprendre à reconnaître les traces par lesquelles le monde nous parle comme un grand livre. Alain de Lille disait que

omnis mundi creatura
quasi liber et pictura
nobis est in speculum

et il pensait à l'inépuisable réserve de symboles avec quoi Dieu, à travers ses créatures, nous parle de la vie éternelle. Mais l'univers est encore plus loquace que ne le pensait Alain, et non seulement il parle des choses dernières (en ce cas-là, il le fait d'une manière obscure) mais aussi des choses proches, et alors là d'une façon lumineuse. J'ai presque honte de te répéter ce que tu devrais savoir. Au croisement, sur la neige encore fraîche, se dessinaient avec grande clarté les empreintes des sabots d'un cheval, qui pointaient vers le sentier à main gauche. A belle et égale distance l'un de l'autre, ces signes disaient que le sabot était petit et rond, et le galop d'une grande régularité — j'en déduisis ainsi la nature du cheval et le fait qu'il ne courait pas désordonnément comme fait un cheval emballé. Là où les pins formaient comme un appentis naturel, des branches avaient été fraîchement cassées juste à la hauteur de cinq pieds. Un des buissons de mûres, là où l'animal doit avoir tourné pour enfiler le sentier à sa droite, alors qu'il secouait fièrement sa belle queue, retenait encore dans ses épines de longs crins de jais... Enfin tu ne me diras pas que tu ne sais pas que ce sentier mène au dépôt des litières, car en grimpant par le tournant inférieur, nous avons vu la bave des détritus descendre à pic au pied de la tour orientale, laissant des salissures sur la neige ; et d'après la situation du carrefour, le sentier ne pouvait que mener dans cette direction.

— Oui, dis-je, mais la tête menue, les oreilles pointues, les grands yeux...

— Je ne sais pas s'il en est pourvu, mais à coup sûr les moines le croient fermement. Isidore de Séville disait que la beauté d'un cheval exige " ut sit exiguum caput, et siccum prope pelle ossibus adhaerente, aures breves et argutae, oculi magni, nares patulae, erecta cervix, coma densa et cauda, ungularum soliditate fixa rotunditas ". Si le cheval dont j'ai deviné le passage n'avait pas été vraiment le meilleur de l'écurie, on aurait peine à expliquer pourquoi ne le poursuivaient pas les seuls palefreniers, mais que se soit dérangé le cellérier en personne. Et un moine qui juge un cheval excellent, au-delà des formes naturelles, ne peut pas ne pas le voir exactement comme les auctoritates le lui ont décrit, surtout si (et là il sourit avec malice à mon endroit) c'est un docte bénédictin...

— Entendu, dis-je, mais pourquoi Brunel ?

— Que l'Esprit Saint te mette un peu plus de plomb dans la tête, mon fils ! s'exclama le maître. Quel autre nom lui aurais-tu donné si le grand Buridan en personne, qui est en passe de devenir recteur à Paris, devant parler d'un beau cheval, ne trouva nom plus naturel ? »

Tel était mon maître. Non seulement il savait lire dans le grand livre de la nature, mais aussi de la façon que les moines lisaient les livres de l'Ecriture, et pensaient à travers ceux-ci. Dons qui, comme nous verrons, devaient s'avérer pour lui fort utiles dans les jours qui suivraient. En outre son explication me sembla à ce point-là si évidente que l'humiliation de ne l'avoir pas trouvée tout seul céda le pas à l'orgueil d'être dans le coup et il s'en fallait de peu que je ne me félicitasse moi-même pour ma finesse d'esprit. Telle est la force du vrai qui, comme le bien, se diffuse de soi-même. Et soit loué le nom saint de Notre Seigneur Jésus-Christ pour cette belle révélation que j'eus.

Mais reprends le fil, ô mon récit, car ce moine sénescent s'attarde trop dans les marginalia. Dis plutôt que nous arrivâmes à la grande porte de l'abbaye, et que sur le seuil se tenait l'Abbé auquel deux novices tendaient un petit bassin d'or rempli d'eau. Et comme nous fûmes descendus de nos animaux, il lava les mains à Guillaume, puis il l'embrassa en le baisant sur la bouche et en lui donnant sa sainte bienvenue, tandis que le cellérier s'occupait de moi.

« Merci, Abbon, dit Guillaume, c'est pour moi une grande joie de poser le pied dans le monastère de votre magnificence, dont la renommée a franchi ces montagnes. Je viens comme pèlerin au nom de Notre Seigneur et comme tel vous m'avez rendu honneur. Mais je viens aussi au nom de notre seigneur sur cette terre, comme vous le dira la lettre que je vous remets, et en son nom aussi je vous remercie de votre accueil. »

L'Abbé prit la lettre munie des sceaux impériaux et dit qu'en tout cas la venue de Guillaume avait été précédée par d'autres missives de ses confrères (preuve renouvelée, me dis-je avec un certain orgueil, qu'il est difficile de prendre un abbé bénédictin par surprise), puis il pria le cellérier de nous conduire à nos logements, tandis que les palefreniers se chargeaient de nos montures. L Abbé s'engagea à venir plus tard nous rendre visite quand nous nous serions restaurés, et nous entrâmes dans la grande cour où les édifices de l'abbaye s'étendaient le long du doux plateau qui arrondissait en une molle cuvette — ou alpe — la cime du mont.

De la disposition de l'abbaye, j'aurai l'occasion de parler à plusieurs reprises, et plus en détail. Après la porte (qui était l'unique passage dans les murs d'enceinte) s'ouvrait une allée bordée d'arbres qui menait à l'église abbatiale. A gauche de l'allée s'étendaient une vaste zone de potagers et, comme je le sus par la suite, le jardin botanique, autour des deux édifices des balnea et de l'hôpital et herboristerie, qui épousaient la courbe de la muraille.

Sur le fond, à gauche de l'église, se dressait l'Edifice, séparé de l'église par une esplanade recouverte de tombes. Le portail nord de l'église regardait vers la tour sud de l'Edifice, qui offrait de front aux yeux du visiteur sa tour occidentale, puis à gauche se liait à la muraille et se précipitait avec ses tours vers l'abîme, juste au-dessus duquel s'avançait la tour septentrionale, qu'on voyait de biais. A droite de l'église, s'étendaient certaines constructions qui se trouvaient derrière elle et autour du cloître : à coup sûr le dortoir, la résidence de l'Abbé et l'hôtellerie vers où nous dirigions nos pas et que nous atteignîmes en traversant un beau jardin. Sur le côté droit, au-delà d'une vaste esplanade, le long de la muraille méridionale et continuant à l'orient derrière l'église, une série de bâtiments agricoles, étables, moulins, pressoirs, greniers et caves, et ce qui me sembla être le bâtiment des novices. La régularité du terrain, à peine ondulé, avait permis aux anciens constructeurs de ce lieu sacré de respecter les impératifs de l'orientation, mieux que n'auraient pu prétendre Honorius d'Autun ou Guillaume Durand. D'après la position du soleil à cette heure du jour, je m'avisai que la porte s'ouvrait parfaitement à l'occident, de façon que le chœur et l'autel fussent tournés vers l'orient ; et le soleil de bon matin pouvait se lever en réveillant directement les moines dans le dortoir et les animaux dans les étables. Oncques ne vis abbaye plus belle et plus admirablement orientée, même si par la suite je connus Saint-Gall, et Cluny, et Fontenay, et d'autres encore, peut-être plus grandes mais moins bien proportionnées. Contrairement aux autres, celle-ci se signalait cependant par la masse incommensurable de l'Edifice. Je n'avais pas l'expérience d'un maître maçon, mais je m'aperçus aussitôt qu'il était beaucoup plus ancien que les constructions qui l'entouraient, né peut-être pour d'autres fins, et que l'ensemble abbatial s'était disposé autour de lui en des temps postérieurs, mais de façon que l'orientation de la grande construction se conformât à celle de l'église, ou celle-ci à celle-là. Car l'architecture est, d'entre tous les arts, celui qui cherche avec le plus de hardiesse à reproduire dans son rythme l'ordre de l'univers, que les anciens appelaient *Kosmos,* à savoir orné, dans la mesure où elle est comme un grand animal sur lequel resplendit la perfection et la proportion de tous ses membres. Et soit loué Notre Créateur qui, comme dit Augustin, a établi toutes les choses en nombre, poids et mesure.

Premier jour

TIERCE

Où Guillaume a une conversation instructive avec l'Abbé.

Le cellérier était un homme adipeux et d'aspect vulgaire mais jovial, chenu mais encore robuste, petit mais véloce. Il nous conduisit à nos cellules dans l'hôtellerie. Ou plutôt, il nous conduisit à la cellule assignée à mon maître, en me promettant que le lendemain il en libérerait une pour moi aussi dans la mesure où, bien que novice, j'étais leur hôte, et devais donc être traité avec tous les honneurs. Pour cette nuit-là je pourrais dormir à même une large et longue niche creusée dans le mur de la cellule, où il avait fait disposer de la bonne paille fraîche. Chose qui, ajouta-t-il, se faisait parfois pour les serviteurs de certains seigneurs qui désiraient être veillés pendant leur sommeil.

Ensuite les moines nous apportèrent vin, fromage, olives, pain et du bon raisin sec, et nous laissèrent nous restaurer. Nous mangeâmes et bûmes avec grand goût. Mon maître n'avait pas les habitudes austères des bénédictins et n'aimait pas manger en silence. Du reste, il parlait toujours de choses tant bonnes et sages que c'était comme si un moine nous lisait la vie des saints.

Ce jour-là je ne pus m'empêcher de l'interroger encore sur l'histoire du cheval.

« Cependant, dis-je, quand vous avez lu les traces sur la neige et sur les branches, vous ne connaissiez pas encore Brunel. D'une certaine manière ces traces nous parlaient de tous les chevaux de cette espèce. Ne faut-il donc point dire que le livre de la nature nous parle seulement par essences, comme enseignent moult éminents théologiens ?

— Pas tout à fait, cher Adso, me répondit le maître. Certes ce type d'empreintes m'exprimait, si tu veux, le cheval comme verbum mentis, et me l'eût exprimé partout où je l'aurais trouvé. Mais l'empreinte en ce lieu précis et à cette heure du jour me disait qu'au moins un cheval, parmi tous les chevaux possibles, était passé par là. Si bien que je me trouvais à mi-chemin entre l'acquisition du concept de cheval et la connaissance d'un cheval individuel. Et en tout cas ce que je savais du cheval universel m'était donné par la trace, qui était singulière. Je pourrais dire qu'à ce moment-là j'étais prisonnier entre la singularité de la trace et mon ignorance, qui prenait la forme extrêmement diaphane d'une idée universelle. Si tu vois quelque chose de loin et ne comprends pas de quoi il retourne, tu te contenteras de le définir comme un corps étendu en extension. Quand il se sera approché de toi, tu le définiras alors comme un animal, même si tu ne sais pas encore s'il s'agit d'un cheval ou d'un âne. Et enfin, quand il sera plus près, tu pourras dire que c'est un cheval, même si tu ne sais pas encore si c'est Brunel ou Favel. Et seulement quand tu seras à la bonne distance, tu verras que c'est Brunel (autrement dit ce cheval et pas un autre, quelle que soit la façon dont tu décides de l'appeler). Et là ce sera pleine connaissance, l'intuition du singulier. C'est ainsi qu'il y a une heure j'étais prêt à voir arriver tous les chevaux, mais pas du fait de l'étendue de mon intellect, mais bien de l'insuffisance de mon intuition. Et la faim de mon intellect n'a été rassasiée qu'à partir du moment où j'ai vu le cheval singulier, que les moines conduisaient par le mors. Alors seulement j'ai vraiment su que mon raisonnement précédent m'avait amené près de la vérité. Ainsi les idées, dont j'usais précédemment pour me figurer un cheval que je n'avais pas encore vu, étaient de purs signes, comme les empreintes sur la neige étaient des signes de l'idée de cheval : et on use des signes et des signes de signes dans le seul cas où les choses nous font défaut. »

D'autres fois je l'avais entendu parler avec un grand scepticisme des idées universelles, et grand respect des choses individuelles : et même par la suite, il me sembla que cette tendance lui venait tant de sa nature de Britannique que de son état de franciscain. Mais ce jour-là, je n'avais pas les forces suffisantes pour affronter des disputes théologiques : si bien que je me recroquevillai dans l'espace qui m'avait été imparti, m'enroulai dans une couverture et sombrai dans un profond sommeil.

Qui serait entré aurait pu me prendre pour un tas de hardes. Et c'est sûrement ce que fit l'Abbé quand il vint rendre visite à Guillaume vers la troisième heure. Ce fut ainsi que je pus écouter sans être vu leur premier entretien. Et sans malice, parce que manifester soudain ma présence au visiteur eût été plus discourtois que de rester caché, comme je le fis, avec humilité.

Donc Abbon arriva. Il s'excusa pour l'intrusion, renouvela sa bienvenue et dit qu'il devait parler à Guillaume, en privé, d'une affaire plutôt grave.

Il commença par le féliciter de son habileté dans l'histoire du cheval, et demanda comment il avait bien pu faire pour donner des informations aussi sûres concernant une bête qu'il n'avait jamais vue. Guillaume lui expliqua succinctement et d'un air détaché la marche qu'il avait suivie, et l'Abbé se réjouit grandement de sa finesse d'esprit. Il dit qu'il n'en aurait pas attendu moins de la part d'un homme qui avait été précédé par une renommée de grande sagacité. Il lui dit qu'il avait reçu une lettre de l'Abbé de Farfa qui non seulement lui parlait de la mission confiée à Guillaume par l'empereur (dont ils s'entretiendraient ensuite les jours suivants) mais aussi lui disait qu'en Angleterre et en Italie mon maître avait été inquisiteur dans plusieurs procès, où il s'était distingué pour sa perspicacité, non dépourvue d'une grande humanité.

« J'eus grand plaisir à savoir, ajouta l'Abbé, qu'en de nombreux cas vous avez décidé pour l'innocence de l'accusé. Je crois, et plus que jamais en ces jours affligés, en la présence constante du malin dans les affaires humaines (et il jeta un regard circulaire, imperceptiblement, comme si l'ennemi rôdait entre ces murs), mais je crois aussi que souventes fois le malin opère par des causes secondes. Et je sais qu'il peut pousser ses victimes à faire le mal de telle façon que la faute retombe sur un juste, jouissant du fait que le juste soit mené au bûcher au lieu de son succube. Souvent les inquisiteurs, pour donner preuve de zèle, arrachent coûte que coûte un aveu à l'accusé, pensant qu'il n'est de bon inquisiteur que celui qui conclut son procès en trouvant un bouc émissaire...

— Un inquisiteur aussi peut être poussé par le diable, dit Guillaume.

— C'est possible, admit l'Abbé avec grande cautèle, car les desseins du Très-Haut sont impénétrables, mais ce n'est pas moi qui jetterai l'ombre du soupçon sur des hommes aussi méritants. Et même c'est de vous, comme de l'un d'eux, que j'ai besoin aujourd'hui. Il s'est passé dans cette abbaye quelque chose, qui exige l'attention et le conseil d'un homme clairvoyant et prudent comme vous l'êtes. Clairvoyant pour découvrir et prudent (le cas échéant) pour couvrir. De fait, il est souvent indispensable de prouver la faute d'hommes qui devraient exceller par leur sainteté, mais de manière à pouvoir éliminer la cause du mal sans que le coupable soit désigné au mépris public. Si un pasteur commet une faute, il faut l'isoler des autres pasteurs, mais malheur si les brebis commençaient à se méfier des pasteurs.

— Je comprends », dit Guillaume. J'avais déjà eu l'occasion de noter que, dès l'instant où il s'exprimait de cette façon si empressée et polie, il cachait d'habitude, en toute honnêteté, son désaccord ou sa perplexité.

« Voilà pourquoi, poursuivit l'Abbé, je pense que chaque cas qui concerne la faute d'un pasteur ne peut être confié qu'à des hommes comme vous, qui non seulement savent distinguer le bien du mal, mais aussi ce qui est opportun de ce qui ne l'est pas. Il me plaît de songer que vous avez condamné seulement quand...

— ... les accusés étaient coupables d'actes criminels, d'empoisonnements, de corruption d'enfants innocents et autres scélératesses que ma bouche n'ose pas prononcer...

— ... que vous avez condamné seulement quand, poursuivit l'Abbé sans tenir compte de l'interruption, la présence du démon était tellement évidente aux yeux de tous qu'on ne pouvait choisir une autre voie sans que l'indulgence fût plus scandaleuse que le crime même.

— Quand j'ai reconnu quelqu'un coupable, précisa Guillaume, ce dernier avait réellement commis des crimes d'une nature telle que je pouvais le remettre avec bonne conscience au bras séculier. »

L'Abbé eut un instant d'incertitude : « Pourquoi, demanda-t-il, vous attachez-vous à parler d'actions criminelles sans vous prononcer sur leur cause diabolique ?

— Parce que raisonner sur les causes et sur les effets est chose fort ardue, dont je crois que l'unique juge puisse être Dieu. Nous avons déjà le plus grand mal à saisir un rapport entre un effet aussi évident qu'un arbre brûlé et la foudre qui l'a incendié : alors, remonter des enchaînements parfois très longs de causes et d'effets me semble aussi fou que de chercher à construire une tour qui arrive jusqu'au ciel.

— Le docteur d'Aquin, suggéra l'Abbé, n'a pas craint de démontrer avec la force de la seule raison l'existence du Très-Haut en remontant de cause en cause à la cause première non causée.

— Qui suis-je donc, dit humblement Guillaume, pour m'opposer au docteur d'Aquin ? D'autant que sa preuve de l'existence de Dieu est étayée par tant d'autres témoignages que sa démarche s'en voit confortée. Dieu nous parle à l'intérieur de notre âme, comme le savait déjà Augustin, et vous, Abbon, vous auriez chanté les louanges du Seigneur et l'évidence de sa présence même si Thomas n'avait pas... » Il s'arrêta, et ajouta : « Je l'imagine.

— Oh, certes », se hâta d'assurer l'Abbé, et mon maître brisa là de cette très belle façon une discussion d'école qui d'évidence ne lui plaisait guère. Après quoi il se remit à parler.

« Revenons aux procès. Voyez, un homme, supposons, a été tué par empoisonnement. C'est là une donnée de l'expérience. Il est possible que j'imagine, devant certains signes irréfutables, que l'auteur de l'empoisonnement est un autre homme. Sur des enchaînements de causes aussi simples, mon esprit peut intervenir avec une certaine confiance en son pouvoir. Mais comment puis-je compliquer la chaîne de causalités en imaginant que, à l'origine de l'action mauvaise, il y a une autre intervention, cette fois-ci non humaine mais diabolique ? Je ne dis pas que ce n'est pas possible, le diable aussi révèle son passage par des signes évidents, comme votre cheval Brunel. Mais pourquoi dois-je chercher ces preuves ? N'est-ce pas déjà suffisant si je sais que le coupable est cet homme et si je le remets au bras séculier ? En tous les cas sa peine sera la mort, que Dieu lui pardonne.

— Mais je crois savoir que dans un procès qui s'est déroulé à Kilkenny, il y a trois ans de cela, où certaines personnes furent accusées d'avoir commis d'ignobles crimes, vous n'avez point nié l'intervention diabolique, une fois les coupables identifiés.

— Mais je ne l'ai pas non plus affirmée à aucun moment, ouvertement. Je ne l'ai point niée non plus, il est vrai. Qui suis-je donc moi, pour émettre des jugements sur les trames du malin, surtout, ajouta-t-il et il parut vouloir insister sur cette raison, dans les cas où ceux qui avaient commencé le procès d'inquisition, l'évêque, les magistrats citoyens et le peuple tout entier, peut-être les accusés eux-mêmes, désiraient vraiment ressentir la présence du démon ? Voilà, peut-être est-ce l'unique vraie preuve de la présence du diable, que l'intensité avec laquelle tous en ce moment aspirent à le savoir à l'œuvre...

— Or donc, vous, dit l'Abbé d'un ton soucieux, vous me dites qu'en de nombreux procès le diable n'agit pas seulement chez le coupable mais peut-être et surtout chez les juges ?

— Pourrais-je jamais avancer une affirmation pareille ? » demanda Guillaume, et je m'aperçus que la question était formulée de manière que l'Abbé ne pouvait affirmer qu'il le pouvait ; et Guillaume profita de son silence pour dévier le cours de leur dialogue. « Mais au fond, il s'agit de choses lointaines. J'ai abandonné cette noble activité et si je l'ai exercée c'est parce qu'ainsi en a décidé le Seigneur...

— Certainement, admit l'Abbé.

— ... et maintenant, poursuivit Guillaume, je m'occupe d'autres délicates questions. Et je voudrais m'occuper de celle qui vous tourmente, si vous m'en parliez. »

Il me sembla que l'Abbé était satisfait de pouvoir terminer cette conversation en revenant à son problème. Il se mit donc à raconter, avec grande prudence dans le choix des mots et longues circonlocutions, un fait singulier qui s'était passé quelques jours auparavant et qui avait laissé un grand trouble parmi les moines. Et il dit qu'il en parlait à Guillaume parce que le sachant grand connaisseur de l'âme humaine et des trames du malin, il espérait qu'il pourrait consacrer partie de son temps précieux à faire la lumière sur une fort douloureuse énigme. Le hasard avait voulu qu'Adelme d'Otrante, un moine encore jeune et pourtant déjà célèbre comme grand maître enlumineur, et qui s'employait justement à orner les manuscrits de la bibliothèque d'images de toute beauté, avait été trouvé un matin par un chevrier au fond de l'escarpement dominé par la tour est de l'Edifice. Puisque les autres moines avaient noté sa présence dans le chœur pendant complies mais qu'il n'avait pas reparu à matines, il était tombé au fond de l'à-pic probablement durant les heures les plus noires de la nuit. Nuit de grande tempête de neige, où tombaient des flocons coupants comme des lames, qui semblaient presque de la grêle, poussés par un autan qui soufflait impétueusement. Devenu mou sous cette neige qui d'abord avait fondu et puis durci en lamelles de glace, son corps avait été trouvé au pied du surplomb, déchiqueté par les rochers où il avait rebondi. Pauvre et fragile chose mortelle, que Dieu eût de lui miséricorde. A cause des nombreux rebonds que le corps avait faits dans sa chute, il n'était pas aisé de dire de quel point exact il était tombé : certainement d'une des verrières qui s'ouvraient sur trois ordres d'étages et sur les trois côtés de la grosse tour exposés vers l'abîme.

« Où avez-vous enseveli le pauvre corps ? s'enquit Guillaume.

— Dans le cimetière, naturellement, répondit l'Abbé. Peut-être l'aurez-vous remarqué, il s'étend entre le côté septentrional de l'église, l'Edifice et le potager.

— Je vois, dit Guillaume, et je vois que votre problème est le suivant. Si ce malheureux s'était, à Dieu ne plaise, suicidé (puisqu'on ne pouvait penser qu'il fût tombé accidentellement), le lendemain vous auriez trouvé une de ces fenêtres ouvertes, tandis que vous les avez retrouvées toutes fermées, et sans qu'au pied d'aucune apparussent des traces d'eau. »

L'Abbé était un homme, je l'ai dit, d'un grand tact, d'une grande allure, mais cette fois il eut un mouvement de surprise qui lui ôta toute trace de cette dignité qui sied à une personne grave et magnanime, comme le veut Aristote : « Qui vous l'a dit ?

— Vous me l'avez dit vous-même, dit Guillaume. Si la fenêtre avait été ouverte, vous auriez aussitôt pensé qu'il s'y était jeté. D'après ce que j'ai pu en juger de l'extérieur, il s'agit de grandes fenêtres à vitrage opaque et des verrières de ce type ne s'ouvrent pas d'habitude, dans des édifices aussi massifs, à hauteur d'homme. Si donc elle avait été ouverte, puisqu'il est impossible que le malheureux s'y fût penché et eût perdu l'équilibre, il ne resterait plus qu'à penser à un suicide. En ce cas-là, vous ne l'auriez pas laissé enterrer en terre consacrée. Mais comme vous l'avez enterré chrétiennement, les fenêtres devaient être fermées. Or, si elles étaient fermées, n'ayant jamais rencontré pour ma part, pas même dans les procès en sorcellerie un mort impénitent auquel Dieu ou le diable aient permis de remonter de l'abîme pour effacer les traces de son forfait, il est évident que le suicidé présumé a été plutôt poussé, par une main humaine ou par une force diabolique, comme on veut. Et vous vous demandez qui peut l'avoir, je ne dis pas poussé dans l'abîme, mais hissé contre son gré jusque sur le rebord de la fenêtre, et vous êtes troublé parce qu'une force maléfique, naturelle ou surnaturelle c'est à voir, rôde maintenant à travers l'abbaye.

— C'est ainsi... » dit l'Abbé, et on ne savait trop s'il confirmait les mots de Guillaume ou se donnait raison à lui-même des raisons que Guillaume avait si admirablement produites. « Mais comment faites-vous pour savoir qu'il n'y avait d'eau au pied d'aucune verrière ?

— Puisque vous m'avez dit que soufflait l'autan, l'eau ne pouvait être poussée contre des fenêtres qui s'ouvrent à l'orient.

— On ne m'avait pas suffisamment dit vos vertus, dit l'Abbé. Vous avez raison, il n'y avait point d'eau, et à présent je sais pourquoi. Les choses se sont passées comme vous dites. Et maintenant vous comprenez mon angoisse. Cela eût été déjà grave si l'un de mes moines s'était souillé de l'abominable péché de suicide. Mais j'ai des raisons de penser qu'un autre d'entre eux s'est souillé d'un péché tout aussi terrible. Et n'était que celui-ci...

— Avant tout, pourquoi un des moines ? Dans l'abbaye il y a beaucoup d'autres personnes, des palefreniers, des chevriers, des serviteurs...

— Certes, c'est une abbaye petite mais riche, admit l'Abbé avec suffisance. Cent cinquante servants pour soixante moines. Mais tout s'est passé dans l'Edifice. Là, comme peut-être vous savez déjà, même si au premier étage sont les cuisines et le réfectoire, aux deux étages supérieurs il y a le scriptorium et la bibliothèque. Après le souper on ferme l'Edifice et il est une règle très rigoureuse qui interdit à quiconque d'y accéder (il devina la question de Guillaume et ajouta aussitôt, mais clairement à contrecœur) : y compris les moines naturellement, mais...

— Mais ?

— Mais j'exclus absolument, absolument vous comprenez, qu'un servant ait eu le courage d'y pénétrer de nuit. » Dans ses yeux passa comme un sourire de défi, qui fut rapide comme l'éclair, ou une étoile filante. « Disons qu'ils auraient peur, vous savez... parfois les ordres donnés aux gens simples, il les faut renforcer avec quelques menaces, comme le présage qu'il puisse arriver quelque chose de terrible au transgresseur, et par une force surnaturelle. Un moine, en revanche...

— Je comprends.

— Non seulement, mais un moine pourrait avoir d'autres raisons pour s'aventurer dans un lieu interdit, je veux dire des raisons... comment dire ? Raisonnables, fussent-elles contraires à la règle... »

Guillaume se rendit compte que l'Abbé était mal à l'aise et il émit une question qui peut-être visait à dévier le discours, mais qui produisit un redoublement d'embarras.

« En parlant d'un possible homicide vous avez dit : " et n'était que celui-ci ". Qu'entendiez-vous par là ?

— J'ai dit cela ? Eh bien, on ne tue pas sans raison, pour perverse qu'elle soit. Et je tremble à la pensée de la perversité des raisons qui peuvent avoir poussé un moine à tuer un confrère. Voilà. C'est cela.

— Il n'y a rien d'autre ?

— Il n'y a rien d'autre que je puisse vous dire.

— Vous voulez dire qu'il n'y a rien d'autre que vous ayez le pouvoir de dire ?

— Je vous en prie, frère Guillaume, frère Guillaume », et l'Abbé voulut souligner et le lien religieux et le lien fraternel. Guillaume rougit vivement et commenta :

« Eris sacerdos in aeternum.

— Merci », dit l'Abbé.

O Seigneur Dieu, quels mystères terribles effleurèrent en cet instant mes imprudents supérieurs, poussés l'un par l'angoisse et l'autre par la curiosité. Car, novice qui s'acheminait vers les mystères du saint sacerdoce de Dieu, moi aussi humble jeune homme je compris que l'Abbé savait quelque chose mais qu'il l'avait appris sous le sceau de la confession. Il avait dû savoir des lèvres de quelqu'un certain détail criminel qui pouvait être en relation avec la fin tragique d'Adelme. C'est pour cela peut-être qu'il priait frère Guillaume de découvrir un secret qu'il soupçonnait sans pouvoir le révéler à personne, et qu'il espérait que mon maître fît la lumière avec les forces de l'intellect sur tout ce qu'il devait envelopper d'ombre en vertu du sublime empire de la charité.

« Bien, dit alors Guillaume, pourrai-je poser des questions aux moines ?

— Vous pourrez.

— Pourrai-je circuler librement dans l'abbaye ?

— Je vous en confère la faculté.

— M'investirez-vous de cette mission coram monachos ?

— Ce soir même.

— Je commencerai pourtant aujourd'hui, avant que les moines sachent de quoi vous m'avez chargé. Et en outre j'avais le grand désir, et ce n'est pas la moindre raison de mon passage ici, de visiter votre bibliothèque dont on parle avec admiration dans toutes les abbayes de la chrétienté. »

L'Abbé se leva presque d'un bond, le visage crispé. « Vous pourrez circuler dans toute l'abbaye, j'ai dit. Certes pas dans le dernier étage de l'Edifice, dans la bibliothèque.

— Pourquoi ?

— J'aurais dû vous l'expliquer avant, et je croyais que vous le saviez. Vous savez que notre bibliothèque n'est pas comme les autres...

— Je sais qu'elle renferme plus de livres que toute autre bibliothèque chrétienne. Je sais qu'à côté de vos armaria ceux de Bobbio ou de Pomposa, de Cluny ou de Fleury ont l'air de la chambre d'un enfant à peine initié à l'abécédaire. Je sais que les six mille manuscrits, dont se targuait il y a plus de cent ans Novalesa, sont peu de chose à côté des vôtres, et que peut-être un grand nombre de ceux-là sont ici maintenant. Je sais que votre abbaye est l'unique lumière que la chrétienté puisse opposer aux trente-six bibliothèques de Bagdad, aux dix mille manuscrits du vizir Ibn al-Alkhami, que le nombre de vos bibles égale les deux mille quatre cents corans dont s'enorgueillit le Caire, et que la réalité de vos armaria est lumineuse évidence contre la fière légende des infidèles qui, voilà des années, voulaient (intimes comme ils sont du prince du mensonge) faire accroire que la bibliothèque de Tripoli était riche de six millions de volumes et habitée par quatre-vingt mille commentateurs et deux cents scribes.

— C'est ainsi, que le ciel soit loué.

— Je sais que d'entre les moines qui vivent parmi vous, beaucoup viennent d'autres abbayes disséminées de par le monde : qui, pour un temps limité, le temps de copier des manuscrits introuvables ailleurs afin de les emporter ensuite dans leur propre monastère, non sans vous avoir apporté en échange quelques autres manuscrits introuvables que de votre côté vous copierez et insérerez dans votre trésor ; et qui, pour un très long temps, parfois jusqu'à la mort, parce que, ici seulement, se peuvent trouver les ouvrages qui illuminent la recherche. Et vous avez donc parmi vous des Germains, des Daces, des Hispaniques, des François et des Grecs. Je sais que l'empereur Frédéric, il y a des années et des années de cela, vous demanda de compiler pour lui un livre sur les prophéties de Merlin et de le traduire ensuite en arabe, pour l'envoyer comme cadeau au sultan d'Egypte. Je sais enfin qu'une abbaye glorieuse telle que celle de Murbach, en ces temps si tristes, n'a plus un seul scribe, qu'à Saint-Gall sont restés peu de moines qui sachent écrire, que c'est désormais dans les cités que naissent corporations et guildes composées de séculiers qui travaillent pour les universités, et que seule votre abbaye renouvelle de jour en jour, que dis-je ?, porte à des sommets toujours plus hauts les gloires de votre ordre...

— Monasterium sine libris, cita pensivement l'Abbé, est sicut civitas sine opibus, castrum sine numeris, coquina sine suppellectili, mensa sine cibis, hortus sine herbis, pratum sine floribus, arbor sine foliis... Et notre ordre, en grandissant autour du double commandement du travail et de la prière, fut lumière pour tout le monde connu, réserve de savoir, sauvegarde d'une doctrine fort ancienne qui menaçait de disparaître dans des incendies, des mises à sac et des tremblements de terre, creuset d'une nouvelle écriture et levain pour l'ancienne... Oh, vous savez bien, nous vivons maintenant des temps très obscurs, et je rougis de vous dire qu'il y a peu d'années de cela le concile de Vienne a dû répéter avec force que chaque moine a le devoir de prendre les ordres... Combien de nos abbayes, qui, il y a deux cents ans, étaient centres resplendissant de grandeur et de sainteté, sont à présent refuges de cagnards. L'ordre est encore puissant, mais l'empuantissement de la ville cerne de près nos lieux saints, le peuple de Dieu est maintenant enclin aux commerces et aux guerres de faction, en bas dans les grands centres habités, où ne peut s'enraciner l'esprit de la sainteté, non seulement on parle (que peut-on demander d'autre à des laïques ?) mais déjà on écrit en vulgaire, et que jamais aucun de ces volumes puisse franchir nos murs — source d'hérésie qu'il deviendrait fatalement ! Pour les péchés des hommes le monde est suspendu sur le bord de l'abîme, pénétré de l'abîme même que l'abîme invoque. Et demain, comme voulait Honorius, les corps des hommes seront plus petits que les nôtres, de même que les nôtres sont plus petits que ceux des antiques. Mundus senescit. Or si Dieu a confié à notre ordre une mission, c'est celle de s'opposer à cette course vers l'abîme, et en conservant, en répétant et en défendant le trésor de sagesse que nos pères nous ont confié. La divine Providence a ordonné que le gouvernement universel, qui au commencement du monde était en orient, au fur et à mesure que les temps s'approchaient, se déplaçât vers l'occident pour nous avertir que la fin du monde approche, car le coürs des événements a déjà atteint les confins de l'univers. Mais tant que le millénaire n'écherra pas définitivement, tant que ne triomphera pas, fût-ce pour peu de temps, la bête immonde qui est l'Antéchrist, il nous revient de défendre le trésor du monde chrétien, et la parole même de Dieu, telle qu'Il la dicta aux prophètes et aux apôtres, telle que les pères la répétèrent sans changer un seul mot, telle que les écoles ont cherché de la gloser, même si aujourd'hui au cœur des écoles se love le serpent de l'orgueil, de l'envie, de la folie. Dans ce déclin nous sommes encore flambeaux et lumière haute sur l'horizon. Et tant que ces murailles résisteront, nous serons les gardiens de la Parole divine.

— Ainsi soit-il, dit Guillaume d'un ton dévot. Mais quel rapport avec le fait qu'on ne peut visiter la bibliothèque ?

— Voyez, frère Guillaume, dit l'Abbé, pour pouvoir réaliser l'œuvre immense et sainte qui enrichit ces murailles (et il indiqua la masse de l'Edifice, qu'on entrevoyait par les fenêtres de la cellulle, trônant au-dessus de l'église abbatiale elle-même), des hommes pleins d'abnégation ont travaillé pendant des siècles, en suivant des règles de fer. La bibliothèque est née selon un dessein resté obscur pour tous au cours des siècles et qu'aucun des moines n'est appelé à connaître. Seul le bibliothécaire en a reçu le secret du bibliothécaire qui le précéda, et le communique, encore en vie, à l'aide-bibliothécaire, de façon que la mort ne le surprenne pas en privant ainsi la communauté de ce savoir. Et leurs lèvres à tous deux sont scellées par le secret. Seul le bibliothécaire, outre qu'il sait, a le droit de circuler dans le labyrinthe des livres, lui seul sait où les trouver et où les replacer, lui seul est responsable de leur conservation. Les autres moines travaillent dans le scriptorium et peuvent connaître la liste des volumes que la bibliothèque renferme. Mais souvent une liste de titres dit fort peu, seul le bibliothécaire sachant, d'après l'emplacement du volume, d'après le degré de son inaccessibilité, quel type de secrets, de vérités ou de mensonges le volume recèle. Lui seul décide comment, quand, et de l'opportunité de pourvoir le moine qui en fait la demande, parfois après m'avoir consulté. Parce que toutes les vérités ne sont pas bonnes pour toutes les oreilles, tous les mensonges ne peuvent pas être reconnus comme tels par une âme pieuse, et les moines, enfin, sont dans le scriptorium pour mener à bonne fin un ouvrage précis, pour lequel ils doivent lire certains volumes et d'autres pas, et non point pour suivre toutes les curiosités insensées dont ils seraient pris, soit par faiblesse d'esprit, soit par orgueil, soit par suggestion diabolique.

— Il y a donc aussi dans la bibliothèque des livres qui contiennent des mensonges...

— Les monstres existent parce qu'ils font partie du dessein divin et jusque dans les traits horribles des monstres se révèle la puissance du Créateur. Ainsi par dessein divin existent aussi les livres des mages, les cabales des Juifs, les fables des poètes païens, les mensonges des infidèles. Ce fut là ferme et sainte conviction de ceux qui ont voulu et soutenu cette abbaye au cours des siècles, que, même dans les livres mensongers, puisse transparaître, aux yeux du lecteur sagace, une pâle lumière de la sagesse divine. C'est pourquoi fût-ce à ces livres la bibliothèque fait écrin. Mais précisément de ce fait, vous comprenez, n'importe qui ne peut y pénétrer. Et en outre, ajouta l'Abbé comme pour s'excuser de la pauvreté de ce dernier argument, le livre est créature fragile, il souffre de l'usure du temps, craint les rongeurs, les intempéries, les mains inhabiles. Si pendant cent et cent ans tout un chacun avait pu librement toucher nos manuscrits, la plus grande partie d'entre eux n'existerait plus. Le bibliothécaire les défend donc non seulement des hommes mais aussi de la nature, et consacre sa vie à cette guerre contre les forces de l'oubli, ennemi de la vérité.

— Ainsi nul n'entre au dernier étage de l'Edifice, sauf deux personnes... »

L'Abbé sourit : « Nul ne doit. Nul ne peut. Personne, même en le voulant, n'y réussirait. La bibliothèque se défend toute seule, insondable comme la vérité qu'elle héberge, trompeuse comme le mensonge qu'elle enserre. Labyrinthe spirituel, c'est aussi un labyrinthe terrestre. Vous pourriez entrer et vous ne pourriez plus sortir. Et cela dit, je voudrais que vous vous conformiez aux règles de l'abbaye.

— Mais vous-même n'avez pas exclu qu'Adelme puisse avoir déboulé d'une des fenêtres de la bibliothèque. Et comment puis-je raisonner sur sa mort si je ne vois pas le lieu où pourrait avoir commencé l'histoire de sa mort ?

— Frère Guillaume, dit l'Abbé d'un ton conciliant, un homme qui a décrit mon cheval Brunel sans le voir et la mort d'Adelme sans en connaître presque rien n'aura point de difficultés à raisonner sur les lieux auxquels il n'a pas accès. »

Guillaume se ploya en une inclination : « Vous êtes sage, même quand vous êtes sévère. Comme il vous plaira.

— Si oncques étais sage, je le serais parce que je sais être sévère, répondit l'Abbé.

— Une dernière chose, demanda Guillaume, Ubertin ?

— Il est ici. Il vous attend. Vous le trouverez à l'église.

— Quand ?

— Toujours, sourit l'Abbé. Vous savez, encore que fort docte, il n'est pas homme à apprécier la bibliothèque. Il la considère comme une complaisance du siècle... Il passe le plus clair de son temps à l'église en méditations, en prières...

— Est-il vieux ? demanda Guillaume avec hésitation.

— Depuis quand ne l'avez-vous pas vu ?

— Depuis bien des années.

— Il est las. Très détaché des choses de ce monde. Il a soixante-huit ans. Mais je crois qu'il a encore l'âme de sa jeunesse.

— Je vais le chercher sans tarder, je vous remercie. »

L'Abbé lui demanda s'il ne voulait pas s'unir à la communauté pour le repas, après sexte. Guillaume dit qu'il venait de manger, et fort confortablement, et qu'il préférerait voir tout de suite Ubertin. L'Abbé salua.

Il franchissait le seuil de la cellule quand s'éleva de la cour un hurlement déchirant, comme d'une personne blessée à mort, que suivirent des lamentations tout aussi atroces. « Qu'est-ce ?! demanda Guillaume, déconcerté.

— Rien, répondit l'Abbé en souriant. En cette saison, on tue les cochons. Du travail pour les porchers. Ce n'est pas de ce sang-là que vous devrez vous occuper. »

Il sortit, et fit tort à sa renommée d'homme prudent. Car le matin suivant... Mais freine ton impatience, ô ma langue pétulante. Parce que le jour dont je parle, et avant la nuit, moult choses encore se passèrent qu'il sera bon de relater.

Premier jour

SEXTE

Où Adso admire le portail de l'abbatiale
et Guillaume retrouve Ubertin de Casale.

L'église n'était pas majestueuse comme d'autres que je vis par la suite à Strasbourg, à Chartres, à Bamberg et à Paris. Elle ressemblait plutôt à celles que j'avais déjà vues en Italie, peu enclines à s'élever vertigineusement vers le ciel et solidement posées à terre, souvent plus larges que hautes ; si ce n'est qu'à un premier niveau elle était surmontée, comme une forteresse, par une rangée de créneaux carrés, et au-dessus de cet étage s'élevait une seconde construction, plus qu'une tour, une solide seconde église, surmontée d'un toit pointu et percée de sévères fenêtres. Robuste église abbatiale comme en construisaient nos anciens en Provence et Languedoc, loin des hardiesses et de l'excès des broderies propres au style moderne, qui seulement à une époque plus récente, je crois, s'était enrichie, au-dessus du chœur, d'une flèche hardiment pointée vers la voûte céleste.

Deux colonnes droites et nues encadraient l'entrée, qui apparaissait à première vue comme une grande arcade unique : mais à partir des colonnes prenaient naissance deux ébrasures qui, surmontées par d'autres et multiples arcs, dirigeaient le regard, comme dans le cœur d'un abîme, vers le portail proprement dit, qu'on entrevoyait dans l'ombre, surmonté d'un grand tympan, soutenu de chaque côté par deux piédroits et au centre par un trumeau sculpté, qui divisait l'entrée en deux ouvertures, défendues par des portes de chêne renforcées de métal. A cette heure du jour le soleil pâle descendait quasi d'aplomb sur le toit et la lumière tombait de biais sur la façade sans éclairer le tympan : si bien que, passé les deux colonnes, nous nous trouvâmes d'un coup sous la voûte presque sylvestre des voussures s'élevant de la suite de colonnes mineures qui proportionnellement renforçaient les contreforts. Les yeux enfin accoutumés à la pénombre, soudain le muet discours de la pierre historiée, accessible comme il l'était immédiatement à la vue et à l'imagination de tous (car pictura est laicorum literatura), éblouit mon regard et me plongea dans une vision qu'à grand-peine aujourd'hui encore ma langue parvient à dire.

Je vis un trône placé dans le ciel et quelqu'un assis sur le trône. Celui qui était assis avait un visage sévère et impassible, les yeux grands ouverts dardés sur une humanité terrestre arrivée au terme de son aventure, les cheveux et la barbe majestueux qui retombaient sur son visage et sa poitrine comme les eaux d'un fleuve, en ruisseaux tous égaux et symétriquement répartis. La couronne qu'il portait sur la tête était enrichie d'émaux et de gemmes, la tunique impériale de pourpre se disposait en amples volutes sur ses genoux, chargée d'orfrois et de dentelles en fils d'or et d'argent. La main senestre, immobile sur les genoux, tenait un livre scellé, la dextre se levait en un geste de bénédiction ou de menace, je ne sais. Le visage était illuminé par la terrifiante beauté d'un nimbe crucifère et fleuri, et je vis briller autour du trône et au-dessus de la tête du Trônant un arc-en-ciel d'émeraude. Devant le trône, sous les pieds du Trônant, coulait une mer de cristal et autour du Trônant, autour du trône et au-dessus du trône, quatre animaux terribles — je vis — terribles pour moi qui les regardais extasié, mais dociles et très doux pour le Trônant, dont ils chantaient sans trêve les louanges.

En vérité, tous ne pouvaient pas se dire terribles, parce que beau et gentil m'apparut l'homme qui à ma senestre (et à la dextre du Trônant) présentait un volumen. Mais horrible me parut du côté opposé un aigle, le bec dilaté, le plumage hérissé disposé en cuirasse, les serres puissantes, les grandes ailes ouvertes. Et aux pieds du Trônant, sous les deux premières figures, deux autres, un taureau et un lion, serrant entre leurs griffes et leurs sabots un livre, le corps tourné vers l'extérieur du trône mais la tête vers le trône, comme tordant les épaules et le cou en un élan féroce, les flancs palpitants, les membres de bête à l'agonie, la gueule ouverte toute grande, les queues enroulées et torsadées comme des serpents et s'éployant au sommet en langues de feu. L'un et l'autre ailés, l'un et l'autre couronnés d'un nimbe, malgré leur apparence formidable n'étaient pas créatures de l'enfer, mais du ciel, et s'ils semblaient terrifiants, c'était parce qu'ils rugissaient en adoration d'un Prochain qui jugerait les vivants et les morts.

Autour du trône, aux côtés des quatre animaux et sous les pieds du Trônant, comme vus en transparence sous les eaux de la mer de cristal, comme pour remplir tout l'espace de la vision, composés selon la structure triangulaire du tympan, s'élevant d'une base de sept plus sept, puis à trois plus trois et ensuite à deux plus deux, de chaque côté du trône, se trouvaient vingt-quatre vieillards sur vingt-quatre petits trônes, revêtus d'habits blancs et couronnés d'or. Qui avait dans la main une vielle, qui une coupe de parfum, et un seul jouait, tous les autres ravis en extase, le visage tourné vers le Trônant dont ils chantaient les louanges, les membres tors comme ceux des animaux, de façon qu'ils pussent tous voir le Trônant, mais non d'une manière bestiale, bien au contraire avec des mouvements de danse extatique — comme dut danser David autour de l'arche — de façon que, où qu'ils fussent, leurs pupilles, contre la loi qui régissait la taille des corps, convergeassent vers le même point fulgurant. Oh, quelle harmonie d'abandons et d'élans, de postures affectées et pourtant pleines de grâce, dans ce langage mystique de membres miraculeusement délivrés du poids de la matière corporelle, nombre annonciateur infus dans une nouvelle forme substantielle, comme si la troupe sacrée était fouettée par un vent impétueux, souffle de vie, frénésie de délectation, jubilation alléluiatique prodigieusement devenue, de son qu'elle était, image.

Corps et membres habités par l'Esprit, illuminés par la révélation, les visages bouleversés par la stupeur, les regards exaltés par l'enthousiasme, les joues enflammées par l'amour, les pupilles dilatées par la béatitude, l'un foudroyé par une délicieuse consternation, l'autre transpercé d'un plaisir consterné, qui transfiguré par l'émerveillement, qui rajeuni par la félicité, les voilà tous chantant avec l'expression de leurs visages, avec le drapé de leurs tuniques, avec l'allure et la tension de leurs membres, un cantique nouveau, les lèvres mi-closes en un sourire de louanges éternelles. Et sous les pieds des vieillards, et en arc au-dessus d'eux et au-dessus du trône et au-dessus du groupe tétramorphe, disposées en bandes symétriques, à peine discernables l'une de l'autre tant la science de l'art les avait rendues toutes mutuellement proportionnées, égales dans la variété et bigarrées dans l'unité, uniques dans la diversité et diverses dans leur conforme ensemble, en admirable congruence des parties alliée à une séduisante suavité de teintes, miracle de correspondance et d'harmonie de voix entre elles dissemblables, compagnie disposée à la façon des cordes de la cithare, consentante et sans trêve conspirante cognation par force profonde et interne apte à opérer l'univoque dans l'alternance même du jeu des équivoques, ornementation et collation de créatures tour à tour irréductibles et réduites tour à tour, œuvre d'amoureux enchaînement mené par une règle céleste et mondaine à la fois (lien et ferme nœud de paix, amour, vertu, régime, pouvoir, ordre, origine, vie, lumière, splendeur, espèce et figure), égalité nombreuse resplendissante grâce à la luminance de la forme sur les parties proportionnées de la matière — voilà que s'entrelaçaient toutes les fleurs et les feuilles et les vrilles et les touffes et les corymbes de toutes les herbes dont on orne les jardins de la terre et du ciel, la violette, le cytise, le serpolet, le lis, le troène, le narcisse, la colocase, l'acanthe, le malabathrum, la myrrhe et les baumes du Pérou.

Mais, tandis que mon âme, ravie par ce concert de beautés terrestres et de majestueux signaux surnaturels, était sur le point d'exploser en un cantique de joie, mon œil, accompagnant le rythme proportionné des rosaces fleuries aux pieds des vieillards, tomba sur les figures qui, entrelacées, faisaient corps avec le trumeau central qui soutenait le tympan. Qu'étaient-elles et quel message symbolique communiquaient ces trois couples de lions dressés en X transversalement disposé, rampants comme des arcs, s'arc-boutant dans le sol sur leurs pattes postérieures et appuyant les antérieures sur la croupe de leur propre compagnon, la crinière ébouriffée en volutes anguiformes, la gueule ouverte en un grondement menaçant, liés au corps même du trumeau par une pâte, ou un nid, de vrilles ? Pour calmer mon esprit, comme sans doute ils étaient là pour dompter la nature diabolique des lions et pour la transformer en allusion symbolique aux choses supérieures, sur les côtés du trumeau étaient deux figures humaines, invraisemblablement élongées, autant que la colonne même, et jumelles de deux autres qui symétriquement de l'un et l'autre côté leur faisaient front sur les piédroits historiés vers l'extérieur, où chacune des portes de chêne avait ses propres jambages : c'étaient donc quatre figures de vieillards, aux paraphernaux desquels je reconnus Pierre et Paul, Jérémie et Isaïe, contorsionnés eux aussi comme dans un pas de danse, leurs longues mains osseuses levées doigts tendus comme des ailes, et comme des ailes leurs barbes et leurs cheveux qui ondoient sous un vent prophétique, les plis de leur robe immensément longue agités par leurs immenses jambes donnant vie aux vagues et volutes, opposés aux lions mais de la même matière que les lions. Et tandis que mon œil fasciné quittait cette énigmatique polyphonie de membres saints et de muscles infernaux, je vis sur le côté du portail, et sous les arcs profonds, parfois historiés sur les contreforts dans l'espace entre les fluettes colonnes qui les soutenaient et ornaient, et encore sur la dense végétation des chapiteaux de chaque colonne, et de là se ramifiant vers la voûte sylvestre des multiples voussures, d'autres visions horribles à voir, et justifiées en ce lieu pour leur seule force parabolique et allégorique ou pour l'enseignement moral qu'elles transmettaient : et je vis une femme luxurieuse nue et décharnée, rongée par des crapauds immondes, sucée par des serpents, accouplée à un satyre au ventre rebondi et à pattes de griffon recouvertes de poils hirsutes, le gosier obscène, qui hurlait sa propre damnation, et je vis un avare, roide de la roideur de la mort sur son lit somptueusement orné de colonnes, désormais proie débile d'une cour de démons dont l'un lui arrachait avec ses râles son âme en forme de petit enfant (hélas jamais plus d'enfant à naître à la vie éternelle), et je vis un orgueilleux sur les épaules duquel s'installait un démon en lui plantant les griffes dans les yeux, tandis que deux autres gourmands se déchiraient en un corps à corps répugnant, et d'autres créatures encore, tête de bouc, poil de lion, gueule de panthère, prisonniers dans une selve de flammes dont je pouvais presque sentir l'haleine ardente. Et autour d'eux, mêlés à eux, au-dessus d'eux et sous leurs pieds, d'autres visages et d'autres membres, un homme et une femme qui s'empoignaient par les cheveux, deux aspics qui gobaient les yeux d'un damné, un homme ricanant qui dilatait de ses mains crochues la gueule d'une hydre, et tous les animaux du bestiaire de Satan, réunis en consistoire et placés comme garde et couronne du trône qui leur faisait face, pour en chanter la gloire avec leur défaite, des faunes, des êtres au double sexe, des brutes aux mains à six doigts, des sirènes, hippocentaures, gorgones, harpies, incubes, dracontopodes, minotaures, loups-cerviers, léopards, chimères, cénopères au museau de chien qui lançaient du feu par les naseaux, dentyrans, polycaudés, serpents vileux, salamandres, cérastes, chélydres, couleuvres lisses, bicéphales à l'échine armée de dents, hyènes, loutres, corneilles, crocodiles, hydropexes aux cornes en scie, grenouilles, griffons, singes, cynocéphales, léoncrottes, manticores, vautours, tharandes, belettes, chouettes, basilics, hypnales, wivre, spectafigues, scorpions, sauriens, cétacés, scytales, amphisbènes, schirims, dipsades, rémoras, murènes, lézards verts, poulpes et tortues. On eût dit que la population des enfers tout entière s'était rassemblée pour servir de vestibule, selve obscure, lande désespérée de l'exclusion, à l'apparition du Trônant du tympan, à son visage plein de promesses et de menaces, eux, les vaincus de l'Armageddon, en face de Celui qui viendra séparer définitivement les vivants et les morts. Et défaillant (presque) devant cette vision, ne sachant plus désormais si je me trouvais dans un lieu ami ou dans la vallée du Jugement dernier, je fus saisi d'effroi, et non sans peine je retins mes larmes, et il me sembla entendre (ou l'entendis-je vraiment ?) cette voix et je vis ces visions qui avaient accompagné mes premiers pas de novice, mes premières lectures des livres sacrés et les nuits de méditation dans le chœur de Melk, et dans la défaillance de mes sens si faibles et si affaiblis j'ouïs une voix puissante comme une trompette qui disait :

« Ce que tu vois, écris-le dans un livre » (et c'est là ce que je fais maintenant), et je vis sept lampes d'or et au milieu des lampes Quelqu'un de semblable au fils de l'homme, la poitrine ceinte d'une bandelette d'or, tête et cheveux blancs comme laine blanche, les yeux comme flamme de feu, les pieds comme bronze ardent dans la fournaise, la voix comme le tonnerre d'un déluge, et Il tenait dans sa dextre sept étoiles et de sa bouche sortait une épée à double tranchant. Et je vis une porte ouverte dans le ciel et Celui qui était assis me sembla comme jaspe et sardoine et un arc-en-ciel enveloppait le trône et du trône sortaient éclairs et tonnerres. Et le Trônant prit dans ses mains une faux affilée et cria : « Donne de la faux et moissonne, l'heure est venue de moissonner car la moisson de la terre est mûre » ; et Celui qui trônait donna de sa faux et la terre fut moissonnée.

Alors seulement je compris que la vision ne parlait pas d'autre chose que de ce qui se passait dans l'abbaye et que nous avions saisi sur les lèvres réticentes de l'Abbé — et combien de fois dans les jours qui suivirent ne revins-je pas contempler le portail, sûr de vivre l'histoire même qu'il racontait. Et je compris que nous étions montés jusque-là pour être les témoins d'un grand et céleste carnage.

Je tremblai, comme si j'étais trempé par la pluie glacée de l'hiver. Et j'entendis une autre voix encore, mais cette fois elle venait de derrière mon dos et c'était une voix différente, parce qu'elle provenait de la terre et non pas du centre resplendissant de ma vision ; elle rompait plutôt la vision car Guillaume (à cet instant je m'aperçus de sa présence), jusqu'alors perdu lui aussi dans cette contemplation, se retournait avec moi.

L'être qui se trouvait derrière nous paraissait un moine, quoique sa coule sale et déchirée lui donnât plutôt l'air d'un vagabond ; quant à son visage, il n'était pas dissemblable de celui des monstres que je venais de voir sur les chapiteaux. Dans ma vie il ne m'est jamais arrivé, comme il arriva par contre à nombre de mes frères, d'être visité par le diable, mais je crois que si ce dernier devait m'apparaître un jour, incapable par décret divin de celer entièrement sa nature quand bien même il voudrait se faire semblable à l'homme, il n'aurait d'autre aspect que celui que m'offrait en cet instant notre interlocuteur. La tête rasée, non par pénitence, mais sous l'action passée d'un purulent eczéma, le front bas, au point que s'il avait eu encore ses cheveux, ceux-ci se seraient confondus avec les sourcils (qu'il avait fournis et broussailleux), les yeux étaient ronds, avec des pupilles petites et d'une extrême mobilité, et le regard, innocent ou malin je ne sais, et peut-être les deux à la fois, soudain changeant au même instant. On ne pouvait parler de nez qu'à cause d'un os qui prenait racine au milieu des yeux, mais comme il se détachait du visage, il s'y enracinait aussitôt, ne devenant plus que deux sombres cavernes, deux narines dilatées remplies de poils. La bouche, reliée aux narines par une cicatrice, était large et ingrate, et entre la lèvre supérieure, inexistante, et l'inférieure, proéminente et charnue, émergeaient à un rythme irrégulier des dents noires et pointues comme celles d'un chien.

L'homme sourit (ou du moins c'est ce que je crus) et brandissant le doigt comme pour avertir, il dit :

« Pénitenziagité ! Voye quand dracon venturus est pour la ronger ton âme ! La mortz est super nos ! Prie que vient le pape saint pour libérer nos a malo de todas les péchés ! Ah ah, vous plaît ista nécromancie de Domini Nostri Iesu Christi ! Et même jois m'es dols et plazer m'es dolors... Cave el diabolo ! Semper il me guette en quelque coin pour me planter les dents dans les talons. Mais Salvatore non est insipiens ! Bonum monasterium, et aqui on baffre et on prie dominum nostrum. Et el reste valet une queue de cerise. Et amen. No ? »

Il me faudra, au cours de cette histoire, parler encore, et d'abondance, de cette créature et en rapporter les propos. J'avoue qu'il m'est fort difficile de le faire car je ne saurais dire à présent, comme je ne le sus jamais alors, quel genre de langue il parlait. Ce n'était pas du latin, langue dans laquelle nous nous exprimions entre hommes de lettres à l'abbaye, ce n'était pas du vulgaire de ces contrées, ni d'ailleurs un vulgaire que j'eusse oncques entendu. Je crois avoir donné une pâle idée de sa façon de parler en reproduisant un peu plus haut (telles que je me les rappelle) les premières paroles que je lui entendis émettre. Quand plus tard je fus au courant de sa vie aventureuse et des différents lieux où il avait vécu, sans trouver racines en aucun, je me rendis compte que Salvatore parlait toutes les langues, et aucune. En somme, il s'était inventé une langue à lui, formée de lambeaux des langues avec lesquelles il était entré en contact — et une fois je songeai que sa langue était, non point la langue adamique que l'humanité heureuse avait parlée, tout le monde uni par un seul langage, depuis les origines du monde jusqu'à la Tour de Babel, et pas non plus une des langues apparues après le funeste événement de leur division, mais précisément la langue babélique du premier jour après le châtiment divin, la langue de la confusion des premiers âges. Et d'autre part je ne pourrais pas appeler langue le langage de Salvatore, parce que dans chaque langue humaine il y a des règles et chaque terme signifie ad placitum une chose, selon une loi qui ne change pas, parce que l'homme ne peut appeler le chien une fois chien et une fois chat, ni prononcer des sons auxquels le consensus des gens n'ait pas attribué un sens défini, comme il arriverait à qui dirait le mot « blitiri ». Et cependant, peu ou prou, je comprenais ce que Salvatore voulait signifier, à l'instar des autres. Preuve qu'il ne parlait pas une, mais toutes les langues, aucune de façon exacte, prenant ses mots tantôt dans l'une tantôt dans l'autre. Je notai même par la suite qu'il pouvait nommer une chose tantôt en latin tantôt en provençal, et je me rendis compte que, plus qu'inventer ses propres phrases, il utilisait disjecta membra d'autres phrases, entendues un jour, selon la situation et les choses qu'il voulait dire, comme s'il ne réussissait à parler d'un aliment, en somme, qu'avec les mots des gens chez qui il avait mangé de cet aliment, et à n'exprimer sa joie qu'avec des sentences qu'il avait entendu émettre par des gens joyeux, le jour où il avait éprouvé une joie égale. C'était comme si son langage était à l'image de sa face, fait de morceaux de faces d'autrui assemblés, ou encore comme je vis parfois de précieux reliquaires (si licet magnis componere parva, ou aux choses divines, les diaboliques) qui naissaient des débris d'autres objets sacrés. Au moment où je le rencontrai pour la première fois, Salvatore m'apparut, et pour son visage, et pour sa façon de parler, comme un être non dissemblable des croisements velus et ongulés que je venais de découvrir sous le portail. Plus tard je m'aperçus que l'homme était peut-être de bon cœur et de complexion facétieuse. Plus tard encore... Mais procédons par ordre. Pour la raison supplémentaire que, à peine eut-il parlé, mon maître l'interrogea avec grande curiosité.

« Pourquoi as-tu dit pénitenziagité ? demanda-t-il.

— Domine frate magnificentissime, répondit Salvatore avec une sorte de courbette, Jesus venturus est et les homini debent faire pénitence. No ? »

Guillaume le regarda fixement : « Tu es venu ici en provenance d'un couvent de minorites ?

— No comprends.

— Je te demande si tu as vécu parmi les frères de saint François, je te demande si tu as connu ceux qu'on appelait les apôtres... »

Salvatore pâlit, ou plutôt son visage bronzé et bestial devint gris. Il s'inclina profondément, prononça du bout des lèvres un « vade retro », se signa avec dévotion et s'enfuit en se retournant de temps à autre.

« Que lui avez-vous demandé ? »

Guillaume resta un instant pensif. « Peu importe, je te le dirai plus tard. Maintenant entrons. Je veux trouver Ubertin. »

La sixième heure venait juste de passer. Le soleil, voilé, pénétrait du côté de l'occident, et donc par de rares et étroites fenêtres, à l'intérieur de l'église. Un fin ruban de lumière touchait encore le maître autel, dont le paliotto me sembla briller d'un éclat d'or. Les nefs latérales étaient baignées de pénombre.

Près de la dernière chapelle avant l'autel, dans la nef de gauche, se dressait une mince colonne où se trouvait une Vierge de pierre, sculptée dans le style des modernes, au sourire ineffable, au ventre proéminent, l'enfant dans les bras, vêtue d'une robe gracieuse, avec un léger corselet. Aux pieds de la Vierge, en prière, presque prostré, était un homme, vêtu des habits de l'ordre clunisien.

Nous nous approchâmes. L'homme, en entendant le bruit de nos pas, leva son visage. C'était un vieillard, au visage glabre, au crâne sans cheveux, avec de grands yeux bleus, une bouche fine et rouge, la peau blanche ; à son crâne osseux la peau adhérait comme il en serait d'une momie conservée dans du lait. Ses mains étaient blanches, aux doigts longs et fins. On eût dit une fillette fanée par une mort précoce. Il posa sur nous un regard d'abord égaré, comme si nous l'avions troublé dans une vision extatique, puis son visage s'illumina de joie.

« Guillaume ! s'exclama-t-il. Frère très cher ! » Il se leva avec peine et se porta à la rencontre de mon maître, l'étreignant et le baisant sur la bouche. « Guillaume » ! répéta-t-il, et ses yeux se mouillèrent de larmes. « Que de temps ! Mais je te reconnais encore ! Que de temps, que d'événements ! Que d'épreuves le Seigneur nous a imposées ! » Il pleura. Guillaume lui rendit son étreinte, évidemment ému. Nous nous trouvions devant Ubertin de Casale.

J'avais déjà entendu parler de lui et longuement, avant même de venir en Italie, et davantage encore en fréquentant les franciscains de la Cour impériale. Quelqu'un m'avait même dit que le plus grand poète de ces temps-là, Dante Alighieri de Florence, mort depuis peu d'années, avait composé un poème (que moi je ne pus lire car il était écrit dans le vulgaire toscan) où l'on avait brassé et le ciel et la terre, et dont de nombreux vers n'étaient rien autre qu'une paraphrase de passages écrits par Ubertin dans son *Arbor vitae crucifixae*. Et ce n'était pas là le seul mérite dont aurait pu se vanter cet homme célèbre. Mais pour permettre à mon lecteur de mieux saisir l'importance de cette rencontre, il faudra que je cherche à reconstruire les vicissitudes de ces années-là, telles que je les avais comprises, et pendant mon court séjour en Italie centrale, d'après les paroles éparses de mon maître, et en écoutant les nombreux entretiens que Guillaume avait eus avec abbés et moines au cours de notre voyage.

Je chercherai d'exprimer ce que j'en avais compris, même si je ne suis pas sûr de bien dire ces choses-là. Mes maîtres de Melk m'avaient souvent dit qu'il est fort malaisé pour un Nordique de se faire des idées claires sur les vicissitudes religieuses et politiques d'Italie.

La péninsule, où la puissance du clergé était évidente plus qu'en tout autre pays, et où plus qu'en tout autre pays le clergé étalait puissance et richesse, avait donné naissance depuis deux siècles au moins à des mouvements d'hommes tendant à une vie plus pauvre, en polémique avec les prêtres corrompus, dont ils refusaient jusqu'aux sacrements, se réunissant en communautés autonomes, et en même temps détestés par les seigneurs, par l'empire et par les magistratures citadines.

Enfin était venu saint François, et il avait diffusé l'amour de pauvreté qui ne contredisait pas les préceptes de l'Eglise, et par son œuvre l'Eglise avait accueilli le rappel à la sévérité des mœurs de ces anciens mouvements et les avait purifiés des éléments de désordre qui nichaient en eux. Il aurait dû s'ensuivre une époque de douceur et de sainteté, mais, comme l'ordre franciscain croissait et attirait à lui les hommes les meilleurs, il devint trop puissant et lié aux affaires terrestres : des franciscains en grand nombre voulurent le ramener à la pureté d'autrefois. Chose fort ardue pour un ordre qui aux temps où j'étais à l'abbaye comptait déjà plus de trente mille membres répandus dans le monde entier. Mais c'est ainsi, et nombre de ces frères de saint François s'opposaient à la règle que l'ordre s'était donnée, en alléguant que l'ordre avait désormais pris les façons de ces institutions ecclésiastiques pour la réforme desquelles il était né. Et que cela s'était déjà passé aux temps où François était en vie, et que ses paroles et ses desseins avaient été trahis. Beaucoup d'entre eux redécouvrirent alors le livre d'un moine cistercien qui avait écrit au début du XIIe siècle de notre ère, appelé Joachim et auquel on attribuait le don de prophétie. De fait il avait prévu l'avènement d'une ère nouvelle, où l'esprit de Christ, depuis longtemps corrompu par l'œuvre de ses faux apôtres, se serait de nouveau incarné sur la terre. Et les termes qu'il avait annoncés étaient tels qu'il avait paru clair à tous qu'il parlait sans le savoir de l'ordre franciscain. Et de cela beaucoup de franciscains s'étaient moult réjouis, un peu trop semble-t-il, au point qu'à la moitié du siècle, à Paris, les docteurs de la Sorbonne condamnèrent les propositions de cet abbé Joachim, mais on dit qu'ils en agirent ainsi parce que les franciscains (et les dominicains) étaient en train de devenir trop puissants, et savants, dans l'université de France, et qu'on voulait les éliminer comme hérétiques. Ce qui finalement ne se produisit pas, pour le plus grand bien de l'Eglise : il fut ainsi loisible de divulguer les œuvres de Thomas d'Aquin et de Bonaventure de Bagnorea, qu'on ne pouvait taxer d'hérétisme, eux. Preuve qu'à Paris aussi on avait les idées confuses, ou que quelqu'un voulait les confondre pour des fins personnelles. Et c'est là le mal que fait au peuple chrétien l'hérésie, qui rend obscures les idées et pousse chacun à devenir inquisiteur pour son propre intérêt. Et puis ce que je vis à l'abbaye (que je dirai plus loin) m'a fait penser que souvent ce sont les inquisiteurs qui créent les hérétiques. Non seulement pour les imaginer quand ils n'existent pas, mais parce qu'ils répriment avec une telle véhémence la vérole hérétique que nombreux sont ceux qui l'attrapent par haine des inquisiteurs. Vraiment, un cercle conçu par le démon, que Dieu nous en garde.

Mais je parlais de l'hérésie (si jamais elle en a été une) joachimite. Et l'on vit en Toscane un franciscain, Gérard de Borgo San Donnino, se faire le porte-voix des prédictions de Joachim et considérablement impressionner le milieu des frères mineurs. Ainsi parmi eux s'éleva une troupe de partisans de la règle ancienne, contre la réorganisation de l'ordre tentée par le grand Bonaventure, qui en était devenu ensuite général. Dans les trente dernières années du siècle passé, quand le concile de Lyon, sauvant l'ordre franciscain contre qui voulait l'abolir, lui accorda la propriété de tous les biens dont il jouissait, selon qu'il était déjà légal pour les ordres les plus anciens, certains frères dans les Marches se rebellèrent car ils jugeaient que l'esprit de la règle avait été définitivement trahi, dans la mesure où un franciscain ne doit rien posséder, ni personnellement, ni en tant que couvent, ni en tant qu'ordre. Ils furent emprisonnés à vie. Il ne me semble pas que, ce prêchant, ils étaient en contradiction avec l'évangile, mais quand entre en jeu la possession des choses terrestres, il est difficile que les hommes raisonnent selon la justice. On me dit que des années plus tard, le nouveau général de l'ordre, Raymond Gaufredi, aurait trouvé ces prisonniers à Ancône et, les libérant, leur dit : « Dieu veuille que nous fussions tous flétris d'une pareille faute. » Signe que les dires des hérétiques ne sont pas vrais, et que dans l'Eglise habitent encore des hommes de grande vertu.

Il y avait parmi ces prisonniers libérés, Ange Clarino, qui rencontra ensuite un frère de Provence, Pierre de Jean Olivi, lequel prêchait les prophéties de Joachim, et puis Ubertin de Casale, et de là naquit le mouvement des spirituels. En ces années montait sur le trône de saint Pierre un très saint ermite, Pierre du Morrone, qui régna sous le nom de Célestin V, et qui fut accueilli avec soulagement par les spirituels : « Il se montrera saint, avait-on dit, et observera les enseignements de Christ, il mènera une vie angélique, tremblez prélats corrompus. » Sans doute Célestin menait-il une vie trop angélique, ou bien les prélats autour de lui étaient-ils trop corrompus, ou encore n'arrivait-il pas à supporter la tension d'une guerre trop longue désormais avec l'empereur et avec les autres rois d'Europe ; le fait est que Célestin renonça à sa dignité et se retira dans un ermitage. Mais dans la courte période de son règne, moins d'un an, les espérances des spirituels furent toutes réalisées : ils se rendirent auprès de Célestin qui fonda avec eux la communauté dite des fratres et pauperes heremitae domini Celestini. D'autre part, alors que le pape devait jouer le rôle de médiateur entre les plus puissants cardinaux de Rome, il y en eut certains comme un Colonna et un Orsini, qui secrètement soutenaient les nouvelles tendances de pauvreté : choix en vérité fort curieux pour des hommes immensément puissants qui vivaient agréablement au milieu de richesses démesurées, et je n'ai jamais compris s'ils se servaient des spirituels pour leurs fins politiques ou bien si, en quelque sorte, ils se considéraient justifiés dans leur vie charnelle du fait qu'ils soutenaient les tendances spirituelles ; et sans doute y avait-il du vrai dans les deux cas, pour le peu que je comprends des choses italiennes. Mais précisément en guise d'exemple, Ubertin avait été accueilli comme aumônier du cardinal Orsini lorsque, devenu le plus écouté des spirituels, il courait le risque d'être accusé comme hérétique. Et le cardinal lui-même lui avait servi de bouclier en Avignon.

Cependant, comme il arrive en de tels cas, d'un côté Ange et Ubertin prêchaient selon la doctrine, de l'autre de grandes masses de simples acceptaient cette prédication et se répandaient à travers le pays, au-delà de tout contrôle. C'est ainsi que l'Italie fut envahie par ces fraticelles ou frères de la vie pauvre que beaucoup jugèrent dangereux. Il était désormais malaisé de distinguer les maîtres spirituels, qui gardaient le contact avec les autorités ecclésiastiques, et leurs partisans les plus simples, qui simplement se trouveraient dorénavant en dehors de l'ordre, demandant l'aumône et vivant au jour le jour du travail de leurs mains, sans s'approprier absolument rien. Ce sont là ceux que la rumeur publique appelait désormais fraticelles, peu différents des béguins français, qui s'inspiraient de Pierre de Jean Olivi.

Célestin V fut remplacé par Boniface VIII, et ce pape se hâta de manifester une très faible indulgence pour spirituels et fraticelles en général : tout juste dans les dernières années du siècle touchant à sa fin, il signa une bulle, *Firma cautela,* dans laquelle il condamnait en vrac bizoches, quêteurs errants qui gravitaient à la limite extrême de l'ordre franciscain, et les spirituels mêmes, autrement dit ceux qui se retranchaient de la vie de l'ordre pour s'adonner à la vie érémitique.

Les spirituels tentèrent ensuite d'obtenir l'accord d'autres pontifes, comme Clément V, pour pouvoir se détacher de l'ordre d'une manière non violente. Je crois qu'ils y auraient réussi, mais l'avènement de Jean XXII leur ôta tout espoir. En 1316, quand il fut élu, il écrivit au roi de Sicile pour qu'il expulsât ces frères hors de ses terres, car nombre d'entre eux s'étaient réfugiés là-bas : et il fit mettre aux fers Ange Clarino et les spirituels de Provence.

Ce ne dut pas être une entreprise facile, et beaucoup s'y opposèrent dans la curie. Le fait est qu'Ubertin et Clarino obtinrent de décider librement d'abandonner l'ordre, et ils furent accueillis l'un par les bénédictins, l'autre par les célestins. Mais pour ceux qui s'obstinèrent à mener leur vie en toute liberté, Jean fut impitoyable et les fit persécuter par l'inquisition : beaucoup furent brûlés.

Il avait cependant compris que pour détruire l'ivraie des fraticelles, qui minaient à sa base l'autorité de l'Eglise, il fallait condamner les propositions sur lesquelles ils fondaient leur foi. Eux, ils soutenaient que Christ et les apôtres n'avaient eu aucune propriété ni individuelle ni communautaire, et le pape condamna comme hérétique cette idée. Chose stupéfiante, parce qu'on ne voit pas pour quelle sorte de raison un pape se doit de juger perverse l'idée que Christ fût pauvre : mais c'est que précisément un an auparavant avait eu lieu le chapitre général des franciscains à Pérouse, qui soutenait cette opinion, et en condamnant les uns, le pape condamnait l'autre aussi. Comme je l'ai déjà dit, le chapitre portait grand préjudice à sa lutte contre l'empereur, c'est un fait. Ainsi depuis lors de nombreux fraticelles, qui ne savaient rien ni d'empire ni de Pérouse, moururent brûlés.

Je pensais à ces événements en observant un personnage légendaire comme Ubertin. Mon maître m'avait présenté et le vieux m'avait caressé une joue, d'une main chaude, presque ardente. Au toucher de cette main, j'avais compris beaucoup des choses que j'avais entendues sur ce saint homme et d'autres que j'avais lues dans les pages d'*Arbor vitae,* je comprenais le feu mystique qui l'avait dévoré depuis sa jeunesse quand, tout en étudiant à Paris, il s'était détourné des spéculations théologiques et avait imaginé être transformé en la pénitente Madeleine ; et le lien si intense qu'il avait eu avec la sainte Angèle de Foligno par qui il avait été initié aux trésors de la vie mystique et à l'adoration de la croix ; et pourquoi un jour ses supérieurs, préoccupés par l'ardeur de sa prédication, l'avaient envoyé en retraite à la Verna.

Je scrutais ce visage, aux linéaments très doux comme ceux de la sainte avec laquelle il avait été en fraternel commerce de sens au plus haut point spiritualisés. Je devinais qu'il devait avoir su prendre des traits bien plus durs quand, en 1311, le concile de Vienne, avec la décrétale *Exivi de paradiso* avait éliminé les supérieurs franciscains hostiles aux spirituels, mais avait imposé à ceux-ci de vivre en paix au sein de l'ordre, et que ce champion du renoncement n'avait pas accepté le prudent compromis et s'était battu pour que fût constitué un ordre indépendant, inspiré du maximum de rigueur. Ce grand combattant avait alors perdu sa bataille, parce qu'en ces années-là Jean XXII se faisait l'apôtre d'une croisade contre les disciples de Pierre de Jean Olivi (au nombre desquels il se trouvait) et condamnait les frères de Narbonne et de Béziers. Mais Ubertin n'avait pas hésité à défendre face au pape la mémoire de son ami, et le pape, subjugué par sa sainteté, n'avait pas osé le condamner, lui (même s'il avait ensuite condamné les autres). Mieux : en cette occasion, il lui avait offert une issue pour se sauver, d'abord en lui conseillant et puis en lui ordonnant d'entrer dans l'ordre clunisien. Ubertin, qui devait être tout aussi habile (lui apparemment si désarmé et fragile) à se gagner protections et alliances à la cour pontificale, avait certes accepté d'entrer dans le monastère de Gemblach dans les Flandres, mais je crois qu'il n'y était jamais allé, et qu'il était resté en Avignon, sous les armes du cardinal Orsini, pour défendre la cause des franciscains.

Dans les derniers temps seulement (et les bruits qui couraient manquaient de précision) sa fortune à la cour avait décliné, il avait dû s'éloigner d'Avignon tandis que le pape faisait poursuivre cet homme indomptable comme hérétique qui per mundum discurrit vagabundus. De lui, disait-on, on n'avait plus trace. Dans l'après-midi j'avais appris, en suivant le dialogue entre Guillaume et l'Abbé, qu'il était maintenant caché dans cette abbaye. Et à présent, je le voyais devant moi.

« Guillaume, disait-il, ils étaient à deux doigts de me tuer, tu sais, j'ai dû fuir à la faveur de la nuit.

— Qui souhaitait ta mort ? Jean ?

— Non. Jean ne m'a jamais aimé, mais il m'a toujours respecté. Au fond, c'est lui qui m'a offert un moyen d'échapper au procès, il y a dix ans, en m'imposant d'entrer chez les bénédictins, et ce faisant il a rendu cois mes ennemis. Ils ont longtemps murmuré, ils ironisaient sur le fait qu'un champion de la pauvreté entrât dans un ordre aussi riche, et vécût à la cour du cardinal Orsini... Guillaume, tu sais, toi, comme je tiens aux choses de cette terre ! Mais c'était la seule façon de rester en Avignon et de défendre mes frères. Le pape a peur de l'Orsini, il n'aurait pas touché un seul de mes cheveux. Voilà trois ans à peine qu'il m'a envoyé comme messager près le roi d'Aragon.

— Et alors, qui te voulait du mal ?

— Tous. La curie. Par deux fois, ils ont tenté de m'assassiner. Ils ont tenté de me réduire au silence. Tu sais ce qui s'est passé il y a cinq ans. Deux ans auparavant avaient été condamnés les béguins de Narbonne et Bérenger Talloni, qui était l'un des juges pourtant, avait fait appel au pape. C'étaient des moments difficiles, Jean avait déjà émis deux bulles contre les spirituels et Michel de Césène en personne avait cédé — à propos, quand arrive-t-il ?

— Il sera ici dans deux jours.

— Michel... Je ne l'ai pas vu depuis si longtemps. Maintenant il a reconnu ses torts, il comprend ce que nous voulions, le chapitre de Pérouse nous a donné raison. Mais alors, jusqu'en 1318 il a cédé au pape et lui a livré cinq spirituels de Provence qui se cabraient à l'idée de se soumettre. Brûlés, Guillaume... Oh, c'est horrible ! » Il cacha sa tête dans ses mains.

« Mais que s'est-il passé exactement après l'appel de Talloni ? demanda Guillaume.

— Jean devait rouvrir le débat, tu comprends ? Il le devait, car même dans la curie il y avait des hommes pris de doute, même les franciscains de la curie — pharisiens, sépulcres blanchis, prêts à se vendre pour une prébende, mais ils étaient pris de doute. C'est alors que Jean me demanda de coucher par écrit un mémoire sur la pauvreté. Ce fut une belle chose Guillaume, Dieu pardonne mon orgueil...

— Je l'ai lu, Michel me l'a montré.

— Il y avait les indécis, même parmi les nôtres, le provincial d'Aquitaine, le cardinal de Saint Vital, l'évêque de Caffa...

— Un imbécile, dit Guillaume.

— Qu'il repose en paix, voilà deux ans qu'il s'est envolé vers Dieu.

— Dieu n'a pas été à ce point miséricordieux. Ce fut une fausse nouvelle, arrivée de Constantinople. Il est encore parmi nous, on m'a dit qu'il fera partie de la légation. Que Dieu nous garde !

— Mais il est favorable au chapitre de Pérouse, dit Ubertin.

— Précisément. Il appartient à cette race d'hommes qui sont toujours les meilleurs champions de leur adversaire.

— A vrai dire, dit Ubertin, naguère il ne fut pas non plus très utile à la cause. Et puis tout finit par un statu quo, mais au moins on n'établit pas que l'idée était hérétique, et cela fut important. C'est pour cette raison que les autres ne m'ont jamais pardonné. Ils ont cherché à me nuire par tous les moyens, ils ont dit que j'étais à Sachsenhausen il y a trois ans quand Louis proclama Jean hérétique. Et pourtant tout le monde savait qu'en juillet j'étais en Avignon avec l'Orsini... Ils trouvèrent que des passages de la déclaration de l'empereur reflétaient mes idées, quelle folie.

— Point tant que cela, dit Guillaume. Les idées, je les lui avais données moi, en les tirant de ta déclaration d'Avignon, et de certaines pages d'Olivi.

— Toi ? s'exclama, entre stupeur et joie, Ubertin, mais alors tu me donnes raison ! »

Guillaume eut l'air embarrassé : « C'étaient de bonnes idées pour l'empereur, à ce moment-là », dit-il évasivement.

Ubertin le regarda avec méfiance. « Ah, mais toi tu n'y crois pas vraiment, n'est-ce pas ?

— Raconte encore, dit Guillaume, raconte comment tu t'es sauvé de ces chiens.

— Oh oui, des chiens, Guillaume. Des chiens enragés. Je me suis trouvé en devoir de combattre contre Bonagrazia lui-même, sais-tu ?

— Mais Bonagrazia de Bergame est avec nous !

— Maintenant, après que je lui eus longuement parlé. Seulement après, il fut convaincu et protesta contre la *Ad conditorem canonum.* Et le pape l'a emprisonné pendant une année.

— J'ai entendu dire qu'à présent il est proche d'un de mes amis qui se trouve à la curie, Guillaume d'Occam.

— Je l'ai peu connu. Je ne l'aime pas. Un homme sans ferveur, tout en tête, rien au cœur.

— Mais c'est une belle tête.

— Possible, et elle le conduira en enfer.

— Alors je le reverrai là-bas, et nous discuterons de logique.

— Tais-toi Guillaume, dit Ubertin en souriant avec une intense affection, tu es meilleur que tes philosophes. Si seulement tu avais voulu...

— Quoi ?

— Quand nous nous sommes vus la dernière fois en Ombrie ? Tu te souviens ? Je venais tout juste d'être guéri de mes maux par l'intercession de cette femme merveilleuse... Claire de Montfaucon..., murmura-t-il, le visage radieux, Claire... Lorsque la nature féminine, si naturellement perverse, se sublime dans la sainteté, elle sait se faire alors le plus haut véhicule de la grâce. Tu sais combien ma vie a été inspirée par la chasteté la plus pure, Guillaume (convulsivement, il l'avait saisi par un bras), tu sais avec quelle... féroce — oui, c'est le mot exact — avec quelle féroce soif de pénitence j'ai tenté de mortifier en moi les palpitations de la chair, pour accueillir, transparent, l'amour de Jésus Crucifié... Néanmoins, trois femmes dans ma vie ont été pour moi trois messagères célestes. Angèle de Foligno, Marguerite de Città di Castello (qui prévit la fin de mon livre quand je n'en avais écrit qu'un tiers), et enfin Claire de Montfaucon. Ce fut un cadeau du ciel que moi, précisément moi, je dusse mener l'enquête sur ses miracles et en proclamer la sainteté aux foules, avant que sainte mère l'Eglise fît le premier pas. Et tu étais là-bas Guillaume, et tu pouvais m'aider dans cette entreprise, et tu n'as pas voulu...

— Mais la sainte entreprise à laquelle tu m'invitais, c'était d'envoyer au bûcher Bentivenga, Jacomo et Giovannuccio, dit lentement Guillaume.

— Ils offusquaient sa mémoire à elle, avec leurs perversions. Et toi tu étais inquisiteur !

— Et c'est alors précisément que j'ai demandé d'être exempté de cette charge. L'histoire ne me plaisait pas. Je serai franc : je n'ai pas aimé non plus la façon dont tu as induit Bentivenga à avouer ses erreurs. Tu as fait mine de vouloir entrer dans sa secte, si tant est qu'on puisse parler de secte, tu lui as dérobé ses secrets et tu l'as fait arrêter.

— Mais c'est ainsi qu'on procède contre les ennemis de Christ ! C'étaient des hérétiques, c'étaient des pseudo-apôtres, ils puaient le soufre de fra Dolcino !

— C'étaient les amis de Claire.

— Non, Guillaume, n'effleure pas même d'une ombre la mémoire de Claire !

— Mais dans son groupe circulaient...

— C'étaient des minorites, ils se faisaient passer pour des spirituels, et au contraire c'étaient des frères de la communauté ! Mais tu le sais qu'il fut patent, lors de l'enquête, que Bentivenga de Gubbio se proclamait apôtre, et puis avec Giovannuccio de Bevagna il séduisait les nonnes en leur disant que l'enfer n'existe pas, qu'on peut satisfaire des désirs charnels sans offenser Dieu, qu'on peut recevoir le corps de Christ (Seigneur pardonne-moi !) après avoir couché avec une nonne, que le Seigneur préféra Madeleine à la vierge Agnès, que ce que le vulgaire appelle démon est Dieu en personne, parce que le démon est la sapience et que Dieu est précisément sapience ! Et ce fut la bienheureuse Claire, après avoir ouï ces propos, qui eut cette vision où Dieu même lui dit que ceux-là étaient les méchants disciples du Spiritus Libertatis !

— C'étaient des minorites, l'esprit enflammé par les mêmes visions que celles de Claire, et souvent il n'y a qu'un pas entre vision extatique et frénésie de péché », dit Guillaume.

Ubertin lui serra les mains et ses yeux se voilèrent encore de larmes : « Ne dis pas cela, Guillaume. Comment peux-tu confondre le moment de l'amour extatique, qui brûle tes entrailles avec le parfum de l'encens, et le dérèglement des sens qui sent le soufre ? Bentivenga incitait à toucher les membres nus d'un corps, affirmait qu'ainsi seulement on obtient la libération de l'empire des sens, homo nudus cum nuda iacebat...

— Et non commiscebantur ad invicem...

— Mensonges ! Ils cherchaient le plaisir, si l'aiguillon charnel se faisait sentir, ils ne considéraient pas comme péché que pour l'émousser homme et femme couchassent ensemble, et que l'un touchât et baisât l'autre de partout, et que celui-là unît son ventre nu au ventre nu de celle-là ! »

J'avoue que la manière dont Ubertin stigmatisait le vice chez les autres, ne m'induisait pas à des pensers vertueux. Mon maître dut s'apercevoir de mon trouble, et il interrompit le saint homme.

« Tu es un esprit ardent, Ubertin, dans l'amour de Dieu comme dans la haine contre le mal. Ce que je voulais dire, c'est qu'il y a peu de différence entre l'ardeur des Séraphins et l'ardeur de Lucifer, parce qu'ils naissent toujours d'un transport extrême de la volonté.

— Oh, il y a une différence, et j'en sais quelque chose ! dit Ubertin inspiré. Tu veux dire qu'entre vouloir le bien et vouloir le mal, il n'y a qu'un pas parce qu'il s'agit toujours de diriger la même volonté. Cela est vrai. Mais la différence se trouve dans l'objet, et l'objet est nettement reconnaissable. D'un côté Dieu, d'un autre côté le diable.

— Et moi je crains de ne plus savoir distinguer, Ubertin. N'est-ce pas ton Angèle de Foligno qui fit le récit du jour où, ravie en esprit, elle passa un certain temps dans le sépulcre de Christ ? Ne dit-elle pas comment d'abord elle lui baisa la poitrine et le vit gisant les yeux clos, qu'ensuite elle baisa sa bouche et sentit s'exhaler de ses lèvres une indicible odeur pleine de douceurs, et qu'après une courte pause, elle posa sa joue sur la joue de Christ et le Christ approcha sa main de sa joue à elle et la serra à lui et — ainsi s'exprima-t-elle — et son bonheur fut à son comble ?...

— Quel rapport avec le transport des sens ? demanda Ubertin. Ce fut une expérience mystique, et le corps était celui de Notre Seigneur.

— Sans doute me suis-je habitué à Oxford, dit Guillaume, où l'expérience mystique aussi était d'un autre genre...

— Tout dans la tête, sourit Ubertin.

— Ou dans les yeux. Dieu senti comme lumière, dans les rayons du soleil, dans les images des miroirs, dans la distribution des couleurs sur les parties de la matière ordonnée, dans les reflets du jour sur les feuilles mouillées... N'est-il pas, cet amour, plus près de celui de François quand il loue Dieu dans ses créatures, fleurs, herbes, eau, air ? Je ne crois pas que de cette qualité d'amour puisse surgir quelque embûche. Quand je n'aime guère un amour qui transfère dans l'entretien avec le Très-Haut les frissons qu'on éprouve au contact de la chair...

— Tu blasphèmes, Guillaume ! Ce n'est pas la même chose. Il y a un abîme entre l'extase du cœur aimant de Jésus Crucifié et l'extase corrompue des pseudo-apôtres de Montfaucon...

— Ce n'étaient pas des pseudo-apôtres, c'étaient des frères du Libre Esprit, tu l'as dit toi-même.

— Et quelle différence cela fait-il ? Tu n'as pas tout su de ce procès, moi-même je n'ai pas eu l'audace de mettre aux actes certains aveux, pour ne pas effleurer, ne fût-ce qu'un instant, de l'ombre du démon l'atmosphère de sainteté que Claire avait créée en ce lieu. Mais j'ai su de ces choses, de ces choses, Guillaume ! Ils se réunissaient nuitamment dans une cave, prenaient un enfant à peine né, se le lançaient de l'un à l'autre jusqu'à ce que mort s'ensuive, à force de coups... ou d'autres choses... Et qui le recevait vivant pour la dernière fois, et le voyait mourir entre ses mains, devenait le chef de la secte... Le corps de l'enfant était alors déchiré, et mélangé à de la farine, pour en faire des hosties blasphématoires !

— Ubertin, dit Guillaume avec fermeté, ces choses ont été dites, il y a des siècles, par les évêques arméniens, de la secte des pauliciens. Et des bogomiles.

— Et puis après ? Le démon est obtus, il suit un rythme dans ses embûches et dans ses séductions, il répète ses propres rites à la distance de millénaires, il est toujours le même, et c'est précisément pour cela qu'on le reconnaît comme l'ennemi ! Je te le jure, ils allumaient des cierges, la nuit de Pâques, et amenaient des fillettes dans la cave. Puis ils éteignaient les cierges et se jetaient sur elles, fussent-elles liées à eux par les liens du sang... Et si de cette étreinte naissait un enfant, recommençait le rite infernal, tous autour d'un vase plein de vin, qu'ils appelaient le baricaut, de s'enivrer, et ils coupaient en morceaux l'enfant, et en versaient le sang dans une coupe, et ils jetaient des enfants encore vivants dans le feu, et ils mêlaient les cendres de l'enfant, son sang, et ils buvaient !

— Mais tout cela, Michel Psello l'écrivait dans le livre sur les opérations des démons, il y a trois cents ans ! Qui t'a raconté ces choses-là ?

— Eux, Bentivenga et les autres, et sous torture !

— Il n'est qu'une seule chose qui excite les animaux plus que le plaisir, et c'est la douleur. Sous l'effet de la torture tu vis comme sous l'empire d'herbes qui donnent des visions. Tout ce que tu as entendu raconter, tout ce que tu as lu, te revient à l'esprit, comme si tu étais transporté, non pas vers le ciel, mais vers l'enfer. Sous la torture tu dis non seulement ce que veut l'inquisiteur, mais aussi ce que tu imagines qui peut lui être agréable, parce qu'il s'établit un lien — certes, vraiment diabolique ce lien-là — entre toi et lui... Je connais tout cela, Ubertin, j'ai fait partie moi aussi de ces groupes d'hommes qui croient produire la vérité avec le fer incandescent. Eh bien, sache-le, l'incandescence de la vérité est d'une autre flamme. Sous la torture, Bentivenga peut avoir dit les mensonges les plus absurdes, parce que ce n'était plus lui qui parlait, mais sa luxure, les démons de son âme.

— Sa luxure ?

— Oui, il y a une luxure de la douleur, comme il y a une luxure de l'adoration et même une luxure de l'humilité. S'il en fallut si peu aux anges rebelles pour changer leur ardeur d'adoration et d'humilité en orgueil et révolte ardents, que dire d'un être humain ? Voilà, maintenant tu le sais, ce fut cette pensée qui me saisit au cours de mes inquisitions. Et ce fut pour cela que je renonçai à cette activité. Me manqua le courage d'enquêter sur les faiblesses des méchants, car je découvris que ce sont les mêmes faiblesses que celles des saints. »

Ubertin avait écouté les dernières paroles de Guillaume comme s'il ne comprenait pas ce qu'il lui disait. A l'expression de son visage, de plus en plus empreint d'une affectueuse commisération, je compris qu'il considérait Guillaume comme en proie à des sentiments fort coupables, qu'il lui pardonnait parce qu'il l'aimait beaucoup. Il l'interrompit, et dit d'un ton plein d'amertume : « Peu importe. Si tu avais cette impression, tu as bien fait de t'arrêter. Il faut combattre les tentations. Pourtant ton appui me manqua, et nous aurions pu mettre en déroute cette troupe de malheur. En revanche, tu sais ce qui arriva, je fus moi-même accusé d'être trop accommodant avec eux, et je fus soupçonné d'hérésie. Tu as été trop faible toi aussi, dans le combat contre le mal. Le mal, Guillaume : n'aura-t-elle jamais de cesse cette condamnation, cette ombre, cette boue qui nous empêche de toucher à la source ? » Il s'approcha davantage encore de Guillaume, comme s'il craignait que quelqu'un ne l'entendît : « Même ici, même entre ces murs consacrés à la prière, le sais-tu ?

— Je le sais, l'Abbé m'a parlé, il m'a même demandé de l'aider à faire toute la lumière.

— Et alors, espionne, fouille, observe avec un œil de lynx dans deux directions, la luxure et l'orgueil...

— La luxure ?

— Oui, la luxure. Il y avait quelque chose de... de féminin, et donc de diabolique dans ce jeune homme qui est mort. Il avait des yeux de fille qui cherche commerce avec un incube. Mais je t'ai dit l'orgueil aussi, l'orgueil de l'esprit, dans ce monastère consacré à l'orgueil de la parole, à l'illusion de la science...

— Si tu sais quelque chose, aide-moi.

— Je ne sais rien. Il n'y a rien que moi je *sache*. Mais certaines choses se sentent avec le cœur. Laisse parler ton cœur, interroge les visages, n'écoute pas les langues... Mais allons, pourquoi devons-nous parler de ces tristesses et effrayer notre jeune ami ? » Il me regarda de ses yeux bleus, en effleurant ma joue de ses doigts longs et blancs, et il s'en fallut de peu que d'instinct je n'eusse un mouvement de recul ; je me retins et fis bien, car je l'aurais offensé, et son intention était pure. « Parle-moi plutôt de toi, dit-il en se tournant de nouveau vers Guillaume. Qu'as-tu fait depuis lors ? Voilà déjà passés...

— Dix-huit ans. Je suis revenu dans mes terres. J'ai encore étudié à Oxford. J'ai étudié la nature.

— La nature est bonne parce qu'elle est fille de Dieu, dit Ubertin.

— Et Dieu doit être bon, s'il a engendré la nature, sourit Guillaume. J'ai étudié, j'ai rencontré des amis d'une grande sagesse. Puis j'ai connu Marsile, ses idées sur l'empire, sur le peuple, sur une nouvelle loi pour les règnes de la terre m'ont attiré, et j'ai fini ainsi dans ce groupe de nos frères qui conseillent l'empereur. Mais ces choses, tu les sais, je t'avais écrit. J'ai exulté quand à Bobbio on m'a dit que tu étais ici. Nous te croyions perdu. Mais maintenant que tu es avec nous, tu pourras nous être grandement utile dans quelques jours, quand arrivera Michel. La discussion sera rude.

— Je n'aurai guère plus à dire que ce que j'ai dit il y a cinq ans en Avignon. Qui viendra avec Michel ?

— Certains qui furent au chapitre de Pérouse, Arnaud d'Aquitaine, Hugues de Newcastel...

— Qui ? demanda Ubertin.

— Hugues de Novocastrum, excuse-moi, j'utilise ma langue même quand je parle en bon latin. Et puis Guillaume Alnwick. Et du côté des franciscains avignonnais, nous pourrons compter sur Jérôme, l'idiot de Caffa, et peut-être viendront Bérenger Talloni et Bonagrazia de Bergame.

— Espérons en Dieu, dit Ubertin. Ces derniers ne voudront pas se mettre trop à dos le pape. Et qui y aura-t-il pour soutenir les positions de la curie, je veux dire parmi les durs de cœur ?

— D'après les lettres qui me sont parvenues, il y aura, j'imagine, Laurent Decoalcone...

— Un homme rusé.

— Jean d'Anneaux...

— Celui-ci est subtil en théologie, garde-t'en.

— Nous nous en garderons. Et enfin Jean de Baune.

— Il aura affaire à Bérenger Talloni.

— Oui, je crois vraiment que nous nous amuserons beaucoup », dit mon maître d'excellente humeur. Ubertin le regarda avec un sourire incertain.

« Je ne comprends jamais quand vous, Anglais, vous parlez sérieusement. Il n'y a rien d'amusant dans une question aussi grave. Il en va de la survivance de l'ordre, qui est le tien et qui, au profond de mon cœur, est encore le mien. Mais moi j'adjurerai Michel de ne pas aller en Avignon. Jean le veut, le cherche, l'invite avec trop d'insistance. Méfiez-vous de ce vieux Français. Oh ! Seigneur, dans quelles mains est tombée ton Eglise ! » Il tourna la tête vers l'autel. « Transformée en prostituée, amollie dans le luxe, elle se vautre dans la luxure comme une couleuvre en chaleur ! De la pureté nue de l'étable de Bethléem, bois comme fut bois le lignum vitae de la croix, aux bacchanales d'or et de pierre, regarde, même ici, tu as vu le portail, on n'échappe pas à l'orgueil des images ! Ils sont enfin proches les jours de l'Antéchrist, et moi j'ai peur, Guillaume ! » Il regarda tout autour de lui, fixant ses yeux écarquillés sur les nefs sombres, comme si l'Antéchrist devait apparaître d'un moment à l'autre, et moi en vérité je m'attendais à l'apercevoir. « Ses lieutenants sont déjà ici, envoyés comme Christ envoya les apôtres de par le monde ! Ils foulent aux pieds la Cité de Dieu, séduisent par la ruse, l'hypocrisie et la violence. C'est alors que viendra le moment où Dieu devra envoyer ses serviteurs, Elie et Enoch, qu'il a gardés encore en vie dans le paradis terrestre pour qu'un jour ils confondent l'Antéchrist, et ils viendront prophétiser, vêtus de toile, et ils prêcheront la pénitence par l'exemple et par la parole...

— Ils sont déjà arrivés, Ubertin, dit Guillaume, en montrant sa coule de franciscain.

— Mais ils n'ont pas encore vaincu, c'est le moment où l'Antéchrist, plein de fureur, ordonnera de tuer Enoch et Elie et leurs corps pour que chacun puisse les voir et tremble de vouloir les imiter. Comme ils voulaient me tuer moi... »

Alors, en cet instant, terrifié, je pensais qu'Ubertin était en proie à une sorte de divine manie, et j'étais plein d'appréhension pour sa raison. Maintenant, avec le recul du temps, sachant ce que je sais, c'est-à-dire qu'il fut, quelques années plus tard, mystérieusement tué dans une ville allemande, et on ne sut jamais par qui, je suis encore plus terrifié, car, d'évidence, en cette lointaine soirée Ubertin prophétisait.

« Tu le sais, l'abbé Joachim avait dit la vérité. Nous sommes arrivés au sixième soir de l'histoire humaine, où apparaîtront deux Antéchrists, l'Antéchrist mystique et l'Antéchrist proprement dit, ce qui arrive à présent dans la sixième époque, après qu'est apparu François pour configurer dans sa chair même les cinq plaies de Jésus Crucifié. Boniface fut l'Antéchrist mystique, et l'abdication de Célestin ne fut pas valable, Boniface fut la bête qui vient de la mer et dont les sept têtes représentent les offenses aux péchés capitaux et les dix cornes les offenses aux commandements, et les cardinaux qui l'entouraient étaient les locustes, dont le corps est Appolyon ! Mais le nombre de la bête, si tu lis son nom en lettres grecques, est *Benedicti !* » Il me fixa pour voir si j'avais compris et leva un doigt en m'avertissant. « Benoît XI fut l'Antéchrist proprement dit, la bête qui monte de la terre ! Dieu a permis qu'un tel monstre de vice et d'iniquité gouvernât son Eglise pour que les vertus de son successeur resplendissent de gloire !

— Mais père saint, objectai-je avec un filet de voix, en prenant mon courage à deux mains, son successeur est Jean ! »

Ubertin se posa une main sur le front comme pour effacer un rêve agaçant. Il respirait avec peine, il était las. « Eh oui ! Les calculs étaient faux, nous sommes encore dans l'attente du pape angélique... Cependant sont apparus François et Dominique. » Il leva les yeux au ciel et dit comme une prière (mais je fus sûr qu'il récitait une page de son grand livre sur l'arbre de la vie) : « Quorum primus seraphico calculo purgatus et ardore celico inflammatus totum incendere videbatur. Secundus vero verbo predicationis fecundus super mundi tenebras clarius radiavit... Oui, si ce sont là les promesses, le pape angélique devra encore venir.

— Et ainsi soit-il, Ubertin, dit Guillaume. En attendant moi je suis ici pour empêcher que soit chassé l'empereur humain. Ton pape angélique, fra Dolcino en parlait lui aussi...

— Ne prononce plus le nom de ce serpent ! hurla Ubertin, et pour la première fois je le vis se transformer, d'affligé qu'il était en être courroucé. Il a souillé la parole de Joachim de Calabre et en a fait levain de mort et d'ordure ! Messager de l'Antéchrist, s'il en fut. Mais toi, Guillaume, tu parles ainsi car en vérité tu ne crois pas en l'avènement de l'Antéchrist et tes maîtres d'Oxford t'ont appris à idolâtrer la raison en tarissant les sources prophétiques de ton cœur !

— Erreur, Ubertin, répondit avec grand sérieux Guillaume. Tu sais que d'entre mes maîtres, je vénère plus que tout autre Roger Bacon...

— Qui extravaguait avec ses machines volantes, railla amèrement Ubertin.

— Qui a parlé clairement, avec transparence, de l'Antéchrist, en a avisé les signes dans la corruption du monde et dans l'affaiblissement de la sapience. Mais il a enseigné qu'il n'est qu'une seule façon pour nous préparer à sa venue : étudier les secrets de la nature, se servir du savoir pour améliorer le genre humain. Tu peux te préparer à combattre l'Antéchrist en étudiant la vertu curative des herbes, la nature des pierres, et jusqu'en projetant les machines volantes dont tu te ris.

— L'Antéchrist de ton Bacon était prétexte à cultiver l'orgueil de la raison.

— Saint prétexte.

— Rien de ce qui est prétextueux n'est saint. Guillaume, tu sais que je t'aime. Tu sais que je compte beaucoup sur toi. Châtie ton intelligence, apprends à pleurer sur les plaies du Seigneur, jette tes livres.

— Je ne conserverai que le tien », sourit Guillaume. Ubertin sourit lui aussi et le menaça du doigt : « Sot d'Anglais. Et ne ris pas trop de tes semblables. Mieux : ceux que tu ne peux pas aimer, crains-les. Garde-toi de l'abbaye. Cet endroit ne me plaît guère.

— Justement je veux davantage le connaître, dit Guillaume en prenant congé. Allons, Adso.

— Moi, je te dis qu'il n'est pas bon, et toi tu dis que tu veux le connaître. Ah ! dit Ubertin en secouant la tête.

— A propos, dit encore Guillaume arrivé au milieu de la nef, quel est ce moine qui a l'air d'un animal et parle la langue de Babel ?

— Salvatore ? » Ubertin se retourna, qui s'était déjà agenouillé. « Je crois en avoir fait don moi-même à cette abbaye... Avec le cellérier. Quand j'ai quitté le froc franciscain, je suis revenu pendant un certain temps dans mon vieux couvent à Casale, et là je trouvai d'autres frères aux abois, parce que la communauté les accusait d'être des spirituels de ma secte... c'est leur expression. Je me prodiguai en leur faveur, obtenant qu'ils pussent suivre mon exemple. Et deux d'entre eux, Salvatore et Rémigio, je les ai justement trouvés ici, à mon arrivée l'année dernière. Salvatore... il a vraiment l'air d'une bête. Mais il est serviable. »

Guillaume hésita un instant. « Je l'ai entendu dire pénitenziagité. »

Ubertin se tut. Il agita une main comme pour chasser une pensée importune. « Non, je ne crois pas. Tu sais bien comment sont ces frères lais. Gens de la campagne, qui ont sans doute entendu quelque prédicateur errant, et ne savent pas ce qu'ils disent. J'aurais bien d'autres choses à reprocher à Salvatore, c'est une bête gloutonne et luxurieuse. Mais rien, rien contre l'orthodoxie. Non, l'abbaye est atteinte d'un autre mal, cherche-le chez qui sait trop, pas chez qui ne sait rien. Ne bâtis pas un château de soupçons sur un mot.

— Je ne le ferais jamais, répondit Guillaume. J'ai cessé d'être inquisiteur justement pour ne pas faire de ces constructions. Cependant il me plaît de me mettre à l'écoute des mots aussi, et puis d'y penser.

— Tu penses trop. Jeune homme, dit-il en s'adressant à moi, ne puise pas trop de mauvais exemples chez ton maître. L'unique chose à quoi on doit penser, et je m'en rends compte sur la fin de ma vie, c'est à la mort. Mors est quies viatoris — finis est omnis laboris. Laissez-moi prier. »

Premier jour

VERS NONE

Où Guillaume a un dialogue fort docte avec Séverin l'herboriste.

Nous reparcourûmes la nef centrale et sortîmes par le portail où nous étions entrés. J'avais encore les paroles d'Ubertin, toutes ses paroles, qui bourdonnaient dans ma tête.

« C'est un homme… bizarre, osai-je dire à Guillaume.

— C'est, ou il a été, sous de nombreux aspects, un grand homme. Mais précisément pour cela, il est bizarre. Ce sont les hommes petits qui paraissent normaux. Ubertin aurait pu devenir un des hérétiques qu'il a contribué à faire brûler, ou un cardinal de la sainte Eglise romaine. Il a frôlé l'une ou l'autre perversion. Quand je parle avec Ubertin, j'ai l'impression que l'enfer c'est le paradis regardé de l'autre côté. »

Je ne compris pas ce qu'il voulait dire : « De quel côté ? demandai-je.

— Eh oui, admit Guillaume, il s'agit de savoir s'il y a des parties ou s'il y a un tout. Mais ne m'écoute pas. Et ne regarde plus ce portail, dit-il en me donnant une légère tape sur la nuque alors que je me retournais, aimanté par les sculptures que j'avais vues à l'entrée. Pour aujourd'hui tu as été assez effrayé. Par tout le monde. »

Tandis que je me retournais vers la sortie, je vis devant moi un autre moine. Il pouvait avoir le même âge que Guillaume. Il nous sourit et nous salua avec urbanité. Il dit qu'il se nommait Séverin de Sant'Emmerano, et qu'il était le père herboriste, qu'il avait charge des bains, de l'hôpital, et des potagers, et qu'il se mettait à notre service si nous voulions nous mieux orienter dans l'enceinte de l'abbaye.

Guillaume le remercia et dit qu'il avait déjà noté, en entrant, le splendide potager qui lui semblait contenir non seulement des herbes comestibles, mais aussi des plantes médicinales, pour autant qu'on pouvait en juger à travers la neige.

« En été ou au printemps, avec la variété de ses herbes, chacune ornée de ses fleurs, ce jardin chante mieux les louanges du Créateur, dit Séverin en guise d'excuse. Pourtant même en cette saison, l'œil de l'herboriste voit à travers les branches sèches les plantes qui pousseront et peut te dire que ce jardin est plus riche que ne le fut jamais un herbier, et plus bigarré, pour superbes qu'en soient ses miniaturisations. Et puis en hiver aussi croissent les bonnes herbes, et j'en garde d'autres récoltées et prêtes dans les vases que j'ai au laboratoire. Ainsi avec les racines de la petite oseille on soigne les catarrhes, et avec une décoction de racines d'althée on fait des compresses pour les maladies de la peau, avec la bardane on cicatrise les eczémas, en triturant et en broyant le rhizome de la bistorte on soigne les diarrhées et certains maux chez les femmes, le poivre est un bon digestif, le pas d'âne est parfait pour la toux, et nous avons de la bonne gentiane pour digérer, et du glycyrrhiza, et du genièvre pour en faire de bonnes infusions, le sureau dont l'écorce sert à une décoction pour le foie, la saponaire dont il faut laisser macérer les racines dans de l'eau froide, pour le catarrhe, et la valériane dont vous n'ignorez pas les vertus.

— Vous avez des herbes d'une grande diversité et propres à différents climats. Comment cela se fait-il ?

— D'un côté, je le dois à la miséricorde du Seigneur, qui a situé notre plateau à cheval sur une chaîne de montagnes qui voit la mer au sud, et en reçoit les vents chauds, et au nord la montagne la plus haute dont il reçoit les baumes sylvestres. Et d'un autre côté je le dois à la pratique de l'art, que j'ai indignement acquise par la volonté de mes maîtres. Il est des plantes qui poussent en climat hostile, si tu soignes leur terrain environnant, et leur nourriture, et leur croissance.

— Mais avez-vous aussi des plantes uniquement bonnes à manger ? demandai-je.

— Mon jeune poulain affamé, il n'y a point de plantes bonnes à manger qui ne le soient aussi pour se soigner, si tu les prends dans une juste mesure. Seul l'excès en fait des agents de maladie. Prends la courge. Elle est de nature froide et humide et apaise la soif, mais si tu la manges gâtée elle provoque des diarrhées et il faut resserrer tes viscères avec un mélange de saumure et de sénevé. Et les oignons ? Chauds et humides, pris en petite quantité, ils augmentent la puissance du coït, naturellement pour ceux qui n'ont pas prononcé nos vœux ; en grande quantité ils donnent des lourdeurs de tête et il faut les contrecarrer avec du lait et du vinaigre.

Excellente raison, ajouta-t-il avec malice, pour qu'un jeune moine en mange toujours avec parcimonie. Mange de l'ail au contraire. Chaud et sec, il est bon contre les poisons. Mais n'exagère pas, il fait expulser trop d'humeurs du cerveau. Les haricots en revanche produisent de l'urine et engraissent, deux choses excellentes. Mais ils donnent de mauvais rêves. Beaucoup moins cependant que certaines autres herbes, car il y en a aussi qui provoquent de mauvaises visions.

— Lesquelles ? demandai-je.

— Eh, eh, notre novice veut en savoir trop. Ce sont choses que seul l'herboriste doit savoir, sinon n'importe quel inconscient pourrait se promener en administrant des visions, autrement dit en mentant avec les herbes.

— Mais il suffit d'un peu d'ortie, dit alors Guillaume, ou de roybra, ou d'olieribus, et on est protégé contre les visions. J'espère que vous avez ici de ces bonnes herbes. »

Séverin regarda le maître à la dérobée : « Tu t'intéresses à l'herboristerie ?

— Fort peu, dit modestement Guillaume. J'ai eu autrefois entre les mains le *Theatrum Sanitatis* d'Ububkasym de Baldach...

— Abul Asan al Muktar ibn Botlan.

— Ou Ellucasim Elimittar, comme tu veux. Je me demande si on pourra en trouver un exemplaire ici.

— Et des plus beaux, avec moult images de précieuse facture.

— Loué soit le ciel. Et le *De virtutibus herbarum* de Platearius ?

— Celui-là aussi, et le *De plantis* d'Aristote traduit par Alfred de Sareshel.

— J'ai entendu dire qu'il n'est pas vraiment d'Aristote, observa Guillaume, comme on découvrit que le *De causis* non plus n'était pas d'Aristote.

— En tout cas, c'est un grand livre », observa Séverin, et mon maître en convint avec beaucoup de ferveur sans demander si l'herboriste parlait du *De plantis* ou du *De causis,* deux ouvrages que je ne connaissais pas mais dont je conclus, d'après cette conversation, qu'ils étaient de toute première grandeur l'un et l'autre.

« Je serai heureux, conclut Séverin, d'avoir avec toi quelques honnêtes entretiens sur les herbes.

— Moi encore plus que toi, dit Guillaume, mais ne violerons-nous pas la règle du silence, qui, me semble-t-il, est en vigueur dans votre ordre ?

— La règle, dit Séverin, s'est adaptée au cours des siècles aux exigences des différentes communautés. La règle prévoyait la lectio divine mais non l'étude : et pourtant tu sais combien notre ordre a développé la recherche sur les choses divines et sur les choses humaines. Par ailleurs, la règle prévoit le dortoir commun, mais il est juste parfois, comme chez nous, que les moines aient toute possibilité de réflexion même pendant la nuit, aussi chacun d'eux a sa propre cellule. La règle est très sévère quant au silence, et chez nous aussi non seulement le moine qui fait des travaux manuels ne doit pas converser avec ses frères, mais aussi celui qui écrit ou qui lit. Pourtant l'abbaye est au premier chef une communauté d'hommes d'étude, et il est souvent utile que les moines échangent les trésors de doctrine qu'ils accumulent. Toute conversation qui concerne nos recherches est jugée légitime et profitable, pourvu qu'elle n'ait pas lieu au réfectoire ou pendant les heures des offices sacrés.

— As-tu eu l'occasion de t'entretenir souvent avec Adelme d'Otrante ? » demanda brusquement Guillaume.

Séverin ne parut pas surpris : « Je vois que l'Abbé t'a déjà parlé, dit-il. Non. Avec lui je ne m'entretenais pas souvent. Il passait son temps à enluminer. Je l'ai entendu discuter parfois avec d'autres moines, Venantius de Salvemec, ou Jorge de Burgos, sur la nature de son travail. Et puis moi je ne passe pas mes journées dans le scriptorium, mais dans mon laboratoire », et il fit un signe en direction du bâtiment de l'hôpital.

« Je comprends, dit Guillaume. Tu ne sais donc pas si Adelme avait eu des visions.

— Des visions ?

— Comme celles que procurent tes herbes, par exemple. »

Séverin se raidit : « J'ai dit que je garde avec grand soin les herbes dangereuses.

— Ce n'est pas cela que je veux dire, se hâta de préciser Guillaume. Je parlais de visions en général.

— Je ne comprends pas, insista Séverin.

— Je pensais qu'un moine qui hante la nuit l'Edifice, où, aux dires mêmes de l'Abbé, peuvent arriver des choses... épouvantables à qui y pénètre aux heures interdites, bien, je disais, je pensais qu'il pouvait avoir eu des visions diaboliques qui l'auraient poussé dans le précipice.

— J'ai dit que je ne fréquente pas le scriptorium, sauf quand j'ai besoin de quelque livre, mais d'habitude j'ai mes herbiers que je conserve dans l'hôpital. Je te l'ai dit, Adelme était très familier de Jorge, de Venantius et... naturellement, de Bérenger. »

Je saisis moi aussi cette légère hésitation dans la voix de Séverin.

Et elle n'échappa pas à mon maître : « Bérenger ? Et pourquoi " naturellement " ? »

— Bérenger d'Arundel, l'aide-bibliothécaire. Ils avaient le même âge, ils ont été novices ensemble, il était normal qu'ils eussent matière à discuter. Voilà ce que je voulais dire.

— Voilà donc ce que tu voulais dire », commenta Guillaume. Et je m'étonnai qu'il n'insistât pas sur ce point. Il changea en effet aussitôt de discours. « Mais il est sans doute temps que nous entrions dans l'Edifice. Tu fais le guide ?

— Avec plaisir », dit Séverin un peu trop visiblement soulagé. Il nous fit longer le potager et nous emmena devant la façade occidentale de l'Edifice.

« Du côté du potager, il y a le portail qui donne accès aux cuisines, dit-il, mais les cuisines occupent seulement la moitié occidentale du premier étage, dans la seconde moitié il y a le réfectoire. Et du côté de la porte méridionale, à laquelle on accède en passant derrière le chœur de l'église, il y a deux autres portails qui mènent et aux cuisines et au réfectoire. Mais entrons donc par ici, parce que des cuisines nous pourrons ensuite passer, sans ressortir, dans le réfectoire. »

Comme j'entrai dans les vastes cuisines, je m'aperçus que l'Edifice engendrait de l'intérieur, et sur toute sa hauteur, une cour octogonale ; ainsi que je le compris par la suite, il s'agissait d'une sorte de grand puits, dépourvu d'accès, sur quoi s'ouvraient à chaque étage d'amples verrières, comme celles qui donnaient sur l'extérieur. Les cuisines étaient un immense vestibule plein de fumée, où déjà de nombreux servants se hâtaient de disposer les nourritures pour le souper. Sur une immense table deux d'entre eux préparaient un pâté de verdure, orge, avoine et seigle, hachant menu raiforts, cresson, navets et carottes. Tout près, un des cuisiniers avait à peine fini de faire cuire quelques poissons dans un mélange d'eau et de vin, et les nappait d'une sauce composée de sauge, persil, thym, ail, poivre et sel.

Dans ce qui correspondait à la tour occidentale s'ouvrait un énorme four à pain, qui déjà s'illuminait de flammes rougeâtres. Dans la tour méridionale, une immense cheminée où bouillaient des marmites géantes et tournaient des broches. Par la porte qui donnait sur l'aire derrière l'église, entraient à ce moment-là les porchers qui portaient la chair des porcs égorgés. Nous sortîmes sans tarder par cette porte, pour nous trouver sur l'aire, à l'extrémité orientale du plateau, à l'abri des murailles, où s'élevaient de nombreux bâtiments. Séverin m'expliqua que le premier était l'ensemble des soues, puis venaient les écuries, puis les étables, et les poulaillers, et le parc couvert des brebis. Devant les soues, les porchers brassaient dans une grande jarre le sang des porcs à peine égorgés, afin qu'il ne se coagulât pas. Si on le brassait bien et sur-le-champ, il se conserverait les jours suivants, grâce au climat rigoureux, et finalement on en ferait des boudins.

Nous rentrâmes dans l'Edifice et jetâmes à peine un coup d'œil au réfectoire, que nous traversâmes pour nous diriger vers la tour orientale. Des deux tours, entre lesquelles s'étendait le réfectoire, la septentrionale abritait une cheminée, l'autre un escalier à vis qui menait au scriptorium, c'est-à-dire au deuxième étage. C'est d'ici que les moines se rendaient chaque jour au travail, ou bien par deux escaliers en hélice moins commodes mais bien chauffés, qui montaient derrière la cheminée et le four des cuisines.

Guillaume demanda si nous trouverions quelqu'un dans le scriptorium, bien que ce fût dimanche. Séverin sourit et dit que le travail, pour le moine bénédictin, est prière. Le dimanche les offices duraient plus longtemps, mais les moines travaillant aux livres passaient également quelques heures là-haut, d'habitude employées en de fructueux échanges d'observations savantes, conseils, réflexions sur les Ecritures saintes.

Premier jour

APRÈS NONE

Où l'on visite le scriptorium et l'on fait connaissance de nombreux savants, copistes et rubricaires ainsi que d'un vieillard aveugle qui attend l'Antéchrist.

Tandis que nous montions, je vis que mon maître observait les fenêtres qui donnaient de la lumière à l'escalier. J'étais probablement en train de devenir aussi habile que lui, car je me rendis aussitôt compte que leur disposition aurait difficilement permis à quelqu'un de les atteindre. Et, d'autre part, les verrières qui s'ouvraient dans le réfectoire (les seules du premier étage à regarder l'à-pic) ne paraissaient pas aisément accessibles, étant donné qu'en dessous il n'y avait aucune espèce de meubles.

Arrivés au sommet de l'escalier nous entrâmes, par la tour orientale dans le scriptorium et là je ne pus retenir un cri d'admiration. Le deuxième étage n'était pas divisé en deux comme l'étage inférieur et il s'offrait donc à mes yeux dans l'immensité de son espace. Les voûtes, aux voussures point trop hautes (moins que dans une église, plus toutefois que dans toute autre salle capitulaire qu'oncques ne vis), soutenues par de robustes pilastres, cernaient un espace inondé d'une très belle lumière, car trois énormes verrières s'ouvraient sur chacun des plus grands côtés, tandis que cinq verrières plus petites perçaient chacun des cinq côtés extérieurs de chaque tour ; huit verrières hautes et étroites, enfin, laissaient aussi pénétrer la lumière par le puits octogonal intérieur.

L'abondance des fenêtres faisait en sorte que la grande salle était égayée par une lumière continue et diffuse, même en cet après-midi d'hiver. Le vitrage n'était pas coloré comme celui des églises, et les résilles de plomb assemblaient des carrés de verre incolore, pour que la lumière entrât de la façon la plus pure, non modulée par l'art humain, et servît à son but, qui était d'éclairer le travail de la lecture et de l'écriture. Bien d'autres fois je vis, et en d'autres lieux, de nombreux scriptorium, mais aucun où aussi lumineusement resplendît, dans les coulées de lumière physique qui faisaient rayonner l'atmosphère, le principe spirituel même que la lumière incarne, la *claritas*, source de toute beauté et sapience, attribut inséparable de cette proportion que la salle manifestait. Car trois choses concourent à créer la beauté : d'abord l'intégrité ou perfection, et de ce fait nous estimons laides les choses incomplètes ; ensuite la proportion requise autrement dit l'harmonie ; enfin la clarté et la lumière, et nous appelons belles en effet les choses de couleur limpide. Et comme la vision du beau implique la paix, et pour notre appétit c'est tout un que de se rasséréner dans la paix, dans le bien ou dans le beau, je me sentis envahi d'une immense consolation et je pensai combien il devait être agréable de travailler dans ce lieu.

Tel qu'il apparut à mes yeux, en cette heure méridienne, il me fit l'impression d'un joyeux atelier de la sapience. Par la suite je vis à Saint-Gall un scriptorium de proportions identiques, séparé de la bibliothèque (ailleurs, dans d'autres abbayes, les moines travaillaient dans le lieu même où étaient serrés les livres), mais pas aménagé avec autant de bonheur que celui-ci. Antiquarii, librarii, rubricaires et chercheurs étaient assis, chacun à sa propre table, une table sous chacune des verrières. Et comme les verrières étaient au nombre de quarante (nombre vraiment parfait, dû au décuplement du quadragone, comme si les dix commandements avaient été magnifiés par les quatre vertus cardinales), quarante moines auraient pu travailler à l'unisson, même si à ce moment précis ils étaient à peine une trentaine. Séverin nous expliqua que les moines qui travaillaient au scriptorium se voyaient dispensés des offices de tierce, sexte et none pour ne pas devoir interrompre leur tâche dans les heures de lumière, et arrêtaient leurs activités seulement au coucher du soleil, pour vêpres.

Les places les plus lumineuses étaient réservées aux antiquarii, les enlumineurs les plus experts, aux rubricaires et aux copistes. Chaque table avait tout ce qui pouvait servir à enluminer et à copier : cornes à encre, plumes fines que certains moines affilaient à l'aide d'une lamelle de canif, pierre ponce pour rendre lisse le parchemin, règles pour tracer les lignes où coucher l'écriture. A côté de chaque scribe, ou au sommet du plan incliné de chaque table, se trouvait un lutrin, où était posé le manuscrit à copier, la page recouverte de caches qui encadraient la ligne qu'on était en train de transcrire. Et certains avaient des encres d'or et d'autres couleurs. D'autres au contraire ne faisaient que lire des livres, et transcrivaient des notes sur leurs tablettes ou carnets personnels.

Je n'eus d'ailleurs pas le temps d'observer leur travail, car le bibliothécaire vint à notre rencontre, que nous savions être Malachie de Hildesheim. Son visage cherchait à prendre une expression de bienvenue, mais je ne pus m'empêcher de frémir face à une aussi singulière physionomie. Sa silhouette était élancée et, bien qu'extrêmement maigres, ses membres étaient forts et disgracieux. Comme il avançait à grandes foulées, enveloppé dans la robe noire de l'ordre, il y avait quelque chose d'inquiétant dans son aspect. Le capuchon encore rabattu, puisqu'il venait de l'extérieur, jetait une ombre sur la pâleur de sa face et donnait un je ne sais quoi de douloureux à ses grands yeux mélancoliques. Il y avait dans sa physionomie comme les traces de nombreuses passions que la volonté avait disciplinées mais qui paraissaient avoir fixé ces linéaments qu'elles avaient cessé d'animer. Tristesse et sévérité prédominaient dans les traits de son visage et ses yeux étaient si intenses qu'à un seul regard ils pouvaient pénétrer le cœur de celui qui parlait, et lire ses pensées secrètes, si bien qu'on pouvait difficilement supporter leur investigation et qu'on était tenté de ne pas les rencontrer une seconde fois.

Le bibliothécaire nous présenta à de nombreux moines qui étaient au travail à ce moment-là. De chacun d'eux Malachie nous dit aussi la tâche qu'il accomplissait, et j'admirai la profonde dévotion de tous au savoir et à l'étude de la parole divine. Je fis ainsi connaissance avec Venantius de Salvemec, traducteur du grec et de l'arabe, fervent de cet Aristote qui certainement fut le plus sage des hommes. Bence d'Uppsala, un jeune moine scandinave qui s'occupait de rhétorique. Bérenger d'Arundel, l'aide du bibliothécaire. Aymaro d'Alexandrie, recopiant des ouvrages qui ne seraient prêtés que pour quelques mois à la bibliothèque, et puis un groupe d'enlumineurs de différents pays, Patrice de Clonmacnois, Raban de Tolède, Magnus de Iona, Walde de Hereford.

L'énumération pourrait continuer et il n'est rien de plus merveilleux que l'énumération, instrument d'admirables hypotyposes. Mais je dois en venir au sujet de nos discussions, d'où surgirent maintes indications utiles pour comprendre la subtile inquiétude qui flottait parmi les moines, et un je ne sais quoi d'inexprimé qui pesait sur tous leurs propos.

Mon maître entreprit Malachie en commençant par louer la beauté et l'activité du scriptorium et par s'enquérir de la marche du travail qui s'accomplissait en ce lieu car, dit-il avec grande habileté, il avait partout entendu parler de cette bibliothèque et il aurait voulu en examiner de nombreux livres. Malachie lui expliqua ce que l'Abbé lui avait déjà dit, que le moine demandait au bibliothécaire l'ouvrage à consulter, et celui-ci irait le chercher dans la bibliothèque supérieure, si la demande avait été juste et pieuse. Guillaume demanda comment il pouvait connaître le nom des livres abrités dans les armaria du haut, et Malachie lui indiqua, fixé par une chaîne d'or à sa table, un volumineux codex intégralement couvert de listes.

Guillaume enfila les mains dans sa coule, qui s'ouvrait sur sa poitrine pour former une poche, et en retira un objet que je lui avais déjà vu dans les mains, et sur son visage, au cours du voyage. C'était une fourche construite de manière à pouvoir tenir sur le nez d'un homme (et mieux encore sur le sien, si proéminent et aquilin) comme un cavalier se tient sur la croupe de son cheval ou comme un oiseau sur un juchoir. Et de chaque côté de la fourche, de façon à correspondre aux yeux, s'arrondissaient deux cercles ovales de métal, qui enserraient deux amandes de verre épaisses comme des fonds de chope. Guillaume lisait de préférence avec cela sur les yeux, et disait y voir mieux que nature ne l'avait doué, ou que son âge avancé, surtout au déclin du jour, ne le lui permettait. Ces verres ne lui servaient pas à voir de loin, car son regard était des plus aigus, mais à voir de près. Grâce à eux, il pouvait lire des manuscrits aux lettres minuscules, que je peinais presque à déchiffrer moi-même. Il m'avait expliqué que, lorsque l'homme était arrivé au-delà de la moitié de la vie, même si sa vue avait toujours été excellente, son œil durcissait et renâclait à adapter la pupille, à telle enseigne que de nombreux savants étaient comme morts à la lecture et à l'écriture après leur cinquantième printemps. Grave malheur pour des hommes qui auraient pu donner le meilleur de leur intelligence pendant nombre d'années encore. Raison pour quoi il fallait louer le Seigneur que quelqu'un eût découvert et fabriqué cet instrument. Et il me disait cela pour soutenir les idées de son Roger Bacon affirmant que le but du savoir était aussi de prolonger la vie humaine.

Les autres moines regardèrent Guillaume avec beaucoup de curiosité, mais ne risquèrent aucune question. Et de mon côté, je m'aperçus que, fût-ce dans un lieu aussi jalousement et orgueilleusement consacré à la lecture et à l'écriture, cet admirable instrument n'avait pas encore pénétré. Et je me sentis fier d'accompagner un homme qui avait en sa possession quelque chose digne d'étonner d'autres hommes fameux dans le monde pour leur sagesse.

Avec ces objets aux yeux, Guillaume se pencha sur les listes dressées dans le codex. Je regardai moi aussi, et nous découvrîmes des titres de livres dont nous n'avions jamais entendu parler, et d'autres très célèbres, que la bibliothèque possédait.

« *De pentagono Salomonis, Ars loquendi et intelligendi in lingua hebraica, De rebus metallicis* de Roger de Hereford, *Algebra* de Al

Kouwarizmi, version latine de Robert Anglico, les *Puniques* de Silius Italicus, les *Gesta francorum, De laudibus sanctae crucis* de Raban Maur, et *Flavii Claudii Giordani de aetate mundi et hominis reservatis singulis litteris per singulos libros ab A usque ad Z,* lut mon maître. Ouvrages splendides. Mais selon quel ordre sont-ils enregistrés ? » Il cita un texte que je ne connaissais pas mais qui était sûrement familier à Malachie : « " Habeat Librarius et registrum omnium librorum ordinatum secundum facultates et auctores, reponeatque eos separatim et ordinate cum signaturis per scripturam applicatis. " Comment faites-vous pour connaître la place de chaque livre ? ».

Malachie lui montra des annotations qui accompagnaient chaque titre. Je lus : iii, IV gradus, V in prima graecorum ; ii, V gradus, VII in tertia anglorum, et ainsi de suite. Je compris que le premier chiffre indiquait la position du livre sur l'étagère ou gradus, signalée par le second chiffre, l'armoire étant signalée par le troisième chiffre, et je compris aussi que les autres expressions désignaient une salle ou un couloir de la bibliothèque, et j'osai demander de plus amples renseignements sur ces dernières distinctiones. Malachie me regarda avec sévérité : « Vous ne savez sans doute pas, ou vous avez oublié, que l'accès à la bibliothèque n'est consenti qu'au seul bibliothécaire. Et donc il est juste et suffisant que seul le bibliothécaire sache déchiffrer ces choses-là.

— Mais dans quel ordre sont reportés les livres dans cette liste ? demanda Guillaume. Pas par sujet, me semble-t-il. » Il ne fit pas allusion à une classification par auteurs qui suivît l'ordre même des lettres de l'alphabet, car c'est un procédé astucieux que j'ai vu mis en œuvre ces dernières années seulement, et qu'on n'utilisait guère autrefois.

« La bibliothèque plonge ses racines dans la profondeur des temps, dit Malachie, et les livres sont enregistrés selon l'ordre des acquisitions, des donations, de leur entrée dans nos murs.

— Malaisés à trouver, observa Guillaume.

— Il suffit que le bibliothécaire les ait tous présents en sa mémoire et sache pour chaque livre l'époque où il arriva. Quant aux autres moines, ils peuvent se fier à sa mémoire. » On eût dit qu'il parlait d'un autre, qu'il ne s'agissait pas de lui-même ; et je compris qu'il parlait de la fonction qu'en ce moment il remplissait indignement, mais qui avait été remplie par cent autres, désormais disparus, lesquels s'étaient transmis de l'un à l'autre leur savoir.

« J'ai compris, dit Guillaume. Si donc je cherchais quelque chose, sans savoir quoi précisément, sur le pentagone de Salomon, vous sauriez m'indiquer qu'existe le livre dont je viens tout juste de lire le titre, et vous pourriez en déterminer la position à l'étage supérieur.

— Si vous deviez vraiment apprendre quelque chose sur le pentagone de Salomon, dit Malachie. Mais un tel livre, si j'avais à vous le donner, je préférerais d'abord demander conseil à l'Abbé.

— J'ai su qu'un de vos plus habiles enlumineurs, dit alors Guillaume, a disparu tout récemment. L'Abbé m'a beaucoup parlé de son art. Pourrais-je voir les manuscrits qu'il enluminait ?

— Adelme d'Otrante, dit Malachie en regardant Guillaume avec méfiance, ne travaillait, à cause de son jeune âge, que sur les marginalia. Il avait une imagination fort vive et à partir de choses connues, il savait composer des choses inconnues et surprenantes, comme qui unirait un corps humain à une encolure de cheval. Mais voilà ses livres, là-bas. Personne n'a encore touché à sa table. »

Nous nous approchâmes de ce qui avait été la place de travail d'Adelme, où se trouvaient encore les feuillets d'un psautier richement enluminés. C'étaient des folia de vellum très fin — roi d'entre les parchemins — et le dernier était encore fixé à la table. A peine frotté avec de la pierre ponce et adouci à la craie, il avait été lissé avec la plana et, à partir des trous minuscules produits sur les côtés à l'aide d'un stylet très mince, avaient été tracées toutes les lignes qui devaient guider la main de l'artiste. La première moitié avait été déjà recouverte d'écriture et le moine avait commencé d'y esquisser les figures sur les marges. Par contre les autres feuillets étaient déjà terminés, et en les regardant ni Guillaume ni moi ne parvînmes à retenir un cri d'admiration. Il s'agissait d'un psautier sur les marges duquel se dessinait un monde renversé par rapport à celui que nos sens perçoivent d'habitude. Comme si au seuil d'un discours qui par définition est le discours de la vérité, se développait en un lien profond avec celui-ci, à travers de merveilleuses allusions in aenigmate, un discours mensonger sur un univers placé la tête en bas, où les chiens fuient devant le lièvre et les cerfs chassent le lion. Petites têtes en forme de patte d'oiseau, animaux avec des mains humaines sur leur derrière, têtes chevelues d'où pointaient des pieds, dragons zébrés, quadrupèdes dont le cou serpentin s'entrelaçait en mille nœuds inextricables, singes aux cornes cervines, sirènes en forme de volatile avec des ailes membraneuses sur l'échine, hommes sans bras avec d'autres corps humains qui leur poussaient sur le dos en guise de bosse, et figures avec une bouche dentée sur le ventre, humains à la tête équine et équins aux jambes humaines, poissons avec des ailes d'oiseau et oiseaux à queue de poisson, monstres à corps unique et double tête ou tête unique et corps double, vaches à queue de coq aux ailes de papillon, femmes à la tête écailleuse comme le dos d'un poisson, chimères bicéphales entrecroisées avec des libellules au museau de lézard, centaures, dragons, éléphants, manticores, sciapodes allongés sur les branches d'un arbre, griffons qui donnaient naissance au bout de leur queue à un archer sur le pied de guerre, créatures diaboliques au cou sans fin, théories d'animaux anthropomorphes et de nains zoomorphes se combinaient, parfois sur la même page, en scènes de vie champêtre où vous auriez pu voir représentée, avec une vivacité si impressionnante qu'on eût dit des figures vivantes, toute la vie des champs, laboureurs, cueilleurs de fruits, moissonneurs, fileuses, semeurs à côté de renards et de fouines armés d'arbalètes qui escaladaient une ville garnie de tours et défendue par des singes. Ici une lettre initiale se ployait en forme de L et dans sa partie inférieure engendrait un dragon, là un grand V qui donnait élan au mot « verba », produisait comme vrille naturelle de son tronc un serpent aux mille volutes, à son tour engendrant d'autres serpents de pampres et de corymbes.

Près du psautier se trouvait, d'évidence achevé depuis peu, un livre d'heures exquis, aux dimensions incroyablement petites, si petites que vous auriez pu le tenir dans le creux de la main. Minuscule était l'écriture, et les enluminures marginales à peine visibles à première vue requéraient de l'œil un examen de tout près pour apparaître dans leur entière beauté (et vous vous seriez demandé à l'aide de quel instrument surhumain l'enlumineur les avait tracées pour obtenir des effets d'une pareille vivacité en un espace aussi réduit). De fond en comble les marges du livre étaient envahies par de minuscules figures qui s'engendraient, comme par naturelle expansion, à partir des volutes terminales des lettres splendidement tracées : sirènes marines, cerfs en fuite, chimères, torses humains sans bras qui se dégageaient comme des lombrics du corps même des versets. A un certain endroit, comme pour continuer les trois « Sanctus, Sanctus, Sanctus » répétés sur trois lignes différentes, vous auriez pu voir trois figures bestiales aux têtes humaines, dont deux s'inclinaient l'une vers le bas et l'autre vers le haut pour s'unir en un baiser que vous n'auriez pas hésité à définir impudique si vous n'aviez été persuadé que, ne fût-elle point évidente, une profonde signification spirituelle devait certainement justifier une telle représentation à cet endroit précis.

Pour moi, je suivais ces pages partagé entre l'admiration et le rire, parce que les figures portaient nécessairement à l'hilarité, bien qu'elles commentassent des pages saintes. Frère Guillaume les examinait en souriant, et il observa : « Babewyn, ainsi les appelle-t-on dans mes îles.

— Babouins, comme on les appelle dans les Gaules, dit Malachie. Et de fait Adelme a appris son art dans votre pays, bien qu'ensuite il ait aussi étudié en France. Babouins, autrement dit singes de l'Afrique. Figures d'un monde renversé, où les maisons surgissent à la pointe d'une aiguille et la terre se trouve au-dessus du ciel. »

Je me rappelai quelques vers que j'avais entendus dans le parler vernaculaire de mes terres et je ne pus m'empêcher de les prononcer :

Aller Wunder si geswingen
das herde himel hât überstigen,
daz sult ir vür ein Wunder wingen.

Et Malachie poursuivit, citant le même texte :

Erd ob un himel unter
das sult ir hân besunder
Vür aller Wunder ein Wunder.

« Compliments, Adso, continua le bibliothécaire, effectivement ces images nous parlent de cette région où l'on arrive en chevauchant une oie bleue, où l'on trouve des éperviers qui pêchent des poissons dans un ruisseau, des ours qui pourchassent des faucons dans le ciel, des écrevisses qui volent avec les colombes et trois géants pris au piège et mordus par un coq. »

Un pâle sourire éclaira ses lèvres. Alors les moines, qui avaient suivi la conversation avec une certaine timidité, se mirent à rire de bon cœur, comme s'ils avaient attendu le consentement du bibliothécaire. Lequel se rembrunit, tandis que les autres continuaient de rire, louant l'habileté du pauvre Adelme et se montrant l'un à l'autre les figures les plus invraisemblables. Et ce fut au moment où tous riaient encore, que nous entendîmes derrière nous une voix, solennelle et sévère.

« Verba vana aut risui apta non loqui. »

Nous nous retournâmes. Celui qui avait parlé était un moine courbé sous le poids des ans, blanc comme neige, et je ne veux pas parler du poil seulement, mais aussi du visage, et des pupilles. Je m'avisai qu'il était aveugle. Sa voix était encore majestueuse et ses membres puissants, même si son corps était racorni par l'âge. Il nous fixait comme s'il nous voyait, et toujours, même par la suite, je le vis se déplacer et parler comme s'il avait encore le bonheur de voir. Mais en revanche le ton de la voix était de qui ne possédait que le don de la prophétie.

« L'homme vénérable d'âge et de sapience que vous voyez, dit Malachie à Guillaume en lui désignant le nouveau venu, est Jorge de Burgos. Plus âgé que quiconque vivant dans le monastère, sauf Alinardo de Grottaferrata, il est celui à qui bon nombre de moines confient le poids de leurs péchés dans le secret de la confession. » Puis, s'adressant au vieillard : « Celui qui se trouve devant vous est frère Guillaume de Baskerville, notre hôte.

— J'espère que mes paroles ne vous ont pas fâché, dit le vieil homme d'un ton brusque. J'ai entendu des personnes qui riaient de choses risibles et je leur ai rappelé un des principes de notre règle. Comme dit le psalmiste, si le moine doit s'abstenir des propos bienveillants en raison de son vœu de silence, combien à plus forte raison il doit se détourner des mauvais propos. Et comme il y a des propos mauvais, il y a des images mauvaises. Ce sont celles qui mentent sur la forme de la création et montrent le monde au contraire de ce qu'il doit être, a toujours été et toujours sera dans les siècles des siècles jusqu'à la fin des temps. Mais vous, vous venez d'un autre ordre, où, me dit-on, on voit tout avec indulgence, fût-ce la gaieté la plus inopportune. » Il faisait allusion à ce qu'on disait parmi les bénédictins des extravagances de saint François d'Assise et peut-être aussi des extravagances attribuées aux fraticelles et spirituels de tout acabit qui, de l'ordre franciscain, avaient été les plus récents et les plus embarrassants rejetons. Mais frère Guillaume fit mine de ne pas relever l'insinuation.

« Les images marginales portent souvent à sourire, mais à des fins d'édification, répondit-il. Comme dans les sermons pour toucher l'imagination des foules pieuses il faut insérer des exempla, dont le côté facétieux ne fait nullement défaut, de même le discours des images aussi doit se prêter à ces nugae. Pour chaque vertu et pour chaque péché il y a un exemple tiré des bestiaires, et les animaux se font figure du monde humain.

— Oh certes, plaisanta le vieil homme mais sans sourire, toute image est bonne pour susciter le désir de la vertu, pour que le chef-d'œuvre de la création, mis tête en bas et pieds en l'air, devienne matière à rire. Ainsi donc la parole de Dieu se manifeste à travers l'âne qui joue de la lyre, l'andouille qui laboure avec son écu, les bœufs qui s'attachent tout seuls à la charrue, les fleuves qui remontent les courants, la mer qui prend feu, le loup qui se fait ermite ! Chassez le lièvre avec le bœuf, faites-vous enseigner la grammaire par les chouettes, que les chiens mordent les puces, les aveugles observent les muets et les muets exigent du pain, la fourmi mette bas un veau, que volent les poulets rôtis, les fouaces poussent sur les toits, les perroquets fassent cours de rhétorique, les poules fécondent les coqs, mettez le char devant les bœufs, faites dormir le chien dans un lit et que tout le monde marche sur la tête ! Que veulent toutes ces nugae ? Un monde inverse et opposé au monde établi par Dieu, sous prétexte d'enseigner les préceptes divins !

— Mais l'Aréopagite enseigne, dit humblement Guillaume, que Dieu ne peut être nommé qu'à travers les choses les plus difformes. Et Hugues de Saint-Victor nous rappelait que plus la ressemblance devient dissemblable, plus la vérité nous est révélée sous le voile de figures horribles et inconvenantes, et moins l'imagination se calme dans les jouissances charnelles, qui est alors contrainte de saisir les mystères cachés derrière la turpitude des images...

— Je connais l'argument ! Et j'admets avec honte que ce fut l'argument primordial de notre ordre, lorsque les abbés clunisiens se battaient contre les cisterciens. Mais saint Bernard avait raison : petit à petit l'homme qui représente des monstres et des prodiges de la nature pour révéler les choses de Dieu per speculum et in aenigmate, prend goût à la nature même des monstruosités qu'il crée et d'elles fait jeu, et pour elles joue, et ne voit plus qu'à travers elles. Il suffit que vous observiez, vous qui avez encore la vue, les chapiteaux de votre cloître (et de la main il indiqua au-delà des fenêtres, vers l'église), sous le regard des moines absorbés dans la méditation, que signifient ces ridicules monstruosités, ces belles formes déformées et ces belles difformités ? Ces singes sordides ? Ces lions, ces centaures, ces êtres semi-humains, avec une bouche sur le ventre, un pied unique, les oreilles en forme de voile ? Ces tigres léopardés, ces guerriers en lutte, ces chasseurs qui soufflent dans un olifant, et ces théories de corps pour une seule tête et ces théories de têtes pour un seul corps ? Quadrupèdes à queue de serpent, et poissons à tête de quadrupède, et ici un animal qui par-devant a l'air d'un cheval et par-derrière d'un bouc, et là un onagre avec des cornes et allez, allez-y, désormais il est plus agréable pour un moine de lire les marbres que les manuscrits, et d'admirer les œuvres de l'homme plutôt que de méditer sur la loi de Dieu. Honte aux désirs de vos yeux et à vos sourires ! »

Le grand vieillard s'arrêta en haletant. Et moi j'admirai l'alerte mémoire avec laquelle, sans doute aveugle depuis tant d'années, il se rappelait encore les images de turpitude dont il nous parlait. Au point que je soupçonnai qu'elles l'avaient fort séduit quand il les avait vues, s'il savait les décrire encore avec tant de passion. Mais souventes fois il m'est arrivé de trouver les représentations les plus séduisantes du péché précisément dans les pages de ces hommes d'incorruptible vertu qui en condamnaient le charme et ses effets. Signe que ces hommes sont mus par une telle ardeur de témoigner la vérité qu'ils n'hésitent pas, pour l'amour de Dieu, à conférer au mal toutes les séductions dont il se pare, afin de mieux instruire leur prochain des manières dont use le malin pour les captiver. Et de fait les paroles de Jorge aiguillonnèrent chez moi une grande envie de voir les tigres et les singes du cloître, que je n'avais pas encore admirés. Mais Jorge interrompit le cours de mes pensées parce qu'il se remit, d'un ton moins excité, à parler.

« Notre Seigneur n'a pas eu besoin de tant de sottises pour nous montrer le droit chemin. Rien dans ses paraboles ne porte au rire, ou à la peur. Adelme par contre, que mort à présent vous pleurez, jouissait tellement des monstruosités qu'il enluminait, qu'il avait perdu de vue les choses dernières dont elles devaient être figure matérielle. Et il les a toutes parcourues, je dis bien toutes (et sa voix se fit solennelle et menaçante), les sentes de la monstruosité. D'où il appert que Dieu sait punir. »

Un lourd silence descendit sur les présents. Venantius de Salvemec eut la hardiesse de le rompre.

« Vénérable Jorge, dit-il, votre vertu vous rend injuste. Deux jours avant qu'Adelme mourût, vous étiez présent à un docte débat qui eut lieu justement ici, dans le scriptorium. Adelme était soucieux que son art, se complaisant à des représentations bizarres et fantastiques, fût toutefois interprété à la gloire de Dieu, instrument de connaissance des choses célestes. Frère Guillaume citait il y a un instant l'Aréopagite, sur la connaissance par difformité. Et Adelme cita ce jour-là une autre très haute autorité, celle du docteur d'Aquin, quand il dit qu'il convient que les choses divines soient exposées davantage en des figures de corps vils qu'en des figures de corps nobles. D'abord parce que l'esprit humain est plus aisément libéré de l'erreur ; il est clair en effet que certaines propriétés ne peuvent être attribuées aux choses divines, ce qu'on pourrait révoquer en doute si celles-ci étaient indiquées avec des figures de nobles apparences corporelles. En second lieu parce que ce mode de représentation convient davantage à la connaissance de Dieu que nous avons sur cette terre : il se manifeste à nous, en effet, plus en ce qu'il n'est pas qu'en ce qu'il est, et donc la parenté de ces choses qui nous éloignent le plus de Dieu nous ramène à une plus juste opinion de lui, car nous savons ainsi qu'il est au-dessus de ce que nous disons et pensons. Et en troisième lieu parce que les choses de Dieu sont ainsi mieux cachées aux personnes indignes. En somme, il s'agissait ce jour-là de comprendre de quelle façon on peut découvrir la vérité à travers des expressions surprenantes, et piquantes, et énigmatiques. Et moi je lui rappelai que dans l'œuvre du grand Aristote, j'avais trouvé des mots suffisamment clairs à cet égard...

— Je ne me souviens pas, interrompit sèchement Jorge, je suis très vieux. Je ne me souviens pas. Je puis avoir exagéré en sévérité. Il est tard maintenant, il me faut aller.

— Il est étrange que vous ne vous souveniez pas, insista Venantius, ce fut une docte et très belle discussion, où intervinrent aussi Bence et Bérenger. Il s'agissait en effet de savoir si les métaphores, et les jeux de mots, et les énigmes, qui ont pourtant bien l'air d'avoir été imaginés par les poètes par pur divertissement, ne portent pas à spéculer sur les choses de manière nouvelle et surprenante, et je disais pour ma part que c'est là aussi une vertu qu'on demande au sage... Et il y avait aussi Malachie...

— Si le vénérable Jorge ne se souvient pas, aie du respect pour son âge et pour la lassitude de son esprit... d'ailleurs toujours aussi vif », intervint l'un des moines qui suivaient la discussion. La phrase avait été prononcée avec précipitation, du moins au début, car celui qui avait parlé, s'apercevant que pour inviter au respect du vieillard, il en mettait de fait une faiblesse en lumière, avait ensuite ralenti l'élan de sa propre intervention, terminant presque en un murmure d'excuse. C'était Bérenger d'Arundel qui venait de parler, l'aide-bibliothécaire, un jeune homme au visage pâle ; et en l'observant je me rappelai la définition qu'Ubertin avait donnée d'Adelme : ses yeux semblaient ceux d'une femme lascive. Intimidé par les regards de tous qui maintenant se posaient sur lui, il entrecroisait les doigts de ses mains comme pour refréner une tension interne.

Singulière fut la réaction de Venantius. Il regarda de telle façon Bérenger que celui-ci baissa les yeux : « Entendu, frère, dit-il, si la mémoire est un don de Dieu la capacité d'oublier aussi peut être excellente, et tout à fait respectable. Mais je la respecte dans le confrère chargé d'ans auquel je m'adressais. De ta part, je m'attendais à un souvenir plus alerte quant à ce qui s'est passé lorsque nous étions ici même, en compagnie d'un ami très cher à toi... »

Je ne pourrais dire si Venantius avait appuyé la voix sur les deux mots « très cher ». Le fait est que je ressentis une atmosphère de gêne parmi les assistants. Chacun dirigeait son regard d'un côté différent et personne ne le dirigeait sur Bérenger, qui avait violemment rougi. Malachie intervint aussitôt, avec autorité : « Venez, frère Guillaume, dit-il, je vous montrerai d'autres livres intéressants. »

Le groupe se sépara. J'aperçus Bérenger lancer à Venantius un regard lourd de rancœur, et Venantius lui rendre la pareille, en un muet défi. Moi, voyant que le vieux Jorge allait s'éloigner, mû par un sentiment de respectueuse révérence, je me penchai pour lui baiser la main. Le vieillard reçut le baiser, posa la main sur ma tête et demanda qui j'étais. Quand je lui dis mon nom son visage s'éclaira.

« Tu portes un nom grand et très beau, dit-il. Sais-tu qui fut Adso de Montier-en-Der ? » demanda-t-il. Moi, je l'avoue, je ne le savais pas. Alors Jorge ajouta : « Il a été l'auteur d'un livre grand et terrible, le *Libellus de Antechristo,* où il vit des choses qui arriveraient, et il ne fut pas assez écouté.

— Le livre fut écrit avant le millénaire, dit Guillaume, et ces choses ne se sont pas vérifiées...

— Pour qui n'a pas d'yeux pour voir, dit l'aveugle. Les voies de l'Antéchrist sont lentes et tortueuses. Il survient quand nous, nous ne le prévoyons pas, et non pas parce que le calcul suggéré par l'apôtre était erroné, mais parce que nous, nous n'en avons pas appris l'art. » Puis il cria, à très haute voix, le visage tourné vers la salle, faisant retentir les voûtes du scriptorium : « Il arrive ! Il arrive ! Ne perdez pas les derniers jours à rire sur les avortons à la peau léopardée et à la queue boudinée ! Ne dissipez pas les sept derniers jours ! »

Premier jour

VÊPRES

Où l'on visite le reste de l'abbaye, Guillaume tire certaines conclusions sur la mort d'Adelme, l'on parle avec le frère verrier de verres pour lire et de fantômes pour qui veut trop lire.

A cet instant on sonna pour vêpres et les moines se disposèrent à quitter leurs tables. Malachie nous fit comprendre que nous aussi nous devions nous en aller. Lui, il resterait avec son aide, Bérenger, pour remettre de l'ordre dans les choses et (ainsi s'exprima-t-il) pour préparer la bibliothèque pour la nuit. Guillaume lui demanda s'il fermerait ensuite les portes.

« Il n'y a point de portes qui défendent, des cuisines et du réfectoire, l'accès au scriptorium, ni du scriptorium à la bibliothèque. Plus fort qu'aucune porte doit être l'interdit de l'Abbé. Et les moines doivent se servir et des cuisines et du réfectoire jusqu'à complies. A partir de là, pour empêcher qu'étrangers ou animaux, pour lesquels l'interdit ne joue pas, puissent entrer dans l'Edifice, je ferme moi-même les portes d'en bas, qui mènent et aux cuisines et au réfectoire, et dès lors l'Edifice reste isolé. »

Nous descendîmes. Tandis que les moines se dirigeaient vers le chœur, mon maître décida que le Seigneur nous pardonnerait si nous n'assistions pas à l'office divin (le Seigneur eut beaucoup à nous pardonner au cours des jours suivants !), et il me proposa de marcher un peu avec lui sur le plateau, afin de nous familiariser avec les lieux.

Nous sortîmes des cuisines, traversâmes le cimetière : il y avait des pierres tombales assez récentes ; et d'autres qui portaient les marques du temps, racontaient les vies de moines ayant vécu dans les siècles passés. Les tombes étaient sans nom, surmontées de croix de pierre.

Le temps se gâtait. Un vent froid s'était levé et le ciel s'embrumait. On devinait un soleil qui se couchait derrière les jardins et déjà l'obscurité tombait vers l'orient, où nous dirigeâmes nos pas, longeant le chœur de l'église et rejoignant l'arrière du plateau. Là, presque adossé au mur d'enceinte, à l'endroit où il se soudait à la tour orientale de l'Edifice, se trouvaient les soues, et les porchers remplissaient à ras bord la jarre du sang de leurs cochons. Nous remarquâmes que derrière les soues le mur d'enceinte était plus bas, au point qu'on pouvait s'y pencher. Au-delà de l'à-pic des murailles, le terrain qui descendait vertigineusement était recouvert de débris que la neige n'arrivait pas à cacher tout à fait. Je me rendis compte qu'il s'agissait du dépôt des litières qu'on jetait d'ici et qui glissaient jusqu'au tournant là où bifurquait le sentier sur lequel s'était aventuré le fuyard Brunel. Je dis litières, car il s'agissait d'une avalanche de matière en putréfaction dont l'odeur arrivait jusqu'au parapet où je me penchais ; évidemment les paysans venaient d'en bas se servir pour enfumer les champs. Mais aux déjections des animaux et des hommes, se mêlaient d'autres déchets solides, tout le flot de matières mortes que l'abbaye expulsait de son propre corps, pour se garder limpide et pure dans son rapport avec la cime du mont et avec le ciel.

Dans les écuries toutes proches, les gardiens des chevaux ramenaient les animaux au râtelier. Tout le long du chemin que nous parcourûmes se succédaient, du côté de la muraille, les écuries, les étables, les bergeries, et à droite, adossé au chœur, le dortoir des moines, et puis les latrines. Là où le mur oriental s'incurvait vers le midi, à l'angle de l'enceinte, était le bâtiment des forges. Les derniers forgerons remisaient leurs outils et assujettissaient les soufflets, pour se rendre à l'office divin. Guillaume se dirigea avec curiosité vers un coin des forges, presque séparé du reste de l'atelier, où un moine rangeait ses affaires. Sur son établi se trouvait une superbe collection de verres multicolores, de petites dimensions, mais des plaques plus larges étaient appuyées au mur. Il y avait devant lui un reliquaire encore inachevé, dont il n'existait que la carcasse en argent, mais dans laquelle il était évidemment en train d'enchâsser verres et autres pierres, qu'avec ses instruments il avait réduits aux dimensions d'une gemme.

Nous connûmes ainsi Nicolas de Morimonde, maître verrier de l'abbaye. Il nous expliqua que dans la partie postérieure de la forge on soufflait aussi le verre, tandis que dans la partie antérieure, où se trouvaient les forgerons, on fixait les verres à la résille de plomb pour en faire des vitraux. Mais, ajouta-t-il, la grande œuvre de verre, qui embellissait l'église et l'Edifice, avait été achevée depuis au moins deux siècles déjà. Maintenant on se limitait à des travaux mineurs, ou à la réparation des dégâts du temps.

« Et avec grande difficulté, ajouta-t-il, parce qu'on n'arrive plus à trouver les couleurs d'autrefois, surtout le bleu que vous pouvez encore admirer dans le chœur, d'une qualité si limpide qu'avec un soleil haut dans le ciel se déverse dans la nef une lumière de paradis. Les vitraux de la partie occidentale de la nef, refaits naguère, ne sont pas de la même qualité, et on le voit par les jours d'été. C'est inutile, ajouta-t-il, nous n'avons plus la sagesse des anciens, elle est bien finie l'époque des géants !

— Nous sommes des nains, admit Guillaume, mais des nains juchés sur les épaules de ces géants, et dans notre petitesse il nous arrive parfois de voir plus loin qu'eux à l'horizon.

— Dis-moi ce que nous faisons mieux qu'eux n'aient su faire ! s'exclama Nicolas. Si tu descends dans la crypte de l'église où est gardé le trésor de l'abbaye, tu trouveras des reliquaires d'une facture si exquise que ce misérable avorton en train de prendre forme (et il fit un geste en direction de son propre ouvrage sur l'établi) te semblera les singer !

— Il n'est écrit nulle part que les maîtres verriers doivent continuer à construire des fenêtres et les orfèvres des reliquaires, si les maîtres du passé ont su en produire d'aussi beaux et destinés à durer dans les siècles. Autrement, la terre se remplirait de reliquaires, à une époque où les saints d'où tirer des reliques sont si rares, plaisanta Guillaume. Et on ne devra pas non plus souder à l'infini des fenêtres. Mais j'ai vu dans différents pays des ouvrages nouveaux faits avec le verre, qui font songer à un monde de demain où le verre sera non seulement au service des offices divins mais aussi viendra en aide à la faiblesse de l'homme. Je veux te montrer un ouvrage de nos jours, dont je m'honore de posséder un fort utile exemplaire. » Il mit les mains dans sa coule et en retira sa paire de verres qui laissèrent tout ahuri notre interlocuteur.

Nicolas prit avec grand intérêt la monture fourchue que Guillaume lui tendait : « Oculi de vitro cum capsula ! s'exclama-t-il. J'en avais ouï parler par un certain frère Giordano que je connus à Pise ! Il disait qu'il ne s'était pas passé vingt ans depuis leur invention. Mais il y a plus de vingt ans de cela que je m'entretins avec lui.

— Je crois qu'ils ont été inventés bien avant, dit Guillaume, mais ils sont difficiles à fabriquer, et il y faut des maîtres verriers d'une grande expérience. Ils coûtent du temps et du travail. Il y a dix ans une paire de ces vitrei ab oculis ad legendum a été vendue à Bologne pour six sous. Moi, j'en reçus d'un grand maître, Salvino degli Armati, une paire en cadeau, voilà plus de dix ans, et je les ai jalousement conservés pendant tout ce temps, comme s'ils étaient — ce qu'ils sont désormais — une partie de mon propre corps.

— J'espère que tu me les laisseras examiner un de ces jours, il ne me déplairait pas d'en fabriquer de semblables, dit avec émotion Nicolas.

— Bien sûr, acquiesça Guillaume, mais fais attention que l'épaisseur du verre doit changer selon l'œil auquel il faut l'adapter, et il faut essayer quantité de ces verres sur le patient, tant qu'on ne trouve pas la bonne épaisseur.

— Quelle merveille ! s'extasiait Nicolas. Et cependant beaucoup parleraient de sorcellerie et de manipulation diabolique...

— Certes pour ces choses, tu peux parler de magie, confirma Guillaume. Mais il est deux formes de magie. Il y a une magie qui est l'œuvre du diable et qui vise à la ruine de l'homme à travers des artifices dont il n'est point permis de parler. Mais il y a une magie qui est œuvre divine, là où la science de Dieu se manifeste à travers la science de l'homme, qui sert à transformer la nature, et dont l'une des fins est de prolonger la vie même de l'homme. Et c'est là une magie sainte, à laquelle les savants devront de plus en plus se consacrer, non seulement pour découvrir des choses nouvelles mais pour redécouvrir tant de secrets de la nature que la sapience divine avait révélés aux Hébreux, aux Grecs, à d'autres peuples antiques et jusqu'aux infidèles aujourd'hui (et inutile de te dire quelles merveilles d'optique et de science de la vision recèlent les livres des infidèles !). Une science chrétienne devra se réapproprier toutes ces connaissances, les reprendre aux païens et aux infidèles tamquam ab iniustis possessoribus.

— Mais pourquoi ceux qui possèdent cette science ne la communiquent-ils pas au peuple de Dieu tout entier ?

— Parce que le peuple de Dieu tout entier n'est pas encore prêt à accepter tant de secrets, et il est souvent arrivé que les dépositaires de cette science aient été pris pour des magiciens liés par un pacte au démon, payant ainsi de leur vie le désir qu'ils avaient eu de faire part aux autres des trésors de leurs connaissances. Moi-même, durant les procès où l'on soupçonnait quelqu'un de commerce avec le démon, j'ai dû me garder d'utiliser ces verres, ayant recours à des secrétaires pleins de bonne volonté qui me lisaient les écritures dont j'avais besoin, parce qu'autrement, à un moment où la présence du diable était aussi envahissante, et où tous en respiraient, pour ainsi dire, l'odeur de soufre, j'eusse été vu moi-même comme l'ami des accusés de l'Inquisition. Et enfin, avertissait le grand Roger Bacon, les secrets de la science ne doivent pas toujours circuler entre toutes les mains, car certains pourraient en user mal à propos. Souvent le savant doit faire apparaître comme magiques des livres qui n'ont rien à voir avec la magie, mais sont justement de bonne science, pour les protéger des regards indiscrets.

— Tu crains donc que les gens simples puissent faire mauvais usage de ces secrets ? demanda Nicolas.

— En ce qui concerne les simples, je crains seulement qu'ils puissent en être terrorisés, en les confondant avec ces œuvres du diable dont trop souvent parlent leurs prédicateurs. Tu vois, il m'est arrivé de connaître des médecins très habiles qui avaient distillé des médicaments capables de guérir sur-le-champ une maladie. Mais ceux-ci administraient leur onguent ou leur infusion aux gens simples en accompagnant l'acte médical de paroles sacrées et en psalmodiant des phrases qui avaient l'air de prières. Non point parce que ces prières avaient pouvoir de guérir, mais pour que, croyant que la guérison venait des prières, les simples avalent l'infusion ou s'enduisent d'onguent, et ainsi guérissent, sans trop prêter attention à la force effective du médicament. Et puis aussi pour que l'esprit, parfaitement excité par sa confiance en la formule dévote, se dispose mieux à l'action corporelle des substances médicamenteuses. Cependant il faut souvent défendre les trésors de la science non contre les simples mais plutôt contre d'autres savants. On fait aujourd'hui des machines prodigieuses, dont je te parlerai un jour, avec lesquelles on peut vraiment diriger le cours de la nature. Mais malheur si elles tombaient entre les mains d'hommes qui s'en serviraient pour étendre leur pouvoir terrestre et assouvir leur soif de possession. On me dit que dans le Cathay un sage a fait un mélange avec une poudre qui peut produire, au contact du feu, un grand grondement et une grande flamme, détruisant toute chose sur des brasses et des brasses alentour. Admirable artifice, si on l'employait à dévier le cours des fleuves ou à briser la roche là où il faut défricher la terre. Mais si quelqu'un s'en servait pour porter dommage à ses propres ennemis ?

— Peut-être serait-ce un bien, s'il s'agissait d'ennemis du peuple de Dieu, dit Nicolas avec onction.

— Peut-être, admit Guillaume. Mais qui est aujourd'hui l'ennemi du peuple de Dieu ? Louis, empereur, ou le pape Jean ?

— Oh Seigneur ! dit Nicolas tout effrayé, je ne voudrais vraiment pas trancher seul une question aussi douloureuse !

— Tu vois ? dit Guillaume. Il est parfois bon que certains secrets restent encore couverts par des propos occultes. Les arcanes de la nature ne circulent pas sur peaux de chèvre ou de brebis. Dans le livre des secrets, Aristote dit qu'à trop communiquer les arcanes de la nature et de l'art, on rompt un sceau céleste et que de nombreux maux pourraient s'ensuivre. Ce qui ne veut pas dire que les secrets ne doivent pas être dévoilés, mais qu'il revient aux savants de décider quand et comment.

— Raison pour quoi il est bon qu'en des lieux comme celui-ci, dit Nicolas, tous les livres ne soient pas à la portée de tous.

— Ça, c'est une autre histoire, dit Guillaume. On peut pécher par excès de loquacité et par excès de réticence. Je ne voulais pas dire qu'il faut cacher les sources de la science. Ce qui me semble au contraire un grand mal. Je voulais dire que, s'agissant d'arcanes dont il peut naître soit le bien soit le mal, le savant a le droit et le devoir d'utiliser un langage obscur, seulement compréhensible à ses semblables. Le chemin de la science est malaisé et il est malaisé d'y distinguer le bien du mal. Et souvent les savants des temps nouveaux ne sont que des nains hissés sur des épaules de nains. »

L'aimable conversation avec mon maître devait avoir mis Nicolas en veine de confidences. En effet, il fit un clin d'œil à Guillaume (comme pour dire : toi et moi, on se comprend parce qu'on parle des mêmes choses) et une allusion : « Pourtant là-haut (et il indiqua l'Edifice), les secrets de la science sont bien gardés, défendus par des œuvres de magie...

— Oui ? dit Guillaume en jouant l'indifférence. Portes barricadées, interdictions sévères, menaces, j'imagine.

— Oh non, davantage...

— Quoi par exemple ?

— C'est que voilà... je ne sais pas précisément, moi je m'occupe de verres et pas de livres, mais dans l'abbaye il circule des histoires... étranges...

— De quel genre ?

— Etranges. Disons, celle d'un moine qui, à la faveur de la nuit, a voulu s'aventurer dans la bibliothèque pour y chercher quelque chose que Malachie n'avait pas voulu lui donner, et il a vu des serpents, des hommes sans tête, et des hommes avec deux têtes. Peu s'en fallut qu'il ne sortît fou du labyrinthe...

— Pourquoi parles-tu de magie et non d'apparitions diaboliques ?

— Parce que si je suis un pauvre maître verrier, je ne suis pas à ce point-là ingénu. Le diable (Dieu nous en garde !) ne tente pas un moine avec des serpents et des hommes bicéphales. Mais plutôt avec des visions lascives, comme pour les pères du désert. Et puis, s'il est mal de mettre la main sur certains livres, pourquoi le diable devrait-il détourner un moine de la tentation du mal ?

— Ce me semble un bon enthymème, admit mon maître.

— Et enfin, quand j'ajustais les vitrages de l'hôpital, je me suis amusé à feuilleter certains livres de Séverin. Il y avait un livre de secrets écrit, je crois, par Albert le Grand ; je fus attiré par des enluminures curieuses, et je lus des pages sur la façon dont on peut suiffer la mèche d'une lampe à huile, et comment les fumigations qui en résultent procurent des visions. Tu auras remarqué, ou plutôt tu n'auras pas encore remarqué, car tu n'as encore passé aucune nuit à l'abbaye, que pendant les heures d'obscurité l'étage supérieur de l'Edifice est éclairé. A travers les verrières, en certains endroits, transparaît une faible lumière. Beaucoup se sont demandé ce que c'est, et on a parlé de feux follets, ou des âmes de moines bibliothécaires trépassés qui reviennent visiter leur royaume. Beaucoup y croient ici. Moi, je pense que ce sont des lampes préparées pour les visions. Tu sais, si tu prends le gras de l'oreille d'un chien et que tu en passes sur une mèche, celui qui respire la fumée de cette lampe croira avoir une tête de chien, et si quelqu'un se trouve à côté de lui, il le verra avec une tête de chien. Et il existe un autre onguent : avec lui, ceux qui tournent autour de la lampe se sentent grands comme des éléphants. Et avec les yeux d'une chauve-souris et de deux poissons dont je ne me rappelle pas le nom, et le fiel d'un loup, tu fabriques une mèche qui en brûlant te fera voir les animaux dont tu as pris le gras. Et avec la queue d'un lézard tu fais voir toutes choses alentour comme si elles étaient d'argent, et avec le gras d'un orvet et un petit bout de drap funèbre, la pièce où tu te trouves apparaîtra remplie de serpents. Moi je le sais. Il y a quelqu'un de très rusé dans la bibliothèque...

— Mais ne pourrait-ce être les âmes des bibliothécaires trépassés qui font ces maléfices ? »

Nicolas resta perplexe et inquiet : « Je n'avais pas pensé à cela. C'est possible. Que Dieu nous protège ! Il est tard, les vêpres ont déjà commencé. Adieu. » Et il se dirigea vers l'église.

Nous poursuivîmes le long du côté sud : à droite l'hôtellerie et la salle capitulaire avec le jardin, à gauche les pressoirs, le moulin, les greniers, les caves, la maison des novices. Et tous se hâtaient vers l'église.

« Que pensez-vous de ce qu'a dit Nicolas ? demandai-je.

— Je ne sais pas. Il se passe des choses dans la bibliothèque, et je ne crois pas que ce sont les âmes des bibliothécaires trépassés...

— Pourquoi ?

— Parce que j'imagine qu'ils ont été tellement vertueux qu'à cette heure ils séjournent dans le royaume des cieux, contemplant la face de la divinité, si cette réponse peut te satisfaire. Quant aux lampes, si elles existent nous les verrons. Et quant aux onguents dont nous parlait notre verrier, il est des manières plus faciles de procurer des visions, et Séverin les connaît fort bien, tu t'en es aperçu aujourd'hui. Il est en tout cas certain que dans l'abbaye on ne veut pas qu'on pénètre de nuit dans la bibliothèque et qu'en revanche beaucoup ont tenté ou tentent de le faire.

— Et notre crime a quelque chose à voir avec cette histoire ?

— Crime ? Plus j'y pense plus je suis convaincu qu'Adelme s'est tué lui-même.

— Et pourquoi ?

— Tu te souviens, ce matin, quand j'ai remarqué le dépôt des litières ? Tandis que nous gravissions le tournant dominé par la tour orientale, j'avais noté à cet endroit-là les signes laissés par un éboulement : en somme, un morceau de terrain, à peu près là où s'entassent les litières, s'était éboulé en dégringolant jusqu'en dessous de la tour. Et c'est pourquoi ce soir, quand nous avons regardé d'en haut, le tas de litières nous a semblé peu couvert de neige, en somme tout juste couvert par la chute fraîche d'hier, non par celles des jours passés. Quant au cadavre d'Adelme, l'Abbé nous a dit qu'il était déchiré par les rochers, et sous la tour orientale, juste où la construction finit à pic, poussent des pins. Les rochers sont au contraire précisément à l'endroit où la muraille finit, formant comme une sorte de marche, et après commence la chute des litières.

— Et alors ?

— Et alors réfléchis s'il n'est pas plus... comment dire ?... moins dispendieux pour notre esprit de penser qu'Adelme, pour des raisons encore à clarifier, s'est jeté de son plein gré sponte sua du parapet de la muraille, a rebondi sur les rochers et, mort ou blessé qu'il était, a culbuté dans les litières. Puis l'éboulement, dû à l'ouragan de ce soir-là, a fait glisser et les litières et partie du terrain et le corps du pauvret sous la tour orientale.

— Pourquoi dites-vous que c'est une solution moins dispendieuse pour notre esprit ?

— Cher Adso, il ne faut pas multiplier les explications et les causes sans qu'on en ait une stricte nécessité. Si Adelme est tombé de la tour orientale, il faut qu'il ait pénétré dans la bibliothèque, que quelqu'un l'ait frappé avant pour qu'il n'opposât pas de résistance, que ce quelqu'un ait trouvé moyen de monter avec un corps sans vie sur les épaules jusqu'à la fenêtre, qu'il l'ait ouverte et ait précipité le malheureux dans le vide. Avec mon hypothèse, Adelme, sa volonté, et un éboulement nous suffisent. Tout s'explique à l'aide d'un plus petit nombre de causes.

— Mais pourquoi se serait-il tué ?

— Mais pourquoi l'aurait-on tué ? Il faut en tout cas trouver des raisons. Et qu'elles existent ne me semble pas douteux. On respire dans l'Edifice un air de réticence, tous nous cachent quelque chose. Pour le moment nous avons déjà recueilli des insinuations, plutôt vagues en vérité, sur certain rapport étrange qui s'était établi entre

Adelme et Bérenger. Cela veut dire que nous aurons à l'œil l'aide-bibliothécaire. »

Tandis qu'ainsi nous devisions, l'office des vêpres avait pris fin. Les servants retournaient à leurs tâches avant de rentrer pour le repas du soir, les moines se dirigeaient vers le réfectoire. Le ciel était désormais d'encre et il commençait à neiger. Une neige légère, aux doux petits flocons, qui continuerait à tomber, je crois, pendant une bonne partie de la nuit, car le lendemain matin tout le plateau serait couvert d'un blanc linceul, comme je le dirai.

Pour ma part j'avais faim et j'accueillis avec soulagement l'idée de passer à table.

Premier jour

COMPLIES

Où Guillaume et Adso jouissent de l'agréable hospitalité de l'Abbé et de la conversation courroucée de Jorge.

Le réfectoire s'éclairait par de grandes torches. Les moines étaient assis le long d'une rangée de tables, dominées par la table de l'Abbé placée perpendiculairement à eux sur une large estrade. Du côté opposé, la chaire où avait déjà pris place le moine qui ferait la lecture durant le repas. L'Abbé nous attendait près d'une petite fontaine avec un linge blanc pour nous essuyer les mains après le lavabo, conformément aux antiques conseils de saint Pacôme.

L'Abbé invita Guillaume à sa table et dit que pour ce soir-là, étant donné que j'avais moi aussi qualité d'hôte fraîchement arrivé, je jouirais du même privilège, même si j'étais un novice bénédictin. Les jours suivants, me dit-il paternellement, je pourrais m'asseoir à table avec les moines, ou si mon maître m'avait confié quelque tâche, passer avant ou après les repas aux cuisines : là les cuisiniers prendraient soin de moi.

Les moines étaient maintenant debout devant les tables, immobiles, le capuchon rabattu sur le visage et les mains sous le scapulaire. L'Abbé s'approcha de sa table et prononça le *Benedicite.* Le chantre, du haut de la chaire, entonna *Edent pauperes.* L'Abbé donna sa bénédiction et chacun s'assit.

La règle de notre fondateur prévoit des repas très frugaux, mais laisse décider à l'Abbé la quantité de nourriture dont ont effectivement besoin les moines. D'autre part, à l'heure qu'il est, on s'abandonne davantage dans nos abbayes aux plaisirs de la table. Je ne parle pas de celles qui, hélas, se sont transformées en repaires de gloutons ; mais fussent-elles inspirées par des critères de pénitence et de vertu, elles fournissent aux moines, absorbés presque toujours par de pénibles travaux de l'intellect, une nourriture point molle mais robuste. Par ailleurs la table de l'Abbé est toujours privilégiée, c'est qu'aussi il n'est pas rare qu'y prennent place des hôtes de marque, et les abbayes sont fières des produits de leur terre et de leurs étables, et de l'habileté de leurs cuisiniers.

Le repas des moines se déroula en silence, comme à l'accoutumée, les uns communiquant avec les autres à l'aide de notre habituel alphabet des doigts. Les novices et les moines les plus jeunes étaient servis les premiers, sitôt après que les plats destinés à tous avaient passé par la table de l'Abbé.

A la table de l'Abbé étaient assis avec nous Malachie, le cellérier et deux moines plus âgés, Jorge de Burgos, le vieillard dont j'avais déjà fait la connaissance dans le scriptorium et le très vieux Alinardo de Grottaferrata : presque centenaire, claudicant, d'aspect fragile, et — me sembla-t-il — l'esprit battant la campagne. De lui l'Abbé nous dit que, entré novice dans cette abbaye, il y avait toujours vécu et s'en rappelait au moins quatre-vingts ans de vicissitudes. L'Abbé nous dit ces choses à mi-voix, au début, parce que par la suite il se conforma aux usages de notre ordre et suivit en silence la lecture. Mais, comme je l'ai dit, à la table de l'Abbé on prenait quelques libertés, et il nous arriva de louer les mets qui nous furent offerts, tandis que l'Abbé célébrait les qualités de son huile, ou de son vin. Une fois même, en nous versant à boire, il nous rappela ces passages de la règle où le saint fondateur avait observé que le vin ne convient certes pas aux moines, mais puisqu'on ne peut pas persuader les moines de notre époque de ne point boire, qu'au moins ils ne boivent pas jusqu'à satiété, parce que le vin pousse à l'apostasie même les sages, comme le rappelle l'Ecclésiastique. Benoît disait « à notre époque » et se référait à la sienne, fort lointaine désormais : figurons-nous l'époque où nous prenions ce repas du soir à l'abbaye, après une telle déchéance des mœurs (et je ne parle pas de mon époque à moi, où j'écris maintenant, si ce n'est qu'ici à Melk on s'abandonne davantage à la bière !) : bref, on but sans exagération mais non sans plaisir.

Nous mangeâmes la viande, cuite à la broche, des cochons à peine tués, et je m'aperçus que pour les autres aliments on ne se servait pas de graisses animales ni d'huile de colza, mais de la bonne huile d'olive, qui provenait des terrains que l'abbaye possédait au pied du mont dans la direction de la mer. L'Abbé nous fit goûter (réservé à sa table) ce poulet que j'avais vu préparer dans les cuisines. Je remarquai que, chose plutôt rare, il disposait aussi d'une fourchette de métal qui dans sa forme me rappelait les verres de mon maître : homme de haut lignage, notre hôte ne voulait pas se souiller les mains avec la nourriture, et même il nous offrit son instrument, au moins pour prendre les viandes du grand plat et les déposer dans nos écuelles. Moi je refusai, mais je vis que Guillaume accepta de bon gré et se servit avec désinvolture de cet ustensile de grands seigneurs, peut-être pour infirmer devant l'Abbé que les franciscains fussent des personnes de peu d'éducation et d'extraction très basse.

Enthousiaste comme je l'étais pour toutes ces bonnes nourritures (après des jours de voyage où nous nous étions alimentés en courant la fortune du pot), je m'étais distrait du cours de la lecture qui pendant ce temps se poursuivait pieusement. J'y fus rappelé par un vigoureux grognement d'approbation de Jorge ; je m'aperçus qu'on en était arrivé au point où se faisait toujours la lecture d'un chapitre de la Règle. Et je m'expliquai le pourquoi d'une telle satisfaction, après l'avoir entendu dans l'après-midi. Le lecteur disait en effet : « Imitons l'exemple du prophète qui dit : j'ai décidé, je veillerai sur mon chemin à ne pas pécher avec ma langue, j'ai placé un bâillon sur ma bouche, je deviens muet en m'humiliant, je me suis abstenu de parler même de choses honnêtes. Et si dans ce passage le prophète enseigne que parfois, pour l'amour du silence, nous devrions nous abstenir même des propos licites, combien davantage devons-nous nous abstenir des propos défendus pour éviter la peine de ce péché ! » Et puis il poursuivait : « Mais les vulgarités, les niaiseries et les bouffonneries, nous les condamnons à la réclusion à perpétuité, en tout lieu, et nous ne permettons pas que notre disciple ouvre la bouche pour tenir des propos de cette espèce.

— Et que cela vaille pour les marginalia dont on parlait aujourd'hui, ne put se retenir de commenter Jorge à voix basse. Jean Bouche d'or a dit que Christ n'a jamais ri.

— Rien dans sa nature humaine ne l'interdisait, observa Guillaume, pour ce que le rire, comme enseignent les théologiens, est le propre de l'homme.

— Forte potuit sed non legitur eo usus fuisse, dit carrément Jorge, citant Pierre Cantore.

— Manduca, jam coctum est, lui susurra Guillaume.

— Quoi ? demanda Jorge, croyant qu'il faisait allusion à quelque nourriture qu'on lui présentait.

— Ce sont les paroles qui, selon Ambroise, furent prononcées par saint Laurent sur le gril, quand il invita ses bourreaux à le tourner de l'autre côté, comme le rappelle aussi Prudence dans le *Peristephanon,* dit Guillaume avec l'air d'un saint. Saint Laurent savait donc rire et dire des choses risibles, ne fût-ce que pour humilier ses propres ennemis.

— Ce qui démontre que le rire est chose fort proche de la mort et de la corruption du corps », répliqua Jorge en un grondement, et je dois admettre qu'il se comporta en bon raisonneur.

C'est alors que l'Abbé nous invita au silence avec affabilité. D'ailleurs le repas touchait à sa fin. L'Abbé se leva et présenta Guillaume aux moines. Il en loua la sagesse, en proclama la renommée, et avertit qu'il avait été prié d'enquêter sur la mort d'Adelme, invitant les moines à répondre à ses questions et à prévenir leurs subordonnés, dans toute l'abbaye, d'en faire autant. Et de lui faciliter ses recherches, pourvu que, ajouta-t-il, ses demandes n'allassent pas à l'encontre des règles du monastère. En ce cas-là, il faudrait recourir à son autorisation.

Le repas fini, les moines se disposèrent à se rendre dans le chœur pour l'office des complies. Ils rabattirent de nouveau leur capuchon sur leur visage et s'alignèrent devant la porte, en arrêt. Puis ils s'ébranlèrent en une longue file, traversant le cimetière et entrant dans le chœur par le portail septentrional.

Nous nous acheminâmes avec l'Abbé. « C'est à cette heure qu'on ferme les portes de l'Edifice ? demanda Guillaume.

— A peine les servants auront-ils nettoyé le réfectoire et les cuisines, le bibliothécaire en personne fermera toutes les portes, en les barrant de l'intérieur.

— De l'intérieur ? Et lui par où sort-il ? »

L'Abbé fixa Guillaume un bref instant, le visage empreint d'un grand sérieux : « Il ne dort certes pas dans les cuisines », dit-il brusquement. Et il doubla le pas.

« Parfait, me murmura Guillaume, il existe donc une autre entrée, mais nous, nous ne devons pas la connaître. » Je souris, tout fier de sa déduction, et il me rabroua : « Mais ne ris donc pas. Tu as bien vu qu'à l'intérieur de ces murs le rire ne jouit pas d'une bonne réputation. »

Nous entrâmes dans le chœur. Une seule lampe brûlait, sur un robuste trépied de bronze, haut comme deux hommes. Les moines prirent place dans les stalles en silence, tandis que le lecteur lisait un passage d'une homélie de saint Grégoire.

Puis l'Abbé fit un signe et le chantre entonna *Tu autem Domine miserere nobis.* L'Abbé répondit *Adjutorium nostrum in nomine Domini* et tous firent chœur avec *Qui fecit coelum et terram.* Après quoi commença le chant des psaumes : *Quand je t'invoque, réponds-moi ô Dieu de ma justice ; Je te remercierai Seigneur de tout mon cœur ; Allons bénissez le Seigneur, vous tous serviteurs du Seigneur.* Nous ne nous étions pas placés dans les stalles, mais retirés dans la nef principale. Ce fut de là que nous aperçûmes soudain Malachie émerger de l'obscurité d'une chapelle latérale.

« Ne perds pas de vue ce point, me dit Guillaume. Il pourrait y avoir un passage qui mène à l'Edifice.

— Sous le cimetière ?

— Et pourquoi pas ? Mieux, en y repensant, il devrait bien exister quelque part un ossuaire, il est impossible que depuis des siècles ils enterrent tous les moines dans ce lopin de terre.

— Mais vraiment vous voulez entrer de nuit dans la bibliothèque ? demandai-je, saisi d'effroi.

— Où sont les moines défunts et les serpents et les lumières mystérieuses, mon brave Adso ? Non, petit. J'y songeais aujourd'hui, et point par curiosité mais parce que je me posais le problème de la manière dont était mort Adelme. Maintenant, comme je te l'ai dit, je penche pour une explication plus logique, et somme toute je voudrais respecter les usages de ce lieu.

— Alors pourquoi voulez-vous savoir ?

— Parce que la science ne consiste pas seulement à savoir ce qu'on doit ou peut faire, mais aussi à savoir ce qu'on pourrait faire quand bien même on ne doit pas le faire. Voilà pourquoi je disais aujourd'hui au maître verrier que le savant se doit en quelque sorte de cacher les secrets qu'il découvre, pour que d'autres n'en fassent pas mauvais usage, mais il faut les découvrir, et cette bibliothèque me paraît plutôt un endroit où les secrets restent à couvert. »

Sur ces mots, il se dirigea vers la sortie de l'église, car l'office avait pris fin. Nous étions l'un et l'autre rendus et nous gagnâmes notre cellule. Je me blottis dans ce que Guillaume appela en plaisantant ma « niche mortuaire » et je m'endormis aussitôt.

DEUXIÈME JOUR

Deuxième jour

MATINES

Où quelques heures de félicité mystique sont interrompues par un fort sanglant événement.

Symbole tantôt du démon, tantôt du Christ ressuscité, aucun animal n'est plus suspect que le coq. Notre ordre en connut des paresseux, qui ne chantaient pas au lever du soleil. Et d'autre part, surtout dans les journées hivernales, l'office de matines a lieu quand la nuit est encore profonde et la nature tout endormie, car le moine doit se lever dans l'obscurité et longuement dans l'obscurité prier en attendant le jour, illuminer les ténèbres de la flamme de sa dévotion. C'est pourquoi sagement la tradition prévoit des veilleurs, les moines excitateurs, qui ne se couchent pas comme leurs frères, mais passent la nuit en récitant rythmiquement le nombre exact de psaumes qui leur donne la mesure du temps écoulé, de façon que, au terme des heures vouées au sommeil des autres, par un signal, ils excitent les autres à la veille.

Nous fûmes donc cette nuit-là réveillés par ceux qui parcouraient le dortoir et l'hôtellerie en sonnant une clochette, tandis qu'un autre allait de cellule en cellule en criant le *Benedicamus Domino* à quoi chacun répondait : *Deo Gratias.*

Guillaume et moi nous nous conformâmes à l'usage bénédictin : en moins d'une demi-heure nous nous apprêtâmes à affronter la nouvelle journée, puis nous descendîmes dans le chœur où les moines attendaient prostrés sur les dalles, en récitant les quinze premiers psaumes, jusqu'au moment où entrèrent les novices conduits par leur maître. Ensuite chacun s'assit dans sa propre stalle et le chœur entonna : *Domine labia mea aperies et os meum annuntiabit laudem tuam.* Le cri s'éleva vers les voûtes de l'église comme la supplique d'un enfant. Deux moines montèrent en chaire et ouvrirent à pleine voix le psaume quatre-vingt-quatorze, *Venite exultemus,* que suivirent les autres prescrits. Et j'éprouvai l'ardeur d'une foi renouvelée.

Les moines étaient dans les stalles, soixante figures rendues pareilles par le froc et le capuchon, soixante ombres à grand-peine éclairées par le feu du grand trépied, soixante voix unies dans les louanges du Très-Haut. Et en entendant cet émouvant concert, vestibules conduisant aux délices du paradis, je me demandai si vraiment l'abbaye était un lieu de mystères soigneusement cachés, d'illicites tentatives de les dévoiler, et d'obscures menaces. Parce que maintenant au contraire, elle m'apparaissait comme un refuge de saints, un cénacle de vertu, une châsse de sapience, une arche de prudence, une tour de sagesse, un enclos de mansuétude, un bastion de courage, un encensoir de sainteté.

Après six psaumes, commença la lecture de la sainte Ecriture. Certains moines dodelinaient de sommeil, et un des moines circateurs déambulait entre les stalles avec une petite lanterne pour réveiller qui s'endormirait. Si quelqu'un était surpris en proie à l'assoupissement, par pénitence il prenait la lanterne et continuait le tour de contrôle. Ensuite on entonna le chant de six autres psaumes. Après quoi l'Abbé donna sa bénédiction, l'hebdomadier dit les prières, tous s'inclinèrent vers l'autel en une minute de recueillement, dont personne, s'il n'a vécu ces heures d'ardeur mystique et de suprême paix intérieure, ne peut comprendre la douceur. Enfin, le capuchon rabattu de nouveau sur le visage, tous s'assirent et entonnèrent solennellement le *Te Deum.* Moi aussi je louai le Seigneur parce qu'il m'avait libéré de mes doutes et délivré du sentiment de malaise où la première journée à l'abbaye m'avait jeté. Nous sommes des êtres fragiles, me dis-je, même parmi ces moines doctes et pieux le malin fait rôder les petites envies, les inimitiés subtiles, mais il s'agit de fumée qui se dissipe au vent impétueux de la foi ; à peine se réunissent-ils tous au nom du Père, Christ descend encore parmi eux.

Entre matines et laudes, le moine ne regagne pas sa cellule, même si la nuit est encore profonde. Les novices suivirent leur maître dans la salle capitulaire pour étudier les psaumes, quelques moines restèrent dans l'église pour vaquer aux soins des objets du culte, la plupart déambulèrent en méditant en silence dans le cloître, et ainsi fîmes-nous, Guillaume et moi. Les servants dormaient encore et continuaient à dormir quand, le ciel toujours sombre, nous revînmes dans le chœur pour les laudes.

Le chant des psaumes recommença, et l'un d'eux en particulier, de ceux prévus pour le lundi, me replongea dans mes premières craintes : « La faute s'est emparée de l'impie, de l'intime de son cœur — il n'est crainte de Dieu dans son regard — il agit par fraude devant Lui — de façon que sa langue devienne odieuse. » Ce me parut un mauvais présage que la règle eût prescrit précisément pour ce jour-là un avertissement aussi terrible. La traditionnelle lecture de l'Apocalypse, après les psaumes de laudes, ne calma pas non plus mes frémissements d'inquiétude et me revinrent à l'esprit les figures du portail qui m'avaient tant subjugué, la veille, cœur et yeux. Mais après le répons, l'hymne et le verset, quand commençait le cantique de l'évangile, j'aperçus derrière les fenêtres du chœur, juste au-dessus de l'autel, une pâle clarté qui faisait déjà luire les couleurs des vitraux jusqu'alors tristement enténébrés. Ce n'était pas encore l'aurore, qui triompherait pendant prime, juste au moment où nous chanterions : *Deus qui est sanctorum splendor mirabilis* et *Iam lucis orto sidere.* C'était à peine la première et chancelante annonce de l'aube hivernale, mais ce fut suffisant, et elle fut suffisante pour raffermir mon cœur, la légère pénombre qui dans la nef remplaçait maintenant l'obscurité de la nuit.

Nous chantions les paroles du livre divin et, tandis que nous témoignions du Verbe venu éclairer les gentils, j'eus l'impression que l'astre diurne dans toute sa splendeur envahissait le temple. La lumière, encore absente, me sembla briller dans les paroles du cantique, lis mystique qui s'épanouissait tout parfumé entre les arêtes des voûtes. « Merci ô Seigneur pour ce moment de joie ineffable », priai-je en silence ; et j'interpellai mon cœur : « Et toi, sot que tu es, que crains-tu ? »

Soudain des clameurs s'élevèrent du côté de la porte septentrionale. Je me demandai pourquoi les servants, en se préparant au travail, troublaient ainsi les saintes fonctions. A cet instant entrèrent trois porchers, la terreur peinte sur leur face, et ils se pressèrent autour de l'Abbé pour lui murmurer quelque chose. L'Abbé d'abord les calma d'un geste, comme s'il ne voulait pas interrompre l'office : mais trois autres servants entrèrent, les cris se firent plus forts : « C'est un homme, un homme mort ! » disait quelqu'un, et d'autres : « Un moine, n'as-tu pas vu ses chausses ? »

Les orants se turent, l'Abbé sortit précipitamment, faisant signe au cellérier de le suivre. Guillaume leur emboîta le pas, mais déjà les autres moines aussi abandonnaient leurs stalles et se précipitaient dehors.

Le ciel était clair maintenant, et la neige sur le sol rendait encore plus lumineux le plateau. Sur l'arrière du chœur, devant les soues où depuis la veille trônait le grand récipient empli du sang des cochons, un objet bizarre presque cruciforme pointait du bord de la jarre, comme s'il s'agissait de deux pieux fichés en terre, et qu'il faut recouvrir de chiffons pour épouvanter les oiseaux.

C'étaient en revanche deux jambes humaines, les jambes d'un homme enfoncé la tête la première dans le vase de sang.

L'Abbé ordonna qu'on retirât le cadavre du liquide infâme (car hélas aucune personne vivante n'aurait pu rester dans cette position obscène). Les porchers hésitants s'approchèrent du bord et se souillant de sang en tirèrent la pauvre chose sanguinolente. Comme on me l'avait dit, remué selon qu'il le faut sitôt après avoir été versé, et laissé au froid, le sang ne s'était pas caillé, mais la couche qui recouvrait le cadavre tendait maintenant à se solidifier, en imbibait les vêtements, rendait le visage méconnaissable. Un servant s'avança une seille d'eau à bout de bras et en jeta sur la face de cette malheureuse dépouille. Quelqu'un d'autre se pencha sur elle avec un linge pour en nettoyer les traits. Et apparut à nos yeux le visage blanc de Venantius de Salvemec, le savant ès choses grecques avec qui nous avions parlé dans l'après-midi devant les manuscrits d'Adelme.

« Il est possible qu'Adelme se soit suicidé, dit Guillaume en fixant ce visage, mais certes pas celui-ci, et on ne peut penser qu'il se soit hissé par hasard jusqu'au bord de la jarre et qu'il soit tombé par erreur. »

L'Abbé s'approcha de lui : « Frère Guillaume, comme vous le voyez, il se passe quelque chose dans l'abbaye, quelque chose qui requiert toute votre sagesse. Mais je vous en conjure, faites vite !

— Etait-il présent dans le chœur durant l'office ? demanda Guillaume en indiquant le cadavre.

— Non, dit l'Abbé. J'avais remarqué que sa stalle était vide.

— Aucun autre n'était absent ?

— Je n'ai pas l'impression. Je n'ai rien remarqué d'autre. »

Guillaume hésita avant de formuler la nouvelle question, et il la posa dans un murmure, veillant à ce que les autres n'entendissent point : « Bérenger était-il à sa place ? »

L'Abbé le regarda avec une admiration mêlée d'inquiétude, comme pour signifier qu'il était frappé de voir mon maître nourrir un soupçon que lui-même avait un instant nourri, mais pour de plus compréhensibles raisons. Puis il dit rapidement : « Il y était, sa place se trouve au premier rang, presque à ma droite.

— Naturellement, dit Guillaume, tout ceci ne signifie rien. Je ne crois pas que, pour entrer dans le chœur, quelqu'un soit passé derrière l'abside, et donc le cadavre pouvait déjà se trouver là, depuis plusieurs heures, au moins à partir du moment où tout le monde s'en était allé dormir.

— Certes, les premiers servants se lèvent avec l'aube et c'est pour cela qu'ils ne l'ont découvert qu'à présent. »

Guillaume se pencha sur le cadavre, comme s'il était rompu à manier les corps morts. Il trempa le linge abandonné à côté de la seille et essuya mieux le visage de Venantius. Pendant ce temps-là, les autres moines s'attroupaient épouvantés, formant un cercle criard auquel l'Abbé imposait le silence. Parmi eux Séverin se fraya un chemin, à qui était confié le soin des corps de l'abbaye, et se pencha près de mon maître. Moi, pour entendre leur dialogue et pour aider Guillaume qui avait besoin d'un nouveau linge propre imbibé d'eau, je m'unis à eux, surmontant ma terreur et mon dégoût.

« As-tu jamais vu un noyé ? demanda Guillaume.

— Plus d'une fois, dit Séverin. Et si je devine ce que tu veux dire par là, ils n'ont pas ce visage, leurs traits sont gonflés.

— Alors l'homme était déjà mort quand on l'a flanqué dans la jarre.

— Pourquoi aurait-on dû faire cela ?

— Pourquoi aurait-on dû le tuer ? Nous sommes en présence de l'œuvre d'un esprit altéré. Mais pour l'heure il faut voir si le corps présente des blessures ou des contusions. Je propose de le transporter dans les balnea, de le déshabiller, le laver et l'examiner. Je te rejoins tout de suite. »

Et tandis que Séverin, après licence de l'Abbé, faisait transporter le corps par les porchers, mon maître demanda qu'on fît rentrer les moines dans le chœur en suivant exactement le même chemin qu'ils avaient pris pour venir, et que les servants se retirassent de même, afin que l'esplanade restât déserte. L'Abbé ne lui demanda pas le pourquoi de ce désir et le satisfit. Nous demeurâmes ainsi seuls, à côté de la jarre d'où le sang avait débordé pendant la macabre opération de récupération, avec tout autour la neige rouge, fondue à plusieurs endroits sous l'eau répandue, et une grande plaque sombre où le cadavre avait été allongé.

« Un bel embrouillamini, dit Guillaume en montrant le jeu complexe des traces laissées par les moines affolés et par les servants. La neige, cher Adso, est un admirable parchemin sur lequel le corps des hommes laisse des écritures fort lisibles. Mais ça, c'est un palimpseste mal gratté et peut-être n'y lirons-nous rien d'intéressant. D'ici à l'église, ça a été une grande course de moines empressés, d'ici à la soue et aux étables sont venus des servants par bandes entières. L'unique espace intact est celui qui va des soues à l'Edifice. Voyons si nous trouvons quelque chose d'intéressant.

— Mais que voudriez-vous trouver ? demandai-je.

— S'il ne s'est pas jeté tout seul dans le récipient, quelqu'un l'y aura porté, et j'imagine déjà mort. Qui transporte le corps d'un autre laisse des traces profondes dans la neige. Et alors cherche si tu trouves par là, alentour, des traces qui te semblent différentes de celles laissées par ces moines vociférateurs qui nous ont gâché notre parchemin. »

Ainsi fîmes-nous. Et je dis sans ambages que ce fut moi, Dieu me sauve de la vanité, qui découvris quelque chose entre le récipient et l'Edifice. C'étaient des empreintes de pieds humains, assez profondes, dans une zone où personne n'était encore passé et, comme remarqua aussitôt mon maître, plus légères que celles laissées par les moines et par les servants, signe que de la neige les avait en partie comblées, et qu'elles avaient donc été laissées depuis un certain temps. Mais ce qui nous sembla le plus digne d'intérêt, c'était qu'avec ces empreintes s'entremêlait une trace plus continue, comme d'une chose traînée par celui qui avait laissé la marque de ses pas. En somme, une traînée qui allait de la jarre à la porte du réfectoire, sur le côté de l'Edifice qui se trouvait entre la tour méridionale et la tour orientale.

« Réfectoire, scriptorium, bibliothèque, dit Guillaume. Une fois de plus, la bibliothèque. Venantius est mort dans l'Edifice, et plus probablement dans la bibliothèque.

— Et pourquoi précisément dans la bibliothèque ?

— J'essaye de me mettre dans la peau de l'assassin. Si Venantius était mort, tué, dans le réfectoire, dans la cuisine ou dans le scriptorium, pourquoi ne pas l'abandonner là ? Mais s'il est mort dans la bibliothèque, il fallait le transporter ailleurs, soit parce qu'on ne l'aurait jamais découvert dans la bibliothèque (et l'intérêt de l'assassin était peut-être justement qu'il fût découvert), soit parce que l'assassin ne veut probablement pas que l'attention se concentre sur la bibliothèque.

— Et pourquoi l'assassin pouvait-il avoir intérêt qu'il fût découvert ?

— Je ne sais pas, j'émets des hypothèses. Qui te dit que l'assassin a tué Venantius parce qu'il haïssait Venantius ? Il pourrait l'avoir tué, de préférence à n'importe quel autre, pour laisser un signe pour signifier quelque chose d'autre.

— Omnis mundi creatura, quasi liber et scriptura... murmurai-je. Mais de quel signe s'agirait-il ?

— Voilà ce que j'ignore. N'oublions pourtant pas qu'il est des signes qui paraissent tels et qui sont au contraire dénués de sens, comme blitiri ou bou-ba-baff...

— Il serait atroce, dis-je, de tuer un homme pour dire bou-ba-baff !

— Il serait atroce, commenta Guillaume, de tuer un homme fût-ce pour dire *Credo in unum Deum...* »

A ce moment-là, nous fûmes rejoints par Séverin. Le cadavre avait été lavé et examiné avec soin. Aucune blessure, aucune contusion à la tête. Mort comme par enchantement.

« Comme par châtiment divin ? demanda Guillaume.

— Peut-être, dit Séverin.

— Ou par empoisonnement ? »

Séverin hésita. « Peut-être, aussi.

— Tu as des poisons dans le laboratoire ? demanda Guillaume tandis que nous nous dirigions vers l'hôpital.

— Aussi, oui. Mais cela dépend de ce que tu entends par poison. Il y a des substances qui, à petites doses, sont salutaires et à doses excessives procurent la mort. Comme tout bon herboriste j'en conserve, et en use avec discernement. Dans mon jardin je cultive, par exemple, de la valériane. Quelques gouttes dans une infusion d'autres herbes calment le cœur qui bat de façon désordonnée. Une dose exagérée provoque torpeur et mort.

— Et tu n'as pas remarqué sur le cadavre les signes d'un poison particulier ?

— Aucun. Mais de nombreux poisons ne laissent point de traces. »

Nous étions arrivés à l'hôpital. Le corps de Venantius, lavé dans les balnea, avait été transporté ici et gisait sur la grande table dans le laboratoire de Séverin : alambics et autres instruments de verre et de terre me firent songer (mais je n'en avais, par des récits, qu'une connaissance indirecte) à la boutique d'un alchimiste. Sur un long rayonnage qui courait contre le mur extérieur, s'étendait une abondante série de fioles, brocs, vases, pleins de substances de différentes couleurs.

« Une belle collection de simples, dit Guillaume. Tous produits de votre jardin ?

— Non, dit Séverin, nombre de ces substances, rares et qui ne poussent pas dans ces régions, m'ont été rapportées au cours des ans par des moines qui provenaient de toutes les parties du monde. J'ai des choses très précieuses et introuvables, au milieu de substances qu'il est aisé d'obtenir à partir de la végétation de ces lieux. Tu vois... agati pilé, il provient du Cathay, et je l'eus d'un savant arabe. Aloès socotrin, il vient des Indes, excellent cicatrisant. Ariente vivant, il ressuscite les morts, ou pour mieux dire, réveille ceux qui ont perdu les sens. Arsenacho : très dangereux, poison mortel pour qui l'avale. Bourrache, plante bonne pour les poumons malades. Bétoine, bonne pour les fractures du crâne. Mastic, refrène les flux pulmonaires et les catarrhes gênants. Myrrhe...

— Celle des mages ? demandai-je.

— Celle des mages, mais ici bonne pour prévenir les avortements, cueillie sur un arbre qui s'appelle Balsamodendron myrra. Et ça c'est de la mumiyya, d'une grande rareté, produite à partir de la décomposition des cadavres momifiés, elle sert à préparer de nombreux médicaments presque miraculeux. Mandragola officinalis, bonne pour le sommeil...

— Et pour susciter le désir de la chair, commenta mon maître.

— Dit-on, mais ici on ne l'utilise pas dans un tel sens, comme vous pouvez l'imaginer, sourit Séverin. Et regardez ça, dit-il en prenant un flacon : tuthie, miraculeuse pour les yeux.

— Et qu'est-ce que cela ? demanda vivement Guillaume en touchant une pierre qui se trouvait sur une étagère.

— Cette pierre ? On me l'a donnée il y a bien longtemps. On l'appelle lopris amatiti ou lapis ematitis. Il paraît qu'elle possède différentes vertus thérapeutiques, mais je n'ai pas encore découvert lesquelles. Tu la connais ?

— Oui, dit Guillaume, mais pas comme médicament. » Il tira de sa coule un canif, manié avec une extrême délicatesse, l'amena à une très courte distance de la pierre, je vis que la lame accomplissait un brusque mouvement, comme si Guillaume avait bougé le poignet, qu'il tenait au contraire tout à fait immobile. Et la lame adhéra à la pierre avec un léger bruit de métal.

« Tu vois, me dit Guillaume, elle attire le fer.

— Et à quoi sert-elle ? demandai-je.

— A différentes choses, que je te dirai. Mais pour l'instant je voudrais savoir, Séverin, s'il n'y a rien ici qui pourrait tuer un homme. »

Séverin réfléchit un moment, trop longtemps dirais-je, vu la limpidité de sa réponse : « Beaucoup de choses. Je te l'ai dit, il en faut bien peu pour passer du poison au médicament ; à l'un comme à l'autre les Grecs donnaient le nom de *pharmacon.*

— Et n'y a-t-il rien qu'on ait soustrait récemment ? »

Séverin réfléchit encore, puis, comme pesant ses mots : « Rien, récemment.

— Et par le passé ?

— Qui sait. Je ne me rappelle pas. Je suis dans cette abbaye depuis trente ans, et à l'hôpital depuis vingt-cinq.

— Trop pour une mémoire humaine », admit Guillaume. Puis, tout à trac : « Nous parlions hier de plantes qui peuvent donner des visions. Ce sont lesquelles ? »

Séverin manifesta par ses gestes et par l'expression de son visage, le vif désir d'éviter ce sujet : « Il faut que j'y réfléchisse, tu sais, j'ai tant de substances miraculeuses ici. Mais parlons plutôt de Venantius. Qu'en dis-tu ?

— Il faut que j'y réfléchisse », répondit Guillaume.

Deuxième jour

PRIME

Où Bence d'Uppsala confie certaines choses, Bérenger d'Arundel en confie d'autres et Adso apprend ce qu'est la vraie pénitence.

Le fatal accident avait bouleversé la vie de la communauté. Le tohu-bohu provoqué par la découverte du cadavre avait interrompu l'office sacré. L'Abbé avait aussitôt refoulé les moines dans le chœur, afin qu'ils prient pour l'âme de leur frère.

Les voix des moines étaient brisées. Nous nous plaçâmes de manière à étudier leur physionomie quand, selon la liturgie, le capuchon n'était pas rabattu. Nous vîmes aussitôt le visage de Bérenger. Pâle, contracté, luisant de sueur. La veille, nous avions entendu murmurer par deux fois sur son compte, comme d'un qui avait quelque chose à voir de façon particulière avec Adelme ; et il ne s'agissait pas du fait que tous deux, du même âge, étaient amis, mais du ton élusif de ceux qui avaient indirectement évoqué cette amitié.

Nous remarquâmes, à côté de lui, Malachie. Sombre, crispé, impénétrable. A côté de Malachie, tout aussi impénétrable, le visage de l'aveugle Jorge. Par contre nous relevâmes les mouvements nerveux de Bence d'Uppsala, le spécialiste en rhétorique connu le jour précédent dans le scriptorium, et nous surprîmes un regard rapide que celui-ci lança en direction de Malachie. « Bence est nerveux, Bérenger est effaré, observa Guillaume. Il faudra les interroger sans tarder.

— Pourquoi ? demandai-je ingénument.

— C'est un dur métier que le nôtre, dit Guillaume. Dur métier, celui d'inquisiteur ; il faut tanner les plus faibles au moment de leur plus grande faiblesse. »

De fait, à peine l'office terminé, nous rejoignîmes Bence qui prenait la direction de la bibliothèque. Le jeune homme parut contrarié de se sentir appeler par Guillaume, et allégua quelque faible prétexte de travail. Il semblait avoir hâte de se rendre au scriptorium. Mais mon maître lui rappela qu'il se trouvait mener une enquête, mandaté par l'Abbé, et il le conduisit dans le cloître. Nous nous assîmes sur la murette intérieure, entre deux colonnes. Bence attendait que Guillaume parlât, en regardant par moments vers l'Edifice.

« Alors, demanda Guillaume, qu'a-t-on dit ce jour où vous étiez à discuter des marginalia d'Adelme, toi, Bérenger, Venantius, Malachie et Jorge ?

— Vous l'avez entendu hier. Jorge observait qu'il n'est pas permis d'orner d'images ridicules les livres qui contiennent la vérité. Et Venantius observa qu'Aristote lui-même avait parlé des traits d'esprit et des jeux de mots, comme instruments pour mieux découvrir la vérité, et que, partant, le rire ne devait pas être mauvais s'il pouvait se faire un véhicule de vérité. Jorge releva que, pour autant qu'il s'en souvenait, Aristote avait parlé de ces choses dans le livre de la *Poétique* et à propos des métaphores. Qu'il s'agissait déjà de deux circonstances inquiétantes, d'abord parce que le livre de la *Poétique*, demeuré inconnu au monde chrétien tellement longtemps et peut-être par décret divin, nous est arrivé par l'intermédiaire des maures infidèles...

— Mais il a été traduit en latin par un ami de l'angélique Docteur d'Aquin, observa Guillaume.

— C'est bien ce que je lui ai dit, fit Bence aussitôt rassuré. Moi je lis mal le grec et j'ai pu approcher ce grand livre justement à travers la traduction de Guillaume de Moerbeke. Voilà, c'est bien ce que je lui ai dit. Mais Jorge ajouta que le second motif d'inquiétude est qu'ici le Stagirite parlait de la poésie, qui est basse doctrina et qui vit de figmenta. Et Venantius dit que les psaumes aussi sont œuvre d'inspiration divine et usent de métaphores et Jorge se mit en colère parce que, dit-il, les psaumes sont œuvre d'inspiration divine et usent des métaphores pour transmettre la vérité quand les œuvres des poètes païens usent des métaphores pour transmettre le mensonge et dans un but de pur divertissement, ce qui grandement m'offensa...

— Pourquoi ?

— Parce que je m'occupe de rhétorique, et lis beaucoup de poètes païens et je sais... ou mieux je crois qu'à travers leur parole se sont transmises aussi des vérités naturaliter chrétiennes... En somme, à ce point-là, si je me rappelle bien, Venantius parla d'autres livres et Jorge se fâcha tout rouge.

— Quels livres ? »

Bence hésita : « Je ne me souviens pas. Quelle importance, savoir de quels livres on a parlé ?

— Une grande importance, parce que nous sommes ici en train de chercher à comprendre ce qui s'est passé entre des hommes qui vivent parmi les livres, avec les livres, des livres, et donc même les mots écrits dans les livres sont importants.

— C'est vrai, dit Bence, en souriant pour la première fois, et son visage s'éclaira presque. Nous vivons pour les livres. Douce mission dans ce monde dominé par le désordre et par la décadence. Peut-être comprendrez-vous alors ce qui s'est passé ce jour-là. Venantius, qui sait... qui savait parfaitement le grec, dit qu'Aristote avait consacré tout particulièrement au rire le deuxième livre de la *Poétique* et que si un philosophe de cette grandeur avait voué un livre entier au rire, le rire devait être chose importante. Jorge dit que de nombreux pères avaient consacré des livres entiers au péché, qui est chose importante mais mauvaise, et Venantius dit que, pour ce qu'il en savait, Aristote avait parlé du rire comme chose bonne et instrument de vérité, et alors Jorge lui demanda avec dérision si d'aventure il l'avait lu, lui, ce livre d'Aristote, et Venantius dit que personne ne pouvait encore l'avoir lu, parce qu'on ne l'avait jamais plus trouvé et qu'il avait peut-être été définitivement perdu. En effet, personne n'a jamais pu lire le deuxième livre de la *Poétique,* Guillaume de Moerbeke ne l'eut jamais entre les mains. Alors Jorge dit que s'il ne l'avait pas trouvé c'était parce qu'il n'avait jamais été écrit, car la Providence ne voulait pas que fussent glorifiées les choses futiles. De mon côté, je voulais calmer les esprits parce que Jorge sort vite de ses gonds et Venantius parlait de façon à le provoquer, et je dis que dans la partie de la *Poétique* que nous connaissons, et dans la *Rhétorique,* on trouve nombre d'observations sages sur les énigmes subtiles, et Venantius tomba d'accord avec moi. Or, il y avait avec nous Pacifico de Tivoli, qui connaît fort bien les poètes païens, et il dit que pour ce qui est des énigmes subtiles personne n'en remontre aux poètes africains. Il cita même l'énigme du poisson, celle de Symphosius :

> Est domus in terris, clara quae voce resultat.
> Ipsa domus resonat, tacitus sed non sonat hospes.
> Ambo tamen currunt, hospes simul et domus una.

« A ce point-là, Jorge dit que Jésus avait recommandé que notre parler fût oui ou non, et que le surplus venait du malin ; et qu'il suffisait de dire poisson pour nommer le poisson, sans en voiler l'idée derrière des sons mensongers. Et il ajouta qu'il ne lui semblait pas sage de prendre comme modèle les Africains... Alors...

— Alors ?

— Alors il se passa une chose que je ne compris pas. Bérenger se mit à rire, Jorge lui en fit le reproche, et Bérenger dit qu'il riait parce qu'il lui était venu à l'esprit qu'à bien chercher parmi les Africains on trouverait probablement quantité d'autres énigmes, et pas faciles comme celle du poisson. Malachie, qui était présent, devint furibond, il prit presque Bérenger par le capuchon, l'envoyant s'occuper de ses affaires... Bérenger, vous le savez, est son aide...

— Et puis ?

— Ensuite Jorge mit fin à la discussion en s'éloignant. Nous nous en allâmes tous vaquer à nos occupations, mais tandis que je travaillais je vis Venantius d'abord, suivi de près par Adelme approcher Bérenger pour lui demander quelque chose. De loin je vis qu'il se dérobait, mais eux pendant la journée ils retournèrent l'un et l'autre à la charge. Et puis ce soir-là je vis Bérenger et Adelme s'entretenir dans le cloître, avant d'aller au réfectoire. Voilà, c'est tout ce que je sais.

— En somme, tu sais que les deux personnes qui sont mortes récemment dans des circonstances mystérieuses avaient demandé quelque chose à Bérenger », dit Guillaume.

Mal à l'aise, Bence répondit : « Je n'ai pas dit cela ! J'ai dit ce qui s'est passé ce jour-là, ainsi que vous me l'avez demandé... » Il prit un temps de réflexion, puis ajouta en hâte : « Mais si vous voulez savoir mon opinion, Bérenger leur a parlé de quelque chose qui se trouve dans la bibliothèque, et c'est là que vous devriez chercher.

— Pourquoi penses-tu à la bibliothèque ? Que voulait dire Bérenger avec ces mots : chercher parmi les Africains ? Ne voulait-il pas dire qu'il valait mieux lire les poètes africains ?

— Sans doute, à ce qu'il semblait, mais alors pourquoi Malachie se serait-il emporté ? Au fond, il ne dépend que de lui de décider s'il doit donner en lecture un livre de poètes africains, ou pas. Mais je sais une chose : qui feuillette le catalogue des livres, au milieu des indications que seul le bibliothécaire connaît, en trouverait une qui dit souvent “ Africa ” et j'en ai trouvé même une qui disait : “ finis Africae ”. Une fois je demandai un livre qui portait ce signe, je ne me rappelle pas lequel, le titre avait piqué ma curiosité ; et Malachie me dit que les livres marqués de ce signe avaient été perdus. Voilà ce que je sais. Alors je vous dis : vous avez raison, contrôlez Bérenger, et contrôlez-le quand il monte à la bibliothèque. On ne sait jamais.

— On ne sait jamais », conclut Guillaume en prenant congé de lui. Puis il entreprit une promenade avec moi dans le cloître et observa que : d'abord, une fois de plus, Bérenger était la cible des murmures de ses frères ; en second lieu, Bence paraissait impatient de nous pousser vers la bibliothèque. J'observai qu'il voulait peut-être que nous découvrions là-bas des choses que lui aussi désirait savoir et Guillaume dit qu'il en allait probablement ainsi, mais qu'il pouvait se faire qu'en nous poussant vers la bibliothèque, il voulait nous éloigner de quelque autre lieu. Lequel ? demandai-je. Et Guillaume dit qu'il ne savait pas, peut-être le scriptorium, peut-être les cuisines, ou le chœur, ou le dortoir, ou l'hôpital. J'observai que la veille c'était lui, Guillaume, qui était fasciné par la bibliothèque et il répondit qu'il voulait être fasciné par les choses qui lui plaisaient et non par celles que les autres lui conseillaient. Qu'il fallait cependant avoir la bibliothèque à l'œil, et qu'au point où on en était, il n'eût pas non plus été mauvais de chercher à y pénétrer d'une manière quelconque. Désormais les circonstances l'autorisaient à être curieux à la limite de la courtoisie et du respect pour les usages et les lois de l'abbaye.

A petits pas, nous nous éloignions du cloître. Servants et novices sortaient de l'église après la messe. Et alors que nous dépassions le côté occidental du temple, nous aperçûmes Bérenger qui sortait de la porte du transept et traversait le cimetière, se dirigeant vers l'Edifice. Guillaume le héla, l'autre s'arrêta et nous le rejoignîmes. Il était encore plus bouleversé que lorsque nous l'avions vu dans le chœur, et Guillaume décida évidemment de profiter, comme il l'avait fait avec Bence, de son état d'âme.

« Il semble donc que tu aies été le dernier à voir Adelme vivant », lui dit-il.

Bérenger vacilla comme sur le point de tomber en pâmoison : « Moi ? » demanda-t-il avec un filet de voix. Guillaume avait lancé sa question presque au hasard, probablement parce que Bence lui avait dit avoir vu les deux s'entretenir dans le cloître après vêpres. Mais il devait avoir visé juste et d'évidence Bérenger pensait à une autre et vraiment ultime rencontre, parce qu'il commença à parler d'une voix brisée.

« Comment pouvez-vous dire cela, moi je l'ai vu avant d'aller me reposer comme tous les autres ! »

Alors Guillaume décida qu'il valait la peine de ne pas lui laisser de répit : « Non, tu l'as vu encore et tu sais plus de choses que tu ne le donnes à croire. Mais ici deux morts sont désormais en jeu et tu ne peux plus te taire. Tu sais fort bien qu'il y a mille façons pour délier la langue d'un homme ! »

Guillaume m'avait dit plusieurs fois que, même en tant qu'inquisiteur, il avait toujours répugné à utiliser la torture, mais Bérenger le comprit mal (ou Guillaume voulait se faire mal comprendre), en tout cas son jeu s'avéra efficace.

« Oui, oui, dit Bérenger en fondant en larmes, j'ai vu Adelme ce soir-là, mais je le vis déjà mort !

— Comment ? interrogea Guillaume, au pied de l'escarpement ?

— Non, non, je le vis là dans le cimetière, il déambulait entre les tombes, larve parmi les larves. J'allai à sa rencontre et je m'aperçus aussitôt que je n'avais pas en face de moi un vivant, son visage était celui d'un cadavre, ses yeux regardaient déjà les peines éternelles. Ce n'est naturellement que le lendemain matin, en apprenant sa mort, que je compris en avoir rencontré le fantôme, mais à ce moment-là déjà je me rendis compte que j'avais une vision et que devant moi se trouvait une âme damnée, un lémure... Oh ! Seigneur, avec quelle voix sépulcrale il me parla !

— Et que dit-il ?

— " Je suis damné ! ", ainsi me dit-il. " Tel que tu me vois tu as devant toi un rescapé de l'enfer, qui doit en enfer retourner. " Ainsi me dit-il. Et moi je lui criai : " Adelme, tu viens vraiment de l'enfer ? Comment sont les peines en enfer ? " Et je tremblais, car depuis peu j'étais sorti de l'office de complies où j'avais entendu lire des pages terrifiantes sur l'ire du Seigneur. Et lui me dit : " Les peines de l'enfer sont infiniment plus grandes que notre langue ne peut le dire. Vois-tu, dit-il, cette chape de sophismes dont j'ai été revêtu jusqu'à aujourd'hui ? Elle me pèse et m'écrase comme si j'avais la plus grande tour de Paris ou les montagnes du monde sur les épaules, et je ne pourrai jamais plus la déposer. Et cette peine m'a été donnée par la divine justice pour ma vanité, pour avoir cru mon corps lieu de délices, et pour avoir supposé en savoir plus que les autres, et pour avoir pris plaisir à des choses monstrueuses, qui, caressées en imagination, ont produit des choses bien plus monstrueuses au-dedans de mon âme — et maintenant, avec elles, je devrai vivre pour l'éternité. Vois-tu ? Le plomb de cette chape est comme mille bras et feu ardent, et c'est le feu qui arde mon corps, et cette peine m'échoit pour le péché malhonnête de la chair, dont le vice m'enflamma, et ce feu or sans trêve flambe et m'arde ! Tends-moi la main, ô mon beau maître, me dit-il encore, afin que ma rencontre te soit enseignement utile, et te rende en échange les nombreux enseignements dont tu me gratifias, tends-moi la main, mon beau maître ! " Et il secoua le doigt de sa main qui brûlait, et une petite goutte de sa sueur tomba sur ma main et j'eus l'impression qu'elle me trouait la main ; des jours durant j'en portai la marque, mais je pris soin de la cacher à tous. Alors il disparut parmi les tombes, et le lendemain matin j'appris que ce corps, qui m'avait si terrifié, se trouvait déjà mort au pied des murailles. »

Bérenger haletait, et pleurait. Guillaume lui demanda : « Et comment se fait-il qu'il t'appelait son beau maître ? Vous aviez le même âge. Tu lui avais peut-être enseigné quelque chose ? »

Bérenger se cacha la tête en rabattant son capuchon sur sa face, et tomba à genoux en embrassant les jambes de Guillaume : « Je ne sais pas, je ne sais pas pourquoi il m'appelait ainsi, je ne lui ai rien enseigné ! » et il éclata en sanglots. « J'ai peur, mon père, je veux me confesser à vous, miséricorde, un diable me dévore les entrailles ! »

Guillaume l'écarta, et lui tendit la main pour le relever. « Non, Bérenger, lui dit-il, ne me demande pas de te confesser. Ne clos pas mes lèvres en ouvrant les tiennes. Ce que je veux savoir de toi, tu me le diras d'une autre manière. Et si tu ne me le dis pas, je le découvrirai par moi-même. Demande-moi miséricorde, si tu veux, ne me demande pas le silence. Vous êtes trop nombreux à vous taire dans cette abbaye. Dis-moi plutôt, comment as-tu vu la pâleur de son visage s'il faisait nuit noire, comment as-tu pu te brûler la main si c'était une nuit de pluie et de grêle et de neige fondue, que faisais-tu dans le cimetière ? Allons ! » Et il le prit aux épaules, le secoua avec brutalité : « Dis-moi au moins cela ! »

Bérenger tremblait de tous ses membres : « Je ne sais pas ce que je faisais dans le cimetière, je ne me rappelle pas. Je ne sais pourquoi j'ai vu son visage, peut-être avais-je une lampe, non... c'est lui qui portait de la lumière, une lanterne, peut-être ai-je vu son visage à la lumière de la flamme...

— Comment pouvait-il circuler avec une lumière s'il pleuvait et neigeait ?

— C'était après complies, sitôt après complies, il ne neigeait pas encore, plus tard il a commencé... Je me rappelle que les premières rafales commençaient à tomber tandis que je m'enfuyais vers le dortoir. Je m'enfuyais vers le dortoir, dans la direction opposée à celle où allait le fantôme... Et puis je ne sais plus rien, je vous en prie, ne m'interrogez plus, si vous ne voulez pas me confesser.

— C'est bon, dit Guillaume, à présent va, va dans le chœur, va parler avec le Seigneur, vu que tu ne veux pas parler avec les hommes, ou va te chercher un moine qui veuille bien écouter ta confession, parce que si depuis lors tu ne confesses pas tes péchés, tu t'es approché en sacrilège des sacrements. Va. Nous nous reverrons. »

Bérenger disparut en un clin d'œil. Et Guillaume se frotta les mains comme je l'avais vu faire en maints autres cas où il était satisfait de quelque chose.

« Bien, dit-il, à présent beaucoup de choses deviennent claires.

— Claires, maître ? lui demandai-je, claires à présent qu'il nous faut compter aussi avec le fantôme d'Adelme ?

— Cher Adso, dit Guillaume, ce fantôme me semble fort peu fantomatique, et en tout cas il récitait une page que j'ai déjà lue dans quelque livre à l'usage des prédicateurs. Ces moines lisent peut-être trop, et quand ils sont excités, ils revivent les visions qu'ils eurent dans les livres. J'ignore si Adelme a réellement dit ces choses ou si Bérenger les a entendues parce qu'il avait besoin de les entendre. C'est un fait que cette histoire confirme une série de mes suppositions. Par exemple : Adelme est mort suicidé, et l'histoire de Bérenger nous dit que, avant de mourir, il circulait en proie à une grande excitation, et au remords pour certaine chose qu'il avait commise. Il était excité et épouvanté par son péché parce que quelqu'un l'avait épouvanté, et lui avait raconté précisément l'épisode de l'apparition infernale qu'il a joué à Bérenger avec une hallucinante maestria. Et il passait par le cimetière parce qu'il venait du chœur, où il s'était confié (ou confessé) à quelqu'un qui lui avait inspiré terreur et remords. Et du cimetière il s'acheminait, comme nous l'a fait comprendre Bérenger, dans la direction opposée au dortoir. Vers l'Edifice, donc, mais aussi (c'est possible) vers le mur d'enceinte derrière les soues, de là où j'ai déduit qu'il doit s'être jeté dans le précipice. Et il s'est jeté avant que ne survînt la tempête, il est mort au pied du mur, et après seulement l'éboulement a entraîné son cadavre entre la tour septentrionale et la tour orientale.

— Mais la goutte de sueur enflammée ?

— Elle se trouvait déjà dans l'histoire que lui-même a entendue et a répétée, ou que Bérenger s'est figurée dans son excitation et dans son remords. Parce qu'il y a, en antistrophe au remords d'Adelme, un remords de Bérenger, tu l'as entendu. Et si Adelme venait du chœur, il portait peut-être un cierge, et la goutte sur la main de son ami n'était qu'une goutte de cire. Mais Bérenger s'est senti brûler bien davantage parce qu'Adelme l'a certainement appelé son maître. Signe donc qu'Adelme lui reprochait de lui avoir appris quelque chose dont maintenant il se désespérait à mort. Et Bérenger le sait, il souffre car il sait qu'il a poussé Adelme à la mort en lui faisant faire quelque chose qu'il ne devait pas. Et il n'est pas difficile d'imaginer quoi, mon pauvre Adso, après ce que nous avons entendu sur notre aide-bibliothécaire.

— Je crois avoir compris ce qui s'est passé entre eux deux, dis-je en ayant honte de ma sagacité, mais ne croyons-nous pas tous en un

Dieu de miséricorde ? Adelme, vous dites, s'était probablement confessé : pourquoi a-t-il cherché à punir son premier péché par un péché certes plus grand encore, ou au moins d'égale gravité ?

— Parce que quelqu'un a proféré contre lui des mots de désespérance. J'ai dit que certaine page de prédicateur de notre époque doit avoir suggéré à quelqu'un les paroles qui ont épouvanté Adelme et avec lesquelles Adelme a épouvanté Bérenger. Jamais comme en ces dernières années, les prédicateurs n'ont offert au peuple, pour en stimuler la piété et la terreur (et la ferveur, et la soumission à la loi humaine et divine), paroles si farouches, bouleversantes et macabres. Jamais comme à notre époque, au milieu des processions de flagellants, on n'a entendu des hymnes sacrés inspirés aux seules douleurs de Christ et de la Vierge, jamais comme aujourd'hui on n'a tant insisté, pour stimuler la foi des gens simples, sur l'évocation des tourments infernaux.

— Peut-être est-ce besoin de pénitence, dis-je.

— Adso, je n'ai jamais entendu autant d'appels à la pénitence qu'aujourd'hui, dans une période où désormais ni prédicateurs ni évêques, et mes frères spirituels non plus, ne sont même à la hauteur pour promouvoir une vraie pénitence...

— Mais le Troisième Age, le pape angélique, le chapitre de Pérouse... dis-je désorienté.

— Nostalgies. La grande époque de la pénitence est finie, et c'est pour cela que même le chapitre général de l'ordre peut parler de pénitence. Il y a eu, voilà cent ou deux cents ans, une grande vague de rénovation. Elle subsistait quand ceux qui en parlaient étaient brûlés, qu'ils fussent saints ou hérétiques. A présent tous en parlent. En un certain sens, même le pape en discute. N'aie pas confiance dans les rénovations du genre humain quand en parlent les curies et les cours.

— Mais fra Dolcino, osai-je, curieux d'en savoir davantage sur ce nom que j'avais entendu prononcer plusieurs fois la veille.

— Il est mort, et mal, comme il a vécu, parce que lui aussi est venu trop tard. Et puis qu'en sais-tu, toi ?

— Rien, c'est pour cela que je vous demande...

— Je préférerais n'en parler jamais. J'ai eu affaire à certains des soi-disant apôtres, et je les ai observés de près. Une triste histoire. Elle te troublerait. De toute façon, elle m'a troublé moi, et te troublerait davantage ma propre incapacité de juger. C'est l'histoire d'un homme qui fit des choses insensées parce qu'il avait mis en pratique ce que lui avaient prêché de nombreux saints. A un certain point, je n'ai plus compris de qui était la faute, j'ai été comme... comme obnubilé par un air de famille qui émanait des deux camps adverses, des saints qui prêchaient la pénitence et des pécheurs qui la mettaient en pratique, souvent aux frais d'autrui... Mais je parlais d'autre chose. Ou peut-être pas, je parlais toujours de ceci : finie l'époque de la pénitence, pour les pénitents le besoin de pénitence est devenu besoin de mort. Et ceux qui ont tué les pénitents devenus fous, en restituant la mort à la mort, pour vaincre la vraie pénitence, qui produisait la mort, ont remplacé la pénitence de l'âme par une pénitence de l'imagination, un rappel à des visions surnaturelles de souffrance et de sang, les appelant " miroir " de la vraie pénitence. Un miroir qui fait vivre au cours de leur vie, à l'imagination des simples et parfois des doctes aussi, les tourments de l'enfer. Afin que — dit-on — personne ne pèche. Avec l'espoir de retenir les âmes sur la voie du péché grâce à la peur, et le calcul de substituer à la rébellion, la peur.

— Mais vraiment ensuite, ils ne pécheront pas? demandai-je anxieusement.

— Cela dépend de ce que tu entends par pécher, Adso, me dit le maître. Je ne voudrais pas être injuste avec les gens de ce pays où je vis depuis plusieurs années, mais il me semble qu'il est typique de la faible vertu des populations italiennes de ne pas pécher par crainte de quelque idole, tout saint qu'ils l'appellent. Ils ont plus peur de saint Sébastien ou de saint Antoine que de Christ. Si quelqu'un veut garder un endroit propre, ici, pour qu'on ne pisse pas dessus, comme font les Italiens à la manière des chiens, il faut qu'il y peigne une image de saint Antoine avec la pointe d'un bâton, et cette image chassera ceux qui s'apprêtaient à pisser. Ainsi les Italiens, et grâce à leurs prédicateurs, risquent de retourner aux antiques superstitions et ne croient plus à la Résurrection de la chair, ils n'ont qu'une peur bleue des blessures corporelles et des malheurs ; c'est ainsi qu'ils craignent davantage saint Antoine que Christ.

— Mais Bérenger n'est pas Italien, observai-je.

— Peu importe, je parle du climat que l'Eglise et les ordres prêcheurs ont répandu sur cette péninsule, et qui d'ici se propage partout. Et atteint jusqu'à une vénérable abbaye de moines savants, tels que ceux-ci.

— Mais si au moins ils ne péchaient pas », insistai-je, car j'étais disposé à ne me contenter même que de cela.

« Si cette abbaye était un speculum mundi, tu aurais déjà la réponse.

— Mais l'est-elle ? demandai-je.

— Pour qu'il y ait miroir du monde, il faut que le monde ait une forme », conclut Guillaume, qui était par trop philosophe pour mon esprit d'adolescent.

Deuxième jour

TIERCE

Où l'on assiste à une rixe entre personnes vulgaires, Aymaro d'Alexandrie fait plusieurs allusions et Adso médite sur la sainteté et sur l'excrément du démon. Ensuite Guillaume et Adso retournent dans le scriptorium, Guillaume voit quelque chose d'intéressant, il a une troisième conversation sur le caractère licite du rire, mais en définitive ne peut regarder là où il voudrait.

Avant de monter au scriptorium, nous passâmes aux cuisines pour nous restaurer, car nous n'avions encore rien pris depuis que nous nous étions levés. Je me revigorai aussitôt en prenant une écuelle de lait chaud. La grande cheminée méridionale ardait déjà comme une forge, tandis que dans le four se préparait le pain du jour. Deux chevriers déposaient la dépouille d'un mouton à peine égorgé. Parmi les cuisiniers je vis Salvatore, qui me sourit avec sa gueule de loup. Et je vis qu'il prenait sur une table un reste de poulet de la veille au soir et le passait furtivement aux chevriers, qui le cachaient dans leurs sarraux de peau en ricanant de satisfaction. Mais le chef cuisinier s'en aperçut et réprimanda Salvatore : « Cellérier, cellérier, dit-il, ton devoir est d'administrer les biens de l'abbaye, pas de les dissiper !

— Filii Dei, ils sont, dit Salvatore. Jésus a dit que vous faisez pour lui ce que vous faisez à un de ces puères !

— Fraticelle de mes braies, péteur de minorite ! lui cria alors le cuisinier. Tu n'es plus avec tes gueux de frères ! C'est la miséricorde de l'Abbé qui pourvoiera aux enfants de Dieu ! »

Salvatore s'assombrit et, hors de lui, fit volte-face : « Je ne suis pas un fraticelle minorite ! Je suis un moine Sancti Benedicti ! Merdre à toy, bogomile de merde !

— Bogomile la ribaude que t'encules la nuit, avec ta verge hérétique, porc ! » cria le cuisinier.

Salvatore fit sortir en toute hâte les chevriers, et en passant il nous regarda avec préoccupation : « Frère, dit-il à Guillaume, défends toi-même ton ordre qui n'est pas le mien, dis-lui que les filios Francisci non ereticos esse ! » Puis il me souffla à l'oreille : « Ille menteur, pouha », et cracha par terre.

Le cuisinier vint le bouter dehors méchamment et lui claqua la porte dans le dos. « Frère, dit-il à Guillaume avec respect, je ne disais pas de mal de votre ordre et des très saints hommes qui en font partie. Je m'adressais à ce faux minorite et faux bénédictin qui n'est ni chair ni poisson.

— Je sais d'où il vient, dit Guillaume conciliant. Mais maintenant il est moine comme toi et tu lui dois un respect fraternel.

— Mais lui, il fourre son nez là où il ne doit pas le mettre, parce qu'il est protégé par le cellérier, et se croit lui-même le cellérier. Il use de l'abbaye comme si c'était sa chose à lui, de jour et de nuit !

— Pourquoi de nuit ? » demanda Guillaume. Le cuisinier fit un geste comme pour dire qu'il ne voulait pas parler de choses peu vertueuses. Guillaume ne lui demanda rien d'autre et termina de boire son lait.

Ma curiosité était de plus en plus excitée. La rencontre avec Ubertin, les bruits sur le passé de Salvatore et du cellérier, les allusions toujours plus fréquentes aux fraticelles et aux minorites hérétiques que j'entendais faire ces jours-là, cette réticence du maître à me parler de fra Dolcino... Une série d'images commençait à se recomposer dans mon esprit. Par exemple, tandis que nous accomplissions notre voyage, nous avions rencontré au moins deux fois une procession de flagellants. Une fois la population du lieu les regardait comme des saints, une autre fois elle commençait à murmurer que c'étaient des hérétiques. Et pourtant il s'agissait toujours des mêmes gens. Ils allaient en procession deux par deux, par les rues de la ville, les pudenda seules recouvertes, passant outre à tout sentiment de vergogne. Chacun avait en main un fouet aux lanières de cuir et ils se frappaient les épaules, jusqu'au sang, versant d'abondantes larmes comme s'ils voyaient de leurs yeux la passion du Sauveur, ils imploraient avec un chant plaintif la miséricorde du Seigneur et l'aide de la Mère de Dieu. Non seulement le jour, mais aussi la nuit, avec des cierges allumés, dans la rigueur du froid hivernal, en foule ils allaient d'église en église, se prosternaient humblement devant les autels, précédés par des prêtres munis de cierges et d'étendards, et point uniquement des hommes et des femmes du peuple, mais aussi de nobles matrones, et des marchands... On assistait alors à de grands actes de pénitence, ceux qui avaient volé restituaient leurs appropriations malhonnêtes, d'autres confessaient leurs crimes...

Mais Guillaume les avait regardés avec froideur et m'avait dit que ce n'était pas là vraie pénitence. Il s'était plutôt exprimé comme il venait déjà de le faire ce matin même : l'époque du grand lavement pénitentiel était révolue, et ça, c'était la manière dont les prédicateurs eux-mêmes organisaient la dévotion des foules, justement pour qu'elles ne succombent pas sous le joug d'un autre désir de pénitence qui — celui-là — était hérétique, et faisait peur à tous. Mais je ne parvenais pas à saisir la différence, si toutefois différence il y avait. Il me semblait que la différence ne venait pas des gestes de l'un ou de l'autre, mais du regard avec lequel l'Eglise jugeait l'un et l'autre geste.

Je me rappelais la discussion avec Ubertin. Il ne faisait pas de doute que Guillaume avait été insinuant, il avait cherché à lui dire que la différence était minime entre sa foi mystique (et orthodoxe) et la foi altérée des hérétiques. Ubertin en avait pris ombrage, comme quelqu'un qui voyait parfaitement la différence. L'impression que j'en avais retirée était que lui se trouvait être différent précisément parce qu'il était celui qui savait voir la différence. Guillaume s'était soustrait aux devoirs de l'inquisition parce qu'il ne savait plus voir cette différence. C'est pourquoi il n'arrivait pas à me parler de ce mystérieux fra Dolcino. Mais alors, d'évidence (me disais-je) Guillaume a perdu l'assistance du Seigneur qui non seulement enseigne à faire la différence, mais pour ainsi dire investit ses élus de cette capacité de discernement. Ubertin et Claire de Montfaucon (qui était aussi entourée de pécheurs) étaient restés saints justement parce qu'ils savaient discriminer. La sainteté est cela et rien d'autre.

Mais pourquoi Guillaume ne savait-il pas discriminer ? C'était pourtant un homme suprêmement subtil, et pour ce qui concernait les faits de la nature, il savait percevoir la moindre dissemblance et la moindre parenté entre les choses...

J'étais plongé dans ces pensées, et Guillaume finissait de boire son lait, quand nous nous entendîmes saluer. C'était Aymaro d'Alexandrie, dont nous avions déjà fait la connaissance dans le scriptorium, et dont m'avait frappé l'expression du visage, empreint d'un perpétuel ricanement, comme s'il ne parvenait jamais à admettre tout à fait la vanité de tous les êtres humains, et cependant n'attribuait pas grande importance à cette tragédie cosmique. « Alors, frère Guillaume, vous vous êtes déjà habitué à ce repaire de déments ?

— Ce lieu me semble rempli d'hommes admirables de sainteté et de doctrine, dit prudemment Guillaume.

— Il le fut. Quand les abbés étaient des abbés et les bibliothécaires des bibliothécaires. Vous l'avez vu à présent, là-haut (et il montrait l'étage supérieur), cet Allemand à demi mort avec des yeux d'aveugle qui écoute dévotement les divagations de cet Espagnol aveugle avec des yeux de mort, on dirait que doit arriver l'Antéchrist chaque matin, on gratte les parchemins, mais il entre très peu de livres nouveaux... Nous, nous sommes installés ici, et là-bas dans les villes on agit... Jadis, depuis nos abbayes, on gouvernait le monde. Aujourd'hui, vous le voyez, l'empereur nous utilise pour envoyer ici ses amis rencontrer ses ennemis (j'ai eu vent de votre mission, les moines parlent, parlent, ils n'ont rien d'autre à faire), mais s'il veut contrôler les affaires de ce pays, il s'en tient aux villes. Nous en sommes à la récolte du blé et à l'élevage de la volaille, et là-bas ils échangent des aunes de soie contre des coupons de lin, et des coupons de lin contre des sacs d'épices, et le tout contre des espèces sonnantes et trébuchantes. Nous veillons sur notre trésor, quand là-bas on les accumule, les trésors. Et les livres aussi. Et plus beaux que les nôtres.

— Certes dans le monde il se passe tant de choses nouvelles. Mais pourquoi pensez-vous que la faute revienne à l'Abbé ?

— Parce qu'il a remis la bibliothèque aux mains des étrangers et qu'il mène l'abbaye comme une citadelle dressée pour la défense de la bibliothèque. Une abbaye bénédictine dans cette contrée italienne devrait être un lieu où des Italiens décident pour des choses italiennes. Que font les Italiens, aujourd'hui qu'ils n'ont plus même un pape ? Ils s'adonnent au commerce, et ils bâtissent, et ils sont plus riches que le roi de France. Et alors, faisons pareillement nous aussi ; si nous savons faire de beaux livres, fabriquons-en pour les universités, et occupons-nous de ce qui se passe en bas dans les vallées, je ne dis pas de l'empereur, avec tout mon respect pour votre mission, frère Guillaume, mais de ce que font les Bolonais ou les Florentins. Nous pourrions contrôler d'ici le passage des pèlerins et des marchands, qui vont de l'Italie à la Provence et vice versa. Ouvrons la bibliothèque au texte en langue vulgaire, et jusqu'à nous monteront aussi ceux qui n'écrivent plus en latin. En revanche nous sommes contrôlés par un groupe d'étrangers qui continuent de diriger la bibliothèque comme s'il y avait encore à Cluny le bon Odilon, abbé...

— Mais l'Abbé est Italien, dit Guillaume.

— L'Abbé ici ne compte pour rien, dit Aymaro toujours en ricanant. A la place de la tête il a une armoire de la bibliothèque. Il est vermoulu. Pour agacer le pape, il laisse envahir l'abbaye par les fraticelles... je veux dire les hérétiques, frère, les transfuges de votre très saint ordre... et pour flatter l'empereur, il appelle ici des moines de tous les monastères du nord, comme si nous n'avions pas chez nous d'excellents copistes, et des hommes qui savent le grec et l'arabe, et qu'il n'y avait pas à Florence ou à Pise des fils de marchands, riches et généreux, qui entreraient volontiers dans l'ordre, si l'ordre offrait la possibilité d'augmenter la puissance et le prestige de leur père. Mais ici, l'indulgence pour les choses du siècle, on la pratique seulement quand il s'agit de permettre aux Allemands de... oh, Seigneur Dieu, foudroyez ma langue car je vais dire des choses peu convenables !

— Dans l'abbaye, il se passe donc des choses peu convenables ? demanda distraitement Guillaume, en se versant encore un peu de lait.

— Le moine est homme aussi », prononça Aymaro en manière de sentence. Après quoi il ajouta : « Mais ici ils sont moins hommes qu'ailleurs. Et ce que j'ai dit, il est clair que je ne l'ai pas dit.

— Très intéressant, dit Guillaume. Et ce sont là des opinions à vous ou celles d'un grand nombre qui pense comme vous ?

— D'un grand nombre, d'un grand nombre. D'un grand nombre qui maintenant se désole pour le malheur du pauvre Adelme, mais si quelqu'un d'autre était tombé dans le précipice, un qui rôde dans la bibliothèque plus qu'il ne devrait, les mêmes n'en auraient pas été mécontents.

— Qu'entendez-vous par là ?

— J'ai trop parlé. Ici nous parlons trop, vous vous en serez déjà rendu compte. Ici, le silence plus personne ne le respecte, d'un côté. D'un autre côté, on le respecte trop. Ici, au lieu de parler ou de se taire, on devrait agir. A l'âge d'or de notre ordre, si un abbé n'avait pas une trempe d'abbé, une belle coupe de vin empoisonnée, et voilà la succession ouverte. Je vous ai dit ces choses, cela s'entend frère Guillaume, non pas pour médire de l'Abbé ou des autres frères. Dieu m'en garde, par bonheur je n'ai pas le vilain vice de la médisance. Mais je ne voudrais pas que l'Abbé vous eût prié d'enquêter sur moi ou sur un autre comme Pacifico de Tivoli ou Pierre de Sant'Albano. Nous, avec les histoires de la bibliothèque, nous n'avons rien à voir. Mais nous aimerions aller y voir un peu plus souvent. Or donc, découvrez au grand jour ce nid de serpents, vous qui avez brûlé tant d'hérétiques.

— Moi, je n'ai jamais brûlé personne, répondit Guillaume d'un ton sec.

— C'était une façon de parler, admit Aymaro avec un grand sourire. Bonne chasse, frère Guillaume, mais faites attention la nuit.

— Pourquoi pas le jour ?

— Parce qu'ici le jour on soigne le corps avec les bonnes herbes et la nuit on rend l'esprit malade avec les herbes mauvaises. Ne croyez pas qu'Adelme ait été précipité dans l'abîme par des mains criminelles ou que des mains criminelles aient mis Venantius dans le sang. Ici, on ne veut pas que les moines décident tout seuls où aller, que faire et que lire. Et on se sert des forces de l'enfer, ou des nécromants amis de l'enfer, pour bouleverser les esprits des curieux...

— Vous parlez du père herboriste ?

— Séverin de Sant'Emmerano est une brave personne. Naturellement, Allemand lui, Allemand Malachie... » Et après avoir démontré une fois de plus qu'il n'était pas disposé à la médisance, Aymaro monta travailler.

« Qu'aura-t-il voulu nous dire ? demandai-je.

— Tout et rien. Une abbaye est toujours un lieu où les moines sont en lutte entre eux pour s'assurer le gouvernement de la communauté. A Melk aussi, mais sans doute en tant que novice, tu n'auras pas eu l'occasion de t'en rendre compte. Seulement dans ton pays, conquérir le gouvernement d'une abbaye signifie enlever une place d'où l'on traite directement avec l'empereur. Dans ce pays la situation est différente, l'empereur est loin, même quand il descend jusqu'à Rome. Il n'y a point de cour, pas même celle du pape, désormais. Il y a les villes, tu t'en seras rendu compte.

— Certes, et j'en ai été frappé. La ville en Italie est une chose différente par rapport à mon pays... Elle n'est pas seulement un lieu où habiter : c'est un lieu où décider, ils sont toujours tous sur la place, les magistrats citadins comptent plus que l'empereur ou le pape. Elles sont... comme autant de royaumes...

— Et les rois en sont les marchands. Et leur arme est l'argent. L'argent a une fonction, en Italie, différente par rapport à ton pays, ou au mien. Où l'argent circule partout, mais où une grande partie de la vie est encore dominée et réglée par l'échange des biens, poulets ou gerbes de blé, ou une faucille, ou un chariot, et l'argent sert à se procurer ces biens. Tu auras remarqué que dans la ville italienne, au contraire, les biens servent à se procurer de l'argent. Et les prêtres même, et les évêques, et jusqu'aux ordres religieux, tous doivent compter avec l'argent. C'est pour cela, naturellement, que la rébellion contre le pouvoir se manifeste comme appel à la pauvreté, et que se rebellent contre le pouvoir ceux qui sont exclus du rapport avec l'argent, et que tout appel à la pauvreté suscite tant de tensions et tant de débats, et que la ville entière, de l'évêque au magistrat, ressent comme son propre ennemi celui qui trop prêche la pauvreté. Les inquisiteurs sentent l'odeur puante du démon là où quelqu'un a réagi contre la puanteur de l'excrément du démon. Et alors tu comprendras aussi à quoi pense Aymaro. Une abbaye bénédictine, aux temps dorés de l'ordre, était le lieu d'où les pasteurs contrôlaient le troupeau des fidèles. Aymaro veut qu'on revienne à la tradition. Seulement la vie du troupeau est changée, et l'abbaye ne peut revenir à la tradition (à sa gloire, à son pouvoir d'autrefois) que si elle accepte les nouvelles coutumes du troupeau, en devenant différente. Et comme aujourd'hui on domine le troupeau ici non pas avec les armes ou la splendeur des rites, mais avec le contrôle de l'argent, Aymaro veut que toute la fabrique de l'abbaye, et la bibliothèque même, deviennent atelier, et fabrique d'argent.

— Et quel rapport tout cela avec les crimes, ou avec le crime ?

— Je ne le sais pas encore. Mais j'aimerais monter. Viens. »

Les moines étaient déjà au travail. Dans le scriptorium régnait le silence, mais ce n'était pas ce silence qui résulte de la paix fertile des cœurs. Bérenger, qui nous avait de peu précédés, nous accueillit avec embarras. Les autres moines levèrent la tête de leur travail. Ils savaient que nous étions là pour découvrir quelque chose au sujet de Venantius, et la direction même de leurs regards fixa notre attention sur une place vide, sous une fenêtre qui s'ouvrait à l'intérieur sur l'octogone central.

Bien que la journée fût très froide, dans le scriptorium la température était assez douce. Ce n'est pas par hasard s'il avait été disposé au-dessus des cuisines d'où provenait une chaleur suffisante, pour cette raison supplémentaire que les conduits des cheminées des deux fours situés au-dessous passaient à l'intérieur des piliers qui soutenaient les deux escaliers à vis placés dans les tours occidentale et méridionale. Quant à la tour septentrionale, du côté opposé à la grande salle, elle ne renfermait pas d'escalier, mais une grande cheminée qui ardait en répandant une agréable tiédeur. En outre le pavement avait été recouvert de paille, qui rendait nos pas silencieux. En somme, le coin le moins réchauffé était celui de la tour orientale et de fait, je remarquai que, comme il restait des places libres par rapport au nombre de moines au travail, tous tendaient à éviter les tables installées dans cette direction. Lorsque plus tard je me rendis compte que l'escalier à vis de la tour orientale était le seul qui menait et en bas au réfectoire, et en haut à la bibliothèque, je me demandai si un calcul savant n'avait pas réglé le chauffage de la salle, de façon que les moines fussent dissuadés de fureter de ce côté-là et qu'il fût plus facile au bibliothécaire de contrôler l'accès de la bibliothèque. Mais sans doute exagérais-je dans mes soupçons, devenant le pauvre singe de mon maître, car je songeai aussitôt que ce calcul n'eût pas été très fructueux en été — à moins (me dis-je) qu'en été ce côté ne fût le plus ensoleillé et donc encore une fois le plus évité

La table du pauvre Venantius tournait le dos à la grande cheminée, et était probablement l'une des plus convoitées. J'avais alors passé une petite partie de ma vie dans un scriptorium, j'en passai une grande par la suite et je sais combien il en coûte de souffrance au scribe, au rubricaire et au chercheur de rester à sa table les longues heures d'hiver, avec les doigts qui s'engourdissent sur le stylet (quand déjà avec une température normale, après six heures d'écriture, les doigts sont pris de la terrible crampe du moine et que le pouce fait mal comme s'il avait été écrasé). Et cela explique pourquoi nous trouvons souvent en marge des manuscrits des phrases laissées par le scribe comme témoignage de souffrance (à la limite de la patience) telles que : « Grâce à Dieu, il ne va pas tarder à faire sombre », ou bien : « Oh, si j'avais un bon verre de vin ! », ou encore : « Aujourd'hui il fait froid, la lumière est faible, cette peau est pleine de poils, quelque chose ne colle pas. » Comme dit un ancien proverbe, trois doigts tiennent la plume, mais le corps entier travaille dur. Et endure.

Mais je parlais de la table de Venantius. Plus petite que les autres, comme du reste celles qui étaient placées autour de la cour octogonale, destinées à des chercheurs, tandis qu'elles étaient plus larges sous les fenêtres des murs extérieurs, car destinées aux enlumineurs et aux copistes. D'ailleurs Venantius aussi travaillait avec un lutrin, parce qu'il consultait probablement des manuscrits en prêt à l'abbaye, dont il faisait la copie. Sous la table était disposé un rayonnage bas, où étaient entassées des feuilles non reliées, et comme elles étaient toutes en latin, j'en déduisis qu'il s'agissait de ses traductions les plus récentes. Elles étaient écrites de façon hâtive, ne constituaient pas les pages d'un livre et auraient dû être confiées ensuite à un copiste et à un enlumineur. Raison pour quoi elles étaient difficilement lisibles. Entre les feuilles, quelques livres, en grec. Un autre livre grec était ouvert sur le lutrin, l'ouvrage sur lequel Venantius accomplissait ces jours derniers son travail de traducteur. A cette époque je ne connaissais pas encore le grec, mais mon maître lut le titre et dit que c'était d'un certain Lucien et qu'il s'agissait de l'histoire d'un homme transformé en âne. Je me souvins alors d'une fable analogue d'Apulée, qui d'habitude était sévèrement déconseillée aux novices.

« Comment se fait-il que Venantius avait en cours cette traduction ? demanda Guillaume à Bérenger qui était à nos côtés.

— C'est le seigneur de Milan qui l'a demandée à l'abbaye, et l'abbaye en retirera un droit de préemption sur la production de vin de plusieurs domaines qui se trouvent à l'orient », Bérenger indiqua une direction lointaine d'un geste de la main. Pour ajouter aussitôt : « Ce n'est pas que l'abbaye se prête à des travaux vénaux pour les laïcs. Mais le commettant s'est employé pour que ce précieux manuscrit grec nous fût prêté par le doge de Venise qui le reçut de l'empereur de Byzance, et quand Venantius aurait eu terminé son travail nous aurions fait deux copies, une pour le commettant et une pour notre bibliothèque.

— Qui ne dédaigne donc pas de recueillir aussi des fables païennes, dit Guillaume.

— La bibliothèque est témoignage de la vérité et de l'erreur », dit alors une voix dans notre dos. C'était Jorge. Encore une fois je m'étonnai (mais j'aurais encore beaucoup à m'étonner les jours suivants) de la façon inopinée dont ce vieillard apparaissait soudain, comme si nous ne le voyions pas lui et que lui nous voyait nous. Je me demandai aussi ce que pouvait bien faire un aveugle dans le scriptorium, mais je me rendis compte par la suite que Jorge était omniprésent dans toute l'abbaye. Et souvent il se trouvait dans le scriptorium, assis sur un faudesteuil près de la cheminée, et il avait l'air de suivre tout ce qui se passait dans la salle. Une fois je l'entendis demander à haute voix de sa place : « Qui monte ? » et il s'adressait à Malachie qui, les pas étouffés par la paille, prenait le chemin de la bibliothèque. Tous les moines l'avaient en grande estime et s'adressaient souvent à lui pour la compréhension des passages difficiles, le consultant à propos d'une scolie ou lui demandant ses lumières sur la manière de représenter un animal ou un saint. Et lui regardait dans le vide avec ses yeux éteints, comme s'il fixait des pages toujours vives dans sa mémoire et il répondait que les faux prophètes sont habillés comme des évêques et que des grenouilles sortent de leur bouche, ou bien quelles étaient les pierres qui devaient orner les murs de la Jérusalem céleste, ou que les arimaspes se doivent figurer dans les cartes géographiques près de la terre du prêtre Jean — recommandant de ne point exagérer en les faisant séduisants dans leur monstruosité, car il suffisait qu'ils fussent représentés de façon emblématique, reconnaissables mais non désirables, ou repoussants jusqu'au rire.

Une fois je l'entendis conseiller un scoliaste sur la manière d'interpréter la recapitulatio dans les textes de Tychonius selon l'esprit de saint Augustin, afin qu'on évitât l'hérésie donatiste. Une autre fois je l'entendis donner des conseils sur la façon de distinguer, en commentant, les hérétiques des schismatiques. Ou encore, dire à un chercheur perplexe, quel livre il devrait chercher dans le catalogue de la bibliothèque, et à peu près à quelle page il en trouverait mention, lui assurant que le bibliothécaire le lui remettrait certainement parce qu'il s'agissait d'un ouvrage inspiré par Dieu. Enfin, je l'entendis dire une autre fois qu'il ne fallait pas rechercher certain livre, car il existait, c'est vrai, dans le catalogue, mais il avait été saccagé par les rats cinquante ans plus tôt, et se pulvérisait désormais sous les doigts de qui le touchait. Il était en somme la mémoire de la bibliothèque et l'âme du scriptorium. Parfois il tançait les moines qu'il entendait bavarder : « Hâtez-vous de laisser un témoignage de la vérité, car les temps sont proches ! » et il faisait allusion à la venue de l'Antéchrist.

« La bibliothèque est témoignage de la vérité et de l'erreur, déclara donc Jorge.

— Indubitablement Apulée de Madaure eut une renommée de magicien, dit Guillaume. Mais cette fable contient, sous le voile de ses fictions, une bonne morale aussi, parce qu'elle enseigne combien il en coûte de se tromper, et en outre je crois que l'histoire de l'homme transformé en âne fait allusion à la métamorphose de l'âme qui tombe dans le péché.

— Il se peut, dit Jorge.

— Mais alors je comprends maintenant pourquoi Venantius, au cours de cette conversation dont il me parla hier, portait un tel intérêt aux problèmes de la comédie ; de fait, les fables de ce type-là aussi peuvent être assimilées aux comédies des antiques. L'une et l'autre ne racontent pas l'histoire d'hommes qui existèrent vraiment, comme les tragédies mais, dit Isidore, sont des fictions : " Fabulae poetae a *fando* nominaverunt quia non sunt *res factae* sed tantum loquendo *fictae* "... »

Tout d'abord je ne compris pas pourquoi Guillaume s'était engagé dans cette docte discussion et précisément avec un homme qui paraissait ne pas goûter fort de semblables sujets, mais la réponse de Jorge me dit combien mon maître avait été subtil.

« Ce jour-là, on ne discutait pas de comédie, mais seulement du caractère licite du rire », dit Jorge en s'assombrissant. Et de mon côté je me rappelais parfaitement que quand Venantius avait mis sur le tapis cette discussion, pas plus tard que la veille, Jorge avait affirmé ne point s'en souvenir.

« Ah, laissa tomber Guillaume avec négligence, je croyais que vous aviez parlé des mensonges des poètes et des énigmes subtiles...

— On parlait du rire, dit Jorge d'un ton sec. Les comédies étaient écrites par les païens pour pousser au rire les spectateurs, et ils faisaient mal. Notre Seigneur Jésus-Christ ne raconta jamais de comédies ni de fables, mais de limpides paraboles seulement qui nous instruisent allégoriquement sur la façon de mériter le paradis, et ainsi soit-il.

— Je me demande, dit Guillaume, pourquoi vous êtes tellement contre la pensée que Jésus ait jamais ri. Moi je crois que le rire est une bonne médecine, comme les bains, pour soigner les humeurs et les autres affections du corps, en particulier la mélancolie.

— Les bains sont une bonne chose, dit Jorge, et le Docteur angélique lui-même les conseille pour chasser la tristesse, qui peut être passion mauvaise quand elle ne s'adresse pas à un mal qui se puisse éloigner par l'audace. Les bains restituent l'équilibre des humeurs. Le rire ébranle le corps, déforme les linéaments du visage, rend l'homme semblable au singe.

— Les singes ne rient pas, le rire est le propre de l'homme, il est le signe de sa rationalité, dit Guillaume.

— La parole aussi est le signe de la rationalité humaine, et avec la parole on peut blasphémer Dieu. N'est pas nécessairement bon tout ce qui est le propre de l'homme. Le rire est un signe de sottise. Qui rit ne croit pas en ce dont il rit, mais non plus ne le hait. Or donc rire du mal signifie ne pas se disposer à le combattre, et rire du bien signifie méconnaître la force avec laquelle le bien se propage par sa propre vertu. C'est pourquoi la Règle dit : " Decimus humilitatis gradus est si non sit facilis ac promptus in risu, quia scriptum est : stultus in risu exaltat vocem suam. "

— Quintilien, interrompit mon maître, dit que le rire est à réprimer dans le panégyrique, par dignité, mais qu'il faut l'encourager dans beaucoup d'autres cas. Tacite loue l'ironie de Calpurnius Pison, Pline le Jeune écrivit : " Aliquando praeterea rideo, jocor, ludo, homo sum. "

— C'étaient des païens, répliqua Jorge. La Règle dit : " Scurrilitates vero vel verba otiosa et risum moventia aeterna clausura in omnibus locis damnamus, et ad talia eloquia discipulum aperire os non permittimus. " »

— Cependant quand déjà le Verbe de Christ avait triomphé sur la terre, Synésios de Cyrène dit que la divinité a su combiner harmonieusement comique et tragique, et Aelius Spartien dit de l'empereur Hadrien, homme de mœurs élevées et d'esprit naturaliter chrétien, qu'il sut mêler des moments de gaieté à des moments de gravité. Et enfin Ausone recommande de doser avec modération le sérieux et le plaisant.

— Mais Paulin de Nole et Clément d'Alexandrie nous mirent en garde contre ces sottises, et Sulpice Sévère dit que jamais personne ne vit saint Martin ni en proie à la colère ni en proie à l'hilarité.

— Il rappelle pourtant de la part du saint plusieurs réponses spiritualiter salsa, dit Guillaume.

— Elles étaient promptes et savantes, pas risibles. Saint Ephrem a écrit une parénèse contre le rire des moines, et dans le *De habitu et conversatione monachorum* il recommande d'éviter obscénités et saillies comme le poison des aspics !

— Mais Hildebert dit : " Admittenda tibi joca sunt post seria quaedam, sed tamen et dignis ipsa gerenda modis. " Et Jean de Salisbury a autorisé une modeste hilarité. Et enfin l'Ecclésiastique, dont vous avez cité le passage auquel se réfère votre Règle, où l'on dit que le rire est le propre du sot, admet au moins un rire silencieux, celui de l'esprit serein.

— L'esprit n'est serein que lorsqu'il contemple la vérité et se plaît au bien accompli, et ne se rit de la vérité ni du bien. Voilà pourquoi Christ ne riait pas. Le rire est source de doute.

— Mais parfois il est juste de douter.

— Je n'en vois pas la raison. Quand on doute il faut s'adresser à une autorité, aux paroles d'un père ou d'un docteur, et toute raison de douter cesse. Vous m'avez l'air bien imprégné de doctrines discutables, comme celles des logiciens de Paris. Mais saint Bernard sut intervenir à bon escient contre Abélard le châtré qui voulait soumettre tous les problèmes à l'examen froid et sans vie d'une raison dénuée de la lumière des Ecritures, en prononçant son : " C'est ainsi et ce n'est pas ainsi. " Certes si quelqu'un accepte ces idées fort périlleuses, il peut aussi apprécier le jeu du sot qui rit de cela dont on doit seulement savoir l'unique vérité, qui a déjà été dite une fois pour toutes. Or en riant le sot dit implicitement : " Deus non est. "

— Vénérable Jorge, vous me paraissez injuste quand vous traitez Abélard de châtré, car vous savez qu'il encourut une aussi triste condition à cause de la mauvaiseté d'un autre...

— A cause de ses péchés. A cause de son orgueil placé dans la confiance en la raison de l'homme. Ainsi la foi des simples fut moquée, les mystères de Dieu furent sondés (du moins on le tenta, des sots le tentèrent), des questions qui concernaient les choses suprêmes se virent témérairement traitées, on rit des Pères parce qu'ils avaient jugé bon que de telles questions fussent plutôt mises sous le boisseau qu'exposées.

— Je ne suis pas d'accord, vénérable Jorge. De notre part, Dieu veut que nous exercions notre raison sur les nombreuses choses obscures où l'Ecriture nous a laissés libres de décider. Et, lorsque quelqu'un vous invite à croire à une proposition, vous devez d'abord examiner si celle-ci est acceptable, car notre raison a été créée par

Dieu, et ce qui agrée à notre raison ne peut pas ne pas agréer à la raison divine, sur laquelle d'ailleurs nous savons seulement ce que, par analogie et souvent par négation, nous en inférons à partir des démarches de notre raison. Et alors vous voyez que parfois, pour saper la fausse autorité d'une proposition absurde qui répugne à la raison, le rire aussi peut être un instrument juste. Souvent le rire sert même à confondre les méchants et à faire briller leur sottise. De saint Maur on raconte que les païens le mirent dans de l'eau bouillante et qu'il se plaignit que le bain était trop froid ; le gouverneur païen trempa sottement sa main dans l'eau pour vérifier, et se brûla. Belle action de ce saint martyr qui ridiculisa les ennemis de la foi. »

Jorge ricana : « Même dans les épisodes que racontent les prédicateurs on trouve beaucoup de contes à dormir debout. Un saint plongé dans l'eau bouillante souffre pour Christ et retient ses cris, il ne joue pas des tours d'enfant aux païens !

— Vous voyez ? dit Guillaume. Cette histoire vous paraît contraire à la raison et vous l'accusez d'être ridicule ! Fût-ce tacitement et en contrôlant vos lèvres, vous êtes en train de rire d'une histoire et vous voulez que de mon côté je ne prenne pas cette histoire au sérieux. Vous riez du rire, mais vous riez. »

Jorge fit un geste d'agacement : « En jouant sur le rire, vous m'entraînez dans de vains propos. Mais vous savez bien que Christ ne riait pas.

— Je n'en suis pas certain. Quand il invite les pharisiens à jeter la première pierre, quand il demande de qui est l'effigie sur les pièces à payer en tribut, quand il joue sur les mots et dit : " Tu es petrus ", je crois qu'il s'agissait de pointes pour confondre les pécheurs, pour soutenir le courage des siens. Il fait de l'esprit quand il dit à Caïphe : " C'est toi qui l'as dit. " Et Jérôme commentant Jérémie, là où Dieu dit à Jérusalem : " Nudavi femora contra faciem tuam " explique : " Sive nudabo et relevabo femora et posteriora tua. " Même Dieu, s'exprime donc avec de bons mots pour confondre ceux qu'il veut punir. Et vous savez parfaitement qu'au moment le plus ardent de la lutte entre clunistes et cisterciens les premiers accusèrent les seconds, pour les rendre ridicules, de ne pas porter de braies. Et dans le *Speculum Stultorum* on raconte que l'âne Brunel se demande ce qui arriverait si la nuit le vent soulevait les couvertures et que le moine vît ses pudenda... »

Les moines autour de nous se mirent à rire et Jorge devint furieux : « Vous êtes en train de traîner ces frères à une fête des fols. Je sais qu'il est d'usage parmi les franciscains de gagner la sympathie du peuple avec des idioties de ce genre, mais de ces jeux frivoles je vous dirai ce que dit un mot que j'entendis prononcer par un de vos prédicateurs : " Tum podex carmen extulit horridulum. " »

La réprimande était un peu forte, Guillaume avait été impertinent, mais à présent Jorge l'accusait de lâcher des pets par la bouche. Je me demandai si cette réponse sévère ne devait pas signifier une invitation, de la part du moine âgé, à sortir du scriptorium. Mais je vis Guillaume, si combatif un instant plus tôt, se faire doux comme un agneau.

« Je vous demande pardon, vénérable Jorge, dit-il. Ma bouche a trahi mes pensées, je ne voulais pas vous manquer de respect. Sans doute ce que vous dites est juste, et j'étais dans l'erreur. »

Jorge, devant cet acte d'exquise humilité, émit un grognement pouvant aussi bien exprimer la satisfaction que le pardon, et il n'eut d'autre issue que de regagner sa place, tandis que les moines refluaient vers leurs tables de travail, qui au cours de la discussion s'étaient peu à peu approchés. Guillaume s'agenouilla de nouveau devant la table de Venantius et se remit à fouiller dans ses parchemins. Avec sa réponse d'une grande humilité, il avait obtenu quelques secondes de tranquillité. Et ce qu'il vit pendant ces secondes inspira ses recherches de la nuit.

Mais ce furent vraiment quelques secondes. Bence s'approcha aussitôt en feignant d'avoir oublié son stylet sur la table quand il s'était joint aux autres pour écouter la conversation avec Jorge, et il murmura à Guillaume qu'il devait lui parler d'urgence, lui donnant rendez-vous derrière les balnea. Il lui dit de s'éloigner le premier, qu'il le rejoindrait sans tarder.

Guillaume hésita un instant, puis il appela Malachie qui, de sa table de bibliothécaire, près du catalogue, avait suivi tout ce qui était arrivé, et le pria, en vertu du mandat reçu de l'Abbé (et il souligna beaucoup ce privilège) de placer quelqu'un à la garde de la table de Venantius, parce qu'il jugeait utile à son enquête que personne ne s'en approchât durant le jour entier, jusqu'à ce qu'il pût revenir. Il le dit à voix haute, car ainsi il engageait non seulement Malachie à surveiller les moines mais les moines eux-mêmes à surveiller Malachie. Le bibliothécaire ne put qu'acquiescer et Guillaume s'éloigna avec moi.

Tandis que nous traversions le jardin et nous dirigions vers les balnea, qui se trouvaient adossés au bâtiment de l'hôpital, Guillaume observa :

« On dirait qu'il déplaît à beaucoup que je mette les mains sur quelque chose qui se trouve sur ou sous la table de Venantius.

— Et qu'est-ce que cela pourra bien être ?

— J'ai l'impression que ceux à qui cela déplaît ne le savent pas eux-mêmes.

— Bence n'a donc rien à nous dire et ne fait que nous attirer loin du scriptorium ?

— C'est ce que nous saurons tout de suite », dit Guillaume. Peu après, en effet, Bence nous rejoignit.

Deuxième jour

SEXTE

Où Bence raconte une étrange histoire à partir de quoi on apprend des choses peu édifiantes sur la vie de l'abbaye.

Ce que Bence nous confia fut passablement confus. On aurait vraiment cru qu'il nous avait attirés là-bas dans le seul but de nous éloigner du scriptorium, mais il paraissait aussi que, incapable d'inventer un prétexte crédible, il nous livrait du coup des fragments d'une vérité plus étendue qu'il connaissait.

Il nous dit que le matin il avait été réticent, mais qu'à présent, après mûre réflexion, il considérait que Guillaume devait savoir toute la vérité. Pendant la conversation fameuse sur le rire, Bérenger avait fait allusion au « finis Africae ». Qu'était-ce ? La bibliothèque était pleine de secrets, et tout particulièrement de livres qui n'avaient jamais été donnés en lecture aux moines. Bence avait été frappé par les paroles de Guillaume sur l'examen rationnel des propositions. Il considérait qu'un moine voué à la recherche avait le droit de connaître tout ce que la bibliothèque renfermait, il lança des mots enflammés contre le concile de Soissons qui avait condamné Abélard, et tandis qu'il parlait nous nous rendîmes compte que ce moine encore jeune, amateur de rhétorique, était agité de frémissements d'indépendance et acceptait difficilement les entraves que la discipline de l'abbaye mettait à la curiosité de son intellect. J'ai toujours appris à me méfier de telles curiosités, mais je sais bien que cette attitude ne déplaisait pas à mon maître, et je m'avisai qu'il sympathisait avec Bence et ajoutait foi à ses propos. Bence eut tôt fait de nous dire qu'il ne savait pas de quels secrets Adelme, Venantius et Bérenger avaient parlé, mais qu'il ne lui aurait point déplu que cette triste histoire jetât un peu de lumière sur la manière dont la bibliothèque était administrée, et qu'il ne désespérait pas que mon maître, quelle que fût la façon dont il débrouillerait les fils de l'enquête, en tirât des éléments pour inciter l'Abbé à desserrer la discipline intellectuelle qui pesait sur les moines — venus de si loin, comme lui-même, ajouta-t-il, précisément pour nourrir leur esprit avec les merveilles cachées dans le vaste ventre de la bibliothèque.

Je crois que Bence était sincère : il attendait de l'enquête ce qu'il disait. Il est cependant probable qu'il voulait en même temps, comme Guillaume l'avait prévu, se réserver de fouiller le premier la table de Venantius, dévoré qu'il était de curiosité, et pour nous en tenir éloignés il était disposé, en échange, à nous donner d'autres informations. Et voici lesquelles :

Bérenger était consumé, désormais nombre de moines le savaient, par une passion insensée pour Adelme, la même passion funeste que la colère divine avait frappée à Sodome et Gomorrhe. Ainsi Bence s'exprima-t-il, peut-être par égard pour mon jeune âge. Mais celui qui a vécu son adolescence dans un monastère sait que, même s'il est resté chaste, de telles passions il a entendu parler, et que parfois il a dû se garder des embûches de ceux qui en étaient esclaves. Moinillon que j'étais, n'avais-je pas déjà reçu moi-même, à Melk, de la part d'un moine âgé, de petits rouleaux couverts de rimes que d'habitude un laïc dédie à une femme ? Les vœux monacaux nous tiennent éloignés de cette sentine de vices qu'est le corps de la femme, mais souvent nous mènent au bord d'autres erreurs. Puis-je enfin me cacher que ma vieillesse même est encore aujourd'hui agitée par le démon de midi quand il m'arrive de laisser muser mon regard, dans le chœur, sur le visage imberbe d'un novice, pur et frais comme une fillette ?

Je dis cela non point pour mettre en doute le choix que j'ai fait de me consacrer à la vie monastique, mais pour justifier l'erreur de ceux, nombreux, qui jugent d'un trop grand poids ce saint fardeau. Peut-être pour justifier l'horrible crime de Bérenger. Mais il paraît, selon Bence, que ce moine cultivait son vice d'une façon encore plus ignoble, c'est-à-dire en se servant des armes du chantage pour obtenir d'autrui ce que vertu et dignité eussent dû déconseiller de donner.

Depuis longtemps donc, les moines ironisaient sur les regards tendres que Bérenger coulait vers Adelme, qui, dit-on, avait un charme fou. Tandis qu'Adelme, totalement énamouré de son travail, dont il semblait tirer son seul plaisir, n'avait cure de la passion de Bérenger. Mais qui sait, sans doute ignorait-il que son cœur, au plus profond, le portait à la même ignominie. Le fait est que Bence dit qu'il avait surpris un dialogue entre Adelme et Bérenger, au cours duquel Bérenger, faisant allusion à un secret qu'Adelme lui demandait de lui révéler, proposait l'abject marché que même le lecteur le plus innocent peut imaginer. Et il paraît que Bence entendit sur les lèvres d'Adelme des paroles de consentement, presque dites avec soulagement. Comme si, s'enhardissait Bence, Adelme ne désirait rien d'autre au fond, et qu'il lui eût suffi de trouver une raison différente du désir charnel pour céder. Signe, déduisait Bence, que le secret de Bérenger devait concerner des arcanes du savoir, de façon qu'Adelme pût nourrir l'illusion de se plier à un péché de la chair pour satisfaire à un désir de l'intellect. Et, ajouta Bence avec un sourire, que de fois lui-même n'était-il pas agité par des désirs de l'intellect, si violents que pour les satisfaire il eût consenti à seconder les désirs charnels d'autrui, fût-ce contre son propre désir charnel à lui.

« A aucun moment, demanda-t-il à Guillaume, vous ne feriez vous aussi des choses répréhensibles pour avoir entre les mains un livre que vous cherchez depuis des années ?

— Le sage et très vertueux Sylvestre II, il y a des siècles, offrit une sphère armillaire des plus précieuses pour un manuscrit, je crois, de Stace ou de Lucain », dit Guillaume. Puis il ajouta, prudemment : « Mais il s'agissait d'une sphère armillaire, pas de sa propre vertu. »

Bence admit que son enthousiasme lui avait fait dépasser les bornes, et il reprit son récit. La nuit précédant la mort d'Adelme, il les avait suivis tous les deux, mû par la curiosité. Et il les avait vus, après complies, prendre ensemble le chemin du dortoir. Il avait longtemps attendu en laissant entrouverte la porte de sa cellule, pas très éloignée de la leur, et il avait clairement vu Adelme se glisser, quand le silence fut descendu sur le sommeil des moines, dans la cellule de Bérenger. Il avait encore veillé, sans pouvoir fermer l'œil, jusqu'à ce qu'il eût entendu s'ouvrir la porte de Bérenger, et vu Adelme qui s'enfuyait presque en courant, et son ami qui tentait de le retenir. Bérenger l'avait talonné tandis qu'Adelme descendait à l'étage inférieur. Bence les avait suivis en catimini et à l'entrée du couloir, il avait vu Bérenger, presque tremblant, qui, écrasé dans un coin, fixait la porte de la cellule de Jorge. Bence avait eu l'intuition qu'Adelme s'était jeté aux pieds du vieillard pour lui confesser son péché. Et Bérenger tremblait, sachant que son secret se dévoilait en ce moment même, fût-ce sous le sceau du sacrement.

Ensuite Adelme était sorti, le visage d'une grande pâleur, il avait écarté de lui Bérenger qui cherchait à lui parler, et il s'était précipité hors du dortoir, tournant autour du chevet de l'église et entrant dans le chœur par la porte septentrionale (qui, la nuit, reste toujours ouverte). Il voulait probablement prier. Bérenger l'avait suivi, mais sans entrer dans l'église ; et il errait parmi les tombes du cimetière en se tordant les mains.

Bence ne savait plus que faire depuis qu'il s'était aperçu qu'une quatrième personne rôdait alentour. Cette dernière aussi avait suivi les deux autres et ne s'était certes pas aperçue de sa présence à lui, Bence, qui se tenait raide contre le tronc d'un chêne planté à la limite du cimetière. C'était Venantius. A sa vue Bérenger s'était tapi entre les tombes et Venantius était entré lui aussi dans le chœur. A ce point-là, Bence, redoutant d'être découvert, s'en était retourné au dortoir. Le lendemain matin le cadavre d'Adelme avait été trouvé au pied de l'à-pic. Et Bence rien d'autre ne savait.

L'heure du dîner approchait maintenant. Bence nous quitta et mon maître ne lui demanda rien d'autre. Nous restâmes encore un peu derrière les balnea, puis nous nous promenâmes quelques minutes dans le jardin, en méditant sur ces singulières révélations.

« Frangule, dit soudain Guillaume en se penchant pour observer un arbrisseau, qu'en ces jours d'hiver il reconnut d'après ses branches. Infusion d'écorce, bonne pour les hémorroïdes. Et ça, c'est l'arctium lappa, un bon cataplasme de racines fraîches cicatrise les eczémas.

— Vous êtes plus fort que Séverin, lui dis-je, mais à présent dites-moi ce que vous pensez de ce que nous avons entendu !

— Mon cher Adso, tu devrais apprendre à raisonner avec ta tête. Bence nous a probablement dit la vérité. Son histoire coïncide avec celle, par ailleurs tout entremêlée d'hallucinations, que nous a racontée tôt ce matin Bérenger. Essaie de reconstruire. Bérenger et Adelme font ensemble une chose extrêmement laide, nous en avions déjà eu l'intuition. Et Bérenger doit avoir révélé le secret à Adelme, qui reste hélas un secret. Adelme, après avoir commis son crime contre la chasteté et les règles de la nature, n'a plus qu'une pensée : se livrer à quelqu'un qui puisse l'absoudre, et il court chez Jorge. Lequel a un caractère fort austère, nous en avons eu les preuves, et à coup sûr assaille Adelme d'angoissantes réprimandes. Peut-être ne lui donne-t-il pas l'absolution, peut-être lui impose-t-il une impossible pénitence, nous ne le savons pas, et Jorge ne nous le dira jamais. Le fait est qu'Adelme court à l'église se prosterner devant l'autel, mais son remords ne s'apaise pas. A ce moment-là, il est abordé par Venantius. Nous ne savons pas ce qu'ils disent. Adelme confie peut-être à Venantius le secret qu'il eut en cadeau (ou contre paiement) de Bérenger, et qui désormais ne lui importe plus du tout, depuis qu'il détient un secret bien plus terrible et brûlant. Qu'arrive-t-il à Venantius ? Peut-être, pris par la même ardente curiosité qui agitait aussi notre Bence aujourd'hui, satisfait de ce qu'il a su, il laisse Adelme à ses remords. Adelme se voit abandonné, il projette de se tuer, sort désespéré du cimetière et là, il rencontre Bérenger. Il lui dit des mots terribles, lui jette à la figure sa responsabilité, l'appelle son maître ès turpitudes. Je crois vraiment que le récit de Bérenger, dépouillé de toute hallucination, était exact. Adelme lui répète les mêmes mots de désespérance qu'il doit avoir entendus de la bouche de Jorge. Et voilà que Bérenger s'en va bouleversé d'un côté, et Adelme s'en va se tuer de l'autre. Ensuite vient le reste, dont nous avons été presque les témoins. Tous croient qu'Adelme a été tué, Venantius en retire l'impression que le secret de la bibliothèque est encore plus important qu'il ne le croyait, et continue la recherche pour son propre compte. Jusqu'au moment où quelqu'un l'arrête, avant qu'il ait découvert ce qu'il voulait ou après.

— Qui le tue ? Bérenger ?

— Possible. Ou Malachie, qui a la garde de l'Edifice. Ou un autre. Bérenger est soupçonnable justement parce qu'il est épouvanté, et qu'il savait Venantius en possession de son secret. Malachie est soupçonnable : gardien de l'intégrité de la bibliothèque, il découvre que quelqu'un l'a violée, et tue. Jorge sait tout de tout le monde, il possède le secret d'Adelme, ne veut pas que je découvre ce que Venantius pourrait avoir trouvé... De nombreux faits conseilleraient de le soupçonner. Mais, dis-moi, comment un homme aveugle peut-il en tuer un autre dans la force de l'âge, et comment un vieux, encore que robuste, a-t-il pu transporter le cadavre dans la jarre ? Mais enfin, pourquoi l'assassin ne pourrait-il être Bence soi-même ? Il pourrait nous avoir menti, agir en vue de fins inavouables. Et pourquoi limiter les soupçons à ceux-là seuls qui participèrent à la conversation sur le rire ? Le crime a eu peut-être d'autres mobiles, qui n'ont rien à voir avec la bibliothèque. En tous les cas, nous avons besoin de deux choses : savoir comment on entre la nuit dans la bibliothèque, et avoir une lampe. Pour la lampe, tu y penseras toi. Passe dans les cuisines à l'heure du souper, prends-en une...

— Un vol ?

— Un emprunt, pour la plus grande gloire du Seigneur.

— Alors, comptez sur moi.

— Bien. Pour ce qui est d'entrer dans l'Edifice, nous avons vu par où est apparu Malachie hier soir. Aujourd'hui je ferai une visite à l'église, et à cette chapelle en particulier. Dans une heure nous passerons à table. Après nous avons une réunion avec l'Abbé. Tu y seras admis, car j'ai demandé d'avoir un secrétaire qui prenne note de ce que nous dirons. »

Deuxième jour

NONE

Où l'Abbé se montre fier des richesses de son abbaye et plein de crainte au sujet des hérétiques, et pour finir Adso se demande s'il n'a pas mal fait d'aller de par le monde.

Nous trouvâmes l'Abbé dans l'église, face au maître-autel. Il suivait le travail de plusieurs novices qui avaient retiré de quelque anfractuosité secrète une série de vases sacrés, calices, patènes, ostensoirs, et un crucifix que je n'avais pas vu pendant la fonction du matin. Je ne pus retenir une exclamation d'émerveillement devant la fulgurante beauté de ces objets du culte. C'était en plein midi et la lumière entrait à flots par les vitraux du chœur, et davantage encore par ceux des façades, formant de blanches cascades qui, tels de mystiques torrents de divine substance, allaient se croiser en différents points de l'église, inondant l'autel même.

Les vases, les calices, tout révélait sa propre matière précieuse : entre le jaune de l'or, la blancheur immaculée des ivoires et la transparence du cristal, je vis rutiler des gemmes de toutes les couleurs, de toutes les dimensions, et je reconnus l'hyacinthe, la topaze, le rubis, le saphir, l'émeraude, la chrysolithe, l'onyx, l'escarboucle et le jaspe et l'agate. Et dans le même moment, je me rendis compte de tout ce que, le matin, ravi en prière et puis bouleversé par la terreur, je n'avais pas remarqué : le paliotto de l'autel et trois autres panneaux qui lui faisaient couronne, étaient entièrement d'or, et enfin l'autel entier paraissait d'or de quelque côté qu'on le regardât.

L'Abbé sourit devant mon étonnement : « Ces richesses que vous voyez, dit-il tourné vers moi et mon maître, et d'autres que vous verrez encore, sont l'héritage de siècles de piété et de dévotion, et témoignent de la puissance et de la sainteté de cette abbaye. Princes et puissants de la terre, archevêques et évêques ont sacrifié à cet autel et aux objets qui lui sont destinés, les anneaux de leurs investitures, les ors et les pierres qui étaient le signe de leur grandeur, et les ont voulus ici refondus pour la plus grande gloire du Seigneur et de ce lieu. Bien qu'aujourd'hui l'abbaye ait été funestement marquée par un autre événement douloureux, nous ne pouvons oublier face à notre fragilité la force et la puissance du Très-Haut. S'approchent les festivités de Noël, Sainte Nativité, et nous commençons à fourbir les objets du culte, de façon que la naissance du Sauveur soit ensuite célébrée avec tout l'éclat et la magnificence qu'elle mérite et exige. Tout devra apparaître dans toute sa splendeur... ajouta-t-il en regardant fixement Guillaume — et je compris ensuite pourquoi il insistait avec autant d'orgueil pour justifier son comportement —, car nous pensons qu'il est utile et convenable de ne pas cacher, mais au contraire de proclamer les divines largesses.

— Certes, dit Guillaume avec courtoisie, si Votre Sublimité juge que le Seigneur doit être glorifié ainsi, votre abbaye a atteint la plus grande excellence dans ce concours de louanges.

— Et ainsi se doit-on de faire, dit l'Abbé. Si amphores et flacons d'or et petits mortiers en or servaient, selon la coutume, par volonté de Dieu ou ordre des prophètes, à recueillir le sang des chèvres ou des veaux ou de la jument dans le temple de Salomon, à plus forte raison vases d'or et pierres précieuses, et tout ce qui a de la valeur parmi les choses créées, doivent être utilisés avec continuelle révérence et pleine dévotion pour accueillir le sang de Christ ! Si pour une seconde création notre substance venait à être la même que celle des chérubins et des séraphins, il serait encore indigne le service auquel elle pourrait se prêter pour une victime aussi ineffable...

— Ainsi soit-il, dis-je.

— Beaucoup objectent qu'un esprit saintement inspiré, un cœur pur, une intention pleine de foi devraient suffire à cette fonction sacrée. Nous sommes les premiers à affirmer explicitement et résolument que c'est bien là chose essentielle : mais nous sommes convaincus qu'on doit rendre l'hommage aussi à travers l'ornement extérieur des objets sacrés, car il est suprêmement juste et convenable que nous servions notre Sauveur en toute chose, intégralement, Lui qui ne s'est pas refusé de nous pourvoir en toute chose intégralement et sans exceptions.

— Voilà qui a toujours été l'opinion des grands de votre ordre, consentit Guillaume, et je me rappelle les fort belles choses écrites sur les ornements des églises par le très grand et vénérable abbé Suger.

— C'est ainsi, dit l'Abbé. Vous voyez ce crucifix. Il n'est pas encore complet... » Il le prit dans la main avec un amour infini et le considéra d'un visage rayonnant de béatitude. « Ici manquent encore quelques perles, et je n'en ai pas encore trouvé d'une assez belle eau. Autrefois saint André s'adressa à la croix du Golgotha en la disant ornée des membres de Christ comme de perles. Et c'est de perles que doit être orné cet humble simulacre du grand prodige. Même si j'ai jugé opportun d'y faire sertir, à cet endroit, au-dessus de la tête même du Sauveur, le plus beau diamant que vous ayez jamais vu. » Il caressa de ses mains dévotes, de ses longs doigts blancs, les parties les plus précieuses du bois sacré, ou plutôt de l'ivoire sacré, car c'est de cette matière splendide qu'étaient faits les bras de la croix.

« Quand, tandis que je m'enchante de toutes les beautés de cette maison de Dieu, que le charme des pierres multicolores m'a arraché aux soins extérieurs, et qu'une digne méditation m'a conduit à réfléchir, transférant ce qui est matériel à ce qui est immatériel, sur la diversité des vertus sacrées, alors j'ai l'impression de me trouver, pour ainsi dire, dans une région de l'univers qui n'est plus tout à fait enclose dans la boue de la terre ni tout à fait déliée dans la pureté du ciel. Et il me semble que, grâce à Dieu, je peux être transporté de ce monde inférieur au monde supérieur par voie anagogique... »

Il parlait, et il avait tourné son visage vers la nef. Une cascade de lumière qui pénétrait d'en haut, par une particulière bienveillance de l'astre diurne, l'illuminait au visage, et aux mains qu'il avait ouvertes en forme de croix, ravi qu'il était par sa propre ferveur. « Chaque créature, dit-il, qu'elle soit visible ou invisible, est une lumière, amenée à l'être par le père des lumières. Cet ivoire, cet onyx, mais aussi la pierre qui nous entoure sont une lumière, parce que je perçois qu'ils sont bons et beaux, qu'ils existent selon leurs propres règles de proportion, lesquelles diffèrent par genre et espèce de tous les autres genres et espèces, sont définies par leur propre nombre, ne se dérobent pas à leur ordre, cherchent leur lieu spécifique conformément à leur gravité. Et ces choses me sont révélées, d'autant mieux que la matière éclatante sous mes yeux est de par sa nature précieuse, et elle se fait d'autant mieux lumière de de la puissance créatrice divine, que je dois remonter à la sublimité de la cause, inaccessible dans sa plénitude, à partir de la sublimité de l'effet ; et combien plus haut me parle de la divine causalité un effet admirable tel que l'or ou le diamant, si d'elle déjà réussissent à me parler l'excrément et l'insecte mêmes ! Et alors, quand dans ces pierres je perçois de ces choses supérieures, mon âme pleure, de joie émue, et non par vanité terrestre ou amour des richesses, mais par amour très pur de la cause première non causée.

— C'est là vraiment la plus douce des théologies », dit Guillaume avec une parfaite humilité, et je vis qu'il employait cette insidieuse figure de pensée que les rhéteurs appellent ironie ; qu'on utilise toujours en la faisant précéder de la pronunciatio, qui en constitue le signal et la justification ; chose que Guillaume ne faisait jamais. Raison pour quoi l'Abbé, plus enclin à user des figures de discours, prit Guillaume au pied de la lettre et ajouta, encore en proie à son ravissement mystique : « C'est la plus immédiate des voies qui nous mettent en contact avec le Très-Haut, matérielle théophanie. »

Guillaume toussa poliment : « Eh... oh... », dit-il. Il faisait ainsi quand il voulait introduire un autre sujet. Avec une parfaite bonne grâce d'ailleurs parce qu'il était dans ses habitudes — et je crois que c'est typique des hommes de sa terre — de commencer chacune de ses interventions par de longs gémissements liminaires, comme si mettre en branle l'exposition d'une pensée accomplie lui coûtait un grand effort de l'esprit. Alors que, j'en étais désormais convaincu, plus ses gémissements étaient nombreux avant son assertion, plus il était sûr de l'excellence de la proposition qu'elle exprimait.

« Eh... oh... fit donc Guillaume. Nous devrions parler de la rencontre et du débat sur la pauvreté...

— La pauvreté... dit l'Abbé encore tout rêveur, comme s'il lui en coûtait de descendre de cette belle région de l'univers où l'avaient transporté ses gemmes. C'est vrai, la rencontre... »

Et ils commencèrent une discussion serrée sur des choses qu'en partie je connaissais déjà et en partie je parvins à comprendre en écoutant leur entretien. Il s'agissait, comme je l'ai dit dès le début de cette chronique fidèle, de la double querelle qui opposait d'un côté l'empereur au pape, et de l'autre le pape aux franciscains qui, lors du chapitre de Pérouse, fût-ce avec des années et des années de retard, avaient fait leurs les thèses des spirituels sur la pauvreté de Christ ; et de l'embrouillement qui s'était formé en unissant les franciscains à l'Empire, embrouillement qui — de triangle d'oppositions et d'alliances — s'était désormais transformé en un carré par l'intervention, à moi encore fort obscure, des abbés de l'ordre de saint Benoît.

Pour ma part je n'ai jamais saisi avec clarté la raison pour laquelle les abbés bénédictins avaient donné protection et asile aux franscis-cains spirituels, avant encore que leur propre ordre en partageât de quelque façon que ce fût les opinions. Car, si les spirituels prêchaient le renoncement à tous les biens terrestres, les abbés de mon ordre, j'en avais eu ce jour même la lumineuse confirmation, suivaient une voie non moins vertueuse mais diamétralement opposée. Je crois que les abbés considéraient qu'un excessif pouvoir du pape signifiait un excessif pouvoir des évêques et des villes, alors que mon ordre avait gardé intacte sa puissance au cours des siècles précisément en lutte avec le clergé séculier et les marchands citadins, se plaçant comme médiateur direct entre le ciel et la terre, et conseiller des souverains.

J'avais entendu répéter tant de fois la phrase selon laquelle le peuple de Dieu se divisait en pasteurs (autrement dit les clercs), chiens (autrement dit les guerriers) et brebis, le peuple. Mais j'ai appris par la suite que cette phrase peut être redite de différentes façons. Les bénédictins avaient souvent parlé non pas de trois ordres, mais de deux grandes divisions, l'une qui concernait l'administration des choses terrestres et l'autre qui concernait l'administration des choses célestes. En ce qui concernait les choses terrestres la division entre clergé, seigneurs laïcs et peuple était valable, mais sur cette tripartition dominait la présence de l'ordo monachorum, lien direct entre le peuple de Dieu et le ciel, et les moines n'avaient rien à voir avec ces pasteurs séculiers qu'étaient les prêtres et les évêques, ignorants et corrompus, soumis désormais aux intérêts des villes, où les brebis n'étaient plus tant les bons et fidèles paysans, mais bien les marchands et les artisans. Point ne déplaisait à l'ordre bénédictin que le gouvernement des simples fût confié aux clercs séculiers, pourvu que le règlement définitif de ce rapport fût établi par les moines, en contact direct avec la source de tout pouvoir terrestre, l'Empire, ainsi qu'ils l'étaient avec la source de tout pouvoir céleste. Voilà pourquoi, je crois, de nombreux abbés bénédictins, pour restituer sa dignité à l'Empire contre le gouvernement des villes (évêques et marchands unis) acceptèrent aussi de protéger les franciscains spirituels, dont ils ne partageaient pas les idées, mais dont la présence les arrangeait dans la mesure où elle offrait à l'Empire de bons syllogismes contre le pouvoir excessif du pape.

Ce sont là les raisons, arguai-je, pour lesquelles Abbon s'apprêtait maintenant à collaborer avec Guillaume, l'envoyé de l'empereur, pour servir de médiateur entre l'ordre franciscain et le Siège pontifical. De fait, même dans la violence de la dispute qui faisait tant péricliter l'unité de l'Eglise, Michel de Césène, plusieurs fois appelé en Avignon par le pape Jean, s'était enfin disposé à accepter l'invitation, parce qu'il ne voulait pas que son ordre brisât définitivement avec le Pontife. En tant que général des franciscains, il voulait à la fois faire triompher leurs positions et obtenir l'approbation du pape, car il avait aussi l'intuition que sans l'approbation papale, il ne pourrait longtemps demeurer à la tête de l'ordre.

Mais beaucoup lui avaient fait observer que le pape l'attendrait en France pour lui tendre un piège, l'accuser d'hérésie et lui faire un procès. C'est pourquoi ils conseillaient que le voyage de Michel en

Avignon fût précédé de quelques pourparlers. Marsile avait eu une meilleure idée : envoyer en même temps que Michel un légat impérial qui présentât au pape le point de vue des tenants de l'empereur. Non tant pour convaincre le vieux Cahors que pour renforcer la position de Michel qui, faisant partie d'une légation impériale, n'aurait pu aussi facilement tomber, proie de la vengeance pontificale.

Cette idée présentait toutefois de nombreux inconvénients et n'était pas réalisable sur-le-champ. De là le projet d'une rencontre préliminaire entre les membres de la légation impériale et quelques envoyés du pape, afin d'établir les respectives positions et de rédiger les accords pour une rencontre où la sécurité des visiteurs italiens serait garantie. L'organisation de cette première rencontre, c'est justement Guillaume de Baskerville qui en avait été chargé. Qui devrait par la suite représenter le point de vue des théologiens impériaux en Avignon, s'il jugeait que le voyage était possible sans danger. Entreprise malaisée car on supposait que le pape, qui voulait Michel tout seul afin de pouvoir le réduire plus facilement à l'obéissance, enverrait en Italie une légation instruite de façon à faire échec, dans toute la mesure du possible, au voyage des envoyés impériaux à sa cour. Guillaume avait manœuvré jusqu'alors avec une grande habileté. Après de longues consultations avec différents abbés bénédictins (voilà la raison des nombreuses étapes de notre voyage), il avait choisi celle où nous nous trouvions précisément parce qu'on savait que l'Abbé y était tout dévoué à l'Empire et cependant, grâce à sa grande souplesse diplomatique, point mal vu à la cour pontificale. Territoire neutre, donc, l'abbaye, où les deux groupes pourraient se rencontrer.

Mais les résistances du Souverain Pontife ne s'arrêtaient pas là. Il savait que, une fois sur le terrain de l'abbaye, sa légation serait soumise à la juridiction de l'Abbé : et comme elle serait aussi en partie composée de membres du clergé séculier, il n'acceptait pas cette clause, invoquant sa crainte d'une chausse-trappe impériale. Il avait alors posé la condition que l'intégrité de ses envoyés serait confiée à une compagnie d'archers du roi de France aux ordres d'une personne ayant toute sa confiance. J'avais vaguement entendu Guillaume discuter de cela avec un ambassadeur du pape à Bobbio : il s'était agi de définir la formule par laquelle désigner les devoirs de ladite compagnie, autrement dit ce qu'on entendait par sauvegarde de l'intégrité des légats pontificaux. On avait finalement accepté une formule proposée par les Avignonnais et qui avait paru raisonnable : les gens armés, et qui les commandait, auraient eu juridiction « sur tous ceux qui en quelque manière cherchaient à attenter à la vie des membres de la légation pontificale et d'en influencer le comportement et le jugement par des actes violents ». Alors, le pacte était apparu comme inspiré par de pures préoccupations formelles. A présent, après les faits récents survenus dans l'abbaye, l'Abbé se montrait inquiet et il manifesta ses doutes à Guillaume. Si la légation arrivait à l'abbaye alors que l'auteur des deux crimes était encore inconnu (le lendemain les préoccupations de l'Abbé devaient augmenter, car les crimes seraient portés au nombre de trois), il aurait fallu admettre que circulait dans ces murs un quidam capable d'influencer par des actes violents le jugement et le comportement des légats pontificaux.

Il ne servait à rien de chercher à cacher les crimes qui avaient été commis, car s'il s'était passé encore autre chose, les légats pontificaux eussent pensé à un complot dirigé contre eux. Il ne restait donc à choisir qu'entre deux solutions. Ou Guillaume découvrait l'assassin avant l'arrivée de la légation (et ici l'Abbé le regarda fixement comme pour tacitement lui reprocher de n'être pas encore venu à bout de l'affaire), ou bien il fallait avertir loyalement le représentant du pape de ce qui se passait et demander sa collaboration pour que l'abbaye fût placée sous surveillance redoublée durant le cours des travaux. Chose qui déplaisait à l'Abbé, car cela signifiait renoncer à une partie de sa souveraineté et placer ses moines mêmes sous le contrôle des Français. Mais on ne pouvait pas prendre de risques. Guillaume et l'Abbé étaient tous deux contrariés par la tournure que prenaient les choses, mais ils avaient peu d'alternatives. Ils se promirent par conséquent d'adopter une décision définitive d'ici le lendemain. En attendant, il ne restait plus qu'à se confier à la miséricorde divine et à la sagacité de Guillaume.

« Je ferai l'impossible, Votre Sublimité, dit Guillaume. Néanmoins, je ne vois pas comment l'affaire peut vraiment compromettre la rencontre. Même le représentant pontifical voudra bien comprendre qu'il y a une différence entre l'œuvre d'un fou, ou d'un sanguinaire, ou peut-être seulement d'une âme égarée, et les graves problèmes que des hommes probes viendront discuter.

— Vous croyez ? demanda l'Abbé en regardant fixement Guillaume. N'oubliez pas que les Avignonnais savent qu'ils rencontrent des minorites, et donc des personnes périlleusement proches des fraticelles et d'autres encore plus insensés que les fraticelles, des hérétiques dangereux qui se sont souillés de crimes (et ici l'Abbé baissa la voix), en regard desquels les faits, du reste horribles, qui sont arrivés en ce lieu-ci pâlissent comme brume au soleil.

— Il ne s'agit pas de la même chose ! s'exclama Guillaume avec vivacité. Vous ne pouvez pas mettre sur le même plan les minorites du chapitre de Pérouse et quelques bandes d'hérétiques qui ont compris de travers le message de l'Evangile, transformant la lutte contre les richesses en une série de vengeances privées ou de folies sanguinaires...

— A peine quelques années sont passées depuis que, à quelques milles tout juste d'ici, une de ces bandes, comme vous les appelez, a mis à feu et à sang les terres de l'évêque de Verceil et les montagnes de la contrée de Novare, dit l'Abbé d'un ton sec.

— Vous parlez de fra Dolcino et des apostoliques...

— Des pseudo-apôtres », corrigea l'Abbé. Et encore une fois j'entendais citer fra Dolcino et les pseudo-apôtres, et encore une fois d'un ton circonspect, et presque avec une nuance de terreur.

« Des pseudo-apôtres, admit volontiers Guillaume. Mais eux, ils n'avaient rien à voir avec les minorites...

— Dont ils professaient la même révérence pour Joachim de Calabre, répliqua l'Abbé, et vous pouvez le demander à votre frère Ubertin.

— Je fais relever à Votre Sublimité que c'est maintenant votre frère à vous », dit Guillaume, avec un sourire et une sorte de courbette, comme pour complimenter l'Abbé de l'acquisition que son ordre avait faite en accueillant un homme d'une telle réputation.

« Je le sais, je le sais, sourit l'Abbé. Et vous savez avec quelle sollicitude fraternelle notre ordre a accueilli les spirituels quand ils ont encouru les colères du pape. Je ne parle pas seulement d'Ubertin mais aussi de nombreux autres frères plus humbles, dont on ne sait pas grand'chose, et dont on devrait peut-être savoir davantage. Car il nous est arrivé d'accueillir des transfuges qui se sont présentés vêtus du froc des minorites, et par la suite j'ai appris que les vicissitudes de leur vie les avaient conduits, un certain temps, fort près des dolciniens...

— Même ici ? demanda Guillaume.

— Même ici. Je suis en train de vous révéler quelque chose dont en vérité je sais bien peu, et en tout cas pas assez pour formuler des accusations. Mais vu que vous enquêtez sur la vie de cette abbaye, il est bon que vous aussi soyez au courant. Je vous dirai alors que je soupçonne, attention, je soupçonne sur la base de ce que j'ai entendu ou deviné, qu'il y a eu un moment plutôt obscur dans la vie de notre cellérier, qui précisément arriva ici, il y a des années, à la suite de l'exode des minorites.

— Le cellérier ? Rémigio de Varagine, un dolcinien ? Il m'a l'air de l'être le plus doux et en tous les cas le moins soucieux de madone pauvreté que j'aie jamais rencontré... dit Guillaume.

— Et de fait je ne puis rien dire contre lui, et je me prévaux de ses bons services, pour lesquels la communauté entière lui est reconnaissante. Cela dit pour vous faire comprendre comme il est facile de trouver des affinités entre un frère et un fraticelle.

— Encore une fois Votre Grandeur est injuste, s'il m'est permis de le dire, interrompit Guillaume. Nous parlions des dolciniens, pas des fraticelles. Sur lesquels on pourra gloser à l'infini, sans même savoir de qui on parle, tant il y en a d'espèces, mais pas les taxer de sanguinaires. Au maximum, on pourra leur reprocher de mettre en pratique sans trop de bon sens ce que les spirituels ont prêché avec une plus grande mesure et animés par un véritable amour de Dieu, et en cela je conviens qu'il existe une démarcation fragile entre les uns et les autres...

— Mais les fraticelles sont des hérétiques ! interrompit sèchement l'Abbé. Ils ne se bornent pas à soutenir la pauvreté de Christ et des apôtres, doctrine qui, même si je ne suis pas enclin à la partager, peut être utilement opposée à l'arrogance avignonnaise. Les fraticelles tirent d'une telle doctrine un syllogisme pratique, ils en infèrent un droit à la révolte, au saccage, à la perversion des mœurs.

— Mais quels fraticelles ?

— Tous, en général. Vous le savez qu'ils se sont souillés de crimes abominables, qu'ils ne reconnaissent pas le mariage, qu'ils nient l'enfer, qu'ils commettent la sodomie, qu'ils embrassent l'hérésie bogomile de l'horrible Bulgarie et de l'horrible Drygonthie...

— Je vous en prie, dit Guillaume, ne confondez pas des choses différentes ! Vous parlez comme si fraticelles, patarins, vaudois, cathares et parmi ces derniers bogomiles de Bulgarie et hérétiques de Dragovitsa, c'était du pareil au même !

— Ça l'est, coupa l'Abbé, c'est du pareil au même, parce qu'ils sont hérétiques et parce qu'ils mettent en danger l'ordre même du monde civil, l'ordre de l'Empire aussi que vous semblez appeler de vos vœux. Il y a cent années et plus, les disciples d'Arnaud de Brescia incendièrent les demeures des nobles et des cardinaux, et ce furent là les fruits de l'hérésie lombarde des patarins. Je sais des histoires terribles sur ces hérétiques, et je les lus dans Césaire de Eisterbach. A Vérone le chanoine de Saint-Gédéon, Everard, remarqua un beau jour que celui qui l'hébergeait sortait chaque nuit de chez lui en compagnie de sa femme et de sa fille. Il interrogea je ne sais qui des trois pour savoir où ils allaient et ce qu'ils faisaient. “ Viens et tu verras ”, lui fut-il répondu et il les suivit dans une habitation souterraine, très vaste, où se trouvaient rassemblées des personnes des deux sexes. Un hérésiarque, alors que tout le monde faisait silence, tint un discours plein de jurons, dans le but de corrompre leur vie et leurs mœurs. Puis, une fois le cierge soufflé, chacun se jeta sur sa voisine, sans faire de différence entre l'épouse légitime et la fille nubile, entre la veuve et la vierge, entre la maîtresse et la servante ni (ce qui était pis, que le Seigneur me pardonne au moment où je dis de si horribles choses) entre sa propre fille et sa propre sœur. Everard, à ce spectacle, en jeune insouciant et luxurieux qu'il était, se faisant passer pour un disciple, aborda, je ne sais plus très bien, la fille de son hôte ou une autre fillette, et après que fut éteint le cierge, pécha avec elle. Il fit cela, hélas, pendant plus d'un an, et à la fin le maître dit que ce jeune homme fréquentait avec tant de profit leurs séances qu'il serait bientôt en mesure d'instruire les néophytes. A ce point-là, Everard comprit dans quel abîme il avait chu et il parvint à fuir leur séduction en arguant qu'il avait fréquenté cette maison non point parce qu'il était attiré par l'hérésie mais parce qu'il était attiré par les jeunes filles. Ils le chassèrent. Mais telles sont, vous le voyez, la loi et la vie des hérétiques, patarins, cathares, joachimites, spirituels de tout acabit. Et il n'y a pas de quoi s'étonner : ils ne croient pas en la résurrection de la chair ni à l'enfer comme châtiment des méchants, et jugent pouvoir faire impunément n'importe quoi. Ils se disent de fait *catharoï*, c'est-à-dire purs.

— Abbon, dit Guillaume, vous vivez isolé dans cette splendide et sainte abbaye, loin des infamies du monde. La vie dans les villes est beaucoup plus complexe que vous ne croyez et il y a des degrés, vous le savez, dans l'erreur aussi et dans le mal. Lot fut beaucoup moins pécheur que ses concitoyens qui conçurent des pensées immondes en regard des anges envoyés par Dieu, et la trahison de Pierre ne fut rien par rapport à la trahison de Judas, de fait il a été pardonné à l'un et pas à l'autre. Vous ne pouvez pas mettre dans le même panier patarins et cathares. Les patarins sont un mouvement de réforme des mœurs à l'intérieur même des lois de notre Sainte Mère l'Eglise. Ils voulurent simplement améliorer le mode de vie des ecclésiastiques.

— En soutenant qu'on ne doit pas recevoir de sacrements des mains de prêtres impurs...

— Et ils eurent tort, mais ce fut leur unique erreur de doctrine. Ils ne se proposèrent jamais d'altérer la loi de Dieu...

— Mais la prédication patarine d'Arnaud de Brescia, à Rome, il y a plus de deux cents ans, poussa la tourbe des vilains à incendier les demeures des nobles et des cardinaux.

— Arnaud chercha à entraîner dans son mouvement de réforme les magistrats de la ville. Ils ne le suivirent pas, et il trouva approbation parmi la tourbe de pauvres et de déshérités. Il ne fut pas responsable de l'énergie et de la rage avec lesquelles ces derniers répondirent à ses appels pour une cité moins corrompue.

— La ville est toujours corrompue.

— La ville est le lieu où vit aujourd'hui le peuple de Dieu, dont vous êtes, dont nous sommes les bergers. C'est le lieu de scandale où le riche prélat prêche la vertu au peuple pauvre et affamé. Les désordres des patarins naissent de cette situation. Ils sont tristes, ils ne sont pas incompréhensibles. Les cathares sont autre chose. C'est une hérésie orientale, en dehors de la doctrine de l'Eglise. J'ignore s'ils commettent vraiment ou ont commis les crimes qu'on leur impute. Je sais qu'ils refusent le mariage, qu'ils nient l'enfer. Je me demande si beaucoup des actes qu'ils n'ont pas commis ne leur ont pas été attribués rien qu'en vertu des idées (certes exécrables) qu'ils ont soutenues.

— Et c'est vous qui me dites que les cathares ne se sont pas mêlés aux patarins, et que les uns et les autres ne sont pas uniquement deux des faces, innombrables, de la même manifestation démoniaque ?

— Je dis que nombre de ces hérésies, indépendamment des doctrines qu'elles soutiennent, s'implantent avec succès chez les gens simples, parce qu'elles leur suggèrent la possibilité d'une vie différente. Je dis que très souvent les simples ne savent pas grand'chose en matière de doctrine. Je dis qu'il est souvent arrivé que des tourbes de simples aient confondu la prédication cathare avec celle des patarins, et celle-ci en générale avec celle des spirituels. La vie des simples, Abbon, n'est pas éclairée par la sapience et par le sens vigilant des distinctions qui fait de nous des sages. Et elle est obsédée par la maladie, par la pauvreté, rendue balbutiante par ignorance. Souvent pour maints d'entre eux, l'adhésion à un groupe hérétique n'est qu'un moyen comme un autre de crier son propre désespoir. On peut brûler la maison d'un cardinal, soit parce qu'on veut perfectionner la vie du clergé, soit parce qu'on juge que l'enfer, qu'il prêche, n'existe pas. On le fait toujours parce que l'enfer terrestre existe, où vit le troupeau dont nous sommes les pasteurs. Mais vous savez fort bien que, de même qu'eux ne distinguent pas entre Eglise bulgare et disciples du prêtre Liprando, souvent aussi les autorités impériales et leurs partisans ne distinguèrent pas entre spirituels et hérétiques. Plus d'une fois des groupes gibelins, pour battre leur adversaire, soutinrent parmi le peuple des tendances cathares. A mon avis ils firent mal. Mais ce que je sais maintenant c'est que les mêmes groupes, souvent, pour se débarrasser de ces inquiets et dangereux adversaires trop " simples ", attribuèrent aux uns les hérésies des autres, et poussèrent tout cet humble monde sur le bûcher. J'ai vu, je vous le jure, Abbon, j'ai de mes yeux vu, des hommes de vie vertueuse, sincèrement partisans de la pauvreté et de la chasteté, mais ennemis des évêques, que les évêques poussèrent dans l'étau du bras séculier, que ce dernier fût au service de l'Empire ou des cités libres, en les accusant de promiscuité sexuelle, sodomie, pratiques abominables — dont peut-être d'autres mais pas eux s'étaient rendus coupables. Les simples sont de la chair à boucher, à utiliser quand ils servent à mettre en crise le pouvoir adverse, et à sacrifier quand ils ne servent plus.

— Donc, dit l'Abbé avec une malice évidente, fra Dolcino et ses énergumènes, et Gérard Ségalelli et ces ignobles assassins furent-ils de méchants cathares ou des fraticelles vertueux, des bogomiles sodomites ou des patarins réformateurs ? Voulez-vous bien me dire alors, Guillaume, vous qui savez tout sur les hérétiques, au point de sembler l'un des leurs, où se trouve la vérité ?

— Nulle part, parfois, dit Guillaume avec tristesse.

— Vous voyez que vous aussi vous ne savez plus distinguer entre hérétique et hérétique ? Moi, j'ai au moins une règle. Je sais que les hérétiques sont ceux qui mettent en danger l'ordre qui régit le peuple de Dieu. Et je défends l'Empire parce qu'il me garantit cet ordre. Je combats le pape parce qu'il est en train de remettre le pouvoir spirituel aux évêques des villes, qui s'allient aux marchands et aux corporations, et ils ne sauront pas maintenir cet ordre. Nous, nous l'avons maintenu pendant des siècles. Quant aux hérétiques, j'ai aussi une règle, et elle se résume dans la réponse que donna Arnaud Amalric, abbé de Cîteaux, à qui lui demandait ce qu'il fallait faire des citadins de Béziers, ville soupçonnée d'hérésie : “ Tuez-les tous, Dieu reconnaîtra les siens. ” »

Guillaume baissa les yeux et resta un certain temps silencieux. Puis il dit : « La ville de Béziers fut prise et les nôtres ne regardèrent ni à la dignité ni au sexe ni à l'âge et presque vingt mille hommes furent passés au fil de l'épée. Le massacre ainsi fait, la ville fut saccagée et livrée aux flammes.

— Même une guerre sainte est une guerre.

— Même une guerre sainte est une guerre. C'est peut-être pour cela qu'il ne devrait pas y avoir de guerres saintes. Mais que dis-je, je suis ici pour soutenir les droits de Louis, qui pourtant met à feu et à sang l'Italie. Je me trouve moi aussi pris dans un jeu d'étranges alliances. Etrange alliance des spirituels avec l'Empire, étrange celle de l'Empire avec Marsile, qui demande la souveraineté pour le peuple. Et étrange l'alliance entre nous deux, si différents de langage et de tradition. Mais nous avons deux tâches en commun.

Le succès de la rencontre, et la découverte d'un assassin. Efforçons-nous de procéder en paix. »

L'Abbé ouvrit les bras. « Donnez-moi le baiser de la paix, frère Guillaume. Avec un homme de votre savoir, nous pourrions discuter longuement sur de subtiles questions de théologie et de morale. Mais nous ne devons pas céder au goût de la dispute comme font les maîtres de Paris. C'est vrai, nous avons une tâche importante qui nous attend, et nous devons procéder d'un commun accord. Si j'ai parlé de ces choses, c'est parce que je crois qu'il y a un rapport, vous comprenez ? Un rapport possible, ou encore que d'autres peuvent mettre en rapport les crimes qui ont eu lieu ici et les thèses de vos frères. C'est pour cela que je vous ai averti, c'est pour cela que nous devons prévenir tout soupçon ou insinuation de la part des Avignonnais.

— Ne devrais-je pas supposer que Votre Sublimité m'a suggéré aussi une piste pour mon enquête ? Pensez-vous qu'à l'origine des récents événements il puisse y avoir quelque sombre histoire qui remonte au passé hérétique de quelque moine ? »

L'Abbé se tut un instant, en regardant Guillaume sans qu'aucune expression ne transparût sur son visage. Puis il dit : « Dans cette triste affaire, l'inquisiteur c'est vous. Il vous revient d'être soupçonneux et même de risquer un soupçon injuste. Moi je ne suis ici que le père commun. Et, j'ajoute, si j'avais su que le passé d'un de mes moines prêtât à de véritables soupçons, j'eusse déjà procédé moi-même au déracinement de la male plante. Ce que je sais, vous le savez. Ce que je ne sais pas, attend comme de juste la lumière de votre sagacité. Mais dans tous les cas, informez-en toujours et avant tout moi-même. » Il salua et sortit de l'église.

« L'histoire se complique de plus en plus, mon cher Adso, dit Guillaume, et son visage s'obscurcit. Nous courons derrière un manuscrit, nous nous intéressons aux diatribes de certains moines trop curieux et à l'histoire d'autres moines trop luxurieux, et voilà que se profile avec toujours plus d'insistance une autre piste, toute différente. Le cellérier, donc... Et avec le cellérier est arrivé ici cet étrange animal de Salvatore... Mais il est temps d'aller nous reposer, car nous avons projeté de rester éveillés durant la nuit.

— Alors vous vous proposez encore de pénétrer dans la bibliothèque, cette nuit ? Vous n'abandonnez pas cette première piste ?

— Pas du tout. Et puis, qui a dit qu'il s'agissait de deux pistes différentes ? Et enfin, cette histoire du cellérier pourrait n'être qu'un soupçon de l'Abbé. »

Il prit la direction de l'hôtellerie. Arrivé sur le seuil, il s'arrêta et parla comme s'il continuait son précédent discours.

« Au fond, l'Abbé m'a demandé d'enquêter sur la mort d'Adelme quand il pensait que quelque chose de louche se passait entre ses jeunes moines. Mais à présent la mort de Venantius fait naître d'autres soupçons, peut-être l'Abbé a-t-il eu l'intuition que la clef du mystère se trouve dans la bibliothèque, et dans cette direction-là il ne veut pas que je pousse l'enquête. C'est alors qu'il m'offrirait la piste du cellérier pour détourner mon attention de l'Edifice...

— Mais pourquoi ne devrait-il pas vouloir que...

— Ne pose pas trop de questions. L'Abbé m'a signifié dès le début que la bibliothèque est intouchable. Il aura ses raisons. Il se pourrait que lui aussi soit mêlé à quelque histoire qu'il ne pensait pas pouvoir mettre en rapport avec la mort d'Adelme, et à présent il se rend compte que le scandale fait tache d'huile et peut le compromettre lui aussi. Et il ne veut pas qu'on découvre la vérité, ou du moins il ne veut pas que je la découvre moi...

— Mais alors nous vivons dans un endroit abandonné de Dieu, dis-je abattu.

— Tu en as trouvé, toi, des endroits où Dieu se fût senti à son aise ? » me demanda Guillaume en me toisant du haut de sa taille.

Et il m'envoya me reposer. Tandis que je me couchais, je conclus que mon père n'aurait pas dû m'expédier de par le monde, qui s'avérait plus compliqué que je ne pensais. J'étais en train d'apprendre trop de choses à la fois.

« Salva me ab ore leonis », priai-je en m'endormant.

Deuxième jour

APRÈS VÊPRES

Où, malgré la brièveté du chapitre, le vieillard Alinardo dit des choses très intéressantes sur le labyrinthe et la manière d'y entrer.

Je me réveillai juste avant que sonnât l'heure du repas vespéral. Je me sentais engourdi de sommeil, car le sommeil diurne est comme le péché de la chair : plus on en a eu, plus on en voudrait, cependant qu'on se sent malheureux, rassasié et insatiable en même temps. Guillaume n'était pas dans sa cellule, d'évidence il s'était levé bien plus tôt. Je le trouvai, après une courte déambulation, qui sortait de l'Edifice. Il me dit qu'il s'était rendu au scriptorium, feuilletant le catalogue et observant le travail des moines dans la tentative de s'approcher de la table de Venantius pour reprendre l'inspection. Mais que pour un motif ou pour un autre, chacun paraissait résolu à ne pas lui laisser mettre le nez dans ces parchemins-là. D'abord Malachie s'était approché pour lui montrer quelques enluminures de grande valeur. Ensuite Bence l'avait accaparé sous des prétextes inconsistants. Puis, quand il s'était penché pour reprendre son inspection, Bérenger s'était mis à tourner autour de lui en lui offrant sa collaboration.

Enfin, voyant que mon maître paraissait avoir la ferme intention de s'occuper des affaires de Venantius, Malachie lui avait dit clair et net que peut-être, avant de farfouiller dans les parchemins du mort, il valait mieux obtenir l'autorisation de l'Abbé ; que lui-même, tout en ayant qualité de bibliothécaire, s'en était abstenu, par respect et discipline ; et qu'en tout état de cause personne ne s'était approché de cette table, comme Guillaume le lui avait demandé, et personne ne s'en approcherait tant que l'Abbé n'interviendrait pas. Guillaume lui avait fait remarquer que l'Abbé lui avait donné licence d'enquêter dans toute l'abbaye, Malachie avait demandé non sans malice si l'Abbé lui avait aussi donné licence de circuler librement dans le scriptorium ou, à Dieu ne plaise, dans la bibliothèque.

Guillaume avait compris qu'il ne valait pas la peine de s'engager dans une épreuve de force avec Malachie, même si toute cette agitation et toutes ces craintes autour des affaires de Venantius avaient naturellement fortifié son désir d'en prendre connaissance. Mais sa détermination de retourner là-haut, de nuit, sans trop savoir comment, était telle qu'il avait décidé de ne pas créer d'incidents. Il couvait cependant d'évidentes pensées de revanche qui, n'eussent-elles été inspirées, comme elles l'étaient, par la soif de vérité, seraient apparues fort obstinées et sans doute répréhensibles.

Avant d'entrer dans le réfectoire, nous fîmes encore une petite promenade dans le cloître, pour dissiper les vapeurs du sommeil à l'air froid du soir. Y déambulaient encore quelques moines en méditation. Dans le jardin donnant sur le cloître nous aperçûmes le très vieux Alinardo de Grottaferrata, qui, le corps imbécile désormais, passait grande partie de sa journée parmi les plantes, quand il n'était pas à prier dans l'église. Il paraissait ne pas sentir le froid, et restait assis sur le côté extérieur des arcades.

Guillaume lui adressa des paroles de salut et le vieillard eut l'air heureux que quelqu'un s'entretînt avec lui.

« Journée sereine, dit Guillaume.

— Grâce à Dieu, répondit le vieillard.

— Sereine dans le ciel, mais noire sur la terre. Vous connaissiez bien Venantius ?

— Venantius qui ? » dit le vieillard. Puis une lumière passa dans ses yeux. « Ah, le garçon mort. La Bête rôde dans l'abbaye...

— Quelle bête ?

— La grande Bête qui surgit de la mer... Sept têtes et dix cornes et sur ses cornes dix diadèmes et sur ses têtes trois titres blasphématoires. La Bête qui ressemble à un léopard, avec les pattes comme celles d'un ours et la gueule comme celle du lion... Moi je l'ai vue.

— Où l'avez-vous vue ? Dans la bibliothèque ?

— La bibliothèque ? Pourquoi ? Il y a des années que je ne vais plus dans le scriptorium et je n'ai jamais vu la bibliothèque. Personne ne va dans la bibliothèque. J'ai connu ceux qui montaient à la bibliothèque...

— Qui, Malachie, Bérenger ?

— Oh non... » Le vieillard fit un petit rire gloussant. « Avant. Le bibliothécaire qui vint avant Malachie, il y a tant et tant d'années...

— Qui était-ce ?

— Je ne me rappelle pas, il est mort, quand Malachie était encore jeune. C'est celui qui vint avant le maître de Malachie et qui était aide-bibliothécaire jeune quand moi-même j'étais jeune... Mais dans la bibliothèque, je n'ai jamais mis les pieds. Labyrinthe...

— La bibliothèque est un labyrinthe ?

— Hunc mundum tipice laberinthus denotat ille, récita le vieillard d'un air absorbé. Intranti largus, redeunti sed nimis artus. La bibliothèque est un grand labyrinthe, signe du labyrinthe du monde. Tu entres et tu ne sais pas si tu en sortiras. Il ne faut pas violer les colonnes d'Hercule...

— Donc vous ne savez pas comment on entre dans la bibliothèque quand les portes de l'Edifice sont fermées ?

— Oh si, rit le vieillard, beaucoup le savent. Tu passes par l'ossuaire. Tu peux passer par l'ossuaire, mais tu ne veux pas passer par l'ossuaire. Les moines morts veillent.

— Ce sont eux les moines morts qui veillent, non pas ceux qui rôdent la nuit avec une lampe dans la bibliothèque ?

— Avec une lampe ? » Le vieillard parut stupéfait. « Je n'ai jamais entendu cette histoire. Les moines morts se trouvent dans l'ossuaire, les os descendent petit à petit du cimetière et se réunissent là pour garder le passage. Tu n'as jamais vu l'autel de la chapelle qui mène à l'ossuaire ?

— C'est la troisième chapelle à gauche après le transept, n'est-ce pas ?

— La troisième ? Peut-être. C'est celle qui a la pierre de l'autel sculptée de mille squelettes. Le quatrième crâne à droite, enfonce dans les yeux... Et tu es dans l'ossuaire. Mais tu n'y vas pas, moi je n'y suis jamais allé. L'Abbé ne veut pas.

— Et la Bête, où avez-vous vu la Bête ?

— La Bête ? Ah, l'Antéchrist... Il s'apprête à venir, le millénaire est échu, nous l'attendons...

— Mais le millénaire est échu depuis trois cents ans, et alors il ne vint pas...

— L'Antéchrist ne vient pas après que sont échus les mille ans. Les mille ans échus, commence le règne des justes, ensuite vient l'Antéchrist pour confondre les justes, et puis ce sera la bataille finale...

— Mais les justes régneront pendant mille ans, dit Guillaume. Ou ils ont régné depuis la mort de Christ jusqu'à la fin du premier millénaire, et par conséquent c'est alors que devait venir l'Antéchrist, ou ils n'ont pas encore régné, et l'Antéchrist est loin.

— Le millénaire ne se calcule pas depuis la mort de Christ mais depuis la donation de Constantin. Maintenant il y a mille ans...

— Et alors prend fin le règne des justes ?

— Je ne le sais pas, je ne le sais plus... Je suis las. Le calcul est difficile. Le Bienheureux de Liébana le fit, demande à Jorge, il est jeune lui, il a une bonne mémoire... Mais les temps sont mûrs. N'as-tu pas entendu les sept trompettes ?

— Pourquoi les sept trompettes ?

— N'as-tu pas vu comment est mort l'autre garçon, l'enlumineur ? Le premier ange a soufflé dans la première trompette, alors de la grêle et du feu mêlés de sang furent jetés sur la terre... N'est-il pas mort dans la mer de sang, le deuxième garçon ? Attention à la troisième trompette ! Il mourra le tiers des créatures vivant dans la mer. Dieu nous punit. Le monde tout autour de l'abbaye est infesté d'hérésies, on m'a dit que sur le trône de Rome est un pape pervers qui se sert des hosties à des fins nécromanciennes, et en nourrit ses murènes... Et chez nous, quelqu'un a violé l'interdit, a brisé les sceaux du labyrinthe...

— Qui vous l'a dit ?

— Je l'ai entendu, tous murmurent que le péché est entré dans l'abbaye. Tu as des pois chiches ? »

La question, adressée à moi, me surprit. « Non, je n'ai pas de pois chiches, dis-je confus.

— La prochaine fois tu t'en muniras. Je les garde dans la bouche, tu vois ma pauvre bouche sans dents, jusqu'à ce qu'ils deviennent tout mous. Ils font saliver, aqua fons vitae. Tu m'apporteras des pois chiches demain ?

— Demain je vous apporterai des pois chiches », lui dis-je. Mais il s'était assoupi. Nous le quittâmes pour gagner le réfectoire.

« Que pensez-vous de ce qu'il a dit ? demandai-je à mon maître.

— Il jouit de la divine folie des centenaires. Difficile de distinguer le vrai du faux dans ses paroles. Mais je crois qu'il nous a dit quelque chose sur la façon de pénétrer dans l'Edifice. J'ai vu la chapelle d'où est sorti Malachie la nuit dernière. Il y a vraiment un autel de pierre, et sur la base sont sculptés des crânes ; ce soir, nous tenterons. »

Deuxième jour

COMPLIES

Où l'on entre dans l'Edifice, l'on découvre un visiteur mystérieux, l'on trouve un message secret avec des signes de nécromant, et disparaît, à peine trouvé, un livre qui sera ensuite recherché pendant bien d'autres chapitres, et, vicissitude qui n'est pas la dernière, où l'on vole les précieux verres de Guillaume.

Le souper fut triste et silencieux. Un peu plus de douze heures étaient passées depuis qu'on avait découvert le cadavre de Venantius. Tous regardaient à la dérobée sa place vide à table. Quand ce fut l'heure de complies, le cortège qui se rendit dans le chœur avait l'allure d'un défilé funèbre. Nous participâmes à l'office, placés dans la nef et ne perdant pas de vue la troisième chapelle. L'éclairage était faible, et lorsque nous vîmes Malachie émerger de l'obscurité pour rejoindre sa stalle, nous ne pûmes comprendre d'où il sortait exactement. Par précaution nous nous glissâmes dans l'ombre, nous cachant dans la nef latérale, pour que personne ne vît que nous restions là, l'office terminé. J'avais dans mon scapulaire la lampe dérobée à la cuisine pendant le souper. Nous l'allumerions ensuite au grand trépied de bronze qui brûlait toute la nuit. J'apportais une mèche neuve, et beaucoup d'huile. Nous aurions de la lumière pour un long temps.

J'étais trop excité par ce que nous nous apprêtions à faire, pour accorder la moindre attention au rite, qui finit sans que je m'en aperçusse ou presque. Les moines rabattirent leur capuchon sur leur visage et sortirent en lente colonne pour se rendre dans leur cellule. L'église resta déserte, éclairée par les lueurs du trépied.

« Allons, dit Guillaume. Au travail. »

Nous nous approchâmes de la troisième chapelle. La base de l'autel était vraiment semblable à un ossuaire, une série de crânes aux orbites vides et profondes inspirait la peur à qui les regardait, posés comme ils apparaissaient dans l'admirable relief, sur un monceau de tibias. Guillaume répéta à voix basse les paroles qu'il avait entendues de la bouche d'Alinardo (quatrième crâne à droite, enfonce les yeux). Il introduisit les doigts dans les orbites de ce visage décharné, et aussitôt nous entendîmes comme un grincement rauque. L'autel bougea, tournant sur un pivot secret, et laissa entrevoir une ouverture noire. Comme j'élevai ma lampe pour l'éclairer, nous aperçûmes des escaliers humides. Nous décidâmes de les descendre, après avoir discuté si nous devions refermer le passage derrière nous. Il ne valait mieux pas, dit Guillaume, nous ne savions si nous aurions pu le rouvrir après. Et quant au risque d'être découverts, si quelqu'un parvenait à cette heure-là à manœuvrer le même mécanisme, c'était parce qu'il savait comment entrer, et un passage fermé ne l'aurait pas arrêté.

Nous descendîmes une bonne dizaine d'escaliers et pénétrâmes dans un couloir où s'ouvraient de chaque côté des niches horizontales, comme il m'arriva de voir plus tard dans de nombreuses catacombes. Mais c'était la première fois que je pénétrais dans un ossuaire, et je fus glacé d'effroi. Les os des moines avaient été recueillis là au cours des siècles, exhumés d'abord, et amassés dans les niches sans qu'on tentât de recomposer la forme de leurs corps. Cependant certaines niches n'étaient remplies que d'os menus, d'autres que de crânes, bien disposés presque en pyramide, de façon à ne pas rouler les uns sur les autres, et c'était en vérité un spectacle terrifiant, surtout avec le jeu d'ombres et de lumières que la lampe projetait le long de notre chemin. Dans une niche je ne vis que des mains, une quantité énorme de mains, désormais irrémédiablement entrelacées, dans un enchevêtrement de doigts morts. Je poussai un cri, dans ce lieu de morts, éprouvant un instant la sensation de quelque chose de vivant, un couinement, et un mouvement éclair dans l'ombre.

« Des rats, me rassura Guillaume.

— Que font ici ces rats ?

— Ils passent, comme nous, car l'ossuaire conduit à l'Edifice, et donc aux cuisines. Et aux bons livres de la bibliothèque. Maintenant tu comprends pourquoi Malachie a un visage aussi austère. Ses fonctions l'obligent à passer par ici deux fois par jour, le soir et le matin. Il n'a certes pas matière à rire, lui.

— Mais pourquoi l'Evangile ne dit-il jamais que Christ riait ? demandai-je un peu sans raison. En va-t-il vraiment comme dit Jorge ?

— Ils ont été légion, ceux qui se sont demandé si Christ a jamais ri. La chose ne m'intéresse pas beaucoup. Je crois qu'il n'a jamais ri car, omniscient comme devait l'être le fils de Dieu, il savait ce que nous ferions nous, les chrétiens. Mais nous voilà arrivés. »

Et en effet, grâce à Dieu, le couloir prenait fin, une nouvelle série d'escaliers commençait, et, les ayant parcourus, nous n'eûmes plus qu'à pousser une porte de bois massif renforcé de fer : nous nous trouvâmes derrière la cheminée des cuisines, juste sous l'escalier à vis qui montait au scriptorium. Tandis que nous montions, nous eûmes l'impression d'entendre un bruit venant d'en haut.

Nous restâmes un instant en silence, puis je dis : « C'est impossible. Personne n'est entré avant nous...

— En admettant que cette voie soit la seule qui mène à l'Edifice. Dans les siècles passés, c'était là une forteresse, et il doit y avoir plus d'accès secrets que nous n'imaginons. Montons doucement. Mais nous n'avons pas le choix. Si nous éteignons la lampe nous ne savons pas où nous allons, si nous la gardons allumée nous donnons l'alarme à qui se trouve en haut. Notre unique espoir est que, s'il y a quelqu'un, il ait plus peur que nous. »

Nous arrivâmes dans le scriptorium, en émergeant de la tour méridionale. La table de Venantius se trouvait juste du côté opposé. En nous déplaçant nous n'éclairions pas plus que quelques brasses de mur à la fois, car la salle était trop vaste. Nous espérâmes que personne ne fût dans la cour et ne vît la lumière transparaître aux verrières. La table paraissait en ordre, mais Guillaume se pencha aussitôt pour examiner les feuilles sur l'étagère du dessous et poussa une exclamation de désappointement.

« Il manque quelque chose ? demandai-je.

— Aujourd'hui j'ai vu ici deux livres, et l'un était en grec. Et c'est celui-ci qui manque. Quelqu'un l'a distrait, et en toute hâte, car on a laissé ici un parchemin tombé à terre.

— Mais la table était gardée...

— Certes. Peut-être quelqu'un vient-il tout juste d'y fourrager. Peut-être est-il encore ici. » Il se tourna vers les ombres et sa voix résonna entre les colonnes : « Si tu es là, attention à toi ! » Ce me sembla une bonne idée : comme Guillaume l'avait déjà dit, il est toujours préférable que celui qui nous inspire de la peur ait plus peur que nous.

Guillaume posa la feuille qu'il avait trouvée au pied de la table et en approcha son visage. Il me demanda de l'éclairer. Je tendis la lampe et aperçus une page à moitié blanche dans sa partie supérieure, et dans la seconde moitié, couverte de caractères si minuscules que je n'en reconnus qu'avec peine l'origine.

« C'est du grec ? demandai-je.

— Oui, mais je ne comprends pas bien. » Il tira ses verres de sa coule et les mit solidement en selle sur son nez, après quoi il pencha davantage encore son visage.

« C'est du grec, écrit tout petit, et de façon désordonnée. Même avec les verres je peine à lire, il faudrait plus de lumière. Approche-toi... »

Il avait pris la feuille, la tenant à hauteur de son nez, et moi, comme un sot, au lieu de passer derrière lui en tenant la lampe haut au-dessus de sa tête, je me plaçai juste devant lui. Il me demanda de me déplacer sur le côté, et ce faisant j'effleurai de la flamme le verso de la feuille. Guillaume me chassa d'une bourrade, en me demandant si je voulais brûler le manuscrit, puis il eut une exclamation. Je vis nettement que dans le haut de la page étaient apparus quelques signes imprécis d'une couleur jaune-brun. Guillaume se fit donner la lampe et la passa derrière la feuille, tenant la flamme suffisamment proche de la surface du parchemin, pour qu'elle le réchauffe sans toutefois le lécher. « Mane, thecel, pharès », vis-je se dessiner sur le côté blanc de la feuille, l'un après l'autre, au fur et à mesure que Guillaume déplaçait la lumière, et tandis que la fumée qui sinuait au sommet de la flamme noircissait le recto, des traits qui ne ressemblaient à ceux d'aucun alphabet, si ce n'est à celui des nécromants.

« Fantastique ! dit Guillaume. De plus en plus intéressant ! » Il regarda autour de lui. « Mais il vaudra mieux ne pas exposer cette découverte aux embûches de notre hôte mystérieux, s'il est encore ici... » Il ôta ses verres et les posa sur la table, puis il enroula avec soin le parchemin et le cacha dans sa coule. Encore abasourdi par cette suite d'événements pour le moins miraculeux, j'allais lui demander d'autres explications, quand un bruit soudain et sec fit diversion. Il provenait du pied de l'escalier oriental qui menait à la bibliothèque.

« Notre homme est là, prends-le ! » cria Guillaume et nous nous jetâmes dans cette direction, lui plus rapide, moi plus lent parce que je portais la lampe. J'entendis un fracas de personne qui achoppe et tombe, j'accourus, je trouvai Guillaume au pied de l'escalier, qui observait un lourd volume à la couverture renforcée de broquettes métalliques. Au même instant nous entendîmes un autre bruit provenant de la direction d'où nous étions venus. « Sot que je suis ! cria Guillaume, vite, à la table de Venantius ! »

Je compris : quelqu'un qui se trouvait dans l'ombre derrière nous avait lancé le volume pour nous appâter le plus loin possible.

Encore une fois Guillaume fut plus rapide et atteignit la table avant moi. En le suivant, j'entrevis au milieu des colonnes une ombre qui s'enfuyait, en enfilant l'escalier de la tour occidentale.

Pris d'une ardeur guerrière, je mis la lampe dans la main de Guillaume et me précipitai à l'aveuglette vers l'escalier par où était descendu le fuyard. A ce moment-là, je me sentais comme un soldat de Christ en lutte avec toutes les légions infernales, et j'ardais du désir de mettre les mains sur l'inconnu pour le remettre à mon maître. Je dégringolai presque littéralement les escaliers à vis, en me prenant les pieds dans les pans de ma robe (ce fut l'unique moment de ma vie, je le jure, où je regrettai d'être entré dans un ordre monastique !), mais au même instant, et ce fut une pensée-éclair, je me consolai à l'idée que mon adversaire aussi devait souffrir d'une pareille entrave. Et en plus, s'il avait dérobé le livre, il devait avoir les mains occupées. Je me précipitai presque la tête la première dans les cuisines, derrière le four à pain et, à la lumière blafarde de la nuit étoilée qui éclairait le vaste passage, je vis l'ombre que je suivais prendre la porte du réfectoire et la tirer derrière elle. Je fonçai vers cette porte, peinai quelques secondes pour l'ouvrir, entrai, regardai autour de moi, et je ne vis plus personne. La porte qui donnait sur l'extérieur était encore barrée. Je me retournai. Ombre et silence. J'aperçus une lueur qui venait de la cuisine et m'adossai à un mur. Sur le seuil de passage entre les deux salles apparut une silhouette éclairée par une lampe. Je criai. C'était Guillaume.

« Il n'y a plus personne ? Je le prévoyais. Il n'est pas sorti par une porte. Il n'a pas pris par le passage de l'ossuaire ?

— Non, il est sorti par ici, mais je ne sais pas par où !

— Je te l'ai dit, il y a d'autres passages, et il est inutile que nous les cherchions. Il est probable qu'en ce moment notre homme émerge de nouveau quelque part loin d'ici. Et avec lui, mes verres.

— Vos verres ?

— Précisément, mes verres. Notre ami n'a pas pu me voler la feuille mais, avec une grande présence d'esprit, en passant il s'est emparé de mes verres qui étaient sur la table.

— Et pourquoi ?

— Parce que ce n'est pas un idiot. Il m'a entendu parler de ces notes, il a compris qu'elles étaient importantes, il a pensé que sans mes verres je ne serai pas en mesure de les déchiffrer et il tient pour sûr que je ne me fierai de les montrer à personne. De fait, à présent c'est comme si je ne les avais pas.

— Mais comment connaissait-il l'existence de vos verres ?

— Allons, à part le fait que nous en avons parlé hier avec le maître verrier, ce matin je les ai chaussés dans le scriptorium pour fouiller dans les affaires de Venantius. De nombreuses personnes pourraient donc savoir combien ces objets m'étaient précieux. Et de fait, je pourrais même lire un manuscrit normal, mais pas celui-ci » il déroulait de nouveau le mystérieux parchemin, « ... où la partie en grec est trop petite, et la partie supérieure trop incertaine... »

Il me montra les signes mystérieux qui étaient apparus comme par enchantement à la chaleur de la flamme : « Venantius voulait cacher un secret important et il s'est servi d'une de ces encres qui écrivent sans laisser de trace et réapparaissent à la chaleur. Ou bien il a utilisé du jus de citron. Mais comme je ne sais pas de quelle substance il a usé et que les signes pourraient redisparaître, vite, toi qui as de bons yeux, transcris-les tout de suite de la façon le plus fidèle possible, et même si tu peux un tantinet plus grands. » Ainsi fis-je, sans savoir ce que je copiais. Il s'agissait d'une série de quatre ou cinq lignes en vérité relevant de la sorcellerie, et je reporte maintenant les premiers signes seulement, pour donner au lecteur une idée de l'énigme que nous avions devant les yeux :

♐☉☿♏☉♑♒♓ ♂♉♋♉♐ ♁♂♏♉☿♄

Lorsque j'eus copié Guillaume regarda, malheureusement sans verres, tenant ma tablette à une bonne distance de son nez. « C'est certainement un alphabet secret qu'il faudra déchiffrer, dit-il. Les signes sont mal tracés, et peut-être les as-tu recopiés pire encore, mais il s'agit à coup sûr d'un alphabet zodiacal. Tu vois ? Dans la première ligne nous avons... » Il éloigna encore la feuille de lui, plissa les yeux, avec un effort de concentration : « ... Sagittaire, Soleil, Mercure, Scorpion...

— Et qu'est-ce que cela signifie ?

— Si Venantius avait été un ingénu il aurait utilisé l'alphabet zodiacal le plus commun : A égale Soleil, B égale Jupiter... La première ligne se lirait alors... essaye de transcrire : RAIQASVL... » Il s'interrompit. « Non, ça ne veut rien dire, et Venantius n'était pas un ingénu. Il a reformulé l'alphabet selon une autre clef. Il faudra que je la découvre.

— Est-ce possible ? demandai-je ébloui.

— Oui, si l'on connaît un peu de la science des Arabes. Les meilleurs traités de cryptographie sont l'œuvre de savants infidèles, et à Oxford j'ai pu m'en faire lire quelques-uns. Bacon avait raison de dire que la conquête du savoir passe par la connaissance des langues. Abu Bakr Ahmad ben Ali ben Washiyya an-Nabati a écrit il y a des siècles un *Livre du désir frénétique du dévot d'apprendre les énigmes des antiques écritures* et il a exposé de nombreuses règles pour composer et déchiffrer des alphabets mystérieux, bons pour des pratiques de magie, mais aussi pour la correspondance entre les armées, ou entre un roi et ses propres ambassadeurs. J'ai vu d'autres livres arabes qui énumèrent une série d'artifices fort ingénieux. Tu peux par exemple substituer une lettre à une autre, tu peux écrire un mot à l'envers, tu peux mettre les lettres dans l'ordre inverse, mais en en prenant une sur deux, et puis en recommençant depuis le début, tu peux comme dans le cas présent remplacer les lettres par des signes zodiacaux, mais en attribuant aux lettres cachées leur valeur numérique et ensuite, selon un autre alphabet, convertir les nombres en d'autres lettres...

— Et lequel de ces systèmes aura utilisé Venantius ?

— Il faudrait les essayer tous, et d'autres encore. Mais la première règle pour déchiffrer un message, c'est de deviner ce qu'il veut dire.

— Mais alors, il n'y a plus besoin de le déchiffrer ! ris-je.

— Pas précisément. On peut cependant formuler des hypothèses sur les mots qui pourraient être les premiers du message, et ensuite voir si la règle qu'on en infère vaut pour tout le reste de l'écrit. Par exemple, ici Venantius a certainement noté la clef pour pénétrer dans le finis Africae. Si j'essaie de penser que le message parle de cela, voilà qu'à l'improviste un rythme m'éclaire... Essaie de regarder les trois premiers mots, ne tiens pas compte des lettres, considère seulement le nombre des signes... IIIIIIII IIIII IIIIIII... Maintenant essaie de les diviser en syllabes d'au moins deux signes chacune, et récite à voix haute : ta-ta-ta, ta-ta, ta-ta-ta... Cela ne te rappelle rien ?

— A moi non.

— Et à moi si. *Secretum finis Africae...* Mais s'il en allait ainsi, le dernier mot devrait avoir la première et la sixième lettre égales, et de fait c'est ainsi, voilà deux fois le symbole de la Terre. Et la première lettre du premier mot, le S, devrait être identique à la dernière du second : et de fait, voilà répété le signe de la Vierge. C'est peut-être la bonne voie. Il pourrait aussi ne s'agir que d'une série de coïncidences. Il faut trouver une règle de correspondance...

— La trouver où ?

— Dans sa tête. L'inventer. Et puis contrôler si c'est la bonne. Cependant entre un essai et un autre, le jeu pourrait me prendre une journée entière. Pas davantage car — souviens-toi — il n'y a aucune écriture secrète qui ne puisse être déchiffrée avec un peu de patience. Mais à présent nous risquons de trop nous attarder et nous voulons visiter la bibliothèque. D'autant que sans verres je ne réussirai jamais à lire la seconde partie du message, et toi tu ne peux m'aider parce que ces signes, à tes yeux...

— Graecum est, non legitur, complétai-je humilié.

— Justement, et tu vois que Bacon avait raison. Etudie ! Mais ne perdons pas courage. Remisons le parchemin et tes notes, et montons à la bibliothèque. Car ce soir, dix légions infernales même ne parviendront pas à nous retenir. »

Je fis le signe de la croix. « Mais qui a bien pu nous précéder ici ? Bence ?

— Bence brûlait de l'envie de savoir ce qu'il y avait dans les affaires de Venantius, mais il ne me semblait pas avoir la tête à nous jouer des tours aussi malicieux. Au fond il nous avait proposé une alliance, et puis il m'avait l'air de manquer de courage pour entrer la nuit dans l'Edifice.

— Alors Bérenger ? Ou Malachie ?

— Bérenger m'a tout l'air d'avoir la trempe de faire des choses de ce genre-là. Au fond il est coresponsable de la bibliothèque, il est rongé par le remords d'en avoir trahi quelque secret, il jugeait que Venantius avait distrait ce livre et voulait sans doute le reporter à la place d'où il vient. Il n'a pas réussi à monter, à présent il cache le volume quelque part et nous pourrons le cueillir sur le fait, si Dieu nous assiste, quand il tentera de le remettre en place.

— Mais ce pourrait être aussi Malachie, mû par les mêmes intentions.

— Je ne pense pas. Malachie avait eu tout le temps qu'il voulait pour farfouiller dans la table de Venantius quand il est resté seul pour fermer l'Edifice. Je le savais très bien et je n'avais pas moyen de l'éviter. A présent nous savons qu'il ne l'a pas fait. Et si tu y réfléchis bien, nous n'avons pas de motif pour soupçonner que Malachie savait que Venantius était entré dans la bibliothèque en y dérobant quelque chose. C'est ce que savent Bérenger et Bence, c'est ce que nous savons toi et moi. A la suite de la confession d'Adelme, Jorge pourrait le savoir, mais ce n'était certes pas lui, l'homme qui se précipitait avec une telle fougue dans l'escalier à vis…

— Alors ou Bérenger ou Bence ?…

— Et pourquoi pas Pacifico de Tivoli ou un autre des moines que nous avons vus ici aujourd'hui ? Ou Nicolas le verrier, qui sait bien l'existence de mes lunettes ? Ou ce curieux personnage de Salvatore, qui, nous a-t-on dit, rôde la nuit à la recherche de qui sait quoi ? Nous devons veiller à ne point restreindre le champ des suspects simplement parce que les révélations de Bence nous ont orientés dans une seule direction. Bence voulait peut-être nous embrouiller.

— Mais il vous a paru sincère.

— Certes. Souviens-toi pourtant que le premier devoir d'un bon inquisiteur, c'est celui de soupçonner d'abord ceux qui te semblent sincères.

— Damné travail que celui d'inquisiteur, dis-je.

— C'est bien pour ça que je l'ai abandonné. Et comme tu vois, il me faut le reprendre. Mais du cœur ! A la bibliothèque ! »

Deuxième jour

NUIT

Où l'on pénètre enfin dans le labyrinthe, l'on a d'étranges visions et, comme il arrive dans les labyrinthes, on s'y perd.

Nous remontâmes au scriptorium, cette fois par l'escalier oriental, qui donnait aussi accès à l'étage interdit, la lampe haute devant nous. Moi je songeais aux paroles d'Alinardo sur le labyrinthe et je m'attendais à des choses épouvantables.

Je fus surpris, quand nous émergeâmes dans le lieu où nous n'aurions pas dû entrer, de me trouver dans une salle à sept côtés, pas très vaste, dénuée de fenêtres, où régnait, comme du reste dans tout l'étage, une forte odeur de renfermé et de moisissure. Rien de terrifiant.

La salle, dis-je, avait sept parois, mais sur quatre d'entre elles seulement s'ouvrait, entre deux colonnettes encastrées dans le mur, un passage assez large surmonté d'un arc en plein cintre. Le long des parois aveugles s'adossaient d'énormes armoires, chargées de livres disposés avec régularité. Les armoires portaient une étiquette numérotée, ainsi que chacune de leurs étagères : d'évidence, les mêmes numéros que nous avions vus dans le catalogue. Au milieu de la pièce, une table, elle aussi remplie de livres. Sur tous les volumes un voile assez léger de poussière, signe que les livres étaient nettoyés avec une certaine fréquence. Par terre non plus, il ne traînait aucune saleté. Au-dessus de l'arc d'une des portes, un cartouche, peint à même le mur, qui portait les mots : *Apocalypsis Iesu Christi.* Il ne paraissait pas défraîchi, même si les caractères étaient anciens. Nous nous aperçûmes après, dans les autres pièces aussi, que ces cartouches étaient en vérité gravés dans la pierre, et plutôt profondément, et puis les cavités avaient été emplies de peinture, comme on fait pour peindre à fresque les églises.

Nous franchîmes l'un des passages. Nous nous trouvâmes dans une autre pièce, où s'ouvrait une fenêtre, qui au lieu de panneaux de verre portait des plaques d'albâtre, avec deux parois pleines et un arc, du même type que celui par où nous venions de passer, qui desservait une autre pièce, laquelle avait deux parois pleines elles aussi, une avec fenêtre, et une autre porte qui s'ouvrait devant nous. Dans les deux pièces, deux cartouches semblables par leur forme au premier que nous avions vu, mais avec d'autres mots. Le cartouche de la première disait : *Super thronos viginti quatuor,* celui de la seconde : *Nomen illi mors.* Pour le reste, même si les deux pièces étaient plus petites que celle par où nous étions entrés dans la bibliothèque (de fait celle-là était heptagonale et ces deux dernières rectangulaires), l'ameublement était le même : armoires avec des livres et table centrale.

Nous accédâmes à la troisième pièce. Elle était vide de livres et sans cartouche. Sous la fenêtre, un autel de pierre. Il y avait trois portes, une par où nous étions entrés, l'autre qui donnait sur la pièce heptagonale déjà visitée, une troisième qui nous introduisit dans une nouvelle pièce, à peu près pareille aux autres, sauf pour le cartouche qui disait : *Obscuratus est sol et aer.* D'ici on passait à une nouvelle pièce, dont le cartouche disait : *Facta est grando et ignis ;* elle était sans porte, autrement dit, arrivés à cette pièce, on ne pouvait plus aller de l'avant et il fallait revenir sur ses pas.

« Raisonnons, dit Guillaume. Cinq pièces quadrangulaires ou vaguement trapézoïdales, avec une fenêtre chacune, qui tournent autour d'une pièce heptagonale sans fenêtre desservie par l'escalier. Cela me semble élémentaire. Nous sommes dans la tour orientale, chaque tour présente de l'extérieur cinq fenêtres et cinq côtés. Le compte y est. La pièce vide est précisément celle qui regarde à l'orient, dans la même direction que le chœur de l'église, la lumière du soleil à l'aube éclaire l'autel, ce qui me semble juste et saint. L'unique idée astucieuse me semble celle des plaques d'albâtre. Le jour elles filtrent une belle lumière, la nuit elles ne laissent transparaître pas même les rayons de la lune. Ce n'est après tout pas un grand labyrinthe. Voyons à présent où mènent les deux autres portes de la pièce heptagonale. Je crois que nous nous orienterons aisément. »

Mon maître se trompait et les constructeurs de la bibliothèque avaient été plus habiles que nous ne croyions. Je n'arrive pas bien à m'expliquer ce qui se passa, mais comme nous quittions la tour, l'ordre des pièces se fit plus confus. Certaines avaient deux, d'autres trois portes. Toutes avaient une fenêtre, même celles où nous nous engagions en partant d'une pièce avec fenêtre et en pensant aller vers l'intérieur de l'Edifice. Chacune avait toujours le même type d'armoires et de tables, les volumes entassés en bon ordre paraissaient tous pareils et ne nous aidaient certes pas à reconnaître le lieu d'un coup d'œil. Nous tentâmes de nous orienter avec les cartouches. Une fois nous avions traversé une pièce où était écrit : *In diebus illis,* et après plusieurs tours il nous sembla y être revenus. Mais nous nous souvenions que la porte devant la fenêtre desservait une pièce où était écrit : *Primogenitus mortuorum,* tandis qu'à présent nous en trouvions une autre qui disait de nouveau : *Apocalypsis Iesu Christi,* et ce n'était pas la salle heptagonale d'où nous étions partis. Ce fait nous convainquit que parfois les cartouches se répétaient égaux dans des pièces différentes. Nous trouvâmes deux pièces avec *Cecidit de coelo stella magna.*

D'où provenaient les phrases des cartouches, cela ne laissait aucun doute : il s'agissait de versets de l'Apocalypse de Jean ; en revanche, ni la raison de leur exposition sur les murs, ni la logique de leur disposition n'étaient le moins du monde claires. Et pour accroître notre confusion, nous relevâmes que certains cartouches, peu nombreux, étaient de couleur rouge au lieu d'être en noir.

A un moment donné, nous nous retrouvâmes dans la salle heptagonale de départ (reconnaissable, car l'escalier y ouvrait son orifice), et nous reprîmes notre exploration vers notre droite en cherchant d'aller droit de pièce en pièce. Nous passâmes par trois pièces et puis nous trouvâmes devant une paroi fermée. L'unique passage desservait une nouvelle pièce qui n'avait qu'une autre porte, au sortir de laquelle nous parcourûmes quatre autres pièces et nous trouvâmes à nouveau devant un mur orbe. Nous revînmes à la pièce précédente qui avait deux sorties, prîmes celle que nous n'avions pas encore essayée, passâmes dans une nouvelle pièce, et nous retrouvâmes dans la salle heptagonale de départ.

« Comment s'appelait la dernière pièce d'où nous avons rebroussé chemin ? » demanda Guillaume.

Je fis un effort de mémoire : « *Equus albus.*

— Bien, retrouvons-la. » Et ce fut facile. De là, si l'on ne voulait pas revenir sur ses pas, il n'y avait qu'à passer à la pièce dite *Gratia vobis et pax,* et de là à droite il nous sembla découvrir un nouveau passage qui ne nous obligerait pas à faire marche arrière. En effet, nous trouvâmes encore : *In diebus illis* et *Primogenitus mortuorum* (étaient-ce les mêmes pièces que nous venions peu auparavant de traverser ?), mais nous parvînmes enfin dans une pièce que nous n'avions pas l'impression d'avoir encore visitée : *Tertia pars terrae combusta est.* Cependant, arrivés là, nous ne savions plus où nous étions par rapport à la tour orientale.

Ma lampe tendue à bout de bras, je m'aventurai dans les pièces suivantes. Un géant de proportions menaçantes, au corps onduleux et fluctuant comme celui d'un fantôme, vint à ma rencontre.

« Un diable ! » criai-je, et il s'en fallut de peu que la lampe m'échappât alors que je faisais une brusque volte-face et me réfugiais dans les bras de Guillaume. Celui-ci me prit la lampe des mains et, m'écartant, s'avança avec une décision qui me parut sublime. Il vit lui aussi quelque chose, parce qu'il recula soudainement. Puis il s'avança de nouveau et éleva la lampe. Il éclata de rire.

« Vraiment ingénieux. Un miroir !

— Un miroir ?

— Oui, mon vaillant guerrier. Tu t'es lancé avec tant de courage sur un ennemi véritable, il y a peu, dans le scriptorium, et maintenant tu as peur devant ta propre image. Un miroir, qui te renvoie ton image grandie et déjetée. »

Il me prit par la main et me conduisit en face de la paroi qui regardait l'entrée de la pièce. Sur une plaque de verre ondulé, maintenant que la lampe l'éclairait de plus près, je vis nos deux images grotesquement altérées, qui changeaient de forme et de hauteur selon qu'on s'approchait ou qu'on s'éloignait.

« Il te faudra lire aussi quelque traité d'optique, dit Guillaume amusé, comme ont dû sûrement en lire les fondateurs de la bibliothèque. Les meilleurs sont ceux des Arabes. Alhazen composa un traité *De aspectibus* où, avec des démonstrations géométriques précises, il a parlé de la force des miroirs. Certains d'entre eux, selon la façon dont est modulée leur surface, peuvent agrandir les choses les plus minuscules (et en va-t-il autrement de mes verres ?), d'autres font apparaître les images renversées, ou obliques, ou montrent deux objets au lieu d'un, et quatre au lieu de deux. D'autres encore, comme celui-ci, font d'un nain un géant ou d'un géant un nain.

— Seigneur Dieu ! dis-je. Ce sont donc là les visions qu'on dit avoir eues dans la bibliothèque ?

— Peut-être. Une idée vraiment ingénieuse. » Il lut le cartouche sur le mur, au-dessus du miroir : *Super thronos viginti quatuor.* « Nous l'avons déjà trouvé, mais c'était une salle sans miroir. Et celle-ci, entre autres, n'a point de fenêtres, tout en étant heptagonale. Où sommes-nous ? » Il jeta un regard circulaire et s'approcha d'une armoire : « Adso, sans ces sacrés oculi ad legendum je ne parviens pas à comprendre ce qui est écrit sur ces livres. Lis-moi quelques titres. »

Je pris un livre au hasard : « Maître, il n'est pas écrit !

— Comment ? Je vois qu'il est écrit, que lis-tu ?

— Je ne lis pas. Ce ne sont pas des lettres de l'alphabet et ce n'est pas du grec, je le reconnaîtrais. On dirait des vermisseaux, des serpenteaux, des chiures de mouches...

— Ah, c'est de l'arabe. Il y en a d'autres comme ça ?

— Oui, plusieurs. Mais en voilà un en latin, s'il plaît à Dieu. Al... Al Kuwarizmi, *Tabulae.*

— Les tables astronomiques d'Al Kuwarizmi, traduites par Adélard de Bath ! Ouvrage d'une grande rareté ! Continue.

— Isa ibn Ali, *De oculis,* Alkindi, *De radiis stellatis...*

— A présent, regarde sur la table. »

J'ouvris un grand volume qui se trouvait sur la table, un *De bestiis*. Je tombai sur une page finement enluminée où était représenté un très bel unicorne.

« Belle facture, commenta Guillaume qui réussissait à bien voir les images. Et celui-ci ? »

Je lus : « *Liber monstrorum de diversis generibus.* Celui-là aussi avec de belles images, mais elles me semblent plus anciennes. »

Guillaume inclina son visage sur le texte : « Enluminé par des moines irlandais, il y a au moins cinq siècles. Le livre de l'unicorne est en revanche beaucoup plus récent, il me paraît de facture française. » Une fois de plus, j'admirai la science de mon maître. Nous entrâmes dans la pièce suivante et parcourûmes une enfilade de trois pièces, toutes avec fenêtre, et toutes pleines de volumes en langues inconnues, plus quelques textes de sciences occultes, et nous arrivâmes à un mur qui nous contraignit à revenir sur nos pas, parce que les cinq dernières pièces pénétraient les unes dans les autres sans nous offrir d'autres sorties.

« D'après l'inclinaison des murs, nous devrions être dans le pentagone d'une autre tour, dit Guillaume, pourtant il n'y a pas de salle heptagonale centrale, peut-être nous trompons-nous.

— Mais les fenêtres ? dis-je. Comment peut-il y avoir tant de fenêtres ? Impossible que toutes les pièces donnent sur l'extérieur.

— Tu oublies le puits central, quantité de verrières que nous avons vues sont de celles qui donnent sur l'octogone du puits. S'il faisait jour, la différence de la lumière nous dirait quelles sont les verrières extérieures et quelles les intérieures, et peut-être même nous révélerait la position de la pièce par rapport au soleil. Mais la nuit, on ne relève aucune différence. Revenons en arrière. »

Nous revînmes dans la pièce du miroir et nous repliâmes vers la troisième porte par laquelle il nous semblait n'être pas encore passés. Nous vîmes devant nous une enfilade de trois ou quatre pièces, et vers la dernière nous entrevîmes une lueur.

« Il y a quelqu'un ! m'exclamai-je d'une voix étouffée.

— S'il y a quelqu'un, il a déjà vu notre lampe », dit Guillaume en couvrant cependant la flamme de sa main. Nous restâmes sans bouger une minute ou deux. La lueur continuait à osciller légèrement, mais sans qu'elle se fît plus forte ni plus faible.

« Ce n'est peut-être qu'une lampe, dit Guillaume, de celles qu'on place pour convaincre les moines que la bibliothèque est habitée par les âmes des trépassés. Mais il faut en avoir le cœur net. Toi, reste ici en couvrant la lampe, moi je vais de l'avant avec prudence. »

Encore honteux de ma piètre figure devant le miroir, je voulus me racheter aux yeux de Guillaume : « Non, j'y vais moi, dis-je, vous, restez ici. A peine me rendrai-je compte qu'il n'y a point de risque, je vous appellerai. »

Aussitôt dit, aussitôt fait. J'avançai à travers trois pièces en rasant les murs, léger comme un chat (ou comme un novice qui descendrait aux cuisines voler du fromage dans la dépense, entreprise où j'excellais à Melk). J'arrivai au seuil du lieu d'où provenait la lueur, très faible, en me glissant à l'abri de la colonne qui servait de portant droit et je lorgnai dans la pièce. Il n'y avait personne. Une espèce de lampe était posée sur la table, allumée, elle charbonnait. Ce n'était pas une lampe comme la nôtre, elle ressemblait plutôt à un encensoir découvert, elle ne faisait pas de flamme, mais une cendre légère couvait en brûlant quelque chose. Je me fis courage et j'entrai. Sur la table à côté de l'encensoir se trouvait ouvert un livre aux couleurs vives. Je m'approchai et aperçus sur la page quatre bandes de couleur différente, jaune, cinabre, bleu turquin et terre brûlée. S'y détachait une bête horrible à voir, un grand dragon avec dix têtes qui de sa queue entraînait à sa suite les étoiles du ciel et les faisait s'abîmer sur la terre. Et soudain je vis le dragon se multiplier, et la matière cornée de sa peau devenir comme une selve de plates rutilantes qui se détachèrent de la feuille et vinrent tourner autour de ma tête. Je me renversai en arrière et vis le plafond de la pièce qui s'inclinait et descendait sur moi, puis j'entendis comme le sifflement de mille serpents, mais pas effrayant, quasi séduisant, et une femme apparut nimbée de lumière qui approcha son visage du mien jusqu'à me faire sentir son souffle. Je l'éloignai de mes mains tendues et j'eus l'impression que mes doigts touchaient les livres de l'armoire d'en face, ou que ceux-ci grandissaient démesurément. Je ne me rendais plus compte où j'étais, et où était la terre et où le ciel. Je vis Bérenger au centre de la pièce, qui me fixait avec un sourire odieux, ruisselant de luxure. De mes mains je me couvris la face, et mes mains m'apparurent comme les pattes d'un crapaud, visqueuses et palmées. Je criai, je crois, sentis un goût acidulé dans ma bouche, puis je m'effondrai dans une nuit infinie, qui semblait s'ouvrir de plus en plus sous moi, et plus rien ne sus.

Je me réveillai après une période de temps qui me fit l'impression de siècles, en sentant des coups qui me résonnaient dans la tête. J'étais allongé sur le sol et Guillaume me donnait des claques sur les joues. Je n'étais plus dans la pièce aventureuse et mes yeux aperçurent un cartouche qui disait : *Requiescant a laboribus suis.*

« Allons allons, Adso, me murmurait Guillaume. Ce n'est rien...

— Les choses... dis-je encore divaguant. Là-bas, la Bête...

— Point de bête. Je t'ai trouvé qui délirais au pied d'une table où se trouvait une belle apocalypse mozarabique, ouverte à la page de la mulier amicta sole qui affronte le dragon. Mais je me suis aperçu d'après l'odeur, que tu avais respiré quelque chose de mauvais et je t'ai aussitôt emporté. Moi aussi, j'ai mal à la tête.

— Mais qu'ai-je vu ?

— Tu n'as rien vu. C'est que là-bas, ils brûlaient des substances capables de donner des visions, j'ai reconnu l'odeur, c'est une chose arabe, peut-être la même que le Vieillard de la Montagne donnait à humer à ses assassins avant de les pousser à leurs entreprises. Et voilà, nous avons expliqué le mystère des visions. Quelqu'un dépose des herbes magiques pendant la nuit pour convaincre les visiteurs inopportuns que la bibliothèque est protégée par des présences diaboliques. Qu'as-tu éprouvé, au juste ? »

Confusément, selon qu'il m'en souvenait, je lui racontai ma vision, et Guillaume rit : « Pour la moitié, tu grossissais ce que tu avais aperçu dans le livre, et pour l'autre moitié tu laissais parler tes désirs et tes peurs. Ce sont là les opérations qu'activent de pareilles herbes. Demain, il faudra en parler avec Séverin, je pense qu'il en sait plus long qu'il ne veut nous faire accroire. Il s'agit d'herbes, rien que d'herbes, sans besoin de ces préparations dont nous parlait le verrier. Herbes, miroirs... Ce lieu du savoir interdit est défendu par de nombreuses et fort savantes inventions. La science utilisée pour occulter au lieu d'éclairer. Je n'aime pas cela du tout. Un esprit pervers préside à la sainte défense de la bibliothèque. Mais ce fut une nuitée pénible, il faudra sortir, pour l'instant. Tu es bouleversé et tu as besoin d'eau et d'air frais. Inutile de chercher à ouvrir ces fenêtres, trop hautes et sans doute fermées depuis des dizaines d'années. Comment ont-ils pu penser qu'Adelme s'est jeté d'ici ? »

Sortir, dit Guillaume. Comme si ç'avait été facile. Nous savions que la bibliothèque n'était accessible que d'une seule tour, l'orientale. Mais où étions-nous, à ce moment-là ? Nous avions complètement perdu notre orientation. Nous dûmes errer longtemps, avec la crainte de ne jamais plus sortir de ce lieu, moi toujours vacillant et pris de haut-le-cœur, Guillaume plutôt inquiet pour moi et agacé par l'insuffisance de sa science, et cette errance nous donna, ou plutôt lui donna, une idée pour le lendemain. Il faudrait que nous revenions dans la bibliothèque, en admettant que nous en sortions jamais, avec un tison bien brûlé, ou une autre substance propre à laisser des signes sur les murs.

« Pour trouver la sortie d'un labyrinthe, récita en effet Guillaume, il n'y a qu'un moyen. A chaque nœud nouveau, autrement dit jamais visité avant, le parcours d'arrivée sera marqué de trois signes. Si, à cause de signes précédents sur l'un des chemins du nœud, on voit que ce nœud a déjà été visité, on placera un seul signe sur le parcours d'arrivée. Si tous les passages ont été déjà marqués, alors il faudra reprendre la même voie, en revenant en arrière. Mais si un ou deux passages du nœud sont encore sans signes, on en choisira un quelconque, pour y apposer deux signes. Quand on s'achemine par un passage qui porte un seul signe, on en apposera deux autres, de façon que ce passage en porte trois dorénavant. Toutes les parties du labyrinthe devraient avoir été parcourues si, en arrivant à un nœud, on ne prend jamais le passage avec trois signes, sauf si d'autres passages sont encore sans signes.

— Comment le savez-vous ? Vous êtes expert en labyrinthes ?

— Non, je récite un extrait d'un texte antique que j'ai lu autrefois.

— Et selon cette règle, on sort ?

— Presque jamais, que je sache. Mais nous tenterons quand même. Et puis dans les prochains jours j'aurai des verres et j'aurai le temps de mieux me pencher sur les livres. Il se peut que là où le parcours des cartouches nous embrouille, celui des livres nous donne une règle.

— Vous aurez vos verres ? Comment ferez-vous pour les retrouver ?

— J'ai dit que j'aurai des verres. J'en ferai d'autres. Je crois que le verrier n'attend rien tant qu'une occasion de ce genre pour faire une nouvelle expérience. S'il a les outils qu'il faut pour biseauter les tessons. Quant aux tessons, ce n'est pas ce qui manque dans cette boutique. »

Tandis que nous errions cherchant notre chemin, tout à coup, au beau milieu d'une pièce, je me sentis caressé au visage par une main invisible, alors qu'un gémissement, qui n'était pas humain et n'était pas animal, se répercutait jusqu'à la pièce voisine, comme si un spectre rôdait de salle en salle. J'aurais dû être préparé aux surprises que nous réservait la bibliothèque, mais une fois de plus je fus terrorisé et fis un bond en arrière. Guillaume aussi devait avoir eu une expérience semblable à la mienne, car il se touchait la joue, en levant bien haut la lampe et en regardant tout autour de lui.

Il leva une main, puis examina la flamme qui paraissait à présent plus vive, après quoi il s'humecta un doigt et le tint droit devant lui.

« C'est clair », dit-il ensuite, et il me montra deux points, sur deux murs opposés, à hauteur d'homme. Deux étroites meurtrières s'ouvraient là, et en y approchant la main on pouvait sentir l'air froid qui provenait de l'extérieur. Si l'on y approchait l'oreille alors on entendait un bruissement, comme si dehors le vent soufflait.

« Il fallait bien que la bibliothèque ait un système d'aération, dit Guillaume, sinon l'atmosphère serait irrespirable, surtout l'été. En outre ces rayères fournissent aussi une juste dose d'humidité, afin que les parchemins ne sèchent pas. Mais l'habileté des fondateurs ne s'arrête pas là. En disposant les rayères selon certains angles, ils se sont assuré que par les nuits de vent les souffles qui pénètrent par ces orifices se croisent avec d'autres souffles, et s'engorgent dans l'enfilade des pièces, produisant les sons que nous avons entendus. Ces sons, unis aux miroirs et aux herbes, augmentent la peur des imprudents qui pénétreraient ici, comme nous, sans bien connaître les lieux. Et nous-mêmes avons pensé pendant un instant que des fantômes nous respiraient sur le visage. Nous nous en sommes rendu compte à présent seulement, parce qu'à présent seulement le vent s'est levé. Et voilà un autre mystère résolu. Mais avec tout ça, nous ne savons pas encore comment sortir ! »

Tout en parlant nous déambulions à vide, perdus désormais, négligeant de lire les cartouches qui apparaissaient tous égaux. Nous tombâmes sur une nouvelle salle heptagonale, circulâmes à travers les pièces voisines, ne trouvâmes aucune sortie. Nous revînmes sur nos pas, marchâmes pendant presque une heure, renonçant à savoir où nous étions. A un certain point Guillaume décida que nous avions perdu la partie, il ne nous restait plus qu'à nous mettre à dormir dans quelque salle et à espérer que le lendemain Malachie nous trouverait. Tandis que nous nous lamentions sur la fin minable de notre belle entreprise, nous retrouvâmes inopinément la salle d'où partait l'escalier. Nous remerciâmes le ciel avec ferveur et descendîmes pleins d'une grande allégresse.

Une fois dans les cuisines, nous nous précipitâmes vers la cheminée, entrâmes dans le couloir de l'ossuaire et je jure que le ricanement mortifère de ces têtes nues me fit l'impression du sourire de personnes chères. Nous rentrâmes dans l'église et sortîmes par la porte septentrionale, nous asseyant enfin heureux sur les dalles de pierre des tombes. L'air roboratif de la nuit me sembla un baume divin. Les étoiles brillaient autour de nous et les visions de la bibliothèque me semblèrent très lointaines.

« Comme il est beau le monde et comme ils sont laids les labyrinthes ! dis-je avec soulagement.

— Comme il serait beau le monde s'il y avait une règle pour circuler dans les labyrinthes, répondit mon maître.

— Quelle heure peut-il être ? demandai-je.

— J'ai perdu le sentiment du temps. Mais il sera bien de nous trouver dans nos cellules avant que sonnent matines. »

Nous longeâmes le côté gauche de l'église, passâmes devant le portail (je me détournai pour ne point voir les vieillards de l'Apocalypse, super thronos viginti quatuor !) et nous traversâmes le cloître pour regagner l'hôtellerie.

Sur le seuil se trouvait l'Abbé, qui nous regarda avec sévérité. « Je vous ai cherché toute la nuit, dit-il à Guillaume. Je ne vous ai pas trouvé dans votre cellule, je ne vous ai pas trouvé dans l'église...

— Nous suivions une piste... », expliqua Guillaume, visiblement embarrassé. L'Abbé le fixa longuement, puis il dit d'une voix lente et sévère : « Je vous ai cherché sitôt après complies. Bérenger n'était pas dans le chœur.

— Que me dites-vous là ! » fit Guillaume d'un air hilare. En effet lui était claire maintenant l'identité de celui qui s'était niché dans le scriptorium.

« Il n'était pas dans le chœur, à complies, répéta l'Abbé, et il n'a pas regagné sa cellule. Matines va sonner, et nous contrôlerons maintenant s'il réapparaît. Autrement, je redoute quelque nouveau malheur. »

A matines Bérenger n'était pas là.

TROISIÈME JOUR

Troisième jour

DE LAUDES A PRIME

Où l'on trouve un linge souillé de sang dans la cellule de Bérenger disparu, et c'est tout.

Tandis que je vais écrivant, je me sens las, comme je me sentais fatigué cette nuit-là, ou plutôt ce matin-là. Que dire ? Après l'office, l'Abbé invita la plupart des moines, désormais en alarme, à chercher partout, sans résultat.

Vers laudes, en fouillant la cellule de Bérenger, un moine trouva sous la paillasse un linge blanc souillé de sang. Ils le montrèrent à l'Abbé qui en tira de sinistres augures. Jorge était présent qui, à peine informé, dit : « Du sang ? » comme si la chose lui semblait invraisemblable. Ils le dirent à Alinardo, qui branla du chef et dit : « Non, non, à la troisième trompette la mort vient par l'eau... »

Guillaume observa le linge et puis il dit : « Maintenant tout est clair.

— Alors où est Bérenger ? lui demandèrent-ils.

— Je l'ignore », répondit-il. Aymaro l'entendit et leva les yeux au ciel en murmurant à Pierre de Sant'Albano : « Les Anglais sont comme ça. »

Vers prime, quand le soleil déjà se levait, des servants furent envoyés en exploration au pied de l'à-pic, tout autour des murailles. Ils revinrent à tierce, bredouilles.

Guillaume me dit que nous n'aurions pu faire mieux. Il fallait attendre les événements. Et il se rendit aux forges, s'entretenant en une conversation serrée avec Nicolas, le maître verrier.

Moi je m'assis dans l'église, près du portail central, tandis que se célébraient les messes. Ainsi pieusement je m'endormis, et un long temps, car il paraît que les jeunes ont besoin de sommeil plus que les vieux, qui pour leur part ont déjà tant dormi et s'apprêtent à dormir pour l'éternité.

Troisième jour

TIERCE

Où Adso réfléchit dans le scriptorium à l'histoire de son ordre et au destin des livres.

Je sortis de l'église moins fatigué mais avec l'esprit confus, parce que le corps ne jouit d'un repos tranquille que dans les heures nocturnes. Je montai dans le scriptorium, demandai l'autorisation à Malachie et commençai à feuilleter le catalogue. Et alors que je jetais des regards distraits aux feuillets qui me passaient sous les yeux, en réalité j'observais les moines.

Je fus frappé du calme et de la sérénité qui leur permettaient de s'absorber dans leur travail, comme si un de leurs frères n'était pas fébrilement recherché dans toute l'enceinte et deux autres n'avaient pas déjà disparu dans des circonstances épouvantables. Voilà, me dis-je, la grandeur de notre ordre : pendant des siècles et des siècles des hommes tels que ceux-ci ont vu faire irruption la tourbe des barbares, saccager leurs abbayes, s'abîmer les règnes dans des tourbillons de feu, et cependant ils ont continué à lire à fleur de lèvres des mots qui se transmettaient depuis des siècles et qu'eux transmettaient aux siècles à venir. Ils ont continué à lire et à copier alors que s'approchait le millénaire, pourquoi ne devraient-ils pas continuer de même à présent ?

La veille, Bence nous avait dit qu'il aurait été disposé à commettre un péché pour prix d'un livre rare. Il ne mentait ni ne plaisantait. Un moine devrait certes aimer ses livres avec humilité, en les choyant sans viser à la gloire de sa propre curiosité : mais ce que la tentation de l'adultère est pour les laïcs et ce que le désir inapaisé des richesses est pour les ecclésiastiques séculiers, la séduction de la connaissance l'est pour les moines.

Je feuilletai le catalogue et devant mes yeux dansa une fête de titres mystérieux : *Quinti Sereni de medicamentis, Phaenomena, Liber Aesopi de natura animalium, Liber Aethici peronymi de cosmographia, Libri tres quos Arculphus episcopus Adamnano escipiente de locis sanctis ultramarinis designavit conscribendos, Libellus Q. Iulii Hilarionis de origine mundi, Solini Polyshistor de situ orbis terrarum et mirabilibus, Almagesthus...* Point ne m'étonnait que le mystère des crimes tournât autour de la bibliothèque. Pour ces hommes voués à l'écriture, la bibliothèque était à la fois la Jérusalem céleste et un monde souterrain aux confins de la terre inconnue et des enfers. Ils étaient dominés par la bibliothèque, par ses promesses et par ses interdits. Ils vivaient avec elle, pour elle et peut-être contre elle, dans l'espoir coupable d'en violer un jour tous les secrets. Pourquoi n'auraient-ils pas dû risquer la mort pour satisfaire une curiosité de leur esprit, ou tuer pour empêcher que quelqu'un ne s'appropriât un de leurs secrets jalousement gardé ?

Tentations, certes, orgueil de l'esprit. Bien différent était le moine copiste imaginé par notre saint fondateur, capable de copier sans comprendre, abandonné à la volonté de Dieu, écrivant parce que orant et orant en tant qu'écrivant. Pourquoi n'en allait-il plus ainsi ? Oh, notre ordre n'avait certes pas le privilège des dégénérations ! Il était devenu trop puissant, ses abbés rivalisaient avec les rois, n'avais-je pas en Abbon l'exemple d'un monarque qui, avec le faire d'un monarque, cherchait à mettre fin aux controverses entre monarques ? Même le savoir que les abbayes avaient accumulé servait maintenant de monnaie d'échange, raison d'orgueil, motif d'ostentation et de prestige ; ainsi que les chevaliers faisaient étalage de leurs armures et étendards, nos abbés faisaient étalage de leurs manuscrits enluminés... Et d'autant plus (folie !) que nos monastères avaient désormais perdu jusqu'à la palme de la sagesse : les écoles cathédrales, les corporations urbaines, les universités copiaient désormais les livres, peut-être davantage et mieux que nous, et en produisaient de nouveaux — et là était peut-être la cause de tant de malheurs.

L'abbaye où je me trouvais était sans doute encore la dernière à pouvoir vanter son excellence dans la production et la reproduction du savoir. Mais c'est peut-être justement pour cela que ses moines ne se satisfaisaient plus de l'œuvre sainte de la copie, ils voulaient eux aussi produire de nouveaux compléments de la nature, poussés par la convoitise de choses nouvelles. Et, j'en eus confusément l'intuition à ce moment-là (je le sais bien aujourd'hui, blanchi par les ans et par l'expérience), ils ne se rendaient pas compte qu'ainsi faisant ils ratifiaient la ruine de cette excellence. Car si ce nouveau savoir qu'ils voulaient produire avait reflué librement hors de ces murailles, plus rien n'aurait distingué ce lieu sacré d'une école cathédrale ou d'une université citadine. En le gardant secret, il gardait au contraire intacts son prestige et sa force, il n'était pas corrompu par la dispute, par la suffisance quodlibétique qui veut passer au crible du *sic et non* chaque mystère et chaque grandeur. Voilà, me dis-je, les raisons du silence et de l'obscurité qui entourent la bibliothèque, elle est réserve de savoir mais elle ne peut conserver ce savoir intact qu'en l'empêchant de parvenir à quiconque, fût-ce aux moines mêmes. Le savoir n'est pas comme la monnaie, qui reste physiquement intacte même à travers les plus infâmes échanges : il est plutôt comme un habit superbe, qui se râpe à l'usage et par l'ostentation. N'en va-t-il pas ainsi pour le livre même, dont les pages s'effritent, les encres et les ors se font opaques, si trop de mains le touchent ? A quelques pas de moi, je voyais Pacifico de Tivoli qui parcourait un volume ancien dont les feuilles s'étaient comme collées l'une à l'autre sous l'effet de l'humidité. De sa langue il mouillait son index et son pouce pour feuilleter l'ouvrage, et à chaque contact de sa salive ces pages perdaient de leur vigueur, les ouvrir voulait dire les plier, les offrir à la sévère action de l'air et de la poussière, qui corroderaient les fines rides dont le parchemin s'innervait sous l'effort, produiraient de nouvelles moisissures là où la salive avait assoupli mais affaibli le coin de la feuille. Comme un excès de douceur rend mou et inhabile le guerrier, cet excès d'amour possessif et curieux prédisposerait le livre à la maladie destinée à le tuer.

Qu'aurait-il fallu faire ? Cesser de lire, conserver seulement ? Mes craintes étaient-elles justes ? Qu'aurait dit mon maître ?

Pas très loin de moi, je vis un rubricaire, Magnus de Iona, qui avait terminé de frotter une peau avec une pierre ponce et l'adoucissait à la craie, pour en polir ensuite la surface avec la plane. Un autre à côté de lui, Raban de Tolède, avait fixé le parchemin à sa table, en marquant les marges de légers trous latéraux des deux côtés, entre lesquels maintenant il tirait avec un stylet de métal des lignes horizontales très fines. Bientôt les deux feuilles se couvriraient de couleurs et de formes, la page deviendrait comme un reliquaire, étincelante de gemmes enchâssées dans ce qui deviendrait par la suite le pieux tissu de l'écriture. Ces deux frères, me dis-je, sont en train de vivre leurs heures de paradis sur la terre. Ils produisaient de nouveaux livres, pareils à ceux que le temps détruirait ensuite inexorablement... Or donc la bibliothèque ne pouvait être menacée par aucune force terrestre, or donc elle était une chose vivante... Mais si elle était vivante, pourquoi ne devait-elle pas s'ouvrir au risque de la connaissance ? Etait-ce là ce que voulait Bence et que peut-être avait voulu Venantius ?

Je ressentis quelque confusion et de la crainte à ces pensées. Sans doute ne convenaient-elles pas à un novice qui se devait uniquement de suivre avec scrupule et humilité la règle, pendant toutes les années à venir — ce que j'ai fait d'ailleurs, sans me poser d'autres questions, tandis qu'autour de moi de plus en plus le monde sombrait dans une tempête de sang et de folie.

C'était l'heure du repas matutinal, et je me rendis aux cuisines où j'étais devenu l'ami des cuisiniers, qui me donnèrent quelques-uns des meilleurs morceaux.

Troisième jour

SEXTE

Où Adso reçoit les confidences de Salvatore, qu'on ne peut résumer en quelques mots, mais qui lui inspirèrent bien des méditations inquiètes.

Tandis que je mangeais, je vis, évidemment réconcilié avec le cuisinier, Salvatore qui, dans un coin, dévorait un pâté de viande de mouton. Il mangeait comme il n'avait jamais mangé de sa vie, ne laissant rien tomber pas même une miette, et il paraissait rendre grâce à Dieu pour cet événement extraordinaire.

Il me fit un clin d'œil et me dit, dans son langage bizarre, qu'il mangeait pour toutes les années où il avait jeûné. Je l'interrogeai. Il me raconta son enfance de douleurs dans un village où l'air était mauvais, les pluies très fréquentes, et où les champs pourrissaient tandis que l'atmosphère était viciée par des miasmes mortifères. Il y eut, d'après ce que je compris, des alluvions pendant des saisons et des saisons, au point que les champs n'avaient plus de sillons et qu'avec un boisseau de semence on faisait un setier, et puis le setier se réduisait encore à presque rien. Les seigneurs aussi avaient des faces blanches comme les pauvres encore que, observa Salvatore, les pauvres mourussent davantage que les seigneurs, sans doute (observa-t-il avec un sourire) parce qu'ils étaient en plus grand nombre... Un setier coûtait quinze sous, un boisseau soixante sous, les prédicateurs annonçaient la fin des temps, mais les géniteurs et les aïeux de Salvatore se rappelaient que ça n'était pas la première fois, tant et si bien qu'ils en avaient tiré la conclusion que les temps étaient toujours sur le point de finir. Et ainsi quand ils eurent mangé toutes les charognes des oiseaux, et tous les animaux immondes qu'on pouvait trouver, le bruit courut que quelqu'un dans le village commençait à déterrer les morts. Salvatore expliquait avec beaucoup de verve, avec des façons d'histrion, comment avaient accoutumé de faire ces « homènes malissimes » qui creusaient avec leurs doigts sous la terre des cimetières, le lendemain des funérailles. « Gnam ! » disait-il, et il plantait les dents dans son pâté de mouton, mais moi je voyais sur son visage la grimace du désespéré qui mangeait le cadavre. Et puis, non contents de creuser en terre consacrée, certains pires que les autres, comme des voleurs de grand chemin, se tapissaient dans la forêt et surprenaient les passants. « Zac ! » disait Salvatore, le couteau à la gorge et « Gnam ! » Et les derniers des derniers appâtaient les enfants, avec un œuf ou une pomme, et ils en faisaient un carnage, toutefois, comme Salvatore me précisa avec un grand sérieux, en les cuisant d'abord. Il raconta l'histoire de l'homme qui arriva dans son village en vendant de la viande cuite pour quelques sous et tous les gens ne réussissaient pas à se convaincre de cette aubaine, puis le prêtre dit qu'il s'agissait de chair humaine, et l'homme fut réduit en bouillie par la foule enragée. Mais la nuit même un quidam du village alla creuser la fosse de l'assassiné et mangea de la chair du cannibale, si bien que, lorsqu'il fut découvert, le village le condamna à mort lui aussi.

Salvatore ne me raconta pas seulement cette histoire. A mots tronqués, m'obligeant à me rappeler le peu que je savais de provençal et de dialectes italiens, il me fit l'histoire de sa fuite de son village natal, et de son errance par le monde. Et dans son récit je reconnus beaucoup d'errants déjà connus ou rencontrés le long de notre route, et beaucoup d'autres, que je connus après, je les reconnais à présent, à telle enseigne que je ne suis plus certain, avec le temps, de ne pas lui attribuer aventures et crimes appartenant à d'autres qui l'ont précédé ou suivi et s'aplatissent à présent dans mon esprit las pour dessiner une seule image, par la force de l'imagination précisément, laquelle unissant le souvenir de l'or à celui de la montagne, sait composer l'idée d'une montagne d'or.

Souvent au cours du voyage j'avais entendu Guillaume nommer les simples, terme par lequel certains de ses frères désignaient non seulement le peuple, mais en même temps les illettrés. Expression qui me sembla toujours générique, car dans les villes italiennes j'avais rencontré des marchands et des artisans qui n'étaient point grands clercs sans toutefois être illettrés, même si leurs connaissances se manifestaient à travers l'usage de la langue vulgaire. Et, il faut le dire, certains des tyrans qui gouvernaient en ce temps-là la péninsule, étaient de la plus grande ignorance en matière de science théologique, et médicale, et de logique, et de latin, mais ils n'étaient certes pas des simples ou des ingénus. C'est pourquoi je crois que mon maître aussi, quand il parlait des simples, se servait d'un concept plutôt simple. Mais, aucun doute à cela, Salvatore était un simple, il provenait d'un coin de campagne éprouvé, depuis des siècles, par la famine et la prépotence des seigneurs féodaux. C'était un simple, mais ce n'était pas un sot. Il aspirait à un monde différent, qui, aux temps où il s'enfuit loin des siens, selon qu'il me dit, prenait l'aspect du pays de Cocagne, où sur les arbres suintant de miel, s'épanouissent des faisselles pleines de fromage et des andouillettes parfumées.

Poussé par cette espérance, refusant presque de reconnaître ce monde comme une vallée de larmes où (comme on me l'a enseigné) l'injustice même a été prédisposée par la Providence pour maintenir l'équilibre des choses, en raison de quoi souvent son dessein nous échappe, Salvatore traversa maintes contrées, depuis son Montferrat natal en direction de la Ligurie, et de là remontant de la Provence aux terres du roi de France.

Salvatore erra de par le monde, en mendiant, en maraudant, en se faisant passer pour malade, en se plaçant provisoirement chez quelque seigneur, en reprenant de nouveau le chemin de la forêt, de la grand'route. D'après le récit qu'il me fit, je l'imaginai associé à ces bandes de vagabonds que, dans les années qui suivirent, je vis de plus en plus souvent rôder à travers l'Europe : faux moines, charlatans, dupeurs, besaciers, bélîtres et gueux, lépreux et estropiats, batteurs d'estrade, marchands et musiciens ambulants, clercs sans patrie, étudiants itinérants, fricoteurs, jongleurs, mercenaires invalides, juifs errants, échappés aux infidèles avec l'esprit impotent, fous, fugitifs en rupture de ban, malfaiteurs aux oreilles coupées, sodomites, et parmi eux artisans ambulants, tisseurs, chaudronniers, chaisiers, rémouleurs, rempailleurs, maçons, et encore fripouilles de tout acabit, tricheurs, filous, fieffés coquins, vauriens, gens sans aveu, sans feu ni lieu, meurt-de-faim, cul-de-jatte, truands, porteballes, et chanoines et prêtres simoniaques et prévaricateurs, et gens qui vivaient désormais sur la crédulité d'autrui, faussaires de bulles et de sceaux papaux, vendeurs d'indulgences, faux paralytiques qui s'allongeaient aux portes des églises, rôdeurs fuyant leurs couvents, marchands de reliques, rédempteurs, devins et chiromanciens, nécromants, guérisseurs, faux quêteurs, et fornicateurs de tout acabit, corrupteurs de nonnes et de fillettes par ruses et violences, simulateurs d'hydropisie, épilepsie, hémorroïdes, goutte et plaies, ainsi que de folie mélancolique. Il y en avait qui s'appliquaient des emplâtres sur le corps pour faire croire à des ulcères incurables, d'autres qui se remplissaient la bouche d'une substance couleur du sang pour simuler des crachements de phtisiques, des pendards qui feignaient d'être faibles d'un de leurs membres, portant des cannes sans nécessité et contrefaisant le mal caduc, gale, bubons, enflures, appliquant bandes, teintures de safran, portant des fers aux mains, bandage à la tête, se faufilant puants dans les églises et se laissant tomber d'un coup sur les places, crachant de la bave et roulant des yeux, soufflant par les narines du sang fait de jus de mûres et de vermillon, pour arracher nourriture ou deniers aux gens apeurés qui se rappelaient les invitations des saints pères à l'aumône : partage ton pain avec l'affamé, emmène sous ton toit qui n'a point de gîte, rendons visite à Christ, accueillons Christ, habillons Christ car, ainsi que l'eau purge le feu, ainsi l'aumône purge nos péchés.

Même après les faits que je raconte, le long du Danube j'en vis beaucoup et j'en vois encore de ces charlatans qui avaient leurs noms et leurs subdivisions en légions, comme les démons : capons, rifodés, protomédecins, pauperes verecundi, francs-mitous, narquois, archi-suppôts, cagous, petite-flambe, hubins, sabouleux, farinoises, feutrards, baguenauds, trouillefous, piedebous, hapuants et attrantulés, fanouëls et fapasquëtes, mutuelleurs, frezons, trouvains, faubourdons, surdents, surlacrimes et surands.

C'était comme une boue qui coulait par les sentes de notre monde, et entre elles se glissaient des prédicateurs de bonne foi, des hérétiques à l'affût de nouvelles proies, des fauteurs de discorde. Ç'avait été précisément le pape Jean, vivant dans la crainte que les mouvements des simples prêchassent et pratiquassent la pauvreté, qui avait fulminé contre les prédicateurs quêteurs lesquels, d'après ses dires, attiraient les curieux en hissant des bannières colorées de figures, prêchaient et extorquaient l'argent. Etait-il dans le vrai, le pape simoniaque et corrompu, quand il assimilait les frères quêteurs qui prêchaient la pauvreté à ces bandes de déshérités et de coupe-jarrets ? Moi, en ces jours-là, après avoir un peu voyagé dans la péninsule italienne, je n'avais plus les idées très claires : j'avais entendu des frères d'Altopascio qui, tout en prêchant, menaçaient d'excommunications et promettaient des indulgences, absolvaient les rapines et les fratricides, les homicides et les parjures contre compensations sonnantes et trébuchantes, laissaient entendre que dans leur hôpital se célébraient chaque jour jusqu'à cent messes, pour lesquelles ils recueillaient des donations, et qu'avec leurs biens ils dotaient deux cents jeunes filles pauvres. Et j'avais entendu parler de frère Paul le Boiteux qui, en pleine forêt de Rieti, vivait dans un ermitage et se vantait d'avoir eu directement du Saint-Esprit la révélation que l'acte charnel n'était pas péché : ainsi il séduisait ses victimes qu'il appelait ses sœurs en les obligeant à offrir leur chair nue au fouet, tout en faisant sur la terre cinq génuflexions en forme de croix, avant de les présenter à Dieu et d'exiger d'elles ce qu'il appelait le baiser de la paix. Mais était-ce vrai ? Et quel lien existait-il entre ces ermites qui se déclaraient illuminés, et les frères de pauvre vie qui sillonnaient les chemins de la péninsule en faisant vraiment pénitence, détestés par le clergé et les évêques dont ils stigmatisaient les vices et les vols ?

D'après le récit de Salvatore, tel qu'il se mêlait aux choses que je savais déjà par moi-même, ces distinctions n'apparaissaient pas au grand jour : tout semblait égal à tout. Tantôt il me faisait penser à l'un de ces claquedents estropiés de Touraine dont parle la fable, qui à l'approche de la dépouille miraculeuse de saint Martin prirent leurs jambes à leur cou de peur que le saint ne les guérît leur ôtant ainsi la source de leurs gains, et le saint, impitoyable, les gracia avant qu'ils ne rejoignissent la barrière, les punissant de leur mauvaiseté en leur restituant l'usage des membres. Tantôt au contraire la face féroce du moine s'illuminait de très douce lumière quand il me racontait comment, en vivant parmi ces bandes, il avait écouté la parole de prédicateurs franciscains, tout comme lui clandestins, et il avait compris que la vie pauvre et errante qu'il menait ne devait pas être prise comme une sombre nécessité, mais comme un geste joyeux d'abnégation, et il avait fait partie de sectes et de groupes pénitentiels dont il estropiait les noms et définissait fort improprement la doctrine. J'en déduisis qu'il avait rencontré des patarins et des vaudois, et peut-être des cathares, des disciples d'Arnaud et des humiliés, et que vaguant de par le monde il était passé de groupe en groupe, assumant graduellement, comme une mission, sa condition d'errant, et faisant pour le Seigneur ce qu'il faisait avant pour son ventre.

Mais comment, et jusqu'à quand ? Selon ce que j'ai cru comprendre, une trentaine d'années auparavant, il s'était agrégé à un couvent de minorites en Toscane et là il avait endossé le froc de saint François, sans prendre les ordres. C'est dans ce couvent, je crois, qu'il avait appris le peu de latin qu'il parlait, le mêlant aux idiomes de tous les lieux où, pauvre sans patrie, il avait séjourné, et de tous les compagnons de vagabondage qu'il avait rencontrés, depuis les mercenaires de mes contrées jusqu'aux bogomiles dalmates. Là il s'était adonné à une vie de pénitence, disait-il (pénitenziagité, me citait-il le regard inspiré, et de nouveau j'entendis la formule qui avait intrigué Guillaume), mais à ce qu'il paraît même les frères mineurs chez qui il se trouvait avaient des idées confuses car, en colère contre le chanoine de l'église voisine, accusé de vols et autres scélératesses, un beau jour ils envahirent sa maison et le firent rouler dans les escaliers, tant et si bien que le pécheur en mourut, puis ils saccagèrent la maison de Dieu. A la suite de quoi l'évêque manda des gens d'armes, les frères se dispersèrent et Salvatore erra longtemps dans la haute Italie avec une troupe de fraticelles, en somme de minorites quêteurs sans plus de loi ni de discipline.

Il se réfugia alors dans la région de Toulouse, où il lui arriva une étrange histoire, tandis qu'il s'enflammait au récit, qu'il entendait faire autour de lui, des grandes entreprises des croisés. Une masse de pasteurs et d'humbles gens en longue procession se réunit un jour pour passer la mer et combattre les ennemis de la foi. On les appela pastoureaux. En fait, ils voulaient s'enfuir de leur terre maudite. Il y avait deux chefs, qui leur inspirèrent de fausses théories, un prêtre privé de son église à cause de sa conduite et un moine apostat de l'ordre de saint Benoît. Ces derniers avaient fait perdre la tête à ces ingénus ; courant par bandes à leurs trousses, des enfants de seize ans même, contre la volonté de leurs géniteurs, emportant pour tout bagage une besace et un bâton, sans argent, leurs champs abandonnés, ils suivaient le moine et le prêtre comme un troupeau, et formaient une formidable multitude. Désormais ils n'obéissaient plus ni à la raison ni à la justice, mais à la seule force et à leur seule volonté. Se trouver tous ensemble, enfin libres et avec un vague espoir de terres promises, les rendit comme ivres. Ils parcouraient les villages et les villes en s'emparant de tout, et si l'un d'eux était arrêté ils prenaient d'assaut les prisons et le libéraient. Quand ils entrèrent dans la forteresse de Paris pour faire sortir certains de leurs compagnons que les seigneurs avaient fait arrêter, comme le prévôt de Paris tentait d'opposer une résistance, ils le frappèrent et le précipitèrent dans les escaliers de la forteresse et brisèrent les portes de la prison. Ensuite ils se rangèrent en bataille dans le pré de Saint-Germain. Mais personne ne s'enhardit à les affronter, et ils sortirent de Paris en prenant la direction de l'Aquitaine. Ils tuaient tous les Juifs qu'ils rencontraient, çà et là, et les dépouillaient de leurs biens...

« Pourquoi les Juifs ? » demandai-je à Salvatore. Et il me répondit : « Et pourquoi pas ? » Et il m'expliqua que leur vie durant ils avaient appris de la bouche des prédicateurs que les Juifs étaient les ennemis de la chrétienté ; qu'ils accumulaient tous les biens qui leur étaient refusés, à eux. Je lui demandai s'il n'était cependant pas vrai que les biens étaient accumulés par les seigneurs et par les évêques, à travers les dîmes, et que les pastoureaux ne luttaient donc pas contre leurs vrais ennemis. Il me répondit qu'il faut bien choisir des ennemis plus faibles, quand les vrais ennemis sont trop forts. Ainsi, pensai-je, ce nom de simples leur va comme un gant. Les puissants seuls savent toujours avec grande clarté qui sont leurs vrais ennemis. Les seigneurs ne voulaient pas que les pastoureaux mettent leurs biens en danger ; ce fut donc une grande chance pour eux que les chefs des pastoureaux insinuassent l'idée que quantité de richesses se trouvaient chez les Juifs.

Je demandai qui leur avait mis en tête à tous ces gens qu'il fallait attaquer les Juifs. Salvatore ne se le rappelait pas. Je crois que lorsque de telles foules se réunissent en suivant une promesse et demandent tout de suite quelque chose, on ne sait jamais qui parle parmi eux. Je pensai que leurs chefs avaient été éduqués dans les couvents et dans les écoles épiscopales, et parlaient le langage des seigneurs, même s'ils le traduisaient en termes compréhensibles à des bergers. Et les bergers ne savaient pas où se trouvait le pape, mais ils savaient où trouver les Juifs. En somme, ils prirent d'assaut une haute et massive tour du roi de France, où les Juifs épouvantés avaient couru en masse se réfugier. Et les Juifs sortis sous les murs de la tour se défendaient courageusement et sans merci, en lançant du bois et des pierres. Mais les pastoureaux mirent le feu à la porte de la tour, soumettant les Juifs barricadés au tourment de la fumée et du feu. Comme ils ne pouvaient se sauver, préférant plutôt se tuer que mourir de la main des non-circoncis, les Juifs demandèrent à l'un d'eux, qui paraissait le plus courageux, de les passer au fil de l'épée. Il consentit, et en tua presque cinq cents. Après quoi il sortit de la tour avec les enfants des Juifs, et demanda aux pastoureaux d'être baptisé. Mais les pastoureaux lui dirent : après un tel massacre de ta gent, tu prétends te soustraire à la mort ? et ils le mirent en morceaux, épargnant les enfants, qu'ils firent baptiser. Puis ils se dirigèrent vers Carcassonne, perpétrant quantité de rapines sanglantes en cours de route. Alors le roi de France se rendit compte qu'ils avaient passé les bornes et ordonna qu'on leur opposât résistance dans chaque ville où ils passaient et qu'on défendît les Juifs comme s'ils étaient des hommes du roi...

Pourquoi le roi devint-il aussi prévenant pour les Juifs, à ce moment-là ? Peut-être parce qu'il pressentit ce que les pastoureaux auraient pu faire dans tout le royaume, et que leur nombre augmenterait trop. Alors il fut attendri par ces Juifs, aussi bien parce que les Juifs étaient utiles aux commerces du royaume, que parce qu'il fallait exterminer les pastoureaux, et que les bons chrétiens dans leur ensemble trouvassent raison de pleurer sur leurs crimes. Mais beaucoup de chrétiens n'obéirent pas au roi, pensant qu'il n'était point juste de défendre les Juifs, qui depuis toujours avaient été les ennemis de la foi chrétienne. Et dans beaucoup de villes les gens du peuple, qui avaient dû payer des dettes usuraires aux Juifs, étaient heureux que les pastoureaux les punissent pour leur richesse. Alors le roi commanda sous peine de mort de ne pas prêter aide aux pastoureaux. Il rassembla une armée nombreuse et les attaqua et beaucoup d'entre eux furent tués, d'autres en réchappèrent en fuyant et se réfugièrent dans les forêts où ils périrent de privations. En peu de temps, ils furent tous anéantis. Et l'envoyé du roi les captura et les pendit par vingt ou trente à la fois aux arbres les plus hauts, pour que la vue de leurs cadavres servît d'exemple éternel et que personne n'osât plus troubler la paix du royaume.

Le fait singulier, c'est que Salvatore me raconta cette histoire comme s'il s'agissait d'une très vertueuse entreprise. Et de fait, il restait convaincu que la foule des pastoureaux s'était mise en branle pour conquérir le sépulcre de Christ et le délivrer des infidèles, et il me fut impossible de lui faire entendre que cette sublime conquête avait déjà été faite, aux temps de Pierre l'Ermite et de saint Bernard, et sous le règne de Louis le saint de France. Quoi qu'il en soit, Salvatore ne se rendit pas chez les infidèles parce qu'il dut s'éloigner au plus tôt des terres françaises. Il passa dans la province de Novare, me dit-il, mais sur ce qu'il advint alors il resta dans le vague. Enfin il arriva à Casale, où il se fit accueillir dans le couvent des minorites (et c'est là je crois qu'il avait rencontré Rémigio), précisément lorsque beaucoup d'entre eux, persécutés par le pape, changeaient de froc et cherchaient refuge auprès de monastères d'un autre ordre, pour ne pas finir brûlés. Comme nous avait en effet raconté Ubertin. Grâce à ses longues expériences dans de nombreux travaux manuels (qu'il avait pratiqués à des fins malhonnêtes quand il errait librement, et à de saintes fins quand il errait pour l'amour de Christ), Salvatore fut aussitôt choisi comme aide par le cellérier. Et voilà pourquoi depuis des années il se trouvait là en bas, peu intéressé aux fastes de l'ordre, beaucoup à l'administration de la cave et de la dépense, libre de manger sans voler et de louer le Seigneur sans risquer le bûcher.

C'est là l'histoire que par lui j'appris, entre une bouchée et l'autre, et je me demandai ce qu'il avait inventé et ce qu'il avait passé sous silence.

Je le regardai avec curiosité, non point pour la singularité de son expérience, mais au contraire précisément parce que ce qui lui était arrivé me semblait l'épitomé remarquable de tant d'événements et de mouvements qui rendaient fascinante et incompréhensible l'Italie de cette époque.

Que ressortait-il de ces propos ? L'image d'un homme à la vie aventureuse, capable même de tuer son semblable sans se rendre compte de son crime. Mais, bien qu'à cette époque toute offense à la loi divine me semblât égale en gravité, je commençais déjà à comprendre certains des phénomènes dont j'entendais parler, et qu'une chose est le massacre que la foule, exaltée presque jusqu'à l'extase et prenant les lois du diable pour celles du Seigneur, pouvait commettre, et tout autre chose l'assassinat individuel perpétré de sang-froid, dans le silence et la ruse. Et je n'avais pas l'impression que Salvatore pût s'être entaché d'un crime pareil.

D'autre part, je voulais découvrir quelque chose sur les insinuations faites par l'Abbé, hanté que j'étais par l'idée de fra Dolcino, dont je ne savais presque rien. Et cependant son fantôme paraissait flotter sur bien des conversations que j'avais entendues ces deux derniers jours.

Ainsi, à brûle-pourpoint, je lui demandai : « Dans tes voyages, tu n'as jamais connu fra Dolcino ? »

La réaction de Salvatore fut singulière. Il écarquilla les yeux, s'il était possible de les avoir encore plus écarquillés, se signa à plusieurs reprises, murmura quelques phrases brisées, dans une langue que cette fois vraiment je ne compris pas. Mais j'eus l'impression de phrases de déni. Jusqu'à présent il m'avait considéré avec sympathie et confiance, avec amitié dirais-je. En cet instant, il me regarda presque avec hostilité. Puis, sur un prétexte, il s'en alla.

Désormais, je ne pouvais plus résister. Quel était ce frère qui inspirait la terreur à quiconque l'entendait nommer ? Je décidai que je ne pouvais pas rester plus longtemps en proie à mon désir de savoir. Une idée me traversa l'esprit. Ubertin ! Lui-même avait prononcé ce nom, le premier soir que nous le rencontrâmes, lui savait tout des vicissitudes claires et obscures des frères, fraticelles et autres de la même engeance, de ces dernières années. Où pouvais-je le trouver à cette heure-ci ? Certainement à l'église, plongé dans la prière. Et c'est là, vu que je jouissais d'un moment de liberté, que je me rendis.

Je ne le trouvai pas, et même je ne le trouvai pas jusqu'au soir. Et je restai ainsi sur ma faim, tandis qu'il se passait d'autres faits qu'il me faut raconter maintenant.

Troisième jour

NONE

Où Guillaume parle à Adso du grand fleuve hérétique, de la fonction des simples dans l'Eglise, de ses doutes sur la possibilité de connaître des lois générales, et presque incidemment raconte comment il a déchiffré les signes nécromantiques laissés par Venantius.

Je trouvai Guillaume dans la forge, qui travaillait avec Nicolas, l'un et l'autre fort absorbés par leur ouvrage. Ils avaient disposé sur l'établi quantité de minuscules disques de verre, sans doute déjà prêts à être insérés dans les jointures d'un vitrail, et ils en avaient réduits quelques-uns avec les instruments appropriés à l'épaisseur voulue. Guillaume les essayait en se les mettant devant les yeux. Nicolas de son côté donnait des dispositions aux forgerons pour qu'ils construisissent la fourche où les bons verres devraient ensuite être enchâssés.

Guillaume bougonnait, irrité parce que jusqu'à présent le verre qui le satisfaisait le mieux était couleur émeraude et lui, disait-il, il ne voulait pas prendre les parchemins pour des prairies. Nicolas s'éloigna pour surveiller les forgerons. Tandis qu'il se démenait avec ses petits disques, je racontai à Guillaume mon dialogue avec Salvatore.

« L'homme a eu différentes expériences, dit-il, peut-être a-t-il réellement été avec les dolciniens. Cette abbaye est un vrai microcosme ; quand nous aurons ici les légats de pape Jean et frère Michel, nous serons vraiment au complet.

— Maître, lui dis-je, moi, je ne comprends plus rien.

— A propos de quoi, Adso ?

— D'abord, au sujet des différences entre groupes hérétiques. Mais cela, je vous le demanderai après. Maintenant je suis affligé du problème même de la différence. J'ai eu l'impression qu'en parlant avec Ubertin vous tentiez de lui démontrer qu'ils sont tous égaux, saints et hérétiques. Et au contraire, en parlant avec l'Abbé vous vous efforciez de lui expliquer la différence entre hérétique et hérétique, et entre hérétique et orthodoxe. En somme, vous reprochiez à Ubertin de considérer comme différents ceux qui au fond étaient égaux, et à l'Abbé de considérer comme égaux ceux qui au fond étaient différents. »

Guillaume posa un instant les verres sur la table. « Mon bon Adso, dit-il, cherchons à poser des distinctions, et distinguons donc dans les termes des écoles de Paris. Alors, disent-ils là-haut, tous les hommes ont une même forme substantielle, ou je me trompe ?

— Certes, dis-je, fier de mon savoir, ce sont des animaux, mais rationnels, et leur propre est d'être capables de rire.

— Fort bien. Pourtant Thomas est différent de Bonaventure, et Thomas est gros tandis que Bonaventure est maigre, et il peut même arriver que Uguccione de Lodi soit méchant tandis que François d'Assise est bon, et Aldemaro est flegmatique tandis qu'Agilulfo est bilieux. Ou non ?

— Aucun doute, c'est ainsi.

— Et alors cela signifie qu'il y a identité, en des hommes différents, quant à leur forme substantielle et différence quant aux accidents, autrement dit quant à leurs terminaisons superficielles.

— A coup sûr il en va ainsi.

— Et alors quand je dis à Ubertin que la nature même de l'homme, dans la complexité de ses opérations, préside tant à l'amour du bien qu'à l'amour du mal, je cherche à convaincre Ubertin de l'identité de la nature humaine. Quand ensuite je dis à l'Abbé qu'il y a différence entre un cathare et un vaudois, j'insiste sur la variété de leurs accidents. Et j'insiste parce qu'il arrive qu'on brûle un vaudois en lui attribuant les accidents d'un cathare et vice versa. Et quand on brûle un homme, on brûle sa substance individuelle, et on réduit à pur néant ce qui était un acte concret d'exister, en cela même bon, au moins aux yeux de Dieu qui le maintenait à l'être. Cela ne te semble-t-il pas une bonne raison pour insister sur les différences ?

— Si, maître, répondis-je avec enthousiasme. Et maintenant j'ai compris pourquoi vous parlez de la sorte, et j'apprécie votre bonne philosophie !

— Ce n'est pas la mienne, dit Guillaume, et je ne sais pas même si c'est la bonne. Mais l'important, c'est que tu aies compris. Voyons à présent ta seconde question.

— C'est que, dis-je, je crois être un bon à rien. Je ne parviens plus à distinguer la différence accidentelle entre vaudois, cathares, pauvres de Lyon, humiliés, béguins, bougres, lombards, joachimites, patarins, apostoliques, pauvres de Lombardie, disciples d'Arnaud, de Guillaume, disciple du libre esprit et lucifériens. Comment m'y prendre ?

— Oh ! pauvre Adso, rit Guillaume en me donnant une petite tape affectueuse sur la nuque, tu n'as point tort, sais-tu ! Tu vois, comme si dans les deux derniers siècles, et encore avant, notre monde avait été parcouru par des souffles d'intolérance, espérance et désespérance tout ensemble... Ou bien non, ce n'est pas une bonne analogie. Pense à un fleuve, dense et majestueux, qui coule sur des milles et des milles entre les digues robustes, et tu sais où est le fleuve, où la digue, où la terre ferme. A un certain point le fleuve, de lassitude, parce qu'il a coulé pendant trop de temps et sur trop d'espace, parce que s'approche la mer, qui annule en soi tous les fleuves, ne sait plus ce qu'il est. Il devient son propre delta. Il reste peut-être un bras majeur, d'où beaucoup d'autres se ramifient, dans toutes les directions, et certains reconfluent les uns dans les autres, et tu ne sais plus ce qui est à l'origine de ce qui est, et parfois tu ne sais plus ce qui est fleuve encore, et ce qui est déjà mer...

— Si je comprends votre allégorie, le fleuve est la cité de Dieu, ou le royaume des justes, qui s'approche du millénaire, et dans cette incertitude il ne tient plus dans ses digues, naissent de faux et de vrais prophètes et tout conflue dans la grande plaine où aura lieu l'Armagédon...

— Je ne songeais pas précisément à cela. Mais il est bien vrai que chez nous, franciscains, l'idée d'un Troisième Age et de l'avènement du règne de l'Esprit Saint est toujours vive. Non, je cherchais plutôt à te faire entendre comment le corps de l'Eglise, qui a été aussi pendant des siècles le corps de la société tout entière, le peuple de Dieu, est devenu trop riche, et dense, et entraîne avec lui les scories de tous les pays qu'il a traversés, et a perdu sa pureté première. Les bras du delta sont, si tu veux, autant de tentatives du fleuve de courir le plus vite possible vers la mer, autrement dit, vers le moment de la purification. Mais mon allégorie était imparfaite, elle servait seulement à te dire combien les bras de l'hérésie et des mouvements de renouvellement, quand le fleuve ne tient plus, sont nombreux, et se confondent. Tu peux même ajouter à ma piètre allégorie l'image de quelqu'un qui tente de reconstruire de vive force les digues du fleuve, mais sans succès. Et quelques bras du delta sont peu à peu enterrés, d'autres ramenés au fleuve par des canaux artificiels, d'autres encore on les laisse couler, parce qu'on ne peut pas tout retenir et qu'il est bon que le fleuve perde une partie de son eau s'il veut se garder intègre dans son cours, s'il veut avoir un cours reconnaissable.

— Je comprends de moins en moins.

— Moi aussi. La parabole n'est pas mon fort. Oublie cette histoire de fleuve. Cherche plutôt à comprendre comment il se fait que beaucoup des mouvements que tu as nommés sont nés il y a au moins deux cents ans et sont déjà morts, que d'autres sont récents...

— Mais quand on parle d'hérétiques, on les met tous dans le même panier.

— C'est vrai, mais c'est là un des modes de diffusion de l'hérésie et un des modes de sa destruction.

— Je ne comprends plus de nouveau.

— Mon Dieu, que c'est difficile. Bon. Mets-toi dans la peau d'un réformateur des mœurs : tu réunis une poignée de compagnons sur la cime d'un mont, pour vivre dans la pauvreté. Et peu après tu vois que beaucoup viennent à toi, même de terres lointaines, et te considèrent comme un prophète, ou un nouvel apôtre, et te suivent. Viennent-ils vraiment pour toi ou pour ce que tu dis ?

— Je ne sais pas, je l'espère. Pour quoi, sinon ?

— Parce qu'ils ont entendu de la bouche de leurs pères des histoires d'autres réformateurs, et des légendes de communautés plus ou moins parfaites, et ils pensent que celle-ci est celle-là et celle-là, celle-ci.

— Ainsi tout mouvement hérite des enfants d'autrui.

— Certes, parce qu'y affluent en grande partie les simples, qui n'ont pas de finesse doctrinale. Et pourtant les mouvements de réforme des mœurs naissent en des lieux différents, de façon différente et prennent leurs racines dans différentes doctrines. Par exemple, on confond souvent les cathares et les vaudois. Mais entre eux, c'est le jour et la nuit. Les vaudois prêchaient une réforme des mœurs à l'intérieur de l'Eglise, les cathares prêchaient une Eglise différente, une vision de Dieu et de la morale différente. Les cathares pensaient que le monde était divisé entre les forces opposées du bien et du mal, et ils avaient constitué une Eglise où l'on distinguait les parfaits des simples croyants, et ils avaient leurs sacrements et leurs rites ; ils avaient établi une hiérarchie très rigide, presque dans la même mesure que notre sainte mère l'Eglise et ils ne songeaient nullement à détruire toute forme de pouvoir. Ce qui t'explique pourquoi des hommes de commandement, des gros propriétaires, des feudataires adhérèrent aux cathares. Ils ne songeaient pas non plus à réformer le monde, parce que l'opposition entre bien et mal pour eux ne pourra jamais se réduire. Les vaudois, au contraire (et avec eux les disciples d'Arnaud ou les pauvres de Lombardie), voulaient bâtir un monde différent sur un idéal de pauvreté ; ils accueillaient ainsi les déshérités, et vivaient, en communauté, du travail de leurs mains. Les cathares refusaient les sacrements de l'Eglise, pas les vaudois qui refusaient seulement la confession auriculaire.

— Mais alors pourquoi les confond-on et en parle-t-on comme de la même male plante ?

— Je te l'ai dit, ce qui les fait vivre c'est aussi ce qui les fait mourir. Ils s'enrichissent de simples qui ont été stimulés par d'autres mouvements et qui croient qu'il s'agit toujours du même mouvement de révolte et d'espérance ; et ils sont détruits par les inquisiteurs qui attribuent aux uns les fautes des autres, et si les sectateurs d'un mouvement ont commis un crime, ce crime sera attribué à chacun des sectateurs de chacun des mouvements. Les inquisiteurs ont tort selon la raison, parce qu'ils assemblent dans le même fagot des doctrines contrastantes ; ils ont raison selon le tort des autres, car dès l'instant où naît un mouvement, des disciples d'Arnaud par exemple, dans une ville, y convergent aussi ceux qui auraient été ou avaient été cathares ou vaudois ailleurs. Les apôtres de fra Dolcino prêchaient la destruction physique des clercs et des seigneurs, et commirent quantité de violences ; les vaudois sont contraires à la violence, et les fraticelles aussi. Mais je suis certain qu'aux temps de fra Dolcino convergèrent dans son groupe beaucoup de ceux qui avaient déjà suivi la prédication des fraticelles ou des vaudois. Les simples ne peuvent pas choisir leur hérésie, Adso, ils s'agrippent à qui prêche dans leur contrée, à qui passe par le village ou traverse la place. C'est sur cela que tablent leurs ennemis. Présenter aux yeux du peuple une seule hérésie, qui ira même jusqu'à conseiller tout à la fois et le refus du plaisir sexuel et la communion des corps, c'est de bonne règle pour un prédicateur : parce qu'on montre les hérétiques comme un unique embrouillamini de diaboliques contradictions qui offensent le sens commun.

— Il n'y a donc pas de rapport entre eux, et ce n'est que par ruse du démon qu'un simple qui eût voulu être joachimite ou spirituel tombe entre des mains de cathares ou vice versa ?

— Eh non, il n'en va pas ainsi. Essayons de recommencer du début, Adso, et je t'assure que je tente de t'expliquer quelque chose dont moi non plus je ne crois pas posséder la vérité. Je pense que l'erreur est de croire que d'abord vient l'hérésie, et ensuite les simples qui s'y donnent (et s'y damnent). En vérité, vient d'abord la condition des simples, et ensuite l'hérésie.

— Et comment cela ?

— Tu as une vision claire de la construction du peuple de Dieu. Un grand troupeau, des brebis bonnes, et des brebis méchantes, surveillées par des mâtins, des guerriers, autrement dit le pouvoir temporel, l'empereur et les seigneurs, sous la houlette des pasteurs, les clercs, les interprètes de la parole divine. L'image est limpide.

— Mais elle n'est pas vraie. Les pasteurs luttent avec les chiens car chacun des deux partis veut les droits de l'autre.

— C'est vrai, et c'est cela précisément qui rend la nature du troupeau imprécise. Perdus comme ils le sont à se déchirer tour à tour, chiens et pasteurs n'ont plus cure du troupeau, dont une part reste exclue.

— Comment exclue ?

— En marge. Les paysans ne sont pas des paysans, parce qu'ils n'ont pas de terre ou parce que celle qu'ils ont ne les nourrit pas. Les citadins ne sont pas des citadins, parce qu'ils n'appartiennent ni à un art ni à une autre corporation, ils sont le menu peuple, la proie de tous. Tu as vu parfois dans les campagnes des groupes de lépreux ?

— Oui, une fois j'en vis cent ensemble. Difformes, la chair en décomposition et toute blanchâtre, sur leurs béquilles, les paupières enflées, les yeux sanguinolents, ils ne parlaient ni ne criaient : ils couinaient, comme des rats.

— Ils sont pour le peuple chrétien les autres, ceux qui se trouvent en marge du troupeau. Le troupeau les hait, eux haïssent le troupeau. Ils nous voudraient tous morts, tous lépreux comme eux.

— Oui, je me rappelle une histoire de roi Marc qui devait condamner Iseult la belle et la faisait monter sur le bûcher, quand arrivèrent les lépreux qui dirent au roi que le bûcher était une peine bien légère et qu'il en existait une bien plus lourde. Et ils lui crièrent : donne-nous Iseult, qu'elle nous appartienne à nous tous, le mal allume nos désirs, donne-la à tes lépreux, vois, nos hardes collent à nos plaies qui suintent, elle qui auprès de toi prenait plaisir aux riches étoffes doublées de vair et de bijoux, quand elle verra la cour des lépreux, quand elle devra entrer dans nos masures et se coucher avec nous, alors elle reconnaîtra vraiment son péché et regrettera ce beau feu de ronces !

— Je vois que pour être un novice de saint Benoît, tu n'en as pas moins de curieuses lectures », railla Guillaume, et moi je rougis, car je savais qu'un novice ne devrait pas lire des romans d'amour, mais entre nous, jeunes gars, ils circulaient au monastère de Melk et nous les lisions la nuit à la lumière d'une chandelle. « Peu importe, reprit Guillaume, tu as compris ce que je voulais dire. Les lépreux exclus voudraient entraîner tout le monde dans leur ruine. Et ils deviendront d'autant plus méchants que tu les excluras davantage, et plus tu te les représentes comme une cour de lémures qui veulent ta ruine, plus ils seront exclus. Saint François le comprit parfaitement, et son choix premier fut d'aller vivre parmi les lépreux. Point ne change le peuple de Dieu si on ne réintègre dans son corps les émarginés.

— Mais vous parliez d'autres exclus, ce ne sont pas les lépreux qui composent les mouvements hérétiques.

— Le troupeau est comme une série de cercles concentriques, depuis les plus larges distances du troupeau jusqu'à sa périphérie immédiate. Les lépreux sont le signe de l'exclusion en général. Saint François l'avait compris. Il ne voulait pas seulement aider les lépreux, car son action se serait réduite à un bien pauvre et impuissant acte de charité. Il voulait signifier autre chose. T'a-t-on raconté son prêche aux oiseaux ?

— Oh oui, j'ai entendu cette très belle histoire et j'ai admiré le saint qui jouissait de la compagnie de ces tendres créatures de Dieu, dis-je avec grande ferveur.

— Eh bien, on t'a raconté une histoire fausse, autrement dit l'histoire que l'ordre est en train de reconstruire aujourd'hui. Quand François parla au peuple de la ville et à ses magistrats et qu'il vit que ceux-ci ne le comprenaient pas, il sortit vers le cimetière et se mit à prêcher aux corbeaux et aux pies, aux éperviers, à des oiseaux de proie qui se nourrissaient de cadavres.

— Quelle horreur, dis-je, il ne s'agissait donc pas de doux passereaux !

— C'étaient des oiseaux de proie, des oiseaux exclus, comme les lépreux. François pensait sûrement à ce verset de l'Apocalypse qui dit : " Je vis un Ange, debout sur le soleil, crier d'une voix puissante à tous les oiseaux qui volent à travers le ciel : ' Venez, ralliez le grand festin de Dieu ! Vous y avalerez chairs de roi, et chairs de grands capitaines, et chairs de héros, et chairs de chevaux avec leurs cavaliers, et chairs de toutes gens, libres et esclaves, petits et grands ! ' "

— François voulait-il donc inciter les exclus à la révolte ?

— Non, ce fut plutôt l'œuvre de Dolcino et des siens. François voulait rappeler les exclus, prêts à la révolte, pour faire partie du peuple de Dieu. Pour recomposer le troupeau, il fallait retrouver les exclus. François n'a pas réussi, et je te le dis avec amertume. Pour réintégrer les exclus il devait agir à l'intérieur de l'Eglise, pour agir à l'intérieur de l'Eglise il devait obtenir la reconnaissance de sa règle, dont il sortirait un ordre, et un ordre, comme il arriva, aurait recomposé l'image d'un cercle, au bord duquel se trouvent les exclus. Et alors tu comprends, maintenant, pourquoi il y a les bandes des fraticelles et des joachimites, qui rassemblent aujourd'hui autour d'eux les exclus, une fois de plus.

— Mais nous n'étions pas en train de parler de François, plutôt de l'hérésie comme produit des simples et des exclus.

— En effet. Nous parlions des exclus du troupeau des brebis. Des siècles durant, tandis que le pape et l'empereur se déchiraient dans leurs diatribes de puissants, ils ont continué à vivre en marge, eux les vrais lépreux dont les lépreux ne sont que la figure placée là par Dieu pour que nous comprenions cette admirable parabole, et disant " lépreux " nous comprenions : " exclus, pauvres, simples, déshérités, déracinés des campagnes, humiliés dans les villes ". Nous n'avons pas compris, le mystère de la lèpre est demeuré pour nous une obsession parce que nous n'en avons pas reconnu la nature de signe. Exclus qu'ils étaient du troupeau, ces derniers ont été prêts à écouter, ou à produire, toute prédication qui, se référant à la parole de Christ, mettrait de fait sous accusation le comportement des chiens et des pasteurs, et promettrait qu'un jour ils seraient punis. Cela, les puissants l'ont toujours compris. La réintégration des exclus imposait la réduction de leurs privilèges, raison pour quoi les exclus qui prenaient conscience de leur exclusion se voyaient taxés d'hérétiques, indépendamment de leur doctrine. Et eux, de leur côté, aveuglés par leur exclusion, n'étaient au vrai intéressés par aucune doctrine. L'illusion de l'hérésie, c'est ça. Tout un chacun est hérétique, tout un chacun est orthodoxe, la foi qu'un mouvement offre ne compte pas, compte l'espérance qu'il propose. Toutes les hérésies sont le pennon d'une réalité de l'exclusion. Gratte l'hérésie, tu trouveras le lépreux. Chaque bataille contre l'hérésie ne tend qu'à ça : que le lépreux reste tel. Quant aux lépreux que veux-tu leur demander ? Qu'ils distinguent dans le dogme trinitaire ou dans la définition de l'eucharistie ce qui est juste de ce qui est erroné ? Allons, Adso, ce sont là jeux pour nous, hommes de doctrine. Les simples ont d'autres chats à fouetter. Et remarque que leurs problèmes, ils les résolvent tous d'une façon bancale. Ainsi deviennent-ils des hérétiques.

— Mais pourquoi certains les appuient-ils ?

— Parce qu'ils servent leur jeu, qui rarement concerne la foi, et plus souvent la conquête du pouvoir.

— C'est pour cela que l'Eglise de Rome accuse d'hérésie tous ses adversaires ?

— C'est pour cela, et c'est pour cela qu'elle reconnaît comme orthodoxie l'hérésie qu'elle peut remettre sous son propre contrôle, ou qu'elle doit accepter parce qu'elle est devenue trop forte, et qu'il ne serait pas bon de l'avoir comme antagoniste. Mais il n'est point de règle précise, cela dépend des hommes, des circonstances. Ce qui vaut aussi pour les seigneurs laïcs. Il y a cinquante ans, la commune de Padoue émit une ordonnance où il était dit que qui tuait un clerc se voyait condamné à l'amende d'un gros denier...

— Rien !

— Précisément. Façon d'encourager la haine populaire contre les clercs : la ville était en lutte avec l'évêque. Alors, tu comprends pourquoi, jadis, à Crémone les fidèles de l'empire aidèrent les cathares, pas pour des raisons de foi, mais pour mettre en embarras l'Eglise de Rome. Parfois les magistratures citadines encouragent les hérétiques parce qu'ils traduisent l'Evangile en langue vulgaire : le vulgaire est désormais la langue des villes, le latin la langue de Rome et des monastères. Ou encore, ils appuient les vaudois parce qu'ils affirment que tous, hommes et femmes, petits et grands, peuvent enseigner et prêcher ; et l'ouvrier qui est disciple, dix jours plus tard cherche son pair pour devenir son maître...

— Et ce faisant, ils éliminent la différence qui rend irremplaçable les clercs ! Mais alors comment se fait-il donc que ces mêmes magistratures citadines se révoltent contre les hérétiques et prêtent main-forte à l'Eglise pour les faire brûler ?

— Parce qu'ils se rendent compte que leur expansion ira jusqu'à mettre en crise les privilèges des laïcs qui parlent en vulgaire. Au concile du Latran de 1179 (tu vois que ce sont des histoires qui remontent à presque deux cents années), Walter Map mettait déjà en garde contre ce qui adviendrait si l'on donnait crédit à ces hommes idiots et illettrés qu'étaient les vaudois. Il dit, s'il m'en souvient bien, qu'ils n'ont aucune demeure fixe, circulent pieds nus sans rien posséder, mettant tout en commun, suivant nus Christ nu ; ils commencent maintenant sur ce mode très humble car ils sont exclus, mais si on leur laisse trop d'espace, ils chasseront tout le monde. C'est d'ailleurs pour cela que les villes ont favorisé les ordres mendiants, et nous franciscains en particulier : parce que nous permettions d'établir un rapport harmonieux entre besoin de pénitence et vie citadine, entre l'Eglise et les bourgeois qui s'intéressaient à leurs marchés...

— On a atteint l'harmonie, alors, entre l'amour de Dieu et l'amour des trafics ?

— Non, les mouvements de renouvellement spirituel se sont bloqués, ils se sont canalisés dans les limites d'un ordre reconnu par le pape. Mais ce qui serpentait dans l'ombre n'a pas été canalisé. Cela a fini d'un côté dans les mouvements des flagellants qui ne font de mal à personne, dans les bandes armées comme celles de fra Dolcino, dans les rites de sorcellerie comme ceux des frères de Montfaucon dont parlait Ubertin...

— Mais qui avait raison, qui a raison, à qui la faute ?

— Tous avaient leurs raisons, ils se sont tous trompés.

— Mais vous, criai-je presque dans un élan de rébellion, pourquoi ne prenez-vous pas position, pourquoi ne me dites-vous pas où est la vérité ? »

Guillaume resta un bon moment en silence, élevant vers la lumière le verre auquel il travaillait. Puis il l'abaissa sur la table et me montra, à travers la structure vitreuse, un fer de travail : « Regarde, me dit-il, que vois-tu ?

— Le fer, un peu plus grand.

— Voilà, le maximum qu'on puisse faire, c'est regarder mieux.

— Mais c'est toujours le même fer !

— Le manuscrit de Venantius aussi sera toujours le même manuscrit quand j'aurai pu le lire grâce à ce verre. Mais sans doute, quand j'aurai lu le manuscrit, connaîtrai-je mieux une partie de la vérité. Et peut-être pourrons-nous rendre meilleure la vie de l'abbaye.

— Mais cela ne suffit pas !

— Je t'en dis plus qu'il ne semble, Adso. Ce n'est pas la première fois que je te parle de Roger Bacon. Ce ne fut peut-être pas l'homme le plus sage de tous les temps, mais moi j'ai toujours été fasciné par l'espérance qui animait son amour pour la science. Bacon croyait à la force, aux besoins, aux inventions spirituelles des simples. Il n'eût pas été un bon franciscain s'il n'avait pas pensé que les pauvres, les déshérités, les idiots et les illettrés parlent souvent avec la bouche de Notre Seigneur. S'il avait pu les connaître de près, il aurait été plus attentif aux fraticelles qu'aux provinciaux de l'ordre. Les simples ont quelque chose de plus que les docteurs, qui souvent se perdent à la recherche des lois les plus générales. Ils ont l'intuition de l'individuel. Mais cette intuition, toute seule, ne suffit pas. Les simples éprouvent une vérité à eux, peut-être plus vraie que celle des Pères de l'Eglise, mais ensuite ils la consument en gestes irréfléchis. Que faut-il faire ? Donner la science aux simples ? Trop facile, ou trop difficile. Et puis quelle science ? Celle de la bibliothèque d'Abbon ? Les maîtres franciscains se sont posé ce problème. Le grand Bonaventure disait que les sages doivent amener à une clarté conceptuelle la vérité implicite dans les gestes des simples...

— Comme le chapitre de Pérouse et les doctes mémoires d'Ubertin qui transforment en décisions théologiques l'appel des simples à la pauvreté, dis-je.

— Oui, mais tu l'as vu, cette transformation a lieu en retard et, quand elle a lieu, la vérité des simples s'est déjà transformée en la vérité des puissants, bonne davantage pour l'empereur Louis que pour un frère de pauvre vie. Comment rester proche de l'expérience des simples en en gardant, pour ainsi dire, la vertu opérative, la capacité d'opérer pour la transformation et l'amélioration de leur monde ? C'était le problème de Bacon : " Quod enim laicali ruditate turgescit non habet effectum nisi fortuito ", disait-il. L'expérience des simples a des issues sauvages et incontrôlables. " Sed opera sapientiae certa lege vallantur et in finem debitum efficaciter diriguntur. " Ce qui revient à dire que, fût-ce dans la direction des choses pratiques, qu'il s'agisse de la mécanique, de l'agriculture ou du gouvernement d'une ville, il faut une sorte de théologie. Il pensait que la nouvelle science de la nature devait être la nouvelle grande entreprise des doctes pour coordonner, à travers une connaissance différente des processus naturels, les besoins élémentaires qui constituaient aussi l'accumulation désordonnée, mais à sa façon réelle et juste, des espoirs des simples. La nouvelle science, la nouvelle magie naturelle. A part que pour Bacon cette entreprise devait être dirigée par l'Eglise et je crois que tels étaient ses vœux parce qu'à son époque la communauté des clercs s'identifiait avec la communauté des savants. Aujourd'hui, il n'en va plus ainsi, il naît des savants en dehors des monastères, et des cathédrales, et même des universités. Vois dans ce pays par exemple, le plus grand philosophe de notre siècle n'a pas été un moine, mais un apothicaire. Je veux parler de ce Florentin dont tu auras entendu nommer le poème, que pour ma part je n'ai jamais lu parce que je ne comprends pas son vulgaire, et d'après ce que j'en sais je ne l'aimerais pas beaucoup car il y extravague sur des affaires fort éloignées de notre expérience. Mais il a écrit, je crois, les choses les plus sages qu'il nous soit donné de comprendre sur la nature des éléments et du cosmos tout entier, et sur la direction des Etats. Ainsi je pense que, comme mes amis et moi-même jugeons qu'aujourd'hui, pour la conduite des affaires humaines, il ne revient pas à l'Eglise mais à l'assemblée du peuple de légiférer, de même dans le futur il reviendra à la communauté des doctes de proposer cette toute nouvelle et humaine théologie qui est philosophie naturelle et magie positive.

— Un bel exploit, dis-je, mais est-ce possible ?

— Bacon y croyait.

— Et vous ?

— Moi aussi, j'y croyais. Mais pour y croire, il faudra être sûr que les simples ont raison parce qu'ils possèdent l'intuition de l'individuel, l'unique qui vaille. Cependant, si l'intuition de l'individuel est l'unique qui vaille, comment la science pourra-t-elle arriver à recomposer les lois universelles à travers lesquelles, et par l'interprétation desquelles, la bonne magie devient opérante ?

— Eh oui, dis-je, comment le pourra-t-elle ?

— Je ne le sais plus. J'ai eu tant de discussions à Oxford avec mon ami Guillaume d'Occam, qui est maintenant en Avignon. Il a semé de doutes mon esprit. Car si la seule intuition de l'individuel est juste, le fait que des causes du même genre aient des effets du même genre est une proposition difficile à soutenir. Un même corps peut être froid ou chaud, doux ou amer, humide ou sec, dans un lieu — et pas dans un autre. Comment puis-je découvrir le lien universel qui met de l'ordre dans les choses, si je ne puis bouger le petit doigt sans créer une infinité de nouveaux états, puisqu'avec un tel mouvement toutes les relations de position entre mon doigt et tous les autres objets changent ? Les relations sont les manières dont mon esprit perçoit le rapport entre états singuliers, mais quelle garantie peut-on avoir que cette manière est universelle et stable ?

— Vous savez pourtant qu'à une certaine épaisseur de verre correspond une certaine puissance de vision, et c'est parce que vous le savez que vous pouvez fabriquer à présent des verres pareils à ceux que vous avez perdus, sinon comment le pourriez-vous ?

— Réponse pénétrante, Adso. J'ai en effet élaboré cette proposition, qu'à épaisseur égale doit correspondre une égale puissance de vision. Je l'ai émise parce que d'autres fois j'ai eu des intuitions individuelles du même type. Il est certes connu à qui expérimente la propriété curative des herbes, que tous les individus herbacés de la même nature ont chez le patient, pareillement disposé, des effets de même nature, et donc l'expérimentateur formule la proposition que chaque herbe de tel type est bonne pour le fébricitant, ou que chaque verre de tel type magnifie pareillement la vision de l'œil. La science dont parlait Bacon roule indubitablement sur ces propositions. Attention, je parle de propositions sur les choses, non pas de choses. La science a affaire avec les propositions et ses termes, et les termes désignent des choses singulières. Tu comprends, Adso, je dois croire que ma proposition fonctionne, parce que je l'ai apprise en me fondant sur l'expérience, mais pour le croire je devrais supposer qu'il existe des lois universelles, et pourtant je ne peux en parler, car le concept même qu'il existe des lois universelles, et un ordre donné des choses, impliquerait que Dieu en fût prisonnier, tandis que Dieu est chose si absolument libre que, s'il le voulait, et d'un seul acte de sa volonté, le monde serait autrement.

— Or donc, si je comprends bien, vous faites, et vous savez pourquoi vous faites, mais vous ne savez pas pourquoi vous savez que vous savez ce que vous faites ? »

Je dois dire non sans orgueil que Guillaume me regarda avec admiration : « Il en va sans doute ainsi. De toute façon cela te dit pourquoi je me sens aussi peu sûr de ma vérité, même si j'y crois.

— Vous êtes plus mystique qu'Ubertin ! dis-je malicieusement.

— Peut-être. Mais comme tu vois, je travaille sur les choses de nature. Et même dans l'enquête que nous menons, je ne veux pas savoir qui est bon et qui est méchant, mais qui a été dans le scriptorium hier soir, qui a dérobé mes lunettes, qui a laissé sur la neige les empreintes d'un corps qui traîne un autre corps, et où se trouve Bérenger. Ce sont là des faits, ensuite j'essaierai de les rattacher les uns aux autres, dans la mesure du possible, car il est malaisé de dire quel effet est donné par quelle cause ; il suffirait de l'intervention d'un ange pour tout changer, alors il ne faut pas s'étonner si on ne peut démontrer qu'une chose est la cause d'une autre chose. Même s'il faut toujours tenter, comme je suis en train de le faire.

— C'est une vie difficile que la vôtre, dis-je.

— Mais j'ai trouvé Brunel, s'exclama Guillaume, en faisant allusion à ses déductions sur le cheval de l'avant-veille.

— Alors il y a un ordre du monde ! criai-je triomphant.

— Alors il y a un peu d'ordre dans ma pauvre tête », répondit Guillaume.

A cet instant revint Nicolas portant une fourche presque terminée et nous la montrant comme un trophée.

« Et quand il y aura cette fourche sur mon pauvre nez, dit Guillaume, peut-être que ma tête sera encore plus ordonnée. »

Un novice arriva pour nous informer que l'Abbé voulait voir Guillaume et l'attendait dans le jardin. Mon maître fut contraint de remettre ses expériences à plus tard et nous nous hâtâmes vers le lieu du rendez-vous. Chemin faisant, Guillaume se flanqua une tape au front, comme s'il ne se souvenait qu'à l'instant de quelque chose qu'il avait complètement oublié.

« A propos, dit-il, j'ai déchiffré les signes cabalistiques de Venantius.

— Tous ? ! Quand ?

— Quand tu dormais. Et cela dépend de ce que tu entends par tous. J'ai déchiffré les signes apparus à la flamme, ceux que tu as recopiés. Les notes en grec doivent attendre que j'aie de nouveaux verres.

— Alors ? Il s'agissait du secret du finis Africae ?

— Oui, et la clef était assez facile. Venantius disposait des douze signes zodiacaux et de huit signes pour les cinq planètes, les deux luminaires et la terre. Vingt signes en tout. Suffisamment pour y associer les lettres de l'alphabet latin, vu que tu peux utiliser la même lettre pour exprimer le son des deux initiales de *unum* et de *velut*. L'ordre des lettres, nous le savons. Quel pouvait être l'ordre des signes ? J'ai pensé à l'ordre des ciels, en plaçant le cadran zodiacal à l'extrême périphérie. Donc, Terre, Lune, Mercure, Vénus, Soleil, et cætera, et puis à la file les signes zodiacaux dans leur suite traditionnelle, tels que les classifie aussi Isidore de Séville, à commencer par le Bélier et par le solstice de printemps, pour finir avec les Poissons. Maintenant si tu essaies d'appliquer cette clef, voilà que le message de Venantius acquiert un sens. »

Il me montra le parchemin sur lequel il avait transcrit le message en grandes lettres latines : *Secretum finis Africae manus supra idolum age primum et septimum de quatuor.*

« C'est clair ? demanda-t-il.

— La main sur l'idole opère sur le premier et sur le septième des quatre... répétai-je en branlant du chef. C'est loin d'être clair !

— Je le sais. Il faudrait avant tout savoir ce que Venantius entendait par *idolum*. Une image, un fantôme, une figure ? Et puis, que peuvent bien être ces quatre qui ont un premier et un septième ? Et que faut-il en faire ? Les bouger, les pousser, les tirer ?

— Alors nous ne savons rien et nous en sommes au point de départ », dis-je tout désappointé. Guillaume s'arrêta et me regarda d'un air fort peu bienveillant. « Mon garçon, dit-il, tu as devant toi un pauvre franciscain qui, avec ses modestes connaissances et ce tantinet d'habileté qu'il doit à l'infinie puissance du Seigneur, a réussi en quelques heures à déchiffrer une écriture secrète dont son auteur était certain qu'elle apparaîtrait hermétique à tout le monde, lui excepté... et toi, misérable fripouille illettrée, tu te permets de dire que nous en sommes au point de départ ? »

Je m'excusai avec beaucoup de gaucherie. J'avais blessé la vanité de mon maître, tout en sachant fort bien comme il était fier de la rapidité et de la sûreté de ses déductions. Guillaume avait vraiment accompli une tâche digne d'admiration et il n'en allait pas de sa faute si le très astucieux Venantius avait non seulement caché sa découverte sous les dehors d'un obscur alphabet zodiacal, mais aussi élaboré une indéchiffrable énigme.

« Peu importe, peu importe, ne t'excuse pas, m'interrompit Guillaume. Au fond tu as raison, nous en savons encore trop peu. Allons. »

Troisième jour

VÊPRES

Où l'on parle encore avec l'Abbé, Guillaume a plusieurs idées mirobolantes pour déchiffrer l'énigme du labyrinthe, et y réussit de la façon la plus raisonnable. Après quoi, on mange de l'angelot en palette.

L'Abbé nous attendait avec un air sombre et préoccupé. Il avait un document à la main.

« Je viens de recevoir à l'instant cette lettre de l'abbé de Conques, dit-il. Il me communique le nom de celui à qui Jean a confié le commandement des soldats français, et le soin de la sécurité de la légation. Ce n'est pas un homme d'armes, ce n'est pas un homme de cour, et il sera en même temps un membre de la légation.

— Rare mariage de différentes vertus, dit Guillaume inquiet. Qui sera-ce ?

— Bernard Gui, ou Bernard Guidoni, comme il vous plaira de l'appeler. »

Guillaume éclata en une exclamation de sa propre langue, que je ne compris pas, pas plus que l'Abbé, et ce fut peut-être mieux ainsi pour tous les trois, car le mot que Guillaume émit sifflait d'une façon obscène.

« La chose ne me plaît pas, ajouta-t-il aussitôt. Bernard a été pendant des années le maillet des hérétiques dans la région de Toulouse et a écrit une *Practica officii inquisitionis heretice pravitatis* à l'usage de tous ceux qui devront poursuivre et détruire vaudois, béguins, bougres, fraticelles et dolciniens.

— Je le sais. Je connais le livre, admirable de doctrine.

— Admirable de doctrine, admit Guillaume. Il est tout dévoué à Jean qui, au cours des années passées, lui a confié de nombreuses missions dans les Flandres et ici dans la haute Italie. Et même quand il a été nommé évêque en Galicie, on ne l'a jamais vu dans son diocèse et il a continué son activité inquisitoriale. Maintenant je croyais qu'il s'était retiré dans l'évêché de Lodève, mais à ce qu'on dirait, Jean le remet à l'ouvrage et précisément ici dans l'Italie septentrionale. Pourquoi justement Bernard et pourquoi avec la responsabilité des gens d'armes... ?

— Il y a une réponse, dit l'Abbé, et elle confirme toutes les craintes que je vous exprimais hier. Vous savez bien — même si vous ne voulez pas l'admettre avec moi — que les positions sur la pauvreté de Christ et de l'Eglise soutenues par le chapitre de Pérouse, fût-ce avec pléthore d'arguments théologiques, sont celles-là mêmes soutenues de manière beaucoup moins prudente et avec un comportement moins orthodoxe par de nombreux mouvements hérétiques. Nul besoin d'être grand clerc pour démontrer que les positions de Michel de Césène, que l'empereur a faites siennes, sont les mêmes que celles d'Ubertin et d'Ange Clarino. Et jusque-là les deux légations seront d'accord. Mais Gui pourrait faire davantage, et il en a l'habileté : il tentera de soutenir que les thèses de Pérouse sont identiques à celles des fraticelles, ou des pseudo-apôtres. Etes-vous d'accord ?

— Vous dites que les choses sont ainsi ou que Bernard Gui dira qu'elles sont ainsi ?

— Disons que je dis que lui le dira, concéda prudemment l'Abbé.

— J'en conviens moi aussi. Mais c'était couru. Je veux dire : on savait qu'on en serait arrivé là, même sans la présence de Bernard. Tout au plus Bernard sera-t-il efficace par rapport à tous ces personnages insignifiants de la curie, et s'agira-t-il de discuter contre lui avec davantage de finesse.

— Oui, dit l'Abbé, mais à ce point-là nous sommes devant la question soulevée hier. Si nous ne trouvons pas d'ici à demain le coupable de deux ou peut-être trois crimes, je me devrai d'autoriser Bernard à exercer une surveillance sur les affaires de l'abbaye. Je ne puis celer à un homme investi du pouvoir de Bernard (et de par notre accord mutuel, ne l'oublions pas) qu'ici dans l'abbaye se sont passés, se passent encore, des faits inexplicables. Autrement, au moment où il découvrirait, au moment où (à Dieu ne plaise) adviendrait un nouveau fait mystérieux, il aurait tous les droits de crier à la trahison...

— C'est vrai, murmura Guillaume, l'air soucieux. Il n'y a rien à faire. Il faudra être sur nos gardes, et avoir Bernard à l'œil, qui aura à l'œil le mystérieux assassin. Ce sera peut-être un bien, Bernard tout occupé de l'assassin sera moins disponible pour intervenir dans la discussion.

— Bernard occupé à découvrir l'assassin sera une écharde au flanc de mon autorité, rappelez-vous-le. Cette histoire trouble m'impose pour la première fois de céder partie de mon pouvoir à l'intérieur de ces murs, et c'est un fait nouveau non seulement dans l'histoire de cette abbaye, mais dans celle de l'ordre clunisien même. Je ferais n'importe quoi pour l'éviter. Et la première chose à faire serait de refuser l'hospitalité aux légations.

— Je prie ardemment Votre Sublimité de réfléchir sur cette grave décision, dit Guillaume. Vous avez entre les mains une lettre de l'empereur qui vous invite chaleureusement à...

— Je sais ce qui me lie à l'empereur, dit brusquement l'Abbé, et vous le savez vous aussi. Et donc vous savez que malheureusement je ne peux pas reculer. Mais tout cela est très mauvais. Où est Bérenger, que lui est-il arrivé, que fait-il ?

— Je ne suis qu'un frère qui a mené voilà bien longtemps d'efficaces enquêtes inquisitoriales. Vous savez qu'on ne trouve pas la vérité en deux jours. Et enfin, quel pouvoir m'avez-vous conféré ? Puis-je entrer dans la bibliothèque ? Puis-je poser toutes les questions que je veux, toujours soutenu par votre autorité ?

— Je ne vois pas le rapport entre les crimes et la bibliothèque, dit l'Abbé courroucé.

— Adelme était enlumineur, Venantius traducteur, Bérenger aide-bibliothécaire... expliqua patiemment Guillaume.

— Dans ce sens tous les soixante moines ont affaire avec la bibliothèque, au même titre qu'ils ont quelque chose à voir avec l'église. Alors pourquoi ne cherchez-vous pas dans l'église ? Frère Guillaume, vous êtes en train de mener une enquête par moi mandaté et dans les limites où je vous ai prié de la mener. Pour le reste, dans cette enceinte, je suis le seul maître après Dieu, et par Sa grâce. Et ce vaudra aussi pour Bernard. D'autre part, ajouta-t-il d'un ton plus doux, il n'est pas même dit que Bernard soit ici juste pour la rencontre. L'abbé de Conques m'écrit aussi qu'il descend en Italie pour poursuivre dans le Sud. Il me dit même que le pape a prié le cardinal Bertrand du Poggetto de monter de Bologne pour se rendre ici et prendre le commandement de la légation pontificale. Bernard vient peut-être pour rencontrer le cardinal.

— Ce qui, dans une perspective plus large, serait pire. Bertrand est le maillet des hérétiques dans l'Italie centrale. Cette rencontre entre deux champions de la lutte anti-hérétique peut annoncer une offensive plus vaste dans le pays, pour compromettre à la fin tout le mouvement franciscain...

— Et de cela nous informerons sur-le-champ l'empereur, dit l'Abbé, mais en ce cas le danger ne serait pas immédiat. Nous serons vigilant. Adieu. »

Guillaume resta un moment silencieux tandis que l'Abbé s'éloignait. Puis il me dit : « Surtout, Adso, cherchons à ne pas nous laisser prendre par la hâte. Les choses ne se résolvent pas rapidement quand on doit accumuler autant de menues expériences individuelles. Moi, je retourne à l'atelier, parce que sans les verres non seulement je ne pourrai pas lire le manuscrit mais il ne sera pas même nécessaire qu'on refasse cette nuit une expédition dans la bibliothèque. Toi, va t'informer si on a des nouvelles de Bérenger. »

A ce moment-là accourut à notre rencontre Nicolas de Morimonde, porteur de nouvelles désastreuses. Alors qu'il cherchait à mieux biseauter le verre le meilleur, celui sur lequel Guillaume plaçait tant d'espoirs, il s'était brisé. Et un autre, qui pouvait peut-être le remplacer, s'était fêlé quand il tentait de l'enchâsser dans la fourche. Nicolas nous montra, désolé, le ciel. Il était déjà l'heure de vêpres et l'obscurité tombait. Pour ce jour-là on ne pourrait plus travailler. Une autre journée perdue, convint Guillaume avec amertume, refrénant (comme il me l'avoua après) la tentation de saisir à la gorge le verrier maladroit, qui d'ailleurs était déjà suffisamment humilié.

Nous le laissâmes à son humiliation et allâmes nous informer au sujet de Bérenger. Naturellement personne ne l'avait trouvé.

Nous nous sentions à un point mort. Nous déambulâmes un peu dans le cloître, ne sachant que décider. Mais Guillaume ne fut pas long à être absorbé, le regard perdu en l'air, comme s'il ne voyait rien. Depuis peu, il avait extrait de sa coule une petite tige de ces herbes que je lui avais vu cueillir des semaines auparavant, et il était en train de la mastiquer comme s'il en retirait une sorte de calme excitation. De fait il paraissait absent, mais de temps à autre ses yeux brillaient comme si dans le vide de son esprit s'était allumée une idée nouvelle ; puis il retombait dans cette singulière et active hébétude. Soudain il dit : « Certes, on pourrait...

— Quoi ? demandai-je.

— Je pensais à la façon de nous orienter dans le labyrinthe. Ce n'est pas simple à réaliser, mais ce serait efficace... Au fond, la sortie est dans la tour orientale, et cela nous le savons. Or suppose que nous ayons une machine qui nous dise de quel côté se trouve le septentrion. Qu'arriverait-il ?

— Il suffirait naturellement de tourner sur notre droite et on irait vers l'orient. Ou bien il suffirait d'aller en sens contraire, et nous nous dirigerions à coup sûr vers la tour méridionale. Mais en admettant qu'il existât pareille magie, le labyrinthe est précisément un labyrinthe, et à peine prise la direction de l'orient, nous rencontrerions un mur qui nous empêcherait d'aller tout droit, et nous perdrions de nouveau notre chemin... observai-je.

— Oui, mais la machine dont je parle indiquerait *toujours* la direction du septentrion, même si nous avions changé de route, et à chaque instant elle nous dirait de quel côté nous tourner.

— Ce serait merveilleux. Mais il faudrait avoir cette machine, et elle devrait être capable de reconnaître le septentrion de nuit et dans un endroit clos, sans pouvoir compter ni sur le soleil ni sur les étoiles... Et je ne crois pas que votre Bacon même possédait semblable machine ! dis-je en riant.

— Eh bien ! tu te trompes, dit Guillaume, car une machine de ce genre a été construite et des navigateurs l'ont utilisée. Elle n'a pas besoin des étoiles ou du soleil, parce qu'elle tire parti d'une pierre merveilleuse, égale à celle que nous avons vue dans l'hôpital de Séverin, la pierre qui attire le fer. Et elle a été étudiée par Bacon et par un mage picard, Pierre de Maricourt, qui en a décrit les multiples usages.

— Et vous, vous sauriez la construire ?

— En soi, ce ne serait pas difficile. La pierre peut être utilisée pour produire bien des merveilles, entre autres une machine dont le mouvement perpétuel n'a besoin d'aucune force externe, mais la trouvaille la plus simple a été même décrite par un Arabe, Baylek al Qabayaki. Tu prends un vase rempli d'eau et tu y fais flotter un bouchon où tu as enfilé une aiguille de fer. Ensuite tu passes la pierre magnétique au-dessus de la surface de l'eau, en un mouvement circulaire, tant que l'aiguille n'a pas acquis les mêmes propriétés que la pierre. C'est alors que l'aiguille, mais la pierre aussi aurait pu le faire si elle avait eu la possibilité de tourner sur un pivot, se place la pointe en direction du septentrion, et si tu circules avec le vase, elle se tourne toujours du côté de la tramontane. Inutile de te dire que si tu as marqué aussi sur le bord du vase, par rapport à la tramontane, les positions de l'auster, de l'aquilon et caetera, tu sauras toujours de quel côté te diriger dans la bibliothèque pour rejoindre la tour orientale.

— Quelle merveille ! m'exclamai-je. Mais pourquoi l'aiguille pointe-t-elle toujours vers le septentrion ? La pierre attire le fer, je l'ai vu, et j'imagine qu'une énorme quantité de fer attire la pierre. Mais alors... dans la direction de l'étoile polaire, aux extrêmes limites de l'orbe terrestre, il existe de grandes mines de fer !

— Certains, en effet, ont suggéré qu'il en va ainsi. Sauf que l'aiguille ne pointe pas exactement dans la direction de l'étoile nautique, mais vers le point de rencontre des méridiens célestes. Signe que, comme il a été dit : “ Hic lapis gerit in se similitudinem coeli ”, et les pôles de l'aimant reçoivent leur inclinaison des pôles du ciel et non de ceux de la terre. Ce qui est un bel exemple de mouvement imprimé à distance et non par causalité matérielle directe : un problème dont s'occupe fort mon ami Jean de Jandun, quand l'empereur ne lui demande pas de faire sombrer Avignon dans les viscères de la terre...

— Alors, allons chercher la pierre de Séverin, et un vase, et de l'eau, et un bouchon de liège... dis-je tout excité.

— Tout doux, dit Guillaume. Je ne sais pourquoi, mais je n'ai jamais vu une machine qui, parfaite dans la description des philosophes, se soit révélée ensuite parfaite dans son fonctionnement mécanique. Tandis que la serpe d'un paysan, qu'aucun philosophe n'a jamais décrite, marche comme il se doit... J'ai peur qu'à circuler dans le labyrinthe avec une lampe dans une main et un vase plein d'eau dans l'autre... Attends, il me vient une autre idée. La machine indiquerait le septentrion même si nous étions hors du labyrinthe, n'est-ce pas ?

— Oui, mais à ce compte-là elle ne servirait de rien parce que nous aurions le soleil et les étoiles... dis-je.

— Je sais, je sais. Mais si la machine marche aussi bien dehors que dedans, pourquoi ne devrait-il pas en aller de même pour notre tête aussi ?

— Notre tête ? Sûr qu'elle marche aussi dehors, et de fait nous savons fort bien de l'extérieur quelle est l'orientation de l'Edifice ! Mais c'est lorsque nous sommes à l'intérieur que nous ne comprenons plus rien !

— Justement. Mais oublie la machine à présent. Le fait de penser à la machine m'a amené à penser aux lois naturelles et aux lois de notre pensée. Voilà le hic : nous devons trouver de l'extérieur une façon de décrire l'Edifice tel qu'il est à l'intérieur...

— Et comment ?

— Laisse-moi y penser, cela ne doit pas être si difficile...

— Et la méthode dont vous parliez hier ? Ne vouliez-vous pas parcourir le labyrinthe en faisant des signes avec un charbon ?

— Non, dit-il, plus j'y pense, moins cela me convainc. Peut-être n'arrivé-je pas à me rappeler bien la règle, ou peut-être pour circuler dans un labyrinthe faut-il disposer d'une bonne Ariane qui t'attende sur le seuil en tenant le bout d'un fil. Mais il n'existe pas de fils aussi longs. Et même s'il en existait, cela signifierait (souvent les fables disent la vérité) qu'on ne sort d'un labyrinthe qu'avec une aide extérieure. Où les lois de l'extérieur seraient pareilles aux lois de l'intérieur. Voilà, Adso, nous nous servirons des sciences mathématiques. Dans les seules sciences mathématiques, comme dit Averroès, on identifie les choses connues de nous avec celles connues de façon absolue.

— Alors, vous voyez que vous admettez des connaissances universelles !

— Les connaissances mathématiques sont des propositions construites par notre intellect de manière à toujours fonctionner comme vraies, ou bien parce qu'elles sont innées ou bien parce que la mathématique a été inventée avant les autres sciences. Et la bibliothèque a été construite par un esprit humain qui pensait de façon mathématique, car sans mathématiques tu ne fais pas de labyrinthes. Il s'agit donc de confronter nos propositions mathématiques avec les propositions du bâtisseur, et de cette confrontation la science peut surgir, parce qu'elle est science de termes sur termes. Et, en tout cas, cesse de m'entraîner dans des discussions de métaphysique. Quelle diablesse de mouche t'a piqué aujourd'hui ? Toi qui as de bons yeux, prends plutôt un parchemin, une tablette, quelque chose sur quoi tracer des signes, et un stylet... bien, tu as ce qu'il faut, bravo Adso ! Allons faire une promenade autour de l'Edifice, tant que nous avons encore un peu de lumière. »

Nous tournâmes donc longuement autour de l'Edifice. C'est-à-dire que nous examinâmes de loin les tours orientale, méridionale et occidentale, avec les murs qui les reliaient. Quant au reste, il donnait sur l'à-pic, mais pour des raisons de symétrie il ne devait pas être différent de ce que nous voyions.

Et ce que nous vîmes, remarqua Guillaume tandis qu'il me faisait prendre des notes précises sur ma tablette, c'était que chaque mur avait deux verrières, et chaque tour cinq.

« Maintenant raisonne un peu, me dit mon maître. Toutes les pièces que nous avons vues comptaient une fenêtre...

— A part celles qui ont sept côtés, dis-je.

— Et c'est normal, ce sont celles qui se trouvent au centre de chaque tour.

— Et à part quelques-unes que nous avons trouvées sans fenêtre et qui n'étaient pas heptagonales.

— Oublie-les. D'abord trouvons la règle, ensuite nous chercherons à justifier les exceptions. Nous aurons donc vers l'extérieur cinq pièces pour chaque tour et deux pièces pour chaque mur, chacune avec une fenêtre. Mais si d'une pièce avec fenêtre on avance vers l'intérieur de l'Edifice, on rencontre une autre salle avec fenêtre. Signe qu'il s'agit des fenêtres intérieures. A présent dis-moi quelle forme a le puits intérieur, tel qu'on le voit dans les cuisines et dans le scriptorium ?

— Octogonale, dis-je.

— Parfait. Et sur chaque côté de l'octogone, peuvent très bien s'ouvrir deux fenêtres. Cela veut dire que pour chaque côté de l'octogone, il y a bien deux pièces sur l'intérieur ? Exact ?

— Oui, mais les pièces sans fenêtre ?

— Il y en a huit en tout. En effet, la salle intérieure de chaque tour, à sept côtés, possède cinq parois qui donnent sur chacune des cinq pièces de chaque tour. Qu'y a-t-il derrière les deux autres parois ? Pas une pièce située le long des murs extérieurs, car il y aurait des fenêtres, ni une pièce disposée le long de l'octogone, pour les mêmes raisons et parce qu'il s'agirait alors de pièces exagérément longues. De fait essaie de tracer un dessin de la bibliothèque comme elle apparaîtrait vue de haut. Tu vois que correspondant à chaque tour il doit y avoir deux pièces qui avoisinent la salle heptagonale et donnent sur deux pièces qui avoisinent le puits octogonal intérieur. »

Je m'essayai à tracer le dessin que mon maître me suggérait et lançai un cri de triomphe. « Mais alors nous savons tout ! Laissez-moi compter... La bibliothèque a cinquante-six pièces, dont quatre heptagonales et cinquante-deux plus ou moins carrées, et, d'entre ces dernières, huit sont sans fenêtre, tandis que vingt-huit donnent sur l'extérieur et seize sur l'intérieur !

— Et les quatre tours ont chacune cinq pièces de quatre côtés et une de sept... La bibliothèque est construite selon une harmonie céleste à laquelle on peut attribuer des significations variées et mirifiques...

— Splendide découverte, dis-je, mais alors pourquoi est-il aussi difficile de s'y orienter ?

— Parce que ce qui ne correspond à aucune loi mathématique, c'est la disposition des passages. Certaines pièces permettent d'accéder à plusieurs autres, certaines à une seule, et on peut se demander s'il n'y a pas des pièces qui ne permettent d'accéder à aucune autre. Si tu considères cet élément, plus le manque de lumière et l'absence totale d'indice fourni par la position du soleil (et ajoutes-y les visions et les miroirs), tu comprends combien le labyrinthe est de nature à désarçonner quiconque le parcourt, déjà agité par un sentiment de faute. D'autre part songe comme nous étions désespérés, nous, hier soir, quand nous ne parvenions plus à trouver notre chemin. La plus grande confusion obtenue avec le plus grand ordre : ce me semble un calcul sublime. Les bâtisseurs de la bibliothèque étaient de grands maîtres.

— Comment ferons-nous alors pour nous orienter ?

— Au point où nous en sommes, ce n'est pas difficile. Avec le plan que tu as relevé, et qui, peu ou prou, doit correspondre au tracé de la bibliothèque, dès que nous serons dans la première salle heptagonale, nous ferons en sorte de trouver tout de suite une des deux pièces aveugles. Puis, en prenant toujours sur la droite, après trois ou quatre pièces, nous devrions nous trouver de nouveau dans une tour, qui ne pourra être que la tour septentrionale, jusqu'à tomber sur une autre pièce aveugle, qui à gauche avoisinera la salle heptagonale, et à droite devra nous permettre de retrouver un trajet analogue à celui que je viens de te dire, jusqu'à arriver dans la tour occidentale.

— Oui, si toutes les pièces donnaient dans toutes les pièces...

— En effet. D'où l'utilité de ton plan, sur lequel marquer les parois pleines, de façon à savoir quelles déviations nous prenons. Mais ça ne sera pas difficile.

— Mais sommes-nous certains que ça marchera ? demandai-je perplexe, parce que tout me semblait trop simple.

— Ça marchera, répondit Guillaume. Omnes enim causae effectuum naturalium dantur per lineas, angulos et figuras. Aliter enim impossibile est sciri propter quid in illis, cita-t-il. Ce sont les mots d'un des grands maîtres d'Oxford. Malheureusement, nous ne savons pas encore tout. Nous avons appris comment ne pas nous perdre. Il s'agit maintenant de savoir s'il y a une règle qui gouverne la distribution des livres dans les pièces. Et les versets de l'Apocalypse nous en disent fort peu, c'est qu'aussi beaucoup se répètent identiques dans des pièces différentes...

— Et pourtant le livre de l'apôtre aurait permis de trouver bien plus que cinquante-six versets !

— Sans nul doute. Donc certains versets seulement sont bons. Bizarre. Comme s'ils en avaient eu moins de cinquante, trente, vingt... Oh, par la barbe de Merlin !

— De qui ?

— Aucune importance, un magicien de mon pays... Ils ont utilisé autant de versets que de lettres de l'alphabet ! Il en est bien ainsi ! Le texte des versets ne compte pas, seules comptent les lettres initiales. Chaque pièce est marquée par une lettre de l'alphabet, et toutes ensemble elles composent un texte que nous devons découvrir !

— Comme un poème figuré, en forme de croix ou de poisson !

— Plus ou moins, et probablement, aux temps où la bibliothèque fut constituée, ce type de poème était fort en vogue.

— Mais d'où part le texte ?

— D'un cartouche plus grand que les autres, de la salle heptagonale de la tour d'entrée... ou bien... Mais bien sûr, des phrases en rouge !

— Mais il y en a tant !

— Et donc il y aura beaucoup de textes, ou beaucoup de mots.

Toi à présent recopie mieux et en plus grand ton plan, puis à notre prochaine visite de la bibliothèque non seulement tu indiqueras avec ton stylet, et sans appuyer, les pièces par où nous passons, et la position des portes et des parois (sans oublier les fenêtres), mais aussi la lettre initiale du verset qui y apparaît, et en quelque sorte, comme un bon enlumineur, les lettres en rouge tu les feras plus grandes.

— Mais comment se fait-il, dis-je plein d'admiration, que vous ayez réussi à résoudre le mystère de la bibliothèque en la regardant de l'extérieur, et que vous ne l'ayez pas résolu quand vous étiez dedans ?

— Ainsi Dieu connaît le monde, parce qu'il l'a conçu dans son esprit, comme de l'extérieur, avant qu'il fût créé, alors que nous, nous n'en connaissons pas la règle, car nous vivons à l'intérieur du monde, l'ayant trouvé déjà fait.

— On peut ainsi connaître les choses en les observant de l'extérieur !

— Les choses de l'art, car nous reparcourons dans notre esprit les opérations de l'artisan. Pas les choses de la nature, car elles ne sont point l'œuvre de notre esprit.

— Mais pour la bibliothèque cela nous suffit, n'est-ce pas ?

— Oui, dit Guillaume. Mais seulement pour la bibliothèque. Allons nous reposer à présent. Je ne peux rien faire jusqu'à demain matin quand j'aurai — j'espère — mes verres. Autant vaut dormir et nous lever de bonne heure. Je tâcherai de réfléchir.

— Et le souper ?

— Ah, c'est vrai, le souper. L'heure est désormais passée. Les moines sont déjà à complies. Mais les cuisines sont peut-être encore ouvertes. Va chercher quelque chose.

— Voler ?

— Demander. A Salvatore, qui est maintenant ton ami.

— Mais c'est lui qui volera !

— Es-tu par hasard le gardien de ton frère ? » demanda Guillaume avec les mots de Caïn. Mais je m'avisai qu'il plaisantait et voulait dire que Dieu est grand et miséricordieux. Raison pour quoi je me mis à la recherche de Salvatore, que je trouvai près des écuries.

« Magnifique », dis-je en montrant Brunel, et, façon d'engager la conversation : « J'aimerais bien le monter.

— No se puede. Abbanis est. Mais pas besoin d'un bon cheval

pour filer à toute allure... » Il m'indiqua un cheval robuste mais disgracieux : « Même celui-ci sufficit... Vide illuc, tertius equi... »

Il voulait m'indiquer le troisième cheval. Je ris de son drôle de latin. « Et que feras-tu avec celui-là ? » lui demandai-je.

Il me raconta alors une étrange histoire. Il dit qu'on pouvait rendre n'importe quel cheval, fût-ce la bête la plus vieille et la plus cagneuse, aussi rapide que Brunel. Il faut mélanger à son avoine une herbe qui s'appelle satyrion, hachée menue, et puis lui oindre les cuisses avec de la graisse de cerf. Ensuite on monte sur le cheval et avant de l'éperonner on lui tourne les naseaux vers le levant et on prononce trois fois à voix basse dans son oreille, les mots « Gaspard, Melchior, Merchisard ». Le cheval partira à fond de train et fera en une heure le chemin que Brunel ferait en huit heures. Et si on lui avait suspendu au cou les dents d'un loup que le cheval même, en galopant, aurait tué, la bête ne sentirait alors nulle fatigue.

Je lui demandai s'il avait jamais essayé. Il me dit, s'approchant avec circonspection et me murmurant à l'oreille, avec son haleine vraiment désagréable, que c'était très difficile, parce que le satyrion n'est plus désormais cultivé que par les évêques et par leurs amis les chevaliers, qui s'en servent pour augmenter leur pouvoir. Je mis fin à son laïus et lui dis que ce soir mon maître voulait lire certains livres dans sa cellule et désirait aussi y prendre son repas.

« M'en occupe, dit-il, lui fais l'angelot en palette.

— Comment c'est ?

— Facilis. Tu prends de l'angelot pas trop vieux, ni trop salé et coupé en tranches minces, en bouchées carrées ou sicut te plaît. Et postea tu mettras un doigt de beurre ou de saindoux frais à réchauffer sobre la braisia. Et dedans vamos à déposer deux tranches d'angelot, et comme il te semble tendre, sucrum et cannelle supra positurum du bis. Et sers tout de suite in tabula, car il faut le manger todo chaud.

— Va pour l'angelot en palette », lui dis-je. Et il disparut vers les cuisines, en me disant de l'attendre. Il arriva une demi-heure après, avec un plat recouvert d'un linge. L'odeur était bonne.

« Tiens », me dit-il, et il me tendit aussi une grande lampe remplie d'huile.

« Pour quoi faire ? demandai-je.

— Sais pas, moi, dit-il d'un air chafouin. Fileisch ton magister veut ire en lieu sombre esta noche. »

Salvatore en savait évidemment plus que je ne soupçonnais. Je ne poussai pas mon enquête et apportai sa pitance à Guillaume. Nous mangeâmes, et moi je me retirai dans ma cellule. Ou du moins, je fis semblant. Je voulais encore trouver Ubertin, et je rentrai dans l'église furtivement.

APRÈS COMPLIES

Où Ubertin raconte à Adso l'histoire de fra Dolcino, Adso évoque d'autres histoires ou bien lit pour son propre compte à la bibliothèque, et puis il vient à rencontrer une jeune fille belle et redoutable comme des bataillons.

Comme escompté, je trouvai Ubertin au pied de la statue de la Vierge. Je me joignis silencieusement à lui et pendant un court temps fis semblant (je l'avoue) de prier. Puis je m'enhardis à lui parler.

« Père saint, lui dis-je, puis-je vous demander lumière et conseil ? »

Ubertin me regarda, me prit par la main et se leva, m'emmenant m'asseoir avec lui sur une chaise. Il me serra dans ses bras, et je pus sentir son haleine sur mon visage.

« Fils très cher, dit-il, tout ce que ce pauvre vieux pécheur peut faire pour ton âme, sera fait avec joie. Qu'est-ce qui te trouble ? Les tourments, pas ? demanda-t-il presque tourmenté lui aussi, les tourments de la chair ?

— Non, répondis-je en rougissant, il s'agirait plutôt des tourments de l'esprit, qui veut connaître trop de choses...

— Et c'est mal. Le Seigneur connaît les choses, pour notre part il nous faut seulement adorer sa sapience.

— Mais il nous faut aussi distinguer le bien du mal et comprendre les passions humaines. Je suis novice mais je serai moine et recevrai le sacerdoce, et je dois apprendre où est le mal, et quel aspect il prend, pour le reconnaître un jour et pour enseigner aux autres à le reconnaître.

— C'est juste, mon garçon. Et alors que veux-tu connaître ?

— La male plante de l'hérésie, père », dis-je avec conviction. Et puis, d'un seul souffle : « J'ai entendu parler d'un homme mauvais qui en a séduit beaucoup d'autres, fra Dolcino. »

Ubertin garda le silence, Puis il dit : « C'est juste, tu nous as entendu y faire allusion l'autre soir avec frère Guillaume. Mais c'est une très vilaine histoire, dont j'ai douleur à parler, parce qu'elle enseigne (oui, dans ce sens il faudra que tu la saches, pour en tirer un enseignement utile), parce qu'elle enseigne, disais-je, comment à partir de l'amour de pénitence et du désir de purifier le monde, peut naître sang et massacres. » Il s'assit mieux, en desserrant son étreinte autour de mes épaules, mais en gardant toujours une main sur mon cou, comme pour me communiquer, je ne sais, sa science ou son ardeur.

« L'histoire débute avant fra Dolcino, dit-il, il y a plus de soixante ans, et moi j'étais un enfant. Ce fut à Parme. Là commença à prêcher un certain Gérard Segalelli, qui invitait tout le monde à la vie de pénitence, et parcourait les routes en criant : " Pénitenziagité ! ", qui était sa façon d'homme inculte pour dire : " Penitentiam agite, appropinquabit enim regnum coelorum. " Il invitait ses disciples à se faire pareils aux apôtres, il voulut que sa secte prît le nom de l'ordre des apôtres, et que les siens parcourussent le monde comme de pauvres mendiants ne vivant que d'aumônes...

— Comme les fraticelles, dis-je. N'était-ce pas là le mandat de Notre Seigneur et de votre François ?

— Si, admit Ubertin avec une légère hésitation dans la voix et avec un soupir. Mais sans doute Gérard exagéra-t-il. Lui et les siens furent accusés de ne plus reconnaître l'autorité des prêtres, la célébration de la messe, la confession, et de vagabonder dans l'oisiveté.

— Mais on porta ces mêmes accusations contre les franciscains spirituels. Et les minorites aujourd'hui ne disent-ils pas qu'il ne faut pas reconnaître l'autorité du pape ?

— Si, mais ils ne contestent pas l'autorité des prêtres. Nous-mêmes sommes prêtres. Mon garçon, il est malaisé de départir ces choses-là. La ligne qui sépare le bien et le mal est si labile... D'une façon ou d'une autre, Gérard fit un faux pas et s'entacha d'hérésie... Il demanda à être admis dans l'ordre des mineurs, mais nos frères ne l'acceptèrent pas. Il passait ses jours dans l'église de nos frères et là il vit les apôtres peints sandales aux pieds et manteaux roulés autour des épaules, et ainsi il se fit pousser les cheveux et la barbe, mit des sandales aux pieds et s'assujettit la cordelière des frères mineurs, car quiconque veut fonder une nouvelle congrégation prend toujours quelque chose à l'ordre du bienheureux François.

— Mais alors il était dans le juste...

— Mais il fit un faux pas... Vêtu d'un manteau blanc passé sur une tunique blanche et avec ses longs cheveux, il acquit chez les simples une réputation de sainteté. Il vendit une de ses maisons et quand il en obtint le paiement, il se plaça sur une pierre du haut de laquelle, dans les anciens temps, les podestats avaient accoutumé de pérorer, tenant en main sa bourse remplie, et il ne la dilapida pas, ni ne la donna aux pauvres, mais il héla des ribauds qui jouaient dans le voisinage et la leur jeta en disant : “ En prenne qui voudra ”, et ces ribauds prirent l'or et allèrent le jouer aux dés et blasphémèrent le Dieu vivant, et lui qui avait donné, entendait et ne rougissait point.

— Mais François aussi se dépouilla de tout, et j'ai entendu dire aujourd'hui par Guillaume qu'il alla prêcher aux corneilles et aux éperviers, aux lépreux aussi, en somme à la lie que le peuple de ceux qui se disaient vertueux tenaient en marge...

— Oui, mais Gérard fit un faux pas ; François ne se heurta jamais à la sainte Eglise, et l'Evangile dit de donner aux pauvres, pas aux ribauds. Gérard donna et ne reçut rien en échange parce qu'il avait donné à de mauvaises gens, et il fit un mauvais début, une mauvaise continuation et une mauvaise fin, car sa congrégation a été blâmée par le pape Grégoire X.

— Peut-être, dis-je, était-ce un pape moins clairvoyant que celui qui approuva la règle de François...

— Oui, mais Gérard fit un faux pas, quand François, lui, savait fort bien ce qu'il faisait. Et enfin, mon garçon, ces gardiens de porcs et de vaches qui du jour au lendemain deviennent pseudo-apôtres voulaient béatement et sans sueur vivre des aumônes de ceux que les frères mineurs avaient éduqués avec tant de peines et d'héroïques exemples de pauvreté ! Mais il ne s'agit pas de cela, ajouta-t-il aussitôt, c'est que pour ressembler aux apôtres qui étaient encore juifs, Gérard Segalelli se fit circoncire, ce qui va à l'encontre des paroles de Paul aux Galates — et tu sais que de nombreuses et saintes personnes annoncent que l'Antéchrist futur viendra du peuple des circoncis... Mais Gérard fit pire encore, il allait regroupant les simples et disait : “ Venez avec moi dans la vigne ” et ceux qui ne le connaissaient pas entraient avec lui dans la vigne d'autrui, croyant qu'elle lui appartenait, et ils mangeaient le raisin d'autrui...

— Ça n'a pas dû être les mineurs qui ont défendu la propriété d'autrui », dis-je impudemment.

Ubertin me fixa d'un œil sévère : « Les mineurs demandent à être pauvres, mais ils n'ont jamais demandé aux autres d'être pauvres. Tu ne peux impunément attenter à la propriété des bons chrétiens, les bons chrétiens te montreront du doigt comme un bandit. Ce qui advint à Gérard. Dont on dit enfin (note, je ne sais pas si c'est vrai, et je me fie aux paroles de frère Salimbene qui connut ces gens) que pour mettre à l'épreuve la force de sa volonté et sa continence, il dormit avec plusieurs femmes sans avoir de rapports sexuels ; mais comme ses disciples essayèrent de l'imiter, les résultats furent bien différents... Oh ! ce ne sont pas des choses que doit savoir un garçon, la femme est le vaisseau du démon... Gérard continuait à crier : " Pénitenziagité " mais un de ses disciples, un certain Guy Putagio, tenta de prendre la direction du groupe, et il allait en grande pompe avec de nombreuses montures et faisait de grandes dépenses et des banquets comme les cardinaux de l'Eglise de Rome. Et puis ce furent des rixes entre eux, pour le commandement de la secte, et il se passa des choses d'une grande ignominie. Cependant beaucoup vinrent à Gérard, non seulement des paysans, mais aussi des gens des villes, inscrits aux arts ; Gérard les faisait dénuder afin que nus ils suivissent Christ nu, et les envoyait prêcher de par le monde, mais lui il se fit tailler une robe sans manches, blanche, de fil robuste, et ainsi accoutré il ressemblait davantage à un bouffon qu'à un religieux ! Ils vivaient en plein air, mais de temps à autre, ils montaient sur les ambons et les jubés interrompant l'assemblée du peuple dévot et chassant les prédicateurs, et une fois ils assirent un enfant sur le trône épiscopal dans l'église de Sant'Orso à Ravenne. Et ils se disaient les héritiers de la doctrine de Joachim de Flore...

— Mais les franciscains aussi, dis-je, Gérard de Borgo San Donnino aussi, vous aussi ! m'exclamai-je.

— Calme-toi, mon garçon. Joachim de Flore fut un grand prophète et le premier à comprendre que François devait marquer la rénovation de l'Eglise. Mais les pseudo-apôtres se servirent de sa doctrine pour justifier leurs folies, Segalelli trimbalait avec lui une apôtresse, une certaine Tripia ou Ripia, qui se targuait du don de prophétie. Une femme, tu comprends ?

— Mais père, tentai-je d'objecter, vous-même parliez l'autre soir de la sainteté de Claire de Montfaucon et d'Angèle de Foligno...

— C'étaient des saintes, elles ! Elles vivaient dans l'humilité en reconnaissant le pouvoir de l'Eglise, elles ne s'arrogèrent jamais le don de la prophétie ! En revanche, les pseudo-apôtres affirmaient que les femmes aussi pouvaient aller prêcher de ville en ville, comme firent beaucoup d'autres hérétiques. Ils ne connaissaient plus aucune différence entre célibataires et mariés ; aucun vœu ne fut plus considéré comme perpétuel. Bref, pour ne pas trop t'ennuyer avec ces très tristes histoires dont tu ne peux bien saisir les nuances, l'évêque Obizzo de Parme décida enfin de mettre Gérard aux fers. C'est alors qu'arriva une chose étrange, qui te dit comme la nature humaine est faible, et insidieuse la plante de l'hérésie. Car pour finir l'évêque libéra Gérard et l'accueillit chez lui, à sa table, et il riait de ses lazzi, et il le gardait comme son bouffon.

— Mais pourquoi ?

— Je ne le sais pas, ou je crains de le savoir. L'évêque était noble et il n'aimait guère les marchands et les artisans de la ville. Il ne lui déplaisait sans doute pas trop que Gérard, avec ses prônes sur la pauvreté, parlât contre eux, et passât de la demande d'aumône à la rapine. Mais enfin le pape intervint, l'évêque revint à sa juste sévérité, et Gérard finit sur le bûcher comme hérétique impénitent. Ce siècle commençait.

— Et en quoi ces choses-là concernent-elles fra Dolcino ?

— Elles le concernent, et ceci te dit comme l'hérésie survit à la destruction même des hérétiques. Ce Dolcino était le bâtard d'un prêtre, qui vivait dans le diocèse de Novare, dans cette partie-ci de l'Italie, un peu plus au septentrion. Quelqu'un soutint qu'il naquit ailleurs, dans la vallée de l'Ossola, ou à Romagnano. Mais peu importe. C'était un jeune homme d'intelligence aiguë et son éducation en fit un lettré, mais il vola le prêtre qui s'occupait de lui et s'enfuit vers l'orient, dans la ville de Trente. Et là, il reprit la prédication de Gérard, de façon encore plus hérétique, soutenant qu'il était l'unique vrai apôtre de Dieu et que tout devait être en commun dans l'amour, et qu'il était licite d'aller indifféremment avec toutes les femmes, raison pour laquelle personne ne pouvait se voir accuser de concubinat, même s'il allait avec l'épouse et avec la fille...

— C'est vraiment ce qu'il prêchait ou il fut accusé de cela ? Parce que j'ai ouï dire que les spirituels aussi furent accusés de crimes comme ces frères de Montfaucon...

— De hoc satis, interrompit brusquement Ubertin. Ceux-là n'étaient plus frères. C'étaient des hérétiques. Et précisément souillés par Dolcino. D'autre part, écoute, il suffit de savoir ce que Dolcino fit ensuite pour le définir comme malfaisant. Comment il était venu à la connaissance des doctrines des pseudo-apôtres, je n'en ai pas la moindre idée. Peut-être passa-t-il par Parme, dans sa jeunesse, et entendit-il Gérard. On sait qu'il garda contact dans la région de Bologne avec ces hérétiques, après la mort de Segalelli. En outre, il est assuré qu'il commença sa prédication à Trente. Là il séduisit une très belle jeune fille et de famille noble, Marguerite, à moins que ce ne fût elle qui le séduisit, lui, comme Héloïse séduisit Abélard, car souviens-toi, c'est à travers la femme que le diable pénètre dans le cœur des hommes ! A ce point-là, l'évêque de Trente le chassa de son diocèse, mais désormais Dolcino avait rassemblé plus de mille partisans, et il entreprit une longue marche qui le ramena dans les contrées où il était né. Et tout au long du chemin se joignaient à lui d'autres ingénus, captivés par ses paroles, et peut-être beaucoup d'hérétiques vaudois qui habitaient les montagnes par où il passait se réunirent-ils aussi à lui, ou bien c'est lui qui voulait s'allier aux vaudois de ces terres du septentrion. Arrivé dans la région de Novare, Dolcino trouva une atmosphère favorable à sa révolte, car les vassaux qui gouvernaient le pays de Gattinara au nom de l'évêque de Verceil avaient été chassés par la population, qui accueillit donc les bannis de Dolcino comme de bons alliés.

— Qu'avaient-ils fait, les vassaux de l'évêque ?

— Je l'ignore, et il ne me revient pas de le juger. Mais comme tu vois, l'hérésie se marie à la révolte contre les seigneurs, en de nombreux cas, et c'est ainsi que l'hérétique commence par prêcher madone pauvreté et puis tombe en proie à toutes les tentations du pouvoir, de la guerre, de la violence. Il y avait une lutte entre familles dans la ville de Verceil, et les pseudo-apôtres en profitèrent, et ces familles se prévalurent du désordre occasionné par les pseudo-apôtres. Les seigneurs féodaux enrôlèrent des aventuriers pour rapiner les citadins, et les citadins demandaient la protection de l'évêque de Novare.

— Quelle histoire compliquée ! Mais Dolcino, dans quel camp se rangeait-il ?

— Je ne sais pas, dans le sien propre, il s'était insinué dans toutes ces disputes et en tirait occasion pour prêcher la lutte contre le bien d'autrui au nom de la pauvreté. Dolcino s'établit avec les siens, qui étaient maintenant trois mille, sur un mont près de Novare, dit de la Paroi Chauve, où ils bâtirent châtelets et masures ; Dolcino régnait sur toute cette foule d'hommes et de femmes qui vivaient dans la promiscuité la plus honteuse. De là-haut, il envoyait des missives à ses fidèles, où il exposait sa doctrine hérétique. Il disait et écrivait que leur idéal était la pauvreté et qu'ils n'étaient liés par aucun lien d'obédience extérieur, et que lui, Dolcino, avait été mandaté par Dieu pour desceller les prophéties et comprendre les écritures de l'Ancien et du Nouveau Testament. Et il appelait ministres du diable les clercs séculiers, prédicateurs et mineurs, et il déliait tout un chacun du devoir de leur obéir. Il distinguait quatre âges dans la vie du peuple de Dieu : le premier celui de l'Ancien Testament, des patriarches et des prophètes, avant la venue de Christ, où le mariage était bon car les gens devaient se multiplier ; le deuxième âge, celui de Christ et des apôtres, et ce fut l'époque de la sainteté et de la chasteté. Puis vint le troisième, où les souverains pontifes durent d'abord accepter les richesses terrestres pour pouvoir gouverner le peuple, mais quand les hommes commencèrent à s'éloigner de l'amour de Dieu, vint Benoît qui parla contre toute possession temporelle. Lorsque, ensuite, même les moines de Benoît se remirent à accumuler des richesses, vinrent les frères de saint François et de saint Dominique, encore plus sévères que Benoît dans leurs prédications contre la domination et la richesse terrestres. Enfin, maintenant que la vie de tant de prélats contredisait à nouveau tous ces bons préceptes, on était arrivé au terme du troisième âge et il fallait se convertir aux enseignements des apôtres.

— Mais alors Dolcino prêchait cela même qu'avaient prêché les franciscains, et parmi les franciscains justement les spirituels, et vous-même, père !

— Oh oui, mais il en tirait un perfide syllogisme ! Il disait que pour mettre fin à ce troisième âge de la corruption, il fallait que tous les clercs, les moines et les frères mourussent de mort très cruelle, il disait que tous les prélats de l'Eglise, les clercs, les nonnes cloîtrées, les religieux et les religieuses et tous ceux qui font partie des ordres des prêcheurs et des minorites, des ermites, et le pape Boniface en personne auraient dû être exterminés par l'empereur élu par lui, Dolcino, à savoir Frédéric de Sicile.

— Mais n'était-ce pas justement Frédéric qui accueillit en Sicile avec faveur les spirituels chassés de l'Ombrie, et ne sont-ce pas les minorites qui demandent justement que l'empereur, même s'il s'agit maintenant de Louis, détruise le pouvoir temporel du pape et des cardinaux ?

— C'est le propre de l'hérésie, ou de la folie, que de transformer les pensées les plus droites et de les rétorquer contre la loi de Dieu et des hommes. Les minorites n'ont jamais demandé à l'empereur d'occire les autres prêtres. »

Il se trompait, à présent je le sais. Car lorsque quelques mois après, le Bavarois instaura son propre ordre à Rome, Marsile et d'autres minorites firent aux religieux fidèles au pape précisément ce que Dolcino demandait qu'on fît. Ceci dit, je ne veux pas signifier que Dolcino était dans le vrai, mais plutôt que Marsile était dans l'erreur lui aussi. Je commençais à me demander, surtout à la suite de la discussion de l'après-midi avec Guillaume, comment il était possible aux simples qui suivaient Dolcino de distinguer entre les promesses des spirituels et la réalisation qu'en offrait Dolcino. Sa culpabilité ne résidait-elle pas dans la mise en pratique de ce que des hommes réputés orthodoxes avaient prêché à des fins purement mystiques ? Ou peut-être là était la différence, la sainteté consistait à attendre que Dieu nous donnât ce que ses saints nous avaient promis, sans chercher à l'obtenir par des moyens terrestres ? A présent, je sais qu'il en est ainsi et je sais pourquoi Dolcino était dans l'erreur : on ne doit pas transformer l'ordre des choses, même si l'on doit espérer avec ferveur en sa transformation. Mais ce soir-là j'étais en proie à des pensées contradictoires.

« Enfin, me disait Ubertin, la marque de l'hérésie tu la trouves toujours dans l'orgueil. Par une seconde lettre, Dolcino, en l'an 1303, se nommait chef suprême de la congrégation apostolique, et il nommait comme ses lieutenants la perfide Marguerite (une femme) et Longin de Bergame, Frédéric de Novare, Albert Carentino et Valderic de Brescia. Puis il commençait à divaguer sur une suite de papes futurs, deux bons, le premier et le dernier, deux mauvais, le second et le troisième. Le premier est Célestin, le second est Boniface VIII, dont les prophètes disent : " L'orgueil de ton cœur t'a déshonoré, ô toi qui habites dans les failles des rochers. " Le troisième pape n'est pas nommé, mais Jérémie aurait dit de lui : " Voilà, ce lion. " Et, infamie, Dolcino reconnaissait le lion en Frédéric de Sicile. Le quatrième pape était encore inconnu à Dolcino, et il aurait dû être le pape saint, le pape angélique dont parlait l'abbé Joachim. Il aurait dû être élu par Dieu, et alors Dolcino et tous les siens (qui à ce moment-là étaient déjà quatre mille) auraient reçu ensemble la grâce de l'Esprit-Saint et l'Eglise en eût été renouvelée jusqu'à la fin du monde. Mais au cours des trois années qui précédaient sa venue, tout le mal eût dû être consumé. Et c'est ce que chercha à faire Dolcino, en livrant des combats de partout. Le quatrième pape, et l'on voit ici comment le démon se joue de ses sujets, a été précisément Clément V qui prêcha la croisade contre Dolcino. Ce fut justice, car dans ces lettres Dolcino soutenait désormais des théories inconciliables avec l'orthodoxie. Il affirma que l'Eglise romaine est une catin, qu'on ne doit pas obéissance aux prêtres, que dorénavant tout pouvoir spirituel passait à la secte des apôtres, que seuls les apôtres forment la nouvelle Eglise, que les apôtres peuvent annuler le mariage, que nul ne pourra être sauvé s'il ne fait partie de la secte, qu'aucun pape ne peut remettre les péchés, qu'on ne doit pas payer les dîmes, que la vie est plus parfaite sans voeux qu'avec des voeux, qu'une église consacrée ne vaut rien pour la prière, pas davantage qu'une écurie, et qu'on peut adorer Christ dans les bois et dans les églises indifféremment.

— Il a vraiment dit ces choses-là ?

— Certes, cela est certain, il les a écrites. Mais il fit malheureusement pis. Comme il prit position sur la Paroi Chauve, il commença à mettre à sac les villages de la vallée, à faire des incursions de pillard pour se procurer le ravitaillement, menant en somme une véritable guerre contre les bourgs voisins.

— Tous étaient contre lui ?

— On ne sait pas. Peut-être reçut-il des appuis de certains, je t'ai dit qu'il s'était insinué dans un nœud inextricable de discordes locales. En attendant, l'hiver de l'an 1305 était venu, l'un des plus rigoureux des dernières décennies, et dans toute la contrée régnait une grande famine. Dolcino envoyait une troisième lettre à ses partisans et beaucoup se joignaient encore à lui ; mais là-haut la vie était devenue impossible et ils étaient pris d'une telle faim qu'ils mangeaient la chair des chevaux et d'autres bêtes de somme et du foin cuit. Un grand nombre en mourut.

— Mais contre qui se battaient-ils, maintenant ?

— L'évêque de Verceil avait fait appel à Clément V et une croisade avait été prêchée contre les hérétiques. Une indulgence plénière fut proclamée pour quiconque y participerait, et l'on sollicita Louis de Savoie, les inquisiteurs de Lombardie, l'archevêque de Milan. Beaucoup prirent la croix pour venir en aide aux Verceillois et aux Novarois, même de la Savoie, de la Provence, de la France, et l'évêque de Verceil eut le commandement suprême. Ce n'était qu'accrochages continuels entre les avant-gardes des deux armées, mais les fortifications de Dolcino s'avéraient imprenables, et d'une manière ou d'une autre les impies recevaient des secours.

— De qui ?

— D'autres impies, je crois, qui tiraient bénéfice de ce levain de désordre. Vers la fin de l'an 1305, l'hérésiarque fut pourtant contraint à abandonner la Paroi Chauve, laissant derrière lui les blessés et les malades, et il se transféra dans le territoire de Trivero, où il se retrancha sur un mont, qu'on appelait alors Zubello et qui depuis lors fut dit Rubello ou Rebello, parce qu'il était devenu la place forte des rebelles à l'Eglise. En somme, je ne peux pas te raconter tout ce qui advint, et ce furent des massacres terribles. Mais à la fin, les rebelles furent contraints à se rendre, Dolcino et les siens furent capturés et périrent sur le bûcher.

— La belle Marguerite aussi ? »

Ubertin me regarda : « Tu t'es souvenu qu'elle était belle, n'est ce pas ? Elle était belle, dit-on, et beaucoup de seigneurs du lieu tentèrent d'en faire leur épouse pour la sauver du bûcher. Mais elle ne voulut pas, elle mourut impénitente avec son impénitent d'amant. Et que cela te serve de leçon, garde-toi de la prostituée de Babylone, prendrait-elle la forme de la créature la plus exquise.

— Mais à présent, dites-moi, père. J'ai appris que le cellérier du couvent, et peut-être Salvatore aussi, rencontrèrent Dolcino, et furent avec lui en quelque sorte...

— Tais-toi, et ne prononce pas de jugements téméraires. Je connus le cellérier dans un couvent de minorites. Après les événements qui concernent l'histoire de Dolcino, c'est vrai. Beaucoup de spirituels en ces années-là, avant que nous ne décidions de trouver refuge dans l'ordre de saint Benoît, eurent une vie agitée, et durent abandonner leurs couvents. Je ne sais où fut Rémigio avant que je ne le rencontre. Je sais qu'il a toujours été un bon frère, au moins du point de vue de l'orthodoxie. Quant au reste, hélas, la chair est faible...

— Qu'entendez-vous par là ?

— Ce ne sont pas des choses que tu dois savoir. Eh bien, en somme, puisque nous en avons parlé, et que tu dois pouvoir distinguer le bien du mal... (il hésita encore), je te dirai que j'ai entendu murmurer ici, dans l'abbaye, que le cellérier ne sait pas résister à certaines tentations... Mais ce sont des murmures. Ces choses-là, il faut que tu apprennes à n'y point même penser. » Il m'attira de nouveau contre lui, resserrant son étreinte et m'indiqua la statue de la Vierge : « Tu dois t'initier à l'amour sans tache. La voici, celle en qui la féminité s'est sublimée. C'est pourquoi tu peux dire d'elle qu'elle est belle, comme la bien-aimée du Cantique des Cantiques. En elle, dit-il, le visage ravi par une félicité intérieure, tout comme l'Abbé quand il parlait, la veille, des gemmes et de l'or de ses vases, en elle, il n'est pas jusqu'à la grâce du corps qui ne se fasse signe des beautés célestes, et c'est la raison pour laquelle le sculpteur l'a représentée avec toutes les grâces dont la femme doit être parée. » Il me montra le buste menu de la Vierge, planté haut et serré dans un corselet lacé au centre par une gansette que les petites mains de l'Enfant s'amusaient à tirer. « Tu vois ? Pulchra enim sunt ubera quae paululum supereminent et tument modice, nec fluitantia licenter, sed leniter restricta, repressa sed non depressa... Que ressens-tu devant cette très douce vision ? »

Je rougis violemment, me sentant tourmenté comme par un feu intérieur. Ubertin dut le remarquer, ou peut-être perçut-il l'ardeur de mes joues, car il ajouta aussitôt : « Mais tu dois apprendre à distinguer le feu de l'amour surnaturel de la pâmoison des sens. C'est difficile, même pour les saints.

— Mais comment reconnaît-on le bon amour ? demandai-je en tremblant.

— Qu'est l'amour ? Il n'est rien au monde, ni homme ni diable, ni chose aucune, que je ne considère aussi suspecte que l'amour, car celui-ci pénètre l'âme plus qu'aucune autre chose. Il n'existe rien qui tant occupe et lie le cœur comme l'amour. C'est pourquoi, à moins d'être muni des armes qui la gouvernent, l'âme court par amour à une immense ruine. Je crois que sans les séductions de Marguerite, Dolcino ne se fût point damné ; sans l'arrogance et la promiscuité de la Paroi Chauve, peu auraient ressenti la séduction de sa rebellion. Prends garde, cela ne concerne pas seulement l'amour mauvais, qui naturellement doit être fui par tous comme lacs diabolique, je le dis aussi, et avec grande peur, du bon amour qui s'établit entre Dieu et l'homme, entre l'homme et son prochain. Il arrive souvent que deux ou trois personnes, hommes ou femmes, s'aiment très cordialement et nourrissent l'un pour l'autre une affection particulière, et désirent ne jamais vivre séparés, et quand l'un désire, l'autre veut. Et je t'avoue qu'un sentiment de ce genre je l'éprouvai pour des femmes vertueuses comme Angèle et Claire. Eh bien, cela aussi est fort répréhensible, encore qu'on en agisse spirituellement et pour Dieu... Car même l'amour que ressent l'âme, s'il n'est point sur la défensive mais accueilli avec chaleur, déchoit ensuite, ou bien opère dans la confusion. Oh ! l'amour a différentes propriétés, d'abord l'âme pour lui s'attendrit, puis devient infirme... Mais ensuite elle éprouve la chaleur vraie de l'amour divin et crie, et se lamente, se fait pierre mise au chaufour pour se défaire en chaux, et crépite léchée par la flamme...

— Et cela est-il le bon amour ? »

Ubertin me caressa la tête, et comme je le regardai, je vis qu'il avait les yeux émus jusqu'aux larmes : « Oui, c'est enfin le bon amour. » Il retira sa main de mes épaules : « Mais comme il est difficile, ajouta-t-il, comme il est difficile de le distinguer de l'autre. Et parfois quand ton âme est tentée par les démons, tu te sens comme un pendu qui, les mains liées dans le dos et les yeux bandés, reste suspendu au gibet et vit pourtant, sans aucune aide, sans aucun soutien, sans aucun remède, tournant dans le vide... »

Son visage n'était plus seulement mouillé de larmes, mais d'un voile de sueur. « Allons, va-t'en maintenant, me dit-il en hâte, je t'ai dit ce que tu voulais savoir. Par ici le chœur des anges, par là les gorges de l'enfer. Va, et loué soit le Seigneur. » Il se prosterna de nouveau devant la Vierge : je l'entendis qui sanglotait doucement. Il priait.

Je ne sortis pas de l'église. L'entretien avec Ubertin avait amené dans mon esprit, et dans mes viscères, un étrange feu et une indicible agitation. A telle enseigne que je me trouvais sans doute pour cela enclin à la désobéissance et décidai de retourner seul dans la bibliothèque. Je ne savais pas moi-même ce que j'y cherchais. Je voulais explorer tout seul un endroit inconnu ; me fascinait l'idée de pouvoir m'y orienter sans l'aide de mon maître. J'y grimpai comme Dolcino avait grimpé sur le mont Rubello.

J'avais la lampe avec moi (pourquoi l'avais-je emportée ? peut-être nourrissais-je déjà ce dessein secret ?), et je pénétrai dans l'ossuaire presque les yeux fermés. En un rien de temps, je fus dans le scriptorium.

C'était un soir fatal, je crois, car tandis que je furetais parmi les tables, j'en aperçus une sur laquelle était ouvert un manuscrit qu'un moine copiait en ces jours-là. Aussitôt le titre me requit : *Historia fratris Dulcini Heresiarche.* Je crois que c'était la table de Pierre de Sant'Albano, dont on m'avait dit qu'il écrivait une histoire monumentale de l'hérésie (après ce qu'il advint à l'abbaye, il ne l'écrivit naturellement plus — mais n'anticipons pas). Rien d'anormal donc que ce texte fût ici, accompagné d'autres, d'ailleurs, au sujet analogue, sur les patarins et sur les flagellants. Mais je pris comme un signe surnaturel, je ne sais encore si céleste ou diabolique, cette circonstance, et je me laissai aller à lire l'écrit avec avidité. Il n'était pas très long, et dans la première partie il disait, avec beaucoup plus de détails que j'ai oubliés, ce que m'avait dit Ubertin. On y parlait aussi des nombreux crimes commis par les dolciniens durant la guerre et le siège. Et de la bataille finale, qui fut des plus sanglantes. Mais j'y trouvai en plus ce qu'Ubertin ne m'avait pas raconté, et dit par qui avait évidemment tout vu et en gardait encore l'imagination enflammée.

J'appris donc comment en mars de l'an 1307, le samedi saint, Dolcino, Marguerite et Longin, enfin pris, furent conduits dans la ville de Biella et remis à l'évêque, qui attendait la décision du pape. Le pape, sitôt qu'il apprit la nouvelle, la transmit au roi de France, Philippe, en écrivant : « Des nouvelles infiniment agréables nous sont parvenues, fécondes en joie et allégresse, pour ce que le démon pestifère, fils de Bélial et grande horreur hérésiarque, Dolcino, après de longs dangers, des peines et des massacres incessants, et de fréquentes incursions, est enfin, avec ses partisans, prisonnier dans nos prisons, grâce à notre vénérable frère Raniero, évêque de Verceil, capturé en le jour de la sainte Cène du Seigneur, et la nombreuse gent qui était avec lui, infectée par contagion, fut tuée ce jour même. » Le pape se montra impitoyable en regard des prisonniers et il commanda à l'évêque de les mettre à mort. Alors, en juillet de la même année, le premier jour du mois, les hérétiques furent remis au bras séculier. Tandis que les cloches de la ville sonnaient à toute volée, on les plaça sur un chariot, entourés des bourreaux, suivis de la milice, qui parcourut toute la ville, et à chaque coin de rue, avec des tenailles rougies à blanc, on déchirait les chairs des coupables. Marguerite fut brûlée la première, devant Dolcino dont pas un seul muscle du visage ne bougea, tout comme il n'avait pas émis une plainte lorsque les tenailles lui mordaient les membres. Après quoi le chariot poursuivit sa route, alors que les bourreaux enfilaient leurs fers dans des vases pleins de flambeaux ardents. Dolcino subit d'autres tourments, et il resta toujours muet, sauf quand on l'amputa de son nez, car il haussa légèrement les épaules, et quand on lui arracha le membre viril, car là il poussa un long soupir, comme un glapissement. Ses dernières paroles témoignèrent de son impénitence, et il avertit qu'il ressusciterait le troisième jour. Puis il fut brûlé et ses cendres furent dispersées au vent.

Je refermai le manuscrit, mes mains tremblaient. Dolcino avait commis beaucoup de crimes, m'avait-on dit, mais il avait été horriblement brûlé. Sur le bûcher, il s'était comporté... comment ? avec la fermeté des martyrs ou avec l'opiniâtreté des damnés ? Tout en montant d'un pas chancelant les escaliers qui menaient à la bibliothèque, je compris pourquoi j'étais si troublé. Je me rappelai soudain une scène que j'avais vue peu de mois auparavant, juste après mon arrivée en Toscane. Je me demandais même comment j'avais pu quasiment l'oublier jusqu'à présent, comme si mon âme malade avait voulu effacer un souvenir qui pesait sur elle comme un incube. Au vrai, je ne l'avais pas oubliée, car chaque fois que j'entendais parler de fraticelles, je revoyais des images de cet événement, pour aussitôt les chasser encore dans les replis de mon esprit, comme si cela avait été un péché que d'être le témoin d'une pareille horreur.

J'avais pour la première fois entendu parler de fraticelles, les jours où, à Florence, j'en avais vu brûler un sur son bûcher. Cela s'était passé peu avant que je ne rencontre à Pise frère Guillaume. Il retardait son arrivée dans cette ville et mon père m'avait donné l'autorisation de visiter Florence dont nous avions entendu louer les superbes églises. J'avais circulé à travers la Toscane pour apprendre mieux le vulgaire italien, et j'avais enfin séjourné une semaine à Florence, car j'avais beaucoup entendu parler de cette ville et je désirais la connaître.

Ce fut ainsi qu'à peine arrivé, j'entendis qu'une affaire faisait grand bruit et agitait de fond en comble la cité. Un fraticelle hérétique, accusé de crimes contre la religion, et amené devant l'évêque et d'autres ecclésiastiques, était ces jours-là soumis à sévère inquisition. Et tout en suivant ceux qui m'en parlaient, je me transportai sur les lieux de l'événement ; j'entendais les gens dire que ce fraticelle, de nom Michel, était en vérité un homme fort pieux, qui avait prêché pénitence et pauvreté, en répétant les paroles de saint François, et qu'il avait été traîné devant les juges du fait de la malice de certaines femmes qui, feignant de se confesser à lui, lui avaient ensuite attribué des propositions hérétiques ; mieux, il avait été pris par les hommes de l'évêque précisément dans la maison de ces femmes, ce qui ne laissait pas de m'étonner, car un homme d'Eglise ne devrait pas aller administrer les sacrements en des lieux aussi peu convenables ; mais, semblait-il, c'était là faiblesse de fraticelle que de ne point tenir en juste considération les convenances, et peut-être y avait-il du vrai dans la rumeur publique qui les voulait, outre qu'hérétiques, de mœurs douteuses (ainsi qu'on le disait toujours des cathares, traités de bulgares et sodomites).

J'arrivai à l'église de San Salvatore où se tenait le procès, mais je ne pus entrer tant la foule était nombreuse sur le parvis. Certains cependant s'étaient hissés et agrippés à la grille des fenêtres et voyaient et entendaient ce qui se passait dans l'église, et ils le rapportaient aux autres en dessous. On était alors en train de relire à frère Michel les aveux qu'il avait faits la veille, où il disait que Christ et ses apôtres « n'eurent oncques propriété ni privée ni commune », mais Michel protestait que le tabellion y avait ajouté maintenant « moult fausses conséquences » et il criait (et cela, je l'entendis de dehors) : « Vous m'en rendrez raison le jour du Jugement ! » Mais les inquisiteurs lurent la confession telle qu'ils l'avaient rédigée et pour finir ils lui demandèrent s'il voulait humblement se conformer aux opinions de l'Eglise et du peuple entier de la ville. Et j'entendis Michel qui criait bien haut que lui, il voulait s'en tenir à ce qu'il croyait, c'est-à-dire qu'il « tenait Christ pour pauvre crucifié et pape Jean XXII pour hérétique, puisqu'il disait le contraire ». Il s'ensuivit une grande discussion, où les inquisiteurs, parmi lesquels nombre de franciscains, voulaient lui faire comprendre que les Ecritures n'avaient pas dit ce qu'il disait, lui, et lui les accusait de nier la règle même de leur ordre, et les autres fulminaient contre lui, demandant s'il croyait par hasard mieux entendre les Ecritures qu'eux-mêmes qui étaient des maîtres en la matière. Et fra Michel, avec grande opiniâtreté vraiment, les contestait, tant et si bien que les autres se mettaient à l'invectiver avec des provocations du genre : « Et alors nous voulons que tu tiennes Christ pour grand propriétaire et pape Jean pour catholique et saint. » Et Michel, sans en démordre : « Non, hérétique. » Et eux de dire qu'ils n'avaient jamais vu personne d'aussi obstiné dans sa propre infamie. Mais parmi la foule, hors du palais, beaucoup disaient qu'il était comme Christ au milieu des pharisiens, et je m'aperçus que dans le peuple beaucoup croyaient en la sainteté de frère Michel.

Enfin les hommes de l'évêque le ramenèrent en prison dans les fers. Et le soir on me dit que nombre de frères, amis de l'évêque, étaient allés l'insulter et lui demander de se rétracter, mais lui il répondait comme certain de sa propre vérité. Et il répétait à chacun que Christ était pauvre comme l'avait dit aussi saint François et saint Dominique, et que si pour professer cette juste opinion il devrait être condamné au supplice, tant mieux, car il pourrait voir sans tarder ce que disent les Ecritures, et les vingt-quatre vieillards de l'Apocalypse, et Jésus-Christ, et saint François, et les glorieux martyrs. On me rapporta qu'il dit : « Si nous lisons avec une telle ferveur la doctrine de certains saints abbés, avec quelle ferveur redoublée et quelle joie ne devons-nous pas désirer d'être au milieu d'eux. » A ce genre de propos, les inquisiteurs sortaient de la geôle, le visage sombre, et criaient indignés (je les entendis moi-même) : « Il a le diable au corps ! »

Le lendemain, nous sûmes que la condamnation avait été promulguée, et me rendant à l'évêché je pus voir le parchemin ; j'en recopiai une partie sur ma tablette.

Le document commençait « In nomine Domini amen. Hec est quedam condemnatio corporalis et sententia condemnationis corporalis lata, data et in hiis scriptis sententialiter pronumptiata et promulgata... » et cœtera, et poursuivait avec une sévère description des péchés et des fautes dudit Michel, dont je rapporte ici deux passages, pour que le lecteur puisse juger avec prudence :

Johannem vocatum fratrem Micchaelem Iacobi, de comitatu Sancti Frediani, hominem male condictionis, et pessime conversationis, vite et fame, hereticum et heretica labe pollutum et contra fidem catolicam credentem et affirmantem... Deum pre oculis non habendo sed potius humani generis inimicum, scienter, studiose, appensate, nequiter et animo et intentione exercendi hereticam pravitatem stetit et conversatus fuit cum Fraticellis, vocatis Fraticellis de la pauvre vie hereticis et scismaticis et eorum pravam sectam et heresim secutus fuit et sequitur contra fidem catolicam... et accessit ad dictam civitatem Florentie et in locis publicis dicte civitatis in dicta inquisitione contentis, credidit, tenuit et pertinaciter affirmavit ore et corde... quod Christus redentor noster non habuit rem aliquam in proprio vel comuni sed habuit a quibuscumque rebus quas sacra scriptura eum habuisse testatur, tantum simplicem facti usum.

Mais ce n'était pas là les seuls crimes dont on l'accusait, et l'un d'eux, entre autres, me sembla des plus ignobles, même si je ne sais (vu le déroulement du procès) s'il était vraiment allé jusqu'à affirmer pareille chose : on rapportait en somme que ledit minorite soutenait que saint Thomas d'Aquin n'avait été ni saint ni ne jouissait de l'éternel salut, tout au contraire, il était damné et en état de perdition ! Et la sentence concluait prescrivant la peine, puisque l'accusé n'avait pas voulu s'amender :

Costat nobis etiam ex predictis et ex dicta sententia lata per dictum dominum episcopum florentinum, dictum Johannem fore hereticum, nolle se tantis herroribus et heresi corrigere et amendare, et se ad rectam viam fidei dirigere, habentes dictum Johannem pro irreducibili, pertinace et hostinato in dictis suis perversis herroribus, ne ipse Johannes de dictis suis sceleribus et herroribus perversis valeat gloriari, et ut eius pena aliis transeat in exemplum ; idcirco, dictum Johannes vocatum fratrem Micchaelem hereticum et scismaticum quod ducatur ad locum iustitie consuetum, et ibidem igne et flammis igneis accensis concremetur et comburatur, ita quod penitus moriatur et anima a corpore separatur.

Et après que la sentence fut rendue publique, dans la geôle vinrent encore des hommes d'Eglise et ils avertirent Michel de ce qui allait se passer, et je les entendis même dire : « Fra Michel, les mitres et les mantelets sont prêts, on y a peint dessus des fraticelles accompagnés par des diables. » Pour l'épouvanter et le contraindre enfin à se rétracter. Mais frère Michel s'agenouilla et dit : « Je pense qu'autour du bûcher il y aura notre père François et je dirais davantage, je crois qu'il y aura Jésus et les apôtres, et les glorieux martyrs Barthélemy et Antoine. » Ce qui était une façon de refuser pour la dernière fois les offres des inquisiteurs.

Le lendemain matin, je fus moi aussi sur le pont de l'évêché où s'étaient réunis les inquisiteurs, devant lesquels on conduisit, toujours dans les fers, frère Michel. Un des fidèles tomba à genoux devant lui pour recevoir sa bénédiction, et il fut enlevé par les hommes d'armes et aussitôt jeté en prison. Ensuite, les inquisiteurs relurent la sentence au condamné et demandèrent encore s'il voulait se repentir. A chaque point où la sentence disait qu'il était un hérétique, Michel répondait : « Hérétique ne suis, pécheur oui, mais catholique » et quand le texte nommait « le très vénérable et très saint pape Jean XXII », Michel répondait : « Non, mais hérétique. » Alors l'évêque ordonna que Michel vînt s'agenouiller devant lui, et Michel dit qu'il ne s'agenouillait pas devant les hérétiques. Ils le firent agenouiller de force ; et lui murmura : « J'en suis excusé devant Dieu. » Et comme il avait été amené là devant avec tous ses ornements sacerdotaux, commença un rite où pièce par pièce on lui ôtait les ornements jusqu'à ce qu'il restât vêtu de cette seule jupe longue qu'on appelle à Florence *cioppa*. Et comme veut l'usage pour le prêtre qu'on déconsacre, avec un fer coupant on lui rasa le bout des doigts et on lui rasa les cheveux. Après quoi, on le confia au capitaine et à ses hommes, qui le traitèrent fort durement et lui mirent les fers en le ramenant dans sa geôle, tandis qu'il disait à la foule : « Per Dominum moriemur. » On devait le brûler, ainsi que je l'appris, le lendemain seulement. Et ce même jour, ils allèrent aussi lui demander s'il voulait se confesser et communier. Il refusa de commettre un péché en acceptant les sacrements de ceux qui étaient en état de péché. En cela, je crois, il fit mal, et se montra corrompu par l'hérésie des patarins.

Vint enfin le matin du supplice, et un gonfalonier fut le prélever, qui m'avait l'air d'une personne amie, parce qu'il lui demanda quelle espèce d'homme il était, et pourquoi il s'obstinait quand il suffisait d'affirmer ce que tout le peuple affirmait et d'accepter l'opinion de notre sainte mère l'Eglise. Mais Michel, intraitable : « Je crois en Christ pauvre crucifié. » Et le gonfalonier s'en alla en écartant les bras. Arrivèrent alors le capitaine et ses hommes, et ils conduisirent Michel dans la cour où se trouvait le vicaire de l'évêque qui lui relut et ses aveux et la condamnation. Michel intervint encore pour contester des opinions fausses qui lui étaient attribuées : et c'étaient en vérité des choses d'une telle subtilité que je ne me les rappelle pas et que je ne compris pas bien alors. Mais c'est sur ces arguties qu'on se fondait pour décider de la mort de Michel, certes, et de la persécution des fraticelles. A telle enseigne que je ne voyais pas pourquoi les hommes de l'Eglise et du bras séculier s'acharnaient de la sorte contre des personnes qui voulaient vivre en état de pauvreté et estimaient que Christ n'avait possédé aucun bien terrestre. Car, me disais-je, tant qu'à faire, ils devraient plutôt craindre des hommes qui voudraient vivre en état de richesse et soustraire de l'argent aux autres, et mener l'Eglise par les sentes du péché et y introduire des pratiques de simonie. Je parlai de cela à un quidam qui se trouvait à côté de moi, parce que je n'arrivais plus à me taire. Celui-ci sourit, moqueur, et me dit qu'un frère pratiquant la pauvreté devient un mauvais exemple pour le peuple, qui après ne se fait plus aux frères ne la pratiquant pas. Et que, ajouta-t-il, cette prédication de pauvreté mettait de mauvaises idées dans la tête du peuple, qui de sa pauvreté aurait tiré raison d'orgueil, et l'orgueil peut mener à bien des actes de superbe. Et enfin que j'aurais dû savoir, et lui non plus ne savait trop par quel syllogisme, qu'à prêcher la pauvreté pour les frères on se mettait du côté de l'empereur, ce qui n'était point de l'agrément du pape. Toutes raisons excellentes, me sembla-t-il, même émises par un homme de peu de doctrine. Sauf qu'à ce point-là je ne comprenais pas pourquoi fra Michel voulait mourir d'une façon si horrible pour complaire à l'empereur, ou mettre fin à une question entre ordres religieux. Et de fait, quelqu'un dans l'assistance disait : « Ce n'est pas un saint, il a été mandaté par Louis pour semer la discorde parmi les citadins, et les fraticelles sont toscans mais derrière eux il y a les envoyés de l'Empire. » Et d'autres : « Mais c'est un fou, il est possédé du démon, gonflé d'orgueil et il jouit du martyre dans sa morgue de damné ; on fait lire trop de vies de saints à ces frères, mieux vaudrait qu'ils prissent femme ! » Et d'autres encore : « Non, nous aurions grand besoin que tous les chrétiens fussent ainsi, prêts à témoigner de leur foi comme au temps des païens. » Et en écoutant ces voix, tandis que je ne savais plus que penser, il me fut loisible de revoir en face le condamné, que par moments la foule me cachait. Et je vis le visage d'un qui regarde quelque chose d'étranger à cette terre, comme il m'arriva de le voir sur les statues des saints qu'une vision ravissait. Et je compris que, fou ou voyant, il désirait lucidement mourir car il croyait que sa mort aurait défait son ennemi, quel qu'il fût. Et je compris que son exemple en aurait conduit d'autres à la mort. Je restai tout de même hébété par tant de fermeté, car aujourd'hui encore je ne sais si en eux prévaut un amour orgueilleux pour la vérité en laquelle ils croient, qui les conduit à la mort, ou un orgueilleux désir de mort, qui les conduit à témoigner de leur vérité, quelle qu'elle soit. Et j'en suis bouleversé d'admiration et de crainte.

Mais revenons au supplice, car désormais ils avaient tous pris le chemin du lieu de la mise à mort.

Le capitaine et ses hommes le dégagèrent de la porte, avec sa jupe légère sur le dos, en partie déboutonnée, et il allait à larges enjambées et la tête inclinée, en récitant son office, un des martyrs sans doute. Il y avait une foule incroyable et beaucoup criaient : « Ne va pas mourir ! » et lui, répondait : « Je veux mourir pour Christ », « Mais toi, tu ne meurs pas pour Christ », lui disaient-ils, et lui : « Mais pour la vérité. » Arrivés au lieu dit le coin du Proconsul, quelqu'un lui cria de prier Dieu pour eux tous, et lui, il bénit la foule. Et aux Fondamenti de sainte Liperata, quelqu'un lui dit : « Sot que tu es, crois en le pape ! » et lui, il répondit : « Vous en avez fait un dieu, de votre pape » et il ajouta : « Ils vous ont bien arrangé vos papegais » (ce qui était un jeu de mots, ou saillie, et ce disant les papes devenaient comme des animaux, en dialecte toscan, comme on me l'expliqua) : et tous s'étonnèrent qu'il allât à la mort en faisant de bons mots.

A San Giovanni, ils lui crièrent : « Prends la vie ! » et lui, il répondit : « Déprenez-vous de vos péchés ! » ; au Mercato Vecchio, ils lui crièrent : « Sauve-toi, sauve-toi ! » et lui, il répondit : « Sauvez-vous de l'enfer » ; au Mercato Nuovo, ils lui hurlèrent :

« Repens-toi, repens-toi ! » et lui, il répondit : « Repentez-vous de votre usure. » Et arrivé à Santa Croce, il vit les frères de son ordre qui se trouvaient sur les escaliers, et il les réprimanda parce qu'ils ne suivaient pas la règle de saint François. Et certains d'entre eux haussaient les épaules mais d'autres, de honte, rabattaient leur capuchon sur leur visage.

Et sur le chemin de la porte de la Giustizia beaucoup lui disaient : « Nie, nie donc, ne désire pas la mort », et lui : « Christ est mort pour nous ». Et eux : « Mais toi, tu n'es pas Christ, tu ne dois pas mourir pour nous ! » et lui : « Mais je veux mourir pour lui. » Au pré de la Giustizia quelqu'un lui demanda s'il ne pouvait pas faire comme un certain frère, son supérieur, qui avait renié, mais Michel répondit qu'il n'avait pas renié, et j'en vis beaucoup parmi la foule approuver et inciter Michel à être fort : ainsi moi et bien d'autres, nous comprîmes que ceux-là étaient des siens, et nous nous écartâmes.

On fut enfin hors la porte et, devant nous, apparut le bûcher, ou petite hutte, comme on l'appelait là-bas, parce que le bois y était disposé en forme de cabane, et des cavaliers armés firent cercle pour que les gens ne s'approchassent pas trop. Et c'est là qu'on lia frère Michel à la colonne. J'entendis encore quelqu'un lui crier : « Mais qu'est-ce que cela, pour quoi tu veux mourir ? » et lui, il répondit : « Cela est une vérité qui gîte en moi, dont on ne peut donner témoignage que par la mort. » Ils mirent le feu. Et frère Michel, qui avait déjà entonné le *Credo,* entonna ensuite le *Te Deum.* Il en chanta peut-être huit vers, puis il se plia comme s'il devait éternuer, et tomba sur les fagots, car ses liens s'étaient brûlés. Il était déjà mort, parce qu'avant que le corps ne brûle complètement, on meurt : la grande chaleur fait éclater le cœur et la fumée noie les poumons.

La hutte brûla tout à fait, comme une torche, et il y eut une grande lueur, et n'eût été le pauvre corps carbonisé de Michel qu'encore on entrevoyait au milieu des sarments incandescents, je me serais cru devant le buisson ardent. Et je fus si près d'avoir une vision que (me rappelai-je en montant les escaliers de la bibliothèque) spontanément étaient montés à mes lèvres certains mots sur le ravissement extatique que j'avais lus dans les livres de sainte Hildegarde : « La flamme consiste en une splendide clarté, en une vigueur innée et en une ardeur ignée, mais la splendide clarté, elle la possède pour briller et pour brûler, l'ardeur ignée. »

Je me souvins de quelques phrases d'Ubertin sur l'amour. L'image de Michel se confondit avec celle de Dolcino, et celle de

Dolcino avec celle de Marguerite la belle. Je sentis de nouveau cette agitation qui m'avait saisi dans l'église.

J'essayais de n'y point penser et poursuivis d'un pas décidé vers le labyrinthe.

J'y pénétrais tout seul pour la première fois, les longues ombres projetées par la lampe sur le dallage me terrorisaient autant que les visions des nuits précédentes. Je tremblais à chaque instant de me trouver devant un autre miroir, car telle est la magie des miroirs, que même si tu sais qu'il s'agit de miroirs, ils ne cessent de t'inquiéter.

Je ne cherchais d'ailleurs pas à m'orienter, ni à éviter la pièce aux parfums qui suscitent des visions. J'avançais comme en proie à la fièvre, et point ne savais où voulais aller. De fait, je ne m'éloignai pas beaucoup de l'escalier, car peu après je me retrouvai dans la pièce heptagonale par où j'étais entré. Là, sur une table, étaient disposés des livres que je n'avais pas l'impression d'avoir vus la nuit précédente. Je devinai que c'étaient des ouvrages que Malachie avait retirés du scriptorium et qu'il n'avait pas encore remis chacun à sa place particulière. Je ne comprenais pas si j'étais très loin de la salle des parfums, parce que je me sentais comme étourdi et ce pouvait être à cause de quelque effluve qui arrivait jusqu'en ce lieu, ou des choses que mon imagination avait brassées jusqu'à présent. J'ouvris un volume richement enluminé qui, par le style, me semblait provenir des monastères de la dernière Thulé.

Je fus frappé, à une page où commençait le saint évangile de l'apôtre Marc, par l'image d'un lion. C'était certainement un lion, même si je n'en avais jamais vu en chair et en os, et l'enlumineur en avait reproduit la forme, s'inspirant peut-être des lions observés en Hibernie, terre de créatures monstrueuses, et je fus convaincu que cet animal, comme le dit d'ailleurs le Physiologue, concentre en soi tous les caractères des choses les plus horribles et majestueuses à la fois. Ainsi cette image évoquait pour moi et l'image de l'ennemi et celle de Christ Notre Seigneur, et je ne savais avec quelle clef symbolique je devais la lire ; je tremblais de la tête aux pieds pris de crainte et saisi par le vent coulis qui pénétrait par les rayères des murs.

Le lion que je vis avait une gueule hérissée de dents, et une tête finement loriquée comme celle des serpents, le corps gigantesque, qui se tenait sur quatre pattes aux griffes acérées et féroces ; il ressemblait dans sa toison à l'un de ces tapis que je vis plus tard rapporter de l'orient, à écailles rouges et smaragdines, où se dessinaient, jaunes comme la peste, d'horribles et robustes entablements d'os. Jaune était aussi la queue, qui se tordait depuis le derrière jusqu'au sommet de la tête, terminée par une dernière volute de toupets blancs et noirs.

J'étais déjà fort impressionné par le lion (et plus d'une fois j'avais fait volte-face comme si je m'attendais à voir apparaître soudain un animal de même nature), quand je décidai de regarder d'autres feuillets, et je tombai, au début de l'évangile de Matthieu, sur l'image d'un homme. Je ne sais pourquoi, il m'effraya davantage que le lion : le visage était d'un homme, mais cet homme était cuirassé dans une sorte de chasuble rigide qui le recouvrait jusqu'aux pieds, et cette chasuble ou cataphracte était incrustée de pierres rouges et jaunes. Cette tête, qui surgissait, énigmatique, d'un château de rubis et de topazes, se présenta à moi (la terreur me rendait blasphémateur !) comme l'assassin mystérieux dont nous suivions les impalpables traces. Et puis je compris pourquoi je rapprochais aussi étroitement la bête et le cataphracte du labyrinthe : parce que l'une et l'autre, comme toutes les figures de ce livre, émergeaient d'un tissu illustré de labyrinthes entrelacés, où des lignes d'onyx et d'émeraudes, des fils de chrysoprase, des rubans d'aigue-marine semblaient tous faire allusion à la pelote de salles et de couloirs dans laquelle je me trouvais enroulé. Mon œil se perdait, sur la page, dans des sentiers resplendissants, comme mes pieds perdaient leur chemin dans la théorie inquiétante des salles de la bibliothèque ; et voir représentée dans ces parchemins mon errance, me remplit d'inquiétude et me convainquit que chacun de ces livres racontait par de mystérieux ricanements mon histoire présente. « De te fabula narratur », me dis-je, et je me demandai si ces pages ne contenaient pas déjà l'histoire des instants futurs qui m'attendaient.

J'ouvris un autre livre, et celui-ci me sembla de l'école hispanique. Les teintes étaient violentes, les rouges couleur sang ou feu. C'était le livre de la révélation de l'apôtre, et je tombai encore une fois, comme le soir précédent, sur la page de la mulier amicta sole. Mais il ne s'agissait pas du même livre, la miniature était différente, ici l'artiste avait plus longuement insisté sur les formes de la femme. J'en comparai le visage, le sein, les flancs flexueux avec la statue de la Vierge que j'avais vue en compagnie d'Ubertin. Le trait était différent, mais cette mulier aussi me sembla de toute beauté. Je pensai qu'il ne fallait pas que je m'attarde à ces songeries, et tournai quelques pages. Je trouvai une autre femme, mais cette fois c'était la prostituée de Babylone. Je ne fus point tant frappé par ses formes que par la pensée qu'elle aussi était une femme comme l'autre, et pourtant celle-ci était vaisseau de tout vice, celle-là réceptacle de toute vertu. Mais les formes s'avéraient de femme dans les deux cas, et à un certain point je ne fus plus capable de comprendre ce qui les distinguait. De nouveau j'éprouvai une agitation profonde, l'image de la Vierge de l'église se superposa à celle de la belle Marguerite. « Je suis damné ! » me dis-je. Ou : « Je suis fou. » Et décidai que je ne pouvais plus rester dans la bibliothèque.

Par chance, j'étais à côté de l'escalier. Je m'y précipitai au risque d'achopper et d'éteindre ma lampe. Je me retrouvai sous les vastes voûtes du scriptorium, mais pas davantage je ne m'attardai dans ce lieu et je m'élançai tête baissée dans les escaliers qui menaient au réfectoire.

Là je m'arrêtai, haletant. Par les verrières pénétrait la lumière de la lune, en cette nuit resplendissante, et je n'avais presque plus besoin de la lampe, indispensable en revanche pour les compartiments et les galeries de la bibliothèque. Toutefois je la tins allumée, comme pour y chercher réconfort. Mais je haletais encore, et pensai que j'aurais dû boire de l'eau, pour calmer mon état de tension. Comme les cuisines se trouvaient à deux pas, je traversai le réfectoire et ouvris lentement une des portes qui donnait dans la seconde moitié du rez-de-chaussée de l'Edifice.

Et c'est alors que ma terreur, au lieu de décroître, augmenta. Car je me rendis aussitôt compte que quelqu'un se trouvait dans les cuisines, près du four à pain : ou du moins je m'aperçus que dans ce coin-là brillait une lampe, et, plein d'épouvante, j'éteignis la mienne. Effrayé comme je l'étais, j'inspirai de la frayeur, et de fait l'autre (ou les autres) éteignirent la leur. Mais en vain, parce que les clartés de la nuit éclairaient suffisamment la cuisine pour dessiner devant moi, sur les dalles, une ou plusieurs ombres mêlées.

Moi, glacé, je n'osai plus reculer, ni avancer. J'entendis une voix bredouillante, un humble chuchotis, une voix de femme, me sembla-t-il. Puis de ce groupe informe qui se dessinait obscurément près du four, une ombre noire et trapue se détacha, et s'enfuit vers la porte extérieure, qui d'évidence était entrebâillée, en la refermant derrière elle.

Je restai, moi, à la limite entre réfectoire et cuisines, seul avec un quelque chose d'imprécis à côté du four. Quelque chose d'imprécis et — comment dire ? — de gémissant. En effet, de l'ombre provenait une plainte, presque un pleur étouffé, un sanglot rythmique, de peur.

Rien ne communique plus de courage au peureux que la peur

d'autrui : mais je ne me dirigeai pas vers l'ombre poussé par le courage. Plutôt poussé, dirais-je, par une ivresse à peu près semblable à celle qui m'avait saisi au moment des visions. Il y avait dans les cuisines quelque chose d'analogue aux fumigations qui m'avaient surpris dans la bibliothèque, la veille. Ou peut-être ne s'agissait-il pas des mêmes substances, mais sur mes sens surexcités elles firent le même effet. Je relevais une odeur âcre de tragante, alun et tartre, dont les cuisiniers se servaient pour aromatiser le vin. Ou peut-être, comme je le sus après, préparait-on la cervoise (à laquelle on attachait dans cette contrée au nord de la péninsule, un certain prix) et la produisait-on selon la mode de mon pays, avec de la bruyère, du myrte des marais et du romarin d'étang sauvage. Tous arômes qui, plus que mes narines, enivrèrent mon esprit.

Et tandis qu'en suivant mon instinct rationnel je voulais crier : « Vade retro ! » et m'éloigner de la chose gémissante qui était sûrement un succube évoqué pour moi par le malin, une force dans ma vis appétitive me poussa en avant, comme si je voulais participer à un prodige.

Ainsi je marchai vers l'ombre, jusqu'à ce que, à la lumière de la nuit coulant des hautes fenêtres, je m'aperçus que c'était une femme, tremblante, qui serrait d'une main un paquet sur sa poitrine, et reculait en pleurant vers la gueule du four.

Que Dieu, la Vierge Bienheureuse et tous les saints du Paradis m'assistent à présent que je vais dire ce qui m'arriva. La pudeur, la dignité de mon état (vieux moine désormais dans ce beau monastère de Melk, lieu de paix et de sereine méditation) me conseilleraient de très pieuses précautions. Je devrais dire simplement que quelque chose de mal se passa mais qu'il n'est pas honnête de répéter ce que ce fut, et je ne porterais le trouble ni en moi, ni chez mon lecteur.

Mais je me suis proposé de raconter, sur ces événements lointains, toute la vérité, et la vérité est indivise, elle brille de sa propre évidence, et ne consent pas d'être réduite par nos intérêts et par notre honte. Le problème est plutôt de dire ce qui se passa non point comme je le vois et me le rappelle à présent (même si je me rappelle tout avec une impitoyable vivacité ; et je ne sais si ce fut le repentir qui fixa d'une façon si vivace faits et pensées dans ma mémoire, ou l'insuffisance de ce même repentir qui encore me tourmente, donnant vie dans mon esprit affligé à la moindre nuance de ma honte), mais comme je le vis et le sentis alors. Et il m'est loisible de le faire, avec une fidélité de chroniqueur, car si je ferme les yeux, je peux tout répéter de ce que je fis et même pensai en ces instants, comme si je copiais un parchemin écrit alors. Il me faut donc ainsi aller de l'avant, et que saint Michel Archange me protège : parce que pour l'édification de mes lecteurs futurs et la fustigation de ma faute, je veux raconter maintenant comment un jeune homme peut donner dans les trames du démon, afin que ces dernières puissent être connues et manifestes, et que celui qui encore donne dedans, puisse les défaire.

C'était donc une femme. Que dis-je, une toute jeune fille. Ayant eu jusqu'alors (et depuis lors, grâce en soit rendue à Dieu) peu de familiarité avec les êtres de ce sexe, je ne sais dire quel âge elle pouvait avoir. Je sais qu'elle était jeune, presque adolescente, peut-être avait-elle seize, ou dix-huit printemps, ou peut-être vingt, et je fus frappé par l'impression d'humaine réalité qui émanait de cette figure. Ce n'était pas une vision, et elle me parut en tout cas valde bona. Peut-être parce qu'elle tremblait comme tremble un oisillon l'hiver, et pleurait, et avait peur de moi.

Ainsi, pensant que le devoir de tout bon chrétien est de secourir son prochain, je m'approchai d'elle avec grande douceur et en bon latin je lui dis qu'elle ne devait avoir nulle crainte parce que j'étais un ami, en tout état de cause pas un ennemi, certainement pas l'ennemi comme sans doute elle le redoutait.

Peut-être à cause de la mansuétude qui émanait de mon regard, la créature se calma et vint à moi. Je m'aperçus qu'elle ne comprenait pas mon latin et d'instinct je lui adressai la parole dans mon allemand vulgaire, ce qui l'effraya au plus haut point, je ne sais si à cause des sons âpres, inusités chez les gens de cette contrée, ou parce que ces sons lui rappelaient quelque autre expérience avec des soldats de mes terres. Alors je souris, considérant que le langage des gestes et du visage est plus universel que celui des mots, et elle s'apaisa. Elle me sourit elle aussi et me dit deux ou trois mots.

Je connaissais très peu sa langue vulgaire, elle était en tout cas différente de celle que j'avais en partie apprise à Pise, toutefois je m'aperçus d'après le ton, qu'elle me disait des mots doux, et me sembla-t-il, quelque chose comme : « Toi, tu es jeune, toi, tu es beau... » Il arrive rarement à un novice, qui a passé toute son enfance dans un monastère, d'entendre des déclarations sur sa beauté, on est plutôt bien averti que la beauté corporelle est fugace et qu'il faut la tenir pour fort vile : mais les trames de l'ennemi sont infinies et j'avoue que cette allusion marquée à ma vénusté, pour mensongère qu'elle fût, pénétra avec vive douceur dans mes oreilles et me donna une irrépressible émotion. D'autant qu'en disant cela, la jeune fille avait tendu la main vers moi et du bout de ses doigts, effleuré ma joue, alors complètement imberbe. J'en éprouvai comme une impression de défaillance, mais à ce moment-là je n'arrivais pas à ressentir l'ombre d'un péché dans mon cœur. Tant peut le démon quand il veut nous mettre à l'épreuve et effacer de notre âme les traces de la grâce.

Qu'éprouvai-je ? Que vis-je ? De cela je me souviens : les émotions du premier instant furent dénuées de toute expression, parce que ma langue et mon esprit n'avaient pas été éduqués à nommer des sensations de ce genre. Jusqu'au moment où il me souvint d'autres paroles intérieures, entendues en d'autres temps et en d'autres lieux, certainement dites pour d'autres fins, mais qui me semblèrent admirablement s'harmoniser avec le plaisir de ces instants-là, comme si elles étaient consubstantiellement nées pour l'exprimer. Des paroles qui s'étaient pressées en foule dans les cavernes de ma mémoire, s'exhalèrent à la surface (muette) de mes lèvres, et j'oubliai qu'elles avaient servi dans les Ecritures ou sur les pages des saints à exprimer des réalités combien plus flamboyantes. Mais, au vrai, y avait-il une telle différence entre les délices dont avaient parlé les saints et celles que mon âme troublée éprouvait en cet instant ? En cet instant s'annula en moi le sentiment vigilant de la différence. Qui est précisément, ce me semble, le signe du ravissement dans les abîmes de l'identité.

D'un coup la jeune fille m'apparut ainsi que la vierge noire mais toute belle dont parle le Cantique. Elle portait une pauvre robe élimée de toile écrue qui s'ouvrait, assez impudique, sur sa poitrine, et au cou un collier de menues pierres colorées et, je crois, sans valeur aucune. Mais sa tête se dressait fièrement sur un cou blanc comme une tour d'ivoire, ses yeux étaient clairs comme les piscines de Heshbôn, son nez était une tour du Liban, les nattes de son chef comme la pourpre. Oui, sa chevelure m'apparut comme un troupeau de chèvres, ses dents comme des troupeaux de brebis qui remontent du bain, chacune a sa jumelle, si bien qu'aucune d'elles ne primait sur sa compagne. Et : « Que tu es belle, ma bien-aimée, que tu es belle ! me pris-je à murmurer, tes cheveux sont comme un troupeau de chèvres ondulant sur les pentes de Galaad, tes lèvres comme un ruban de pourpre, tes joues, des moitiés de grenade, ton cou est comme la tour de David où sont suspendues mille rondaches. » Et je me demandai, épouvanté et ravi, quelle était celle-ci surgissant devant moi comme l'aurore, belle comme la lune, resplendissante comme le soleil, terribilis ut castrorum acies ordinata.

Alors la créature s'approcha encore plus de moi, jetant dans un coin le paquet sombre qu'elle avait jusqu'alors tenu serré contre sa poitrine, et elle leva encore une main pour caresser mon visage, et elle répéta encore une fois les mots que j'avais déjà entendus. Et tandis que je ne savais pas si la fuir ou m'approcher davantage encore, tandis que ma tête palpitait comme si les trompettes de Josué allaient faire crouler les murs de Jéricho, et qu'en même temps je désirais et tremblais de la toucher, elle eut un sourire de grande joie, émit un gémissement étouffé de chèvre attendrie, et défit les lacets qui retenaient encore sa robe sur sa poitrine, qu'elle fit glisser de son corps comme une tunique, et elle resta devant moi comme Eve devait être apparue à Adam au jardin de l'Eden. « Pulchra sunt ubera quae paululum supereminent et tument modice », murmurai-je, répétant la phrase que j'avais entendue de la bouche d'Ubertin, car ses seins m'apparurent comme deux faons, jumeaux d'une gazelle, qui paissaient parmi les lis, son nombril fut une coupe ronde où le vin drogué ne manque jamais, son ventre, un monceau de froment entouré de fleurs des vallées.

« O sidus clarum puellarum, lui criai-je, o porta clausa, fons hortorum, cella custos unguentorum, cella pigmentaria ! » et je me retrouvai sans le vouloir contre son corps dont je sentais la chaleur et le parfum âcre d'onguents inconnus de moi. Je me souvins : « Fils, quand vient l'amour fou, rien ne peut l'homme ! » et je compris que, ce que j'éprouvais, fût-il trame de l'ennemi ou don céleste, je ne pouvais désormais rien faire pour contrecarrer l'impulsion qui m'emportait et : « Oh ! langueo », criai-je, et : « Causa languoris video nec caveo ! » c'est qu'aussi un parfum de rose s'exhalait de ses lèvres et ils étaient beaux ses pieds, ses pieds dans ses sandales, et ses jambes étaient comme des colonnes et la courbe de ses flancs, comme un collier, œuvre des mains d'un artiste. O amour, fille de délices, un roi est pris à tes boucles, murmurai-je en moi, et je fus dans ses bras, et nous tombâmes ensemble sur les dalles nues des cuisines et, je ne sais si de ma propre initiative ou grâce à son art à elle, je me trouvai libéré de ma robe de novice et nous n'eûmes point honte de nos corps et cuncta erant bona.

Et elle me baisa des baisers de sa bouche, et ses amours furent plus délicieuses que le vin et l'arôme de ses parfums m'enivrait de délices, et son cou était beau entouré de perles et ses joues cerclées de pendentifs, que tu es belle, ma bien-aimée, que tu es belle, tes yeux sont des colombes (disais-je) et laisse-moi voir ton visage, fais-moi entendre ta voix, car ta voix est harmonieuse et ton visage enchanteur, tu m'as fait perdre le sens, ma sœur, tu m'as fait perdre le sens, d'un seul de tes regards, avec une seule gemme de ton cou, tes lèvres distillent un rayon de miel, le miel et le lait sont sous ta langue, le parfum de ton souffle est comme celui des pommes, tes seins en grappes, tes seins comme des grappes de raisin, ton palais un vin exquis qui pique droit sur mon amour et coule sur les lèvres et sur les dents... Fontaine de jardin, nard et safran, cannelle et cinnamome, myrrhe et aloès, je mangeais ma gaufre et mon miel, je buvais mon vin et mon lait, qui était, qui était donc celle-ci qui surgissait comme l'aurore, belle comme la lune, resplendissante comme le soleil, redoutable comme des bataillons ?

Oh ! Seigneur, quand l'âme se voit ravie, alors la seule vertu est d'aimer ce que tu vois (n'est-ce pas ?), la plus haute félicité est d'avoir ce que tu as, alors la vie bienheureuse se boit à sa source (ne l'a-t-on pas dit déjà ?), alors on savoure la vraie vie qu'après cette vie mortelle il nous reviendra de vivre auprès des anges dans l'éternité... Voilà ce qui sillonnait mon esprit, et il me semblait que les prophéties se réalisaient, enfin, tandis que la jeune fille me comblait de douceurs indescriptibles et mon corps était devenu tout entier un œil devant et derrière et je voyais tout ce qui m'entourait d'un seul coup. Et je compris que par lui, qui est l'amour, se produisent à la fois l'unité et la suavité et le bien et le baiser et l'embrassement, comme je l'avais déjà entendu dire, croyant qu'on me parlait d'autre chose. Et pendant un seul instant, quand ma joie allait toucher son zénith, il me souvint que j'étais peut-être en train d'expérimenter, et de nuit, la possession du démon méridien, condamné enfin à se montrer dans sa nature même de démon à l'âme qui en extase demande : « Qui es-tu ? », lui qui sait ravir l'âme et illusionner le corps. Mais aussitôt je fus convaincu que mes hésitations, elles oui, étaient diaboliques, car rien ne pouvait être plus juste, plus délicieux, plus saint que ce que j'éprouvais maintenant et dont la douceur augmentait d'instant en instant. Comme une petite goutte d'eau instillée dans une grande quantité de vin se dissipe tout à fait pour prendre couleur et saveur de vin, comme le fer incandescent et enflammé devient tout semblable au feu, perdant sa forme primitive, comme l'air inondé par la lumière du soleil est transformé en la plus grande splendeur et en la même clarté, au point de ne pas paraître illuminé mais être lumière lui-même, ainsi je me sentais mourir de tendre liquéfaction, si bien qu'il ne me resta plus que la force de murmurer les paroles du psaume : « Voici : ma poitrine est comme le vin nouveau, sans ouverture, qui brise les outres neuves », et aussitôt je vis une éclatante lumière et en elle une forme couleur du saphir qui s'enflammait tout entière d'un feu rutilant et très suave, et cette lumière splendide se dissémina complètement dans le feu rutilant, et ce feu rutilant dans cette forme resplendissante et cette lumière éclatante et ce feu rutilant dans la forme tout entière.

Tandis que, presque évanoui, je tombais sur le corps auquel je m'étais uni, je compris dans un ultime souffle de vitalité que la flamme consiste en une splendide clarté, en une vigueur innée et en une ardeur ignée, mais la splendide clarté elle la possède pour briller et l'ardeur ignée pour brûler. Puis je compris l'abîme, et les abîmes ultérieurs qu'il invoquait.

A présent que, d'une main tremblante (je ne sais si c'est pour l'horreur du péché dont je parle ou pour la coupable nostalgie du fait que je remémore), j'écris ces lignes, je m'aperçois que j'ai utilisé les mêmes mots pour décrire mon extase abjecte de cet instant-là, que pour décrire, quelques pages plus haut, le feu qui brûlait le corps martyr du fraticelle Michel. Et ce n'est pas un hasard si ma main, exécutrice soumise de l'âme, a couché par écrit les mêmes expressions pour deux expériences aussi dissemblables, car il est probable que je les vécus de la même façon alors, et il y a un instant, quand je cherchais à les faire revivre toutes les deux sur le parchemin.

Il est une mystérieuse sagesse en raison de quoi des phénomènes entre eux disparates peuvent être nommés avec des mots analogues, la même sagesse en raison de quoi les choses divines peuvent être désignées avec des noms terrestres, et par des symboles équivoques Dieu peut être dit lion ou léopard, et la mort, blessure, et la joie, flamme, et la flamme, mort, et la mort, abîme, et l'abîme, perdition et la perdition, défaillance et la défaillance, passion.

Pourquoi moi, jeune homme, nommais-je l'extase de mort qui m'avait frappé dans le martyr Michel avec les mots dont s'était servie la sainte pour nommer l'extase de vie (divine), mais avec les mêmes mots ne pouvais-je nommer l'extase (coupable et passagère) de jouissance terrestre, qui de son côté m'avait semblé sitôt après sensation de mort et anéantissement ? Je cherche à présent à raisonner sur la manière dont je ressentis, à quelques mois de distance, deux expériences l'une et l'autre exaltante et douloureuse à la fois, et sur la manière dont cette nuit-là dans l'abbaye je remémorai l'une et notablement ressentis l'autre, à quelques heures de distance, et encore sur la manière dont toutes à la fois je les ai revécues à présent, couchant ces lignes par écrit, et comment dans les trois cas je me les suis racontées avec les mots de l'expérience différente d'une âme sainte qui s'annulait dans la vision de la divinité. Se peut-il que j'aie blasphémé (jadis, maintenant) ? Qu'y avait-il de semblable dans le désir de mort de Michel, dans le ravissement que j'éprouvai à la vue de la flamme qui le consumait, dans le désir de conjonction charnelle que j'éprouvai avec la jeune fille, dans la pudeur mystique par quoi je le traduisais allégoriquement, et dans ce même désir d'anéantissement jubilant qui poussait la sainte à mourir de son propre amour pour vivre davantage et éternellement ? Possible que des choses aussi équivoques se puissent dire de façon aussi univoque ? Et pourtant, c'est là, semble-t-il, l'enseignement que nous ont laissé les plus grands d'entre les docteurs : omnis ergo figura tanto evidentius veritatem demonstrat quanto apertius per dissimilem similitudinem figuram se esse et non veritatem probat. Mais si l'amour de la flamme et de l'abîme sont figure de l'amour de Dieu, peuvent-ils être figure de l'amour de la mort et de l'amour du péché ? Oui, ainsi que le lion et le serpent sont à la fois figure et de Christ et du démon. C'est que la justesse de l'interprétation ne peut être fixée que par l'autorité des pères, et dans le cas qui me tourmente, je n'ai point d'auctoritas à laquelle mon esprit obéissant puisse se référer, et je brûle dans le doute (et voilà qu'intervient encore la figure du feu pour définir le vide de vérité et la plénitude d'erreur qui m'anéantissent !). Que se passe-t-il, ô Seigneur, dans mon âme, maintenant que je me laisse prendre au tourbillon des souvenirs et que je suscite cette conflagration d'époques différentes, comme si j'allais altérer l'ordre des astres et forcer la séquence de leurs mouvements célestes ? Je passe certainement les limites de mon intelligence pécheresse et malade. Allons, revenons à la tâche que je me suis humblement proposée. J'étais en train de parler de ce jour-là et de l'égarement total des sens où je m'abîmai. Voilà, j'ai dit ce dont je me souvins en cette occasion, et qu'à ceci se borne ma faible plume de véridique et fidèle chroniqueur.

Je restai allongé, je ne sais combien de temps, la jeune fille auprès de moi. D'un mouvement léger, seule sa main continuait de toucher mon corps, maintenant moite de sueur. J'éprouvais une exultation intérieure, qui n'était point la paix, mais comme la dernière ardeur étouffée d'un feu qui tardait à s'éteindre sous la cendre lorsque la flamme est morte désormais. Je n'hésiterais pas à appeler bienheureux celui à qui serait permis d'éprouver quelque chose de semblable (murmurais-je comme dans le sommeil), fût-ce rarement, dans cette vie (et de fait, je ne l'éprouvai que cette fois-là), et à vive allure seulement, et pendant un seul court laps de temps. Comme si on n'existait plus, ne se sentir en rien soi-même, être ravalé, presque anéanti, et si quelque mortel (me disais-je) pouvait un seul instant et vivement goûter ce que j'ai goûté, aussitôt il regarderait d'un mauvais œil ce monde pervers, serait troublé par la malice du vivre quotidien, sentirait le poids de son corps de mort... N'était-ce pas ce qu'on m'avait appris ? Cette invitation de mon esprit tout entier à perdre la mémoire dans la béatitude était certes (je le comprends, à présent) l'irradiation du soleil éternel, et la joie que celui-ci produit ouvre, éploie, agrandit l'homme, et la gorge béante que l'homme porte en soi ne se referme plus avec autant de facilité, c'est la blessure ouverte sous le coup d'épée de l'amour, et il n'est rien ici-bas qui ne soit plus doux et plus terrible. Mais tel est le droit du soleil, il crible de rayons le blessé et toutes ses plaies s'élargissent, l'homme s'ouvre et se dilate, ses veines mêmes sont béantes, ses forces ne sont plus en mesure d'exécuter les ordres qu'elles reçoivent mais uniquement mues par le désir, l'esprit brûle abîmé dans l'abîme de ce qu'il touche maintenant, voyant son propre désir et sa propre vérité dépassés par la réalité qu'il a vécue et qu'il vit. Et l'on assiste stupéfait à sa propre défaillance.

Ce fut sous le coup de telles sensations d'indicible jouissance intérieure que je m'assoupis.

Un certain temps était passé quand je rouvris les yeux, et la lumière de la nuit, peut-être à cause d'une nue, s'était beaucoup affaiblie. J'allongeai la main de côté et ne sentis pas le corps de la jeune fille. Je tournai la tête : elle n'était plus là.

L'absence de l'objet qui avait déchaîné mon désir et rassasié ma soif me fit ressentir tout à coup et la vanité de ce désir et la perversité de cette soif. Omne animal triste post coitum. Je pris conscience du fait que j'avais péché. Maintenant, à des années et des années de distance, tandis qu'encore je pleure amèrement ma faute, je ne puis oublier que ce soir-là j'avais éprouvé une grande jouissance et je ferais tort au Très-Haut, qui a créé toutes les choses en bonté et beauté, si je n'admettais aussi qu'en cette histoire de deux pécheurs, il advint quelque chose qui en soi, naturaliter, était bon et beau. Mais peut-être est-ce ma vieillesse actuelle qui me fait sentir coupablement comme beau et bon tout ce qui appartint à ma jeunesse. Alors que je devrais tourner ma pensée vers la mort, qui approche. Jeune, jadis, je ne pensai point à la mort, mais à chaudes et sincères larmes, je pleurai sur mon péché.

Je me levai tout tremblant, c'est qu'aussi j'avais été un long temps couché sur la pierre glacée de la cuisine et mon corps était transi. Je me revêtis, presque fiévreusement. J'aperçus alors dans un coin le paquet que la fille avait abandonné dans sa fuite. Je me penchai pour examiner l'objet : c'était une sorte de sachet fait de toile enroulée, qui semblait provenir des cuisines. Je le déroulai, et sur le moment je ne compris pas ce qu'il y avait dedans, tant à cause du manque de lumière que de l'aspect de son contenu. Puis je compris : parmi des caillots de sang et des lambeaux de chair plus flasque et blanchâtre, était devant mes yeux, mort mais encore palpitant de la vie gélatineuse des viscères morts, sillonné de nerfs livides, un cœur, de grande dimension.

Un voile sombre descendit sur mes yeux, une salive acidulée me remplit la bouche. Je poussai un hurlement et tombai comme un corps mort tombe.

Troisième jour

NUIT

Où Adso bouleversé se confesse à Guillaume et médite sur la fonction de la femme dans le plan de la création, pour découvrir ensuite le cadavre d'un homme.

Je revins à moi au moment où quelqu'un m'humectait le visage. C'était frère Guillaume, qui portait une lampe, et m'avait mis quelque chose sous la tête.

« Qu'est-il arrivé, Adso, me demanda-t-il, que tu rôdes la nuit à voler des abats dans les cuisines ? »

Bref, Guillaume s'était réveillé, m'avait cherché je ne sais plus pour quelle raison, et ne me trouvant pas, il avait soupçonné que j'étais allé faire quelque bravade dans la bibliothèque. Comme il s'approchait de l'Edifice du côté des cuisines, il avait vu une ombre qui sortait par la porte donnant sur le potager (c'était la fille qui s'éloignait, sans doute parce qu'elle avait entendu quelqu'un s'approcher). Il avait cherché à comprendre de qui il s'agissait et tenté de la suivre, mais elle (autrement dit ce qui était une ombre pour lui) s'était enfuie vers le mur d'enceinte et puis avait disparu. Alors Guillaume — après une exploration des environs — était entré dans les cuisines et là, il m'avait trouvé évanoui.

Quand je lui indiquai, encore terrorisé, le paquet avec le cœur, bafouillant quelque chose sur un nouveau crime, il se mit à rire : « Adso, mais quel homme pourrait avoir un cœur aussi gros ? C'est un cœur de vache, ou de bœuf, ils ont tout juste tué un animal aujourd'hui ! Plutôt, comment se trouve-t-il dans tes mains ? »

A ce point-là, oppressé par les remords, outre qu'abasourdi par l'effroi, je fondis en larmes et demandai qu'il m'administrât le sacrement de la confession. Ce qu'il fit, et je lui racontai tout sans rien lui cacher.

Frère Guillaume m'écouta avec un grand sérieux, mais avec une ombre d'indulgence aussi. Lorsque j'eus fini, il prit un air grave et me dit : « Adso, tu as péché, sans nul doute, et contre le commandement qui t'impose de ne point forniquer, et contre tes devoirs de novice. A ta décharge, le fait est que tu t'es trouvé dans une de ces situations où se serait damné même un père dans le désert. Et sur la femme comme source de tentation, les Ecritures ont déjà suffisamment parlé. De la femme, l'Ecclésiaste dit que sa conversation est comme un feu ardent, et les Proverbes disent qu'elle s'empare de l'âme précieuse de l'homme et que les plus forts ont été ruinés par elle. Et l'Ecclésiaste dit encore : " Or je trouve plus amer que la mort : la femme, car elle est un piège, et son cœur un filet ; et ses bras des chaînes. " Et d'autres ont dit qu'elle est le vaisseau du démon. Cela étant bien clair, cher Adso, je n'arrive pas à me convaincre que Dieu ait voulu introduire dans la création un être aussi immonde sans le douer de quelque vertu. Et je ne puis pas ne pas réfléchir sur le fait qu'Il lui a accordé de nombreux privilèges et motifs d'estime, dont trois au moins, très grands. En effet, Il a créé l'homme dans ce monde vil, et à partir de la boue, et la femme en un second temps, au paradis et à partir de la noble matière humaine. Et Il ne l'a pas tirée des pieds ou des intestins du corps d'Adam, mais de sa côte. En second lieu le Seigneur, qui peut tout, aurait pu s'incarner directement dans un homme en quelque sorte miraculeux, et Il choisit au contraire d'habiter dans le ventre d'une femme, signe qu'elle n'était pas aussi immonde que cela. Et lorsqu'Il apparut après la résurrection, Il apparut à une femme. Et enfin, dans la gloire céleste aucun homme ne sera roi de cette suprême patrie, au contraire en sera reine une femme qui n'a jamais péché. Si donc le Seigneur a eu tant d'attentions pour Eve elle-même et pour ses filles, est-il si anormal que nous aussi nous nous sentions attirés par les grâces et par la noblesse de ce sexe ? Ce que je veux te dire, Adso, c'est bien sûr que tu ne dois plus le faire, mais qu'il n'est pas si monstrueux que tu aies été tenté de le faire. Et d'ailleurs, qu'un moine, au moins une fois dans sa vie, ait eu une expérience de la passion charnelle, de façon à pouvoir être un jour indulgent et compréhensif avec les pécheurs auxquels il donnera conseil et réconfort... eh bien, cher Adso, c'est une chose à ne pas souhaiter avant qu'elle n'arrive, mais non plus à trop vitupérer après qu'elle est arrivée. Et donc, que Dieu soit avec toi, et n'en parlons plus. Mais plutôt, pour ne pas nous attarder à trop méditer sur quelque chose qu'il vaudra mieux oublier, si tu y parviens (et il me sembla qu'ici sa voix s'affaiblit comme sous le coup d'une émotion secrète), demandons-nous plutôt le sens de ce qui s'est passé cette nuit. Qui était cette fille, et avec qui avait-elle rendez-vous ?

— Cela je l'ignore vraiment, et je n'ai pas vu l'homme qui se trouvait avec elle, dis-je.

— Bon, mais nous pouvons déduire de qui il s'agissait d'après des indices absolument certains. C'était avant tout un homme laid et vieux, avec qui une jeune fille ne va pas volontiers, surtout si elle est aussi belle que tu la dépeins, même si j'ai lieu de croire, mon cher petit loup, que tu étais enclin à trouver tout morceau exquis.

— Pourquoi laid et vieux ?

— Parce que la jeune fille ne se rendait pas auprès de lui par amour, mais pour un paquet de rognons. C'était certainement une fille du village qui, sans doute pas à sa première expérience, se donne par faim à quelque moine luxurieux, et en obtient comme récompense quelque chose à se mettre sous la dent, pour elle et sa famille.

— Une prostituée, dis-je horrifié.

— Une paysanne pauvre, Adso. Sans doute avec des petits frères à nourrir. Et qui, si elle le pouvait, se donnerait par amour et non par lucre. Comme elle a fait ce soir. Tu me dis en effet qu'elle t'a trouvé jeune et beau, et elle t'a donné gratis et par amour pour toi ce qu'à d'autres elle eût donné en revanche pour un cœur de bœuf et quelques morceaux de mou. Elle s'est sentie si vertueuse pour le don gratuit qu'elle a fait de soi, et soulagée, qu'elle s'est enfuie sans rien prendre en échange. Voilà pourquoi je pense que l'autre, auquel elle t'a comparé, n'était ni jeune ni beau. »

J'avoue que, pour fort vif que fût encore mon repentir, cette explication me remplit de très doux orgueil, mais je me tus et laissai continuer mon maître.

« Ce vieux dégoûtant devait avoir la possibilité de descendre au village et d'être en contact avec les paysans, pour des raisons inhérentes à son office. Il devait connaître la façon de faire entrer et sortir des gens de l'enceinte, et savoir qu'il y aurait eu ces abats dans les cuisines (et on aurait même pu dire demain que, la porte étant restée ouverte, un chien était entré et les avait mangés). Enfin, il devait avoir un certain sens de l'économie, et un certain intérêt à ce que les cuisines ne fussent pas dégarnies de denrées plus précieuses, sinon il lui aurait donné un entrecôte ou un autre morceau de choix. Et alors tu vois que l'image de notre inconnu se dessine avec grande clarté et que toutes ces propriétés, ou accidents, conviennent bien à une substance que je ne craindrais point de définir comme notre cellérier, Rémigio de Varagine. Ou, si je me trompais, comme notre mystérieux Salvatore. Qui, entre autres, étant de cette région, sait fort bien parler avec les gens du coin et sait comment convaincre une jeune fille de faire ce qu'il voulait lui faire faire, si tu n'étais pas arrivé.

— C'est sûrement ça, dis-je convaincu, mais à quoi cela nous sert-il à présent de le savoir ?

— A rien. Et à tout, dit Guillaume. L'histoire peut avoir ou ne pas avoir un rapport avec les crimes dont nous nous occupons. D'autre part si le cellérier a été dolcinien, ceci explique cela et vice versa. Nous savons enfin maintenant que cette abbaye, la nuit, est un lieu d'errance plein de tribulations. Et qui sait si notre cellérier, ou Salvatore, qui la parcourent dans le noir avec une telle désinvolture, n'en savent pas en tout cas beaucoup plus qu'ils ne disent.

— Mais ils parleront devant nous ?

— Non, si nous avons une attitude compatissante, si nous ignorons leurs péchés. Mais si nous devions vraiment savoir quelque chose, nous tiendrions une façon de les persuader de parler. Autrement dit, s'il le faut, le cellérier ou Salvatore sont à notre merci, et Dieu nous pardonnera cet abus de pouvoir, vu qu'Il pardonne tant d'autres choses », dit-il, et il me regarda avec malice, mais je n'eus pas le cœur de faire des observations sur le caractère licite de ses propos.

« Et maintenant nous devrions aller au lit, car dans une heure sonnent matines. Mais je te vois encore agité, mon pauvre Adso, encore tout timoré devant ton péché... Rien ne vaut une bonne halte dans l'église pour se détendre l'âme. Moi, je t'ai absous, mais on ne sait jamais. Va demander confirmation au Seigneur. » Et il me donna une tape plutôt énergique sur la tête, peut-être comme preuve de paternelle et virile affection, peut-être comme indulgente pénitence. Ou peut-être (comme coupablement je le pensai à ce moment-là) par une sorte d'envie débonnaire, en homme assoiffé d'expériences neuves et ardentes qu'il était.

Nous prîmes le chemin de l'église, en sortant par notre passage habituel, que je parcourus en hâte et les yeux fermés, car tous ces os me rappelaient avec trop grande évidence, cette nuit-là, que moi aussi j'étais poussière et qu'insensé au plus haut point avait été l'orgueil de ma chair.

Arrivés dans la nef, nous vîmes une ombre devant le maître-autel. Je croyais que c'était encore Ubertin. C'était Alinardo, qui tout d'abord ne nous reconnut pas. Il dit que désormais incapable de dormir, il avait décidé de passer la nuit à prier pour ce jeune moine disparu (dont il ne se rappelait pas même le nom). Il priait pour son âme, s'il était mort, pour son corps, s'il gisait infirme et seul en quelque endroit. « Trop de morts, dit-il, trop de morts... Mais c'était écrit dans le livre de l'apôtre. Avec la première trompette vint la grêle, avec la deuxième, le tiers de la mer devint du sang, et vous avez trouvé l'un dans la grêle, l'autre dans le sang... La troisième trompette avertit qu'un astre de feu tombera sur le tiers des fleuves et sur les sources. Ainsi je vous le dis, a disparu notre troisième frère. Et craignez pour le quatrième, parce que seront frappés le tiers du soleil et le tiers de la lune et le tiers des étoiles, si bien que l'obscurité sera presque complète... »

Tandis que nous sortions du transept, Guillaume se demanda si dans les paroles du vieillard il n'y avait pas quelque chose de vrai.

« Mais, lui fis-je observer, cela supposerait qu'un seul cerveau diabolique, se servant de l'Apocalypse comme guide, aurait préparé les trois disparitions, en admettant que Bérenger aussi soit mort. En revanche, nous savons que celle d'Adelme fut due à sa volonté...

— C'est vrai, dit Guillaume, mais le même cerveau diabolique, ou malade, pourrait avoir tiré inspiration de la mort d'Adelme pour organiser de façon symbolique les deux autres. Et s'il en était ainsi, Bérenger devrait se trouver dans un fleuve ou dans une source. Et il n'y a ni fleuves ni sources à l'abbaye, du moins pas tels que quelqu'un s'y puisse noyer ou y puisse être noyé...

— Il n'y a que les bains, observai-je presque par hasard.

— Adso ! dit Guillaume, tu sais que ça peut être une idée ? Les balnea !

— Mais ils ont déjà dû regarder...

— J'ai vu les servants ce matin lorsqu'ils faisaient leurs recherches, ils ont ouvert la porte du bâtiment des balnea et ont donné un coup d'œil circulaire, sans fouiller, ils ne s'attendaient pas encore à devoir chercher quelque chose de bien caché, ils s'attendaient à un cadavre gisant théâtralement quelque part, comme le cadavre de Venantius dans la jarre... Allons jeter un coup d'œil, aussi bien il fait encore sombre et il me semble que notre lampe brûle encore avec plaisir. »

Ainsi fîmes-nous, et nous ouvrîmes sans difficulté la porte des balnea, adossés à l'hôpital.

Isolées l'une de l'autre par de larges rideaux, il y avait je ne sais plus combien de baignoires. Les moines s'en servaient pour leur hygiène, quand la règle en fixait le jour, et Séverin s'en servait pour des raisons thérapeutiques, car il n'est rien de tel qu'un bain pour calmer le corps et l'esprit. Une cheminée dans un angle permettait aisément de réchauffer l'eau. Nous la trouvâmes souillée de cendres fraîches, avec devant, une grande chaudière renversée. Dans un coin, on pouvait puiser l'eau à une source.

Nous regardâmes dans les premières baignoires, qui étaient vides. Seule la dernière, dissimulée par un rideau tiré, était remplie avec, à côté, en tas, une vêture. A première vue, à la lumière de notre lampe, la surface du liquide nous sembla calme : mais comme la lumière donna dessus, nous entrevîmes sur le fond, inanimé, un corps d'homme, nu. Nous le tirâmes lentement hors de l'eau : c'était Bérenger. Et lui, dit Guillaume, avait vraiment la face d'un noyé. Les traits de son visage étaient enflés. Le corps, blanc et mou, sans un poil, avait l'air d'un corps de femme, si l'on exclut le spectacle obscène des flasques pudenda. Je rougis, puis un frisson me parcourut. Je fis le signe de la croix, tandis que Guillaume bénissait le cadavre.

QUATRIÈME JOUR

Quatrième jour

LAUDES

Où Guillaume et Séverin examinent le cadavre de Bérenger, découvrent qu'il a la langue noire, chose singulière pour un noyé. Puis ils discutent de poisons très douloureux et d'un vol du temps passé.

Je ne m'attarderai pas à dire comment nous informâmes l'Abbé, comment toute l'abbaye se réveilla avant l'heure canonique, les cris d'horreur, l'épouvante et la douleur qu'on voyait sur le visage de chacun, comment la nouvelle se propagea dans tout le peuple de la plaine, avec les servants qui se signaient et prononçaient des formules de conjuration. Je ne sais si ce matin-là le premier office se déroula selon les règles, et qui y prit part. Moi je suivis Guillaume et Séverin qui firent envelopper le corps de Bérenger et donnèrent l'ordre de l'allonger sur une table, dans l'hôpital.

Une fois l'Abbé et les autres moines éloignés, l'herboriste et mon maître observèrent longuement le cadavre, avec la froideur des hommes de médecine.

« Il est mort noyé, dit Séverin, il n'y a point de doute. Le visage est enflé, le ventre est tendu...

— Mais il n'a pas été noyé par quelqu'un d'autre, observa Guillaume, sinon il se serait rebellé à la violence de l'homicide, et nous aurions trouvé des traces d'eau répandue autour de la baignoire. Au contraire, tout était bien ordonné et propre, comme si Bérenger avait fait réchauffer l'eau, rempli la baignoire et s'y était installé de sa propre volonté.

— Voilà qui ne m'étonne guère, dit Séverin. Bérenger souffrait de convulsions, et je lui avais dit moi-même, à plusieurs reprises, que les bains tièdes servent à calmer l'excitation du corps et de l'esprit. Plusieurs fois, il m'avait demandé l'autorisation d'accéder aux balnea. C'est ce qu'il aurait pu faire cette nuit...

— La nuit précédente, observa Guillaume, car ce corps — tu le vois — est resté dans l'eau un jour au moins...

— Il est possible que ça se soit passé l'autre nuit », convint

Séverin. Guillaume le mit en partie au courant des événements de cette nuit-là. Il ne lui dit pas que nous étions allés furtivement dans le scriptorium mais, en lui cachant diverses circonstances, il lui dit que nous avions poursuivi une silhouette mystérieuse qui nous avait dérobé un livre. Séverin comprit que Guillaume ne lui racontait qu'une partie de la vérité, mais il ne posa pas de questions. Il observa que l'agitation de Bérenger, si c'était lui le voleur mystérieux, pouvait l'avoir poussé à chercher la tranquillité dans un bain restaurateur. Bérenger, observa-t-il encore, était de nature très sensible, parfois une contrariété ou une émotion lui provoquait des tremblements, des sueurs froides, il roulait des yeux et tombait par terre en crachant une bave blanchâtre.

« En tout cas, dit Guillaume, avant de venir ici il s'est rendu ailleurs, car je n'ai pas vu dans les balnea le livre qu'il a volé.

— Oui, confirmai-je avec une certaine fierté, j'ai soulevé sa vêture qui croupissait à côté de la baignoire, et je n'ai trouvé trace d'aucun objet volumineux.

— Bien, me sourit Guillaume. Donc il s'est rendu quelque part, ailleurs, puis admettons toujours que pour calmer son agitation, et peut-être pour se soustraire à nos recherches, il se soit glissé dans les balnea et se soit plongé dans l'eau. Séverin, juges-tu que le mal dont il souffrait était suffisant pour lui faire perdre les sens et entraîner la noyade ?

— Ça se pourrait, hésita Séverin. D'autre part, si tout est arrivé il y a deux nuits, de l'eau aurait très bien pu verser autour de la baignoire, et sécher par la suite. Ainsi nous ne pouvons exclure qu'il a été noyé de vive force.

— Non, dit Guillaume. As-tu déjà vu un assassiné qui, avant de se faire noyer, ôte ses vêtements ? » Séverin branla du chef, comme si cet argument n'avait plus grande valeur. Depuis quelques instants il examinait les mains du cadavre : « Voici une chose curieuse... dit-il.

— Quoi ?

— L'autre jour j'ai observé les mains de Venantius, quand on lavait son corps du sang qui le recouvrait, et j'ai remarqué un détail auquel je n'avais pas donné beaucoup d'importance. Le bout de deux doigts de la main droite de Venantius était foncé, comme noirci par une substance brune. Exactement, tu vois ? comme à présent le bout des deux doigts de Bérenger. Et même, en ce cas nous en avons quelques traces sur le troisième doigt. Alors j'ai pensé que Venantius avait touché des encres dans le scriptorium...

— Très intéressant », observa Guillaume tout pensif, en regardant de plus près les doigts de Bérenger. L'aube se levait, la lumière à l'intérieur était encore faible, mon maître souffrait évidemment du manque de ses verres. « Très intéressant, répéta-t-il. L'index et le pouce sont foncés au bout, le médius seulement sur la partie interne, et faiblement. Mais il y a des traces plus faibles sur la main gauche aussi, au moins sur l'index et sur le pouce.

— S'il ne s'agissait que de la main droite, ce serait les doigts de qui saisit quelque chose de petit, ou de long et de mince...

— Comme un stylet. Ou un aliment. Ou un insecte. Ou un serpent. Ou un ostensoir. Ou un bâton. Trop de choses. Mais s'il y a des signes sur l'autre main aussi, ce pourrait être encore une coupe, tenue solidement dans la droite, quand la gauche collabore avec une moindre force... »

Séverin s'était mis à frotter légèrement les doigts du mort, mais la couleur brune ne partait pas. Je remarquai qu'il avait enfilé une paire de gants, dont il se servait probablement quand il manipulait des substances toxiques. Il reniflait, mais sans en tirer aucune sensation. « Je pourrais te citer beaucoup de substances végétales (et minérales aussi) qui provoquent des traces de ce type. Certaines létales, d'autres pas. Les enlumineurs ont parfois les doigts maculés de poudre d'or...

— Adelme était enlumineur, dit Guillaume. J'imagine que devant son corps fracassé tu n'as pas pensé à lui examiner les doigts. Mais eux, ils pourraient avoir touché quelque chose qui avait appartenu à Adelme.

— Je ne sais vraiment pas, dit Séverin. Deux morts, tous deux avec les doigts noirs. Qu'en déduis-tu ?

— Je n'en déduis rien : nihil sequitur geminis ex particularibus unquam. Il faudrait ramener les deux cas à une règle. Par exemple : il existe une substance qui noircit les doigts de qui la touche... »

Je terminai triomphant le syllogisme : « ... Venantius et Bérenger ont les doigts noircis, ergo ils ont touché cette substance !

— Bien Adso, dit Guillaume. Dommage que ton syllogisme ne tienne pas debout, car aut semel aut iterum medium generaliter esto, et dans ce syllogisme le moyen terme n'apparaît jamais comme général. Signe que nous avons mal choisi la prémisse majeure. Je ne devais pas dire : tous ceux qui touchent une certaine substance ont les doigts noirs, car il pourrait exister aussi des personnes avec les doigts noirs et qui n'ont pas touché la substance. Je devais dire : tous ceux, et seulement tous ceux, qui ont les doigts noirs ont certainement touché une substance donnée. Venantius et Bérenger, et cætera. Avec quoi nous aurions un Darii, un excellent troisième syllogisme de première figure.

— Alors nous avons la réponse ! dis-je tout content.

— Hélas, Adso, comme tu te fies aux syllogismes ! Nous avons seulement et de nouveau la question. En somme nous avons émis l'hypothèse que Venantius et Bérenger ont touché la même chose, hypothèse à coup sûr raisonnable. Mais une fois que nous avons imaginé une substance qui, seule entre toutes, provoque ce résultat (ce qui est encore à vérifier), nous ne savons ce qu'elle est, ni où ceux-ci l'ont trouvée, et pourquoi ils l'ont touchée. Et note bien, nous ne savons pas même à la fin si la substance qu'ils ont touchée, est ce qui les a conduits à la mort. Imagine qu'un fou veuille tuer tous ceux qui touchent de la poudre d'or. Dirions-nous que c'est la poudre d'or qui tue ? »

Je demeurai troublé. J'avais toujours cru que la logique était une arme universelle, et je m'apercevais maintenant combien sa validité dépendait de la façon dont on en usait. Par ailleurs, en fréquentant mon maître je m'étais rendu compte, et je m'en rendis de plus en plus compte dans les jours qui suivirent, que la logique pouvait grandement servir à condition d'y entrer et puis d'en sortir.

Séverin, qui n'était certes pas un bon logicien, réfléchissait cependant selon sa propre expérience : « L'univers des poisons est varié comme variés sont les mystères de la nature », dit-il. Il montra une série de vases et de flacons qu'une fois déjà nous avions admirés, disposés en bon ordre sur les étagères le long des murs, avec quantité de volumes. « Comme je te l'ai déjà dit, nombre de ces herbes, dûment composées et dosées, pourraient fournir des boissons et des onguents mortels. Voici, là-bas, le datura stramonium, la belladone, la ciguë : elles peuvent procurer somnolence, excitation, ou bien l'une et l'autre ; administrées avec prudence, ce sont d'excellents médicaments, en doses excessives, elles entraînent la mort.

— Mais aucune de ces substances ne laisserait des marques sur les doigts ?

— Aucune, je crois. Ensuite il y a les substances qui deviennent dangereuses uniquement si on les ingère, et d'autres qui agissent au contraire sur la peau. L'ellébore blanc peut provoquer des vomissements chez qui le saisit pour l'arracher de terre. Le dictame est le sceau-de-salomon qui, quand il est en fleur, provoque de l'ivresse chez les jardiniers s'ils le touchent, comme s'ils avaient bu du vin. L'ellébore noir, à le toucher seulement, provoque la diarrhée. D'autres plantes donnent des palpitations du cœur, d'autres de la tête, d'autres encore ôtent la voix. Par contre le venin de la vipère, appliqué sur la peau sans qu'il pénètre dans le sang, ne produit qu'une légère irritation... Mais une fois on me montra une mixture qui, appliquée sur la partie interne des cuisses d'un chien, près des organes génitaux, provoque la mort de l'animal en un court laps de temps, au milieu de convulsions atroces, les membres se roidissant peu à peu...

— Tu en sais long sur les poisons », observa Guillaume, dont la voix paraissait trahir une grande admiration. Séverin le fixa et, quelques instants, soutint son regard : « Je sais ce qu'un médecin, un herboriste, un amateur de sciences de la santé humaine doit savoir. »

Guillaume resta un long moment songeur. Puis il pria Séverin d'ouvrir la bouche du cadavre et d'en observer la langue. Séverin, intrigué, se servit d'une fine spatule, un des instruments de son art médical, et s'exécuta. Il eut un cri de stupeur : « La langue est noire !

— Alors c'est ça, murmura Guillaume. Il a saisi quelque chose avec les doigts et l'a ingéré... Ce qui élimine les poisons que tu viens de citer, qui tuent en pénétrant à travers la peau. Mais ne rend pas plus facile nos inductions. Parce qu'à présent nous devons penser, pour lui et pour Venantius, à un geste volontaire, non casuel, où n'entrent en jeu ni la distraction, ni l'imprudence, ni la violence d'autrui. Ils ont saisi quelque chose et l'ont introduit dans leur bouche, sachant ce qu'ils faisaient...

— Un aliment ? Une boisson ?

— Peut-être. Ou peut-être... que sais-je ? un instrument musical, comme une flûte...

— Absurde, dit Séverin.

— Certes, c'est absurde. Mais nous ne devons négliger aucune hypothèse, pour extraordinaire qu'elle soit. Pour l'instant, cherchons à remonter à la matière toxique. Si quelqu'un qui connaît les poisons autant que toi s'était introduit ici et s'était servi de certaines de tes herbes, aurait-il pu composer un onguent mortel susceptible de produire ces marques sur les doigts et sur la langue ? Susceptible d'être mêlé à un aliment, à une boisson, placé sur une cuillère, sur quelque chose qui se met à la bouche ?

— Oui, admit Séverin, mais qui ? Et puis, en admettant cette hypothèse, comment eût-on administré le poison à nos deux malheureux frères ? »

Franchement, moi non plus je n'arrivais pas à imaginer Venantius ou Bérenger se laissant approcher par quelqu'un qui leur aurait présenté une substance mystérieuse et les aurait convaincus de la manger ou de la boire. Mais cette bizarrerie ne parut pas troubler Guillaume. « A cela nous penserons plus tard, dit-il, parce que pour l'heure j'aimerais que tu cherches à te rappeler quelque fait qui peut-être ne t'est pas encore revenu à l'esprit, je ne sais pas moi, quelqu'un qui t'aurait posé des questions sur tes herbes, quelqu'un qui entrerait avec facilité dans l'hôpital...

— Attends voir, dit Séverin, il y a longtemps de cela, je parle d'années, je conservais sur une de ces étagères une substance très puissante, que m'avait procurée un frère au retour de voyages dans de lointains pays. Il ne savait pas me dire de quoi elle était faite, d'herbes certainement, mais pas toutes connues. D'apparence, elle était visqueuse et jaunâtre, mais on me conseilla de ne pas la toucher car, ne fût-elle entrée qu'au seul contact de mes lèvres, elle m'aurait tué en un court moment. Ce frère me dit que, ingérée même à doses minimes, elle provoquait en l'espace d'une demi-heure une sensation de grande fatigue, puis une lente paralysie de tous les membres, et la mort enfin. Il ne voulait pas l'emporter avec lui, il m'en fit don. Je la gardai longtemps, car je me proposais de l'examiner d'une façon ou d'une autre. Puis un jour une grande tempête se déchaîna sur le plateau. Un de mes aides, un novice, avait laissé ouverte la porte de l'hôpital, et l'ouragan avait mis sens dessus dessous toute la pièce où nous nous trouvons maintenant. Flacons brisés, liquides répandus sur le pavement, herbes et poudres aux quatre vents. Je travaillai un jour entier pour remettre en ordre mes affaires, et je ne me fis aider que pour balayer les tessons et les herbes irrécupérables désormais. A la fin, je m'aperçus qu'il manquait justement le flacon dont je te parlais. D'abord je fus préoccupé, ensuite je me persuadai qu'il s'était brisé et confondu avec les autres débris. Je fis laver de fond en comble le pavement de l'hôpital, et les étagères...

— Et tu avais vu le flacon quelques heures avant l'ouragan ?

— Oui... Ou plutôt, non, maintenant que j'y pense. Il se trouvait derrière une rangée de vases, bien caché, et je ne le contrôlais pas chaque jour...

— Donc, d'après ce que tu sais, il aurait pu t'être dérobé bien avant l'ouragan, sans que tu le saches ?

— A présent que tu m'y fais réfléchir, oui, sans nul doute.

— Et ton novice pourrait l'avoir dérobé et puis saisi l'occasion de l'ouragan pour laisser délibérément la porte ouverte et mettre tes affaires dans le plus grand désordre ? »

Séverin eut l'air fort excité : « Certes oui. Non seulement, mais en me rappelant ce qui advint, je fus très étonné que l'ouragan, pour violent qu'il fût, eût renversé tant de choses. Je pourrais parfaitement avancer que quelqu'un a profité de l'ouragan pour ravager la pièce et produire plus de dommages que le vent n'aurait pu le faire !

— Qui était le novice ?

— Il s'appelait Agostino. Mais il est mort l'année dernière, en tombant d'un échafaudage tandis qu'avec d'autres moines et des servants, il nettoyait les sculptures de la façade de l'église. Et puis, en y songeant bien, il avait juré ses grands dieux qu'il n'avait pas laissé la porte ouverte avant l'ouragan. Ce fut moi, rendu furieux, qui le tins pour responsable de l'incident. Peut-être était-il vraiment innocent.

— Et comme ça, nous avons une troisième personne, sans doute bien plus experte qu'un novice, qui connaissait l'existence de ton poison. A qui en avais-tu parlé ?

— Ça, vraiment, je ne m'en souviens pas. A l'Abbé, bien sûr, en lui demandant la permission de garder une substance aussi dangereuse. Et à quelque autre, peut-être justement à la bibliothèque, car je cherchais des herbiers qui auraient pu me révéler quelque chose.

— Mais ne m'as-tu pas dit que tu conserves près de toi les livres les plus utiles à ton art ?

— Si, et beaucoup, dit-il en montrant dans un coin de la pièce plusieurs étagères chargées de dizaines de volumes. Mais à l'époque je cherchais certains livres qu'il me serait impossible de garder ici, et même que Malachie était réticent à me laisser consulter, à telle enseigne que je dus en demander l'autorisation à l'Abbé. » Sa voix se fit plus basse, comme s'il avait quelque scrupule à ce que je l'entendisse moi aussi. « Tu sais, dans un lieu inconnu de la bibliothèque on conserve même des ouvrages de nécromancie, de magie noire, de recettes pour des philtres diaboliques. Je pus prendre connaissance de certaines de ces œuvres, par devoir scientifique, et j'espérais trouver une description de ce poison et de ses fonctions. En vain.

— Tu en as donc parlé à Malachie.

— Sans nul doute à lui, et peut-être aussi à Bérenger lui-même, qui l'assistait. Mais n'en tire pas de conclusions hâtives : je ne me souviens pas, peut-être, tandis que je parlais, d'autres moines étaient présents, tu sais, il y a parfois beaucoup de monde dans le scriptorium...

— Je ne soupçonne personne. Je cherche simplement à comprendre ce qui a pu se passer. Tu me dis en tout cas que le fait eut lieu il y a quelques années de cela, et il est curieux que quelqu'un ait dérobé tellement par avance un poison dont il se serait servi tellement plus tard. Ce serait le signe d'une volonté maligne qui a longuement couvé dans l'ombre un propos homicide. »

Séverin fit le signe de la croix avec une expression d'horreur sur le visage. « Que Dieu nous pardonne tous ! » dit-il.

Il n'y avait point d'autres commentaires à faire. Nous recouvrîmes le corps de Bérenger, qu'il faudrait préparer pour les funérailles.

Quatrième jour

PRIME

Où Guillaume amène d'abord Salvatore et ensuite le cellérier à avouer leur passé, Séverin retrouve les verres volés, Nicolas apporte les neufs et Guillaume avec six yeux s'en va déchiffrer le manuscrit de Venantius.

Nous allions passer le seuil quand entra Malachie. Il parut contrarié de notre présence, et fit mine de se retirer. De l'intérieur Séverin le vit et dit : « Tu me cherchais ? C'est pour... » Il s'interrompit, en nous regardant. Malachie lui fit un signe, imperceptible, comme pour dire : « Nous en parlerons après... » Nous sortions, il entrait, nous nous trouvions tous les trois dans l'embrasure de la porte. Malachie dit, de façon plutôt redondante :

« Je cherchais le frère herboriste... J'ai... j'ai mal à la tête.

— Ce doit être l'air confiné de la bibliothèque, lui dit Guillaume d'un ton de prévenante compréhension. Vous devriez faire des fumigations. »

Malachie eut un mouvement de lèvres comme s'il voulait encore parler, puis il renonça, baissa la tête et entra, tandis que nous nous éloignions.

« Qu'est-ce qu'il va faire chez Séverin ? demandai-je.

— Adso, me dit avec impatience le maître, apprends à raisonner avec ta tête. » Puis il changea de discours : « Nous devons interroger plusieurs personnes à présent. Du moins, ajouta-t-il alors que du regard il explorait le plateau, tant qu'elles sont encore en vie. A propos : dorénavant faisons attention à ce que nous mangeons et buvons. Prends toujours tes aliments dans le plat commun, et tes boissons à la cruche où d'autres se sont déjà servis. Après Bérenger, nous sommes ceux qui en savons le plus. Outre, naturellement, l'assassin.

— Mais qui voulez-vous interroger à présent ?

— Adso, dit Guillaume, tu auras observé qu'ici les choses les plus intéressantes se passent la nuit. La nuit on meurt, la nuit on rôde dans le scriptorium, la nuit on introduit des femmes dans l'enceinte... Nous avons une abbaye diurne et une abbaye nocturne, et la nocturne paraît malheureusement plus intéressante que la diurne. Partant, toute personne qui circule la nuit nous intéresse, y compris par exemple l'homme que tu as vu hier soir avec la jeune fille. Il est fort possible que l'histoire de la fille n'ait rien à voir avec celle des poisons, et il est fort possible que si. De toute façon, j'ai mon idée sur l'homme d'hier soir, une personne qui doit savoir pas mal d'autres choses sur la vie nocturne de ce saint lieu. Et, on parle du loup, il sort du bois, le voilà justement qui passe là-bas. »

Il pointa le doigt vers Salvatore, qui nous avait vus à son tour. Je remarquai une légère hésitation dans son pas comme si, désirant nous éviter, il s'était arrêté pour rebrousser chemin. L'espace d'un instant. Evidemment, il s'était rendu compte qu'il ne pouvait plus échapper à la rencontre, et il reprit sa marche. Il se tourna vers nous avec un large sourire et un « benedicite » plutôt onctueux. Mon maître le laissa à peine finir et lui parla d'un ton brusque.

« Tu sais que demain arrive ici l'inquisition ? » lui demanda-t-il.

Salvatore n'eut pas l'air content. Avec un filet de voix, il demanda : « Et moi ?

— Et toi, tu feras bien de dire la vérité à moi, qui suis ton ami, et frère mineur comme tu l'as été, plutôt que de la dire demain aux autres, que tu connais très bien. »

Entrepris aussi brusquement, Salvatore eut l'air d'abandonner toute résistance. Il regarda Guillaume d'un air soumis comme pour lui faire comprendre qu'il était prêt à dire ce qu'il lui aurait demandé.

« Cette nuit il y avait une femme dans les cuisines. Qui était avec elle ?

— Oh ! femme qui se vend como marchandise no peut oncques être bonne, ni avoir courtoisie, récita Salvatore.

— Je ne veux pas savoir si c'était une brave fille. Je veux savoir qui était avec elle !

— Deu, combien sont les femmes de méchantes rusées ! Elles pensent jur et nouit como l'omo tromper... »

Guillaume le saisit brusquement à la poitrine : « Qui était avec elle, toi ou le cellérier ? »

Salvatore comprit qu'il ne pouvait plus continuer à mentir. Il commença à raconter une étrange histoire, dont nous apprîmes non sans peine que, pour complaire au cellérier, il le pourvoyait de filles du village, en les faisant entrer de nuit dans l'enceinte par des passages qu'il ne voulut pas nous indiquer. Mais il jura à qui mieux mieux qu'il agissait par pur bon cœur, en laissant transparaître un regret comique du fait qu'il ne trouvait pas moyen d'en tirer plaisir lui aussi, en sorte que la fille, après avoir contenté le cellérier, lui donnât quelque chose aussi. Il jargonna tout cela avec de visqueux sourires lubriques, et des clins d'yeux, comme pour laisser entendre qu'il parlait à des hommes faits de chair, accoutumés aux mêmes pratiques. Et il me regardait par en dessous, sans que je pusse le remettre à sa place comme je l'aurais voulu, car je me sentais lié à lui par un secret commun, son complice et compagnon de péché.

Guillaume décida, au point où nous en étions, de tenter le tout pour le tout. Il lui demanda à brûle-pourpoint : « Tu as connu Rémigio avant ou après avoir été avec Dolcino ? » Salvatore s'agenouilla à ses pieds en le priant au milieu de pleurs abondants de ne pas vouloir sa perte, de le sauver de l'inquisition ; Guillaume lui jura solennellement de ne rien dire à personne de ce qu'il apprendrait, et Salvatore n'hésita pas à mettre le cellérier à notre merci. Ils s'étaient connus à la Paroi Chauve, l'un et l'autre de la bande de Dolcino, avec le cellérier il s'était enfui pour entrer dans le couvent de Casale ; avec lui, il s'était transféré chez les clunistes. Il bredouillait des implorations de pardon, et il était clair qu'on n'aurait pas pu en tirer davantage. Guillaume décida qu'il valait la peine de prendre Rémigio par surprise, et quitta Salvatore, qui courut se réfugier dans l'église.

Le cellérier se trouvait du côté opposé de l'abbaye, devant les greniers, en train de négocier avec quelques villageois de la vallée. Il nous regarda non sans appréhension, et fit son possible pour se montrer très affairé, mais Guillaume insista pour lui parler. Jusqu'à présent nous n'avions eu, avec cet homme, que de rares contacts ; il avait été courtois avec nous, nous avec lui. Ce matin-là, Guillaume s'adressa à lui comme il eût fait avec un frère de son ordre. Le cellérier parut embarrassé de cette familiarité et répondit d'abord avec beaucoup de prudence.

« En raison de ton office, tu te trouves évidemment contraint de circuler dans l'abbaye même quand les autres dorment, j'imagine, dit Guillaume.

— Cela dépend, répondit Rémigio, il y a parfois de petits travaux à expédier et je dois y consacrer quelques heures de sommeil.

— Dans ces cas-là, il ne t'est jamais rien arrivé qui puisse nous mettre sur la piste de quelqu'un qui rôde, sans avoir tes raisons, entre les cuisines et la bibliothèque ?

— Si j'avais vu quelque chose, je l'aurais dit à l'Abbé.

— Juste », convint Guillaume, et il changea brusquement de discours : « Le village dans la vallée n'est pas très riche, n'est-ce pas ?

— Oui et non, répondit Rémigio, des prébendiers y habitent, qui dépendent de l'abbaye, et eux ils partagent notre richesse, dans les années grasses. Par exemple le jour de la Saint-Jean, ils ont reçu douze boisseaux de malt, un cheval, sept bœufs, un taureau, quatre génisses, cinq veaux, vingt brebis, quinze cochons, cinquante poulets et dix-sept ruches. Et puis vingt porcs fumés, vingt-sept formes de saindoux, une demi-mesure de miel, trois mesures de savon, un filet de pêcheur...

— J'ai compris, j'ai compris, interrompit Guillaume, mais tu admettras que tout cela ne me dit encore pas quelle est la situation dans le village, lesquels de ses habitants sont les prébendiers de l'abbaye, et combien de terre doit cultiver pour son propre compte qui n'est pas prébendier...

— Oh, pour ça, dit Rémigio, une famille normale peut posséder là-bas jusqu'à cinquante tables de terrain.

— Combien mesure une table ?

— Naturellement, quatre demi-perches carrées.

— Des perches carrées ? Cela fait combien ?

— Trente-six pieds pour quatre demi-perches. Ou si tu veux, quatre cents perches linéaires font un mille piémontais. Et calcule qu'une famille — dans les terres vers le nord — peut cultiver des olives pour au moins un demi-sac d'huile.

— Un demi-sac ?

— Oui, un sac fait cinq hémines, et une hémine fait huit coupes.

— J'ai compris, dit mon maître découragé. Chaque pays a ses mesures. Vous, par exemple, le vin vous le mesurez en pichets ?

— Ou en setiers. Six setiers, quarante-huit pintes et dix pintes, cinq quartes. Si tu veux, un setier fait huit pintes ou quatre quartes.

— Je crois avoir les idées claires, dit Guillaume résigné.

— Désires-tu savoir autre chose ? demanda Rémigio, d'un ton qui me parut de défi.

— Oui ! Je te demandais la façon dont ils vivaient dans la vallée, parce que je méditais aujourd'hui dans la bibliothèque sur les sermons aux femmes de Humbert de Romans, et en particulier sur ce chapitre *Ad mulieres pauperes in villulis.* Où il dit que ces dernières plus que d'autres sont tentées par lès péchés de la chair, à cause de leur misère, et sagement il dit qu'elles peccant enim mortaliter, cum peccant cum quocumque laico, mortalius vero quando cum Clerico in sacris ordinibus constituto, maxime vero quando cum Religioso mundo mortuo. Tu sais mieux que moi que fût-ce en des lieux saints comme les abbayes, les tentations du démon méridien ne manquent jamais. Je me demandais si dans tes contacts avec les gens du village, tu étais venu à savoir que des moines, à Dieu ne plaise, aient poussé des jeunes filles à la fornication. »

Encore que mon maître dît ces choses d'un ton presque distrait, le lecteur aura compris à quel point ces paroles troublaient le pauvre cellérier. Je ne saurais dire s'il pâlit, mais je dirai que je m'attendais tellement à ce qu'il palît que je le vis pâlir.

« Tu me demandes des choses que, si je les savais, j'aurais déjà dites à l'Abbé, répondit-il humblement. En tout cas si, comme je l'imagine, ces informations servent à ton enquête, je ne te cacherai rien de ce que je pourrai apprendre. Et même, maintenant que tu m'y fais penser, à propos de ta première question... La nuit où mourut le pauvre Adelme, je circulais dans la cour... tu sais, une histoire de poules.. des bruits que j'avais recueillis sur un certain maréchal-ferrant qui de nuit allait marauder dans le poulailler... Eh bien cette nuit-là il me fut donné de voir — de loin, je ne pourrais pas en jurer — Bérenger qui regagnait le dortoir en longeant le chœur, comme s'il venait de l'Edifice... Je ne m'en étonnai pas, car parmi les moines Bérenger faisait murmurer depuis beau temps, tu l'as peut-être su...

— Non, dis-moi.

— Bon, comment dire ? On soupçonnait Bérenger de nourrir des passions qui... ne conviennent pas à un moine...

— Tu veux sans doute me suggérer qu'il avait des rapports avec des filles du village, comme je te le demandais ? »

Le cellérier toussa, embarrassé, et il eut un sourire plutôt hideux : « Oh non... des passions encore plus inconvenantes...

— Parce qu'un moine qui prend plaisir charnel avec des jeunes filles du village cultive au contraire des passions en quelque sorte convenables ?

— Je n'ai pas dit cela, mais ce n'est pas moi qui t'apprendrai qu'il y a une hiérarchie dans la dépravation comme dans la vertu. La chair peut être tentée selon nature et... contre nature.

— Tu veux me dire que Bérenger était mû par des désirs charnels pour les hommes de son sexe ?

— Je dis ce qu'on murmurait sur son compte... Je te communiquais ces choses comme preuve de ma sincérité et de ma bonne volonté...

— Et moi je te remercie. Et je conviens avec toi que le péché de sodomie est bien pire que d'autres formes de luxure, sur lesquelles franchement je ne suis pas porté à enquêter...

— Des misères, des misères, quand bien même elles s'avéreraient, dit le cellérier avec philosophie.

— Des misères, Rémigio. Nous sommes tous des pécheurs. Je ne chercherais jamais la menue paille dans l'œil de mon frère, tant je crains d'avoir une énorme poutre dans le mien. Mais je te saurai gré de toutes les poutres dont tu voudras bien me parler à l'avenir. Ainsi nous nous entretiendrons sur de grands et robustes troncs de bois et nous laisserons les pailles voltiger dans les airs. Tu disais que ça fait combien quatre demi-perches ?

— Trente-six pieds carrés. Mais ne t'inquiète pas. Quand tu voudras savoir quelque chose de précis, tu viendras me trouver. Compte sur moi comme sur un ami fidèle.

— Et tel je te considère, dit Guillaume avec chaleur. Ubertin m'a dit qu'autrefois tu appartenais au même ordre que moi. Je ne trahirais jamais un ancien frère, surtout ces jours-ci où l'on attend l'arrivée d'une légation pontificale conduite par un grand inquisiteur, célèbre pour avoir brûlé tant de dolciniens. Tu disais que quatre demi-perches font trente-six pieds carrés ? »

Le cellérier n'était pas un idiot. Il décida qu'il ne valait plus la peine de jouer au chat et à la souris, d'autant qu'il se voyait dans le rôle de la souris.

« Frère Guillaume, dit-il, je vois que tu sais beaucoup plus de choses que je ne l'imaginais. Ne me trahis pas, et je ne te trahirai pas. C'est vrai, je suis un pauvre homme de chair, et je cède aux appâts de la chair. Salvatore m'a dit que toi ou ton novice hier soir, vous les avez surpris dans les cuisines. Tu as beaucoup voyagé Guillaume, tu sais que pas même les cardinaux d'Avignon ne sont des parangons de vertu. Je sais que ce n'est pas pour ces petits et misérables péchés que tu es en train de m'interroger. Mais je comprends aussi que tu as appris quelque chose sur mon histoire d'antan. J'ai eu une vie bizarre, comme il arriva à nombre d'entre nous, minorites. Il y a bien des années de cela, j'ai cru en l'idéal de pauvreté, j'ai abandonné la communauté pour me livrer à la vie errante. J'ai cru en la prédication de Dolcino, ainsi que tant d'autres avec moi. Je ne suis pas un homme cultivé, j'ai reçu les ordres mais je sais à peine dire la messe. Je ne sais pas grand'chose en théologie. Et je n'arrive sans doute même pas à m'attacher aux idées. Tu vois, j'ai tenté autrefois de me rebeller contre les seigneurs, maintenant je les sers et pour le seigneur de ces terres je commande à ceux qui sont comme moi. Ou se rebeller ou trahir, on ne nous laisse guère de choix, à nous les simples.

— Parfois les simples comprennent mieux les choses que les doctes, dit Guillaume.

— Peut-être, répondit le cellérier avec un haussement d'épaules. Mais je ne sais pas même pourquoi j'ai fait ce que j'ai fait, à l'époque. Tu vois, pour Salvatore c'était compréhensible, il provenait des serfs de la glèbe, enfant des famines et des maladies... Dolcino représentait la rébellion, et la destruction des seigneurs.

Pour moi, ce fut différent, j'étais de famille citadine, je ne m'enfuyais pas devant la faim. Ce fut… je ne sais comment dire, une fête des fols, un beau carnaval… Sur les monts avec Dolcino, avant que nous fussions réduits à manger la chair de nos compagnons morts au combat, avant qu'il en mourût tant de privations, qu'on ne pouvait tous les manger, et qu'on les jetait en pâture aux oiseaux et aux bêtes féroces sur les pentes du Rebello… ou peut-être même en ces moments-là… on respirait un air… puis-je dire de liberté ? Je ne savais pas, avant, ce qu'était la liberté, les prêcheurs nous disaient : " La vérité vous fera libres. " Nous nous sentions libres, nous pensions être dans la vérité. Nous pensions que tout ce que nous faisions était juste…

— Et là-bas, vous avez commencé… à vous unir librement avec une femme ? » demandai-je, sans savoir même pourquoi, mais les paroles qu'Ubertin m'avait dites la nuit précédente m'obsédaient, et ce que j'avais lu dans le scriptorium, et ce qui m'était personnellement arrivé. Guillaume me regarda intrigué, il ne s'attendait probablement pas que je fusse aussi hardi et impudent. Le cellérier me fixa comme si j'étais un curieux animal.

« Sur le Rebello, dit-il, il y avait des gens qui pendant toute leur enfance avaient dormi, à dix et davantage, sur quelques coudées de terre battue, frères et sœurs, pères et filles. Que veux-tu que ce fût pour eux d'accepter cette nouvelle situation ? Ils faisaient par choix ce que d'abord ils avaient fait par nécessité. Et puis la nuit, quand tu redoutes l'arrivée de troupes ennemies et que tu te serres contre ton compagnon, à même la terre, pour ne pas sentir le froid… Les hérétiques, vous autres moinillons, qui venez d'un château et aboutissez dans une abbaye, vous croyez que c'est une manière de penser, inspirée par le démon. En revanche, c'est une manière de vivre, et c'est… et ça a été… une expérience nouvelle… Il n'y avait plus de maîtres, et Dieu, nous disait-on, était avec nous. Je ne dis pas que nous avions raison, Guillaume, et de fait tu me vois ici parce que je les ai bien vite abandonnés. Mais c'est que je n'ai jamais compris vos doctes disputes sur la pauvreté de Christ et la pratique et le fait et le droit… Je te l'ai dit, ce fut un grand carnaval, et le carnaval, c'est le monde à l'envers. Puis tu deviens vieux, sans devenir sage, mais tu deviens glouton. Et ici je me fais glouton… Tu peux condamner un hérétique, mais tu voudrais condamner un glouton ?

— Suffit comme ça, Rémigio, dit Guillaume. Je ne t'interroge pas sur ce qui s'est passé jadis, mais sur ce qui s'est passé tout récemment. Aide-moi, et tu peux être certain que je ne chercherai pas à te perdre. Je ne peux et ne veux pas te juger. Mais il faut me dire ce que tu sais sur les événements de l'abbaye. Tu te promènes trop, de jour et de nuit, pour ne pas savoir quelque chose. Qui a tué Venantius ?

— Je ne le sais pas, je te le jure. Je sais quand il est mort, et où.

— Quand ? Où ?

— Laisse-moi le temps de raconter. Cette nuit-là, une heure après complies, je suis entré dans les cuisines...

— Par où, et pour quelle raison ?

— Par la porte qui regarde le jardin. J'ai une clef que je me suis fait faire depuis longtemps par les forgerons. La porte des cuisines est la seule qui ne soit pas barrée de l'intérieur. Et les raisons... elles ne comptent pas, tu as dit toi-même que tu ne veux pas m'accuser pour les faiblesses de ma chair... » Il sourit embarrassé. « Mais je ne voudrais pas non plus que tu croies que je passe mes journées dans la fornication... Ce soir-là, je cherchais de la nourriture pour l'offrir à la fille que Salvatore devait faire entrer dans l'enceinte...

— Par où ?

— Oh, l'enceinte des murailles a bien d'autres entrées, à part la porte principale. L'Abbé les connaît, je les connais moi... Mais ce soir-là, la fille ne vint pas, je la renvoyai précisément à cause de ce que je découvris, et que je vais te raconter. Voilà pourquoi je tentai de la faire revenir dans la nuit d'hier. Si vous étiez arrivés un peu plus tard, vous m'auriez trouvé moi, au lieu de Salvatore, ce fut lui qui m'avertit qu'il y avait des gens dans l'Edifice, et moi je retournai dans ma cellule...

— Retournons à la nuit entre dimanche et lundi.

— Voilà : je suis entré dans les cuisines et j'ai vu Venantius par terre, mort.

— Dans les cuisines ?

— Oui, près de l'évier. Il venait peut-être tout juste de descendre du scriptorium.

— Aucune trace de lutte ?

— Aucune. Ou plutôt, à côté du corps il y avait une tasse brisée, et des traces d'eau par terre.

— Comment sais-tu qu'il s'agissait d'eau ?

— Je ne le sais pas. J'ai pensé que c'était de l'eau. Qu'est-ce que cela pouvait être ? »

Comme Guillaume me le fit observer après, cette tasse pouvait signifier deux choses différentes. Ou bien précisément là, dans les cuisines, quelqu'un avait donné à boire à Venantius une potion empoisonnée, ou bien le malheureux avait déjà avalé le poison (mais où ? et quand ?), et il était descendu boire pour calmer une brûlure soudaine, un spasme, une douleur qui lui embrasait les entrailles, ou la langue (car à coup sûr la sienne devait être noire comme celle de Bérenger).

De toute façon, pour le moment, on ne pouvait en savoir davantage. Lorsqu'il eut aperçu le cadavre, Rémigio, terrorisé, s'était demandé que faire, et il avait résolu de ne rien faire du tout. S'il avait demandé secours, il aurait dû admettre avoir rôdé pendant la nuit dans l'Edifice, et cela n'aurait été utile en rien au frère désormais perdu. Partant, il avait résolu de laisser les choses telles quelles, en attendant que quelqu'un découvrît le corps au petit matin, après l'ouverture des portes. Il avait couru pour arrêter Salvatore, qui déjà faisait pénétrer la fille dans l'abbaye, puis — lui et son complice — ils s'en étaient retournés dormir, si l'on pouvait appeler sommeil la veille agitée qu'ils eurent jusqu'à matines. Et à matines, quand les porchers vinrent avertir l'Abbé, Rémigio croyait que le cadavre avait été découvert où lui l'avait laissé, et il était demeuré interdit en le revoyant dans la jarre. Qui avait fait disparaître le cadavre des cuisines ? Sur ce point-là, Rémigio n'avait aucune idée.

« Le seul et unique qui peut circuler librement dans tout l'Edifice, c'est Malachie », dit Guillaume.

Le cellérier réagit avec la dernière énergie : « Non, pas Malachie. En somme, je ne crois pas... En tout cas ce n'est pas moi qui t'ai dit quelque chose contre Malachie...

— Sois tranquille, quelle que puisse être la dette qui te lie à Malachie. Sait-il quelque chose sur toi ?

— Oui, rougit le cellérier, et il s'est comporté en homme discret. A ta place, je surveillerais Bence. Il avait d'étranges liens avec Bérenger et Venantius... Mais je te le jure, je n'ai rien vu d'autre. Si j'apprends quelque chose, je te le dirai.

— Pour l'heure, cela peut suffire. Je reviendrai te trouver si j'en ai besoin. » Le cellérier, d'évidence soulagé, retourna à ses trafics, rabrouant vertement les villageois qui, entre-temps, avaient déplacé je ne sais trop quels sacs de semence.

C'est alors que nous rejoignit Séverin. Il tenait à la main les verres de Guillaume, ceux qui lui avaient été dérobés deux nuits auparavant. « Je les ai trouvés dans la coule de Bérenger, dit-il. Je les ai vus sur ton nez, l'autre jour dans le scriptorium. Ce sont les tiens, n'est-ce pas ?

— Dieu soit loué, s'exclama joyeusement Guillaume. Nous avons résolu deux problèmes ! J'ai mes verres et je sais enfin et avec certitude que c'était Bérenger l'homme qui nous vola l'autre nuit dans le scriptorium ! »

Nous avions à peine fini de parler qu'arriva en courant Nicolas de

Morimonde, encore plus triomphant que Guillaume. Il tenait dans ses mains une paire de verres terminés, montés sur leur fourche : « Guillaume, criait-il, j'y suis arrivé tout seul, je les ai finis, je crois qu'ils fonctionnent ! » C'est alors qu'il vit Guillaume avec d'autres verres sur le nez et il resta médusé. Guillaume ne voulut pas l'humilier, il ôta ses vieux verres et essaya les nouveaux : « Ils sont meilleurs que les autres, dit-il. Cela veut dire que je garderai les vieux en réserve, et que je porterai toujours les tiens. » Puis il se tourna vers moi : « Adso, maintenant je me retire dans ma cellule pour lire les parchemins que tu sais. Finalement ! Attends-moi quelque part. Et merci, merci à vous tous mes très chers frères. »

La troisième heure sonnait et je me rendis dans le chœur, pour réciter avec les autres l'hymne, les psaumes, les versets et le *Kyrie*. Les autres priaient pour l'âme du mort Bérenger. Moi je remerciais Dieu de nous avoir fait trouver non pas une, mais deux paires de verres.

Grâce à la grande sérénité qui régnait, toutes les turpitudes que j'avais vues et entendues, oubliées, je m'assoupis, me réveillant quand l'office prit fin. Je me rendis compte que cette nuit-là je n'avais pas dormi et je fus troublé à la pensée que j'avais en outre utilisé beaucoup de mes forces. C'est alors que, une fois en plein air, ma pensée commença à être hantée par le souvenir de la jeune fille.

Je cherchai à me distraire, et me mis à circuler à vive allure à travers le plateau. J'éprouvais un sentiment de léger vertige. Je frappais mes mains engourdies l'une contre l'autre. Je battais des pieds par terre. J'avais encore sommeil, et pourtant je me sentais bien réveillé et plein de vie. Je ne comprenais pas ce qui m'arrivait.

Quatrième jour

TIERCE

Où Adso se débat dans les peines d'amour, puis arrive Guillaume avec le texte de Venantius, qui continue de rester indéchiffrable, même après avoir été déchiffré.

En vérité, passé ma rencontre coupable avec la jeune fille, les autres terribles événements m'avaient presque fait oublier cette aventure, et par ailleurs, sitôt après m'être confessé à frère Guillaume, mon âme s'était soulagée du remords ressenti à mon réveil qui suivit ce fautif fléchissement, tant et si bien qu'il m'avait semblé remettre au frère, en paroles, le fardeau même que les mots signifiaient. A quoi sert en effet la bienfaisante purification de la confession, sinon à décharger le poids du péché, et du remords qu'il comporte, dans le sein même de Notre Seigneur, en obtenant, avec le pardon, une nouvelle aérienne légèreté de l'âme, à en oublier le corps supplicié par l'infamie ? Mais je ne m'étais pas libéré de tout. Maintenant que je déambulais au pâle et froid soleil de cette matinée hivernale, entouré de la ferveur des hommes et des animaux, je commençais à me souvenir des événements passés de façon différente. Comme si de tout ce qui était arrivé ne restaient plus le repentir et les paroles consolatrices de la purification pénitentielle, mais seules des images de corps et de membres humains. Surgissait devant mon esprit surexcité, le fantôme de Bérenger gonflé d'eau, et je frissonnais d'horreur et de pitié. Puis comme pour mettre en fuite ce lémure, mon esprit s'adressait à d'autres images dont la mémoire fût le frais réceptacle, et je ne pouvais éviter de voir, évidente à mes yeux (aux yeux de l'âme, mais comme si elle apparaissait presque aux yeux de la chair), l'image de la jeune fille, resplendissante et redoutable comme des bataillons prêts à l'assaut.

Je me suis promis (vieux copiste d'un texte jamais écrit jusques alors, mais qui pendant de longues décennies a parlé dans mon esprit) d'être chroniqueur fidèle, et non pas seulement par amour de la vérité, ni pour le désir (d'ailleurs fort digne) d'instruire mes lecteurs futurs ; mais en outre pour libérer ma mémoire flétrie et lasse de visions qui, durant toute une vie, l'ont tourmentée. Et donc je dois dire tout, avec décence mais sans honte. Et je dois dire, à présent, et en toutes lettres, ce qu'autrefois je pensai et tentai presque de me cacher à moi-même, en me promenant à travers le plateau, en me mettant parfois à courir afin de pouvoir attribuer au mouvement du corps les palpitations soudaines de mon cœur, en m'arrêtant un instant pour admirer l'ouvrage des vilains et en imaginant me distraire à les contempler, en inspirant l'air froid à pleins poumons, comme qui boit du vin pour oublier peur et douleur.

En vain. Je pensais à la jeune fille. Ma chair avait oublié le plaisir, intense, coupable et passager (vile chose) que m'avait donné mon union avec elle ; mais mon âme n'avait pas oublié son visage, et n'arrivait pas à sentir comme pervers ce souvenir, elle en frémissait plutôt, comme si en ce visage resplendissaient toutes les douceurs de la création.

Je percevais, de manière confuse et presque en me refusant à moi-même la vérité de ce que je sentais, que cette pauvre créature, souillée, éhontée, qui se vendait (savoir avec quelle insolente constance) à d'autres pécheurs, cette fille d'Eve qui, fragile comme toutes ses sœurs, avait si souvent fait commerce de sa propre chair, était toutefois quelque chose de splendide et de prodigieux. Mon intellect la savait source de péché, mon appétit sensitif la percevait comme le réceptacle de toute grâce. Il est difficile de dire ce que j'éprouvais. Je pourrais tenter d'écrire que, encore pris dans les rets du péché, je désirais, coupablement, la voir apparaître à chaque instant, et que j'allais presque jusqu'à épier le travail des ouvriers pour scruter si du coin d'une cabane, de l'obscurité d'une étable, apparaissait la silhouette qui m'avait séduit. Mais je n'écrirais pas le vrai, ou bien je tenterais de placer un voile devant la vérité pour en atténuer la force et l'évidence. Car la vérité est que je « voyais » la jeune fille, je la voyais dans les ramures de l'arbre nu qui palpitaient, légères, quand un passereau transi volait y chercher refuge ; je la voyais dans les yeux des génisses qui sortaient de l'étable, et je l'entendais dans le bêlement des agneaux qui croisaient mon errance. C'était comme si toute la création me parlait d'elle, et je désirais, oui, la revoir, mais j'étais aussi prêt à accepter l'idée de ne la revoir plus jamais, et de ne plus jamais m'unir à elle, pourvu que je pusse jouir du bonheur qui m'envahissait ce matin-là, et à jamais l'avoir près de moi, eût-elle été, et pour l'éternité, loin de moi. C'était, je m'évertue à comprendre à présent, comme si l'univers entier, qui visiblement est presque un livre écrit par le doigt de Dieu, où chaque chose nous parle de l'immense bonté de son Créateur, où chaque créature est presque écriture et miroir de la vie et de la mort, où la plus humble rose se fait glose de notre cheminement terrestre, comme si tout, en somme, ne me parlait de rien d'autre que du visage que j'avais malaisément entrevu dans les ombres odorantes des cuisines. Je m'abandonnais à ces imaginations car je me disais (ou mieux, je ne me disais pas, parce qu'à ce moment-là je ne formulais point de pensées traduisibles en mots) que si le monde entier est destiné à me parler de la puissance, bonté, et sagesse du Créateur, et si ce matin-là le monde entier me parlait de la jeune fille qui (pour pécheresse qu'elle fût) était bel et bien un chapitre du grand livre de la Création, un verset du grand psaume chanté par le cosmos — je me disais (à présent, je dis), que si cela se produisait, ce ne pouvait pas ne pas faire partie du grand dessein théophanique qui régit l'univers, disposé en forme de lyre, miracle de correspondances et d'harmonie. Quasi grisé, je jouissais alors de sa présence à elle dans les choses que je voyais, et en elles la désirant, à les voir je m'assouvissais. Et pourtant je sentais comme une douleur, car en même temps je souffrais d'une absence, tout en étant heureux de tous ces fantômes d'une présence. J'ai de la peine à expliquer ce mystère de contradiction, signe que l'esprit humain est très fragile et ne va jamais directement le long des sentiers de la raison divine, qui a construit le monde comme un parfait syllogisme, mais de ce syllogisme ne saisit que des propositions isolées et souvent disjointes, d'où notre facilité à tomber victimes des illusions du malin. Etait-ce une illusion du malin celle qui ce matin-là me donnait une telle émotion ? Je pense que oui aujourd'hui, car j'étais novice, mais je pense que l'humain sentiment qui m'agitait n'était pas mauvais en soi, mais seulement en regard de mon état. Parce qu'au fond c'était le sentiment qui pousse l'homme vers la femme afin que l'un s'unisse à l'autre, comme veut l'apôtre des gentils, et que tous deux soient chair d'une seule chair, et qu'ensemble ils procréent de nouveaux êtres humains et s'assistent mutuellement de la jeunesse à la vieillesse. Sauf que l'apôtre parla ainsi pour ceux qui cherchent remède à la concupiscence et pour qui ne veut brûler, en rappelant toutefois que l'état de chasteté est de loin préférable, auquel, en tant que moine, je m'étais consacré. Et j'endurais donc ce matin-là ce qui était mal pour moi, mais pour les autres bien peut-être, et fort suave bien, et par là je comprends que mon trouble n'était pas dû à la perversité de mes pensées, en soi dignes et douces, mais à la perversité du rapport entre mes pensées et les vœux que j'avais prononcés. Par conséquent je faisais mal de jouir d'une chose bonne pour une certaine raison, mauvaise pour une autre, et mon défaut se trouvait dans la tentative de concilier l'appétit naturel avec les lois édictées par l'âme rationnelle. A présent je sais que je souffrais du contraste entre l'appétit intellectif, où aurait dû se manifester l'empire de la volonté, et l'appétit sensitif, sujet des humaines passions. En effet actus appetitus sensitivi in quantum habent transmutationem corporalem annexam, passiones dicuntur, non autem actus voluntatis. Et mon acte appétitif était précisément accompagné d'un tremblement de tout mon corps, d'une impulsion physique à crier et à m'agiter. Le Docteur angélique dit que les passions en soi ne sont pas mauvaises, sauf qu'on doit les modérer par la volonté guidée par l'âme rationnelle. Mais mon âme rationnelle était ce matin-là assoupie de fatigue ; et cette lassitude bridait l'appétit irascible, qui se tourne vers le bien et vers le mal en tant que termes de conquête, mais pas l'appétit concupiscible, qui se tourne vers le bien et vers le mal en tant qu'ils sont connus. Pour justifier mon irresponsable légèreté d'alors, je dirai aujourd'hui, et avec les mots du Docteur angélique, que j'étais indubitablement pris d'amour, qui est passion et loi cosmique, car même la gravité des corps est amour naturel. Et par cette passion j'étais naturellement séduit, car en cette passion appetitus tendit in appetibile realiter consequendum ut sit ibi finis motus. Partant, naturellement amor facit quod ipsae res quae amantur, amanti aliquo modo uniantur et amor est magis cognitivus quam cognitio. De fait, je voyais maintenant la jeune fille mieux que je ne l'avais vue la veille au soir, et je la comprenais intus et in cute parce qu'en elle je me comprenais moi et en moi elle-même. Je me demande à présent si ce que j'éprouvais était l'amour d'amitié, où le semblable aime le semblable et ne veut que le bien d'autrui, ou amour de concupiscence, où l'on veut son propre bien et l'incomplet ne veut que ce qui le complète. Et je crois qu'amour de concupiscence avait été celui de la nuit, où je voulais de la jeune fille quelque chose que je n'avais jamais eu, tandis que ce matin-là je ne voulais rien de la jeune fille, et je ne voulais que son bien, et je désirais qu'elle fût soustraite à la cruelle nécessité de se soumettre pour un peu de nourriture, et fût heureuse, et je ne voulais plus rien lui demander mais uniquement continuer à penser à elle et à la voir dans les brebis, dans les bœufs, dans les arbres, dans la lumière sereine qui ceignait de bonheur l'enceinte de l'abbaye.

A présent, je sais que la cause de l'amour est le bien et ce qui est bien se définit par connaissance, et qu'on ne peut aimer que ce qu'on a appris comme bien, tandis que la jeune fille je l'avais apprise, oui, comme bien de l'appétit irascible, mais comme mal de la volonté. Mais alors, j'étais la proie d'une grande discordance dans les mille mouvements de mon âme, car ce que j'éprouvais était semblable à l'amour le plus saint précisément comme le décrivent les docteurs : il me procurait l'extase, où amant et aimée veulent la même chose (et par une mystérieuse illumination, je savais qu'en cet instant et où qu'elle fût, la jeune fille voulait cela même que moi je voulais), et pour elle j'éprouvais de la jalousie, mais pas la mauvaise, condamnée par Paul dans la première aux Corinthiens, qui est principium contentionis, et n'admet pas consortium in amato, mais celle dont parle Denis dans les *Nomi Divini,* raison pour quoi Dieu aussi est dit jaloux propter multum amorem quem habet ad existentia (et moi j'aimais la jeune fille justement parce qu'elle existait, et j'étais heureux, pas envieux, qu'elle existât). J'étais jaloux de la façon dont, pour le Docteur angélique, la jalousie est motus in amatum, jalousie d'amitié qui pousse à s'opposer à tout ce qui nuit à l'aimé (et moi je ne rêvais, en cet instant-là, à rien d'autre qu'à délivrer la jeune fille du pouvoir de ceux qui en achetaient la chair en la souillant de leurs passions néfastes).

A présent je sais, comme dit le Docteur, que l'amour peut porter atteinte à l'aimée s'il est excessif. Et le mien était excessif. J'ai tenté d'expliquer ce que j'éprouvais alors, je ne tente en rien de le justifier. Je parle de ce que furent mes coupables ardeurs de jeunesse. Elles étaient mauvaises, mais la vérité m'impose de dire que je les ressentis alors comme extrêmement bonnes. Et que cela enseigne ceux qui, comme moi, trébucheront dans les rets de la tentation. Aujourd'hui, vieillard, je saurais mille façons d'échapper à de telles séductions (et je me demande à quel point je dois en être fier, puisque me voilà libéré des tentations du démon méridien ; mais pas libéré de toutes, à telle enseigne que je me demande si ce que je suis en train de faire n'est pas coupable allégeance à la passion terrestre de la remémoration, sotte tentative d'échapper au flux du temps, et à la mort).

Jadis, je me sauvai, presque par instinct miraculeux. La jeune fille m'apparaissait dans la nature et dans les œuvres humaines qui m'entouraient. Je cherchai donc, par une heureuse intuition de l'âme, à me plonger dans la contemplation détaillée de ces œuvres. J'observai le travail des vachers qui menaient les bœufs hors de l'étable, des porchers qui remplissaient la bauge des cochons, des bergers qui excitaient les chiens à réunir les brebis, des paysans qui apportaient épeautre et mil aux moulins et en sortaient avec des sacs de bonne farine. Je m'absorbai dans la contemplation de la nature, en cherchant à oublier mes pensées et à ne regarder que les êtres tels qu'ils nous apparaissent, et à m'abîmer dans leur vision, joyeusement.

Qu'il était beau le spectacle de la nature non encore touché par la science, souvent perverse, de l'homme !

Je vis l'agneau, à qui on a donné ce nom comme en reconnaissance de sa pureté et bonté. En effet le nom *agnus* dérive du fait que cet animal *agnoscit* reconnaît sa propre mère, et en reconnaît la voix au milieu du troupeau, tandis que la mère, parmi tant d'agneaux de forme identique et d'identique bêlement, reconnaît toujours et uniquement son fils, et le nourrit. Je vis le mouton, appelé *ovis* qu'on dit *ab oblatione* parce qu'il servait depuis les premiers temps aux rites sacrificiels ; le mouton qui, à son habitude, au seuil de l'hiver, cherche l'herbe avec avidité et se remplit de fourrage avant que les pacages ne soient brûlés par le gel. Et les troupeaux étaient surveillés par les chiens, dont le nom vient de *canor* à cause de leur aboiement. Animal parfait au milieu des autres, avec des dons d'acuité supérieurs, le chien reconnaît son propre maître, et il est dressé à la chasse aux bêtes féroces dans les bois, à la garde des troupeaux contre les loups, il protège la maison et les petits de son maître, et parfois, dans son rôle de défenseur, il trouve la mort. Le roi Garamante, qui avait été conduit en prison par ses ennemis, était retourné dans sa patrie grâce à une meute de deux cents chiens qui se frayèrent un chemin au milieu des bataillons antagonistes ; le chien de Jason Lycien, après la mort de son maître, refusa de se nourrir jusqu'à mourir d'inanition ; celui du roi Lysimaque se jeta sur le bûcher de son maître pour mourir avec lui. Le chien a le pouvoir de cicatriser les blessures en les léchant, et la langue de ses chiots peut guérir les lésions intestinales. De par sa nature, il a coutume d'utiliser deux fois la même nourriture, après l'avoir vomie. Sobriété qui est symbole de perfection d'esprit, ainsi que le pouvoir de thaumaturge de sa langue est symbole de la purification des péchés, obtenue à travers la confession et la pénitence. Mais que le chien revienne à ce qu'il a vomi est aussi le signe que, après la confession, on revient aux mêmes péchés qu'avant, et cette moralité me fut fort utile ce matin-là pour avertir mon cœur, alors que j'admirais les merveilles de la nature.

Cependant mes pas me portaient à l'étable des bœufs, qui étaient en train de sortir en grand nombre, guidés par leurs bouviers. Ils me semblèrent aussitôt tels qu'ils étaient et sont, des symboles d'amitié et de bonté, car chaque bœuf sur son travail se tourne pour chercher son compagnon de charrue, si par hasard celui-là est pour l'heure absent, et il s'adresse à lui avec d'affectueux beuglements. Les bœufs, obéissants, apprennent à regagner tout seuls l'étable quand il vient à pleuvoir, et quand ils s'abritent à leur râtelier, ils allongent continuellement la tête pour regarder dehors si le mauvais temps a cessé, car ils aspirent à retourner au travail. Et avec les bœufs sortaient aussi des étables les jeunes veaux qui, femelles et mâles, tirent leur nom du mot *viriditas* ou même de *virgo,* car à cet âge ils sont encore frais, jeunes et chastes, et j'avais fait et faisais mal, me dis-je, de voir dans leurs ondoiements gracieux une image de la jeune fille sans chasteté. Voilà à quoi je songeai, réconcilié avec le monde et avec moi-même, observant le gai travail de l'heure matutinale. Et je ne pensai plus à la jeune fille, autrement dit je m'efforçai de transformer l'ardeur qui me portait vers elle, en un sentiment de gaieté intérieure et de paix dévote.

Je me dis que le monde était bon, et admirable. Que la bonté de Dieu est manifeste, fût-ce chez les bêtes les plus horribles, comme explique Honorius d'Autun. C'est vrai, il y a des serpents si grands qu'ils dévorent les cerfs et parcourent les océans, il y a la bête cénocroque au corps d'âne, cornes de bouquetin, poitrine et gueule de lion, pied de cheval à deux onglons comme celui du bœuf, babines taillées jusqu'aux oreilles, voix presque humaine et à la place des dents, un seul os solidement planté. Et il y a la bête manticore, avec un visage d'homme, un triple ordre de dents, le corps de lion, la queue de scorpion, les yeux glauques, une couleur de sang et la voix pareille au sifflement des serpents, friande de chair humaine. Et il y a des monstres avec huit doigts à chaque pied, et des museaux de loup, des ongles crochus, une peau de mouton et des abois de chien, qui deviennent noirs au lieu de blancs avec la vieillesse, et dépassent de beaucoup notre âge. Et il y a des créatures avec des yeux sur les humérus et deux trous sur la poitrine au lieu de narines, parce qu'ils n'ont point de tête, et d'autres encore qui gîtent le long du fleuve Gange, et ne vivent que de l'odeur d'une certaine pomme, et quand ils s'en éloignent, ils meurent. Cependant même toutes ces bêtes immondes chantent dans leur variété les louanges du Créateur et Sa sagesse, comme le chien, le bœuf, le mouton, l'agneau et le lynx. Comme elle est grande, me dis-je alors, en répétant les paroles de Vincent de Beauvais, la plus humble beauté de ce monde, et comme il est agréable à l'œil de la raison de considérer attentivement les façons et les nombres et les ordres des choses, si dignement établis dans tout l'univers, mais aussi le déroulement des temps qui incessamment se déploient à travers successions et chutes, marqués par la mort de ce qui est né. J'avoue, en pécheur que je suis, à l'âme insignifiante encore prisonnière de la chair, que je fus porté alors par une douceur toute spirituelle vers le

Créateur et la règle de ce monde, et j'admirai avec joyeuse vénération la grandeur et la stabilité de la création.

C'est dans cette bonne disposition d'esprit que me vit mon maître quand, entraîné par mes pas et sans m'en rendre compte, ayant presque accompli un périple autour de l'abbaye, je me retrouvai où nous nous étions quittés deux heures auparavant. Là était Guillaume, et ce qu'il me dit détourna le cours de mes songeries pour diriger de nouveau ma pensée sur les ténébreux mystères de l'abbaye.

Guillaume avait l'air fort satisfait. Il tenait en main le feuillet de Venantius, qu'il avait enfin déchiffré. Nous allâmes dans sa cellule, loin des oreilles indiscrètes, et il me traduisit ce qu'il avait lu. Après la phrase en alphabet zodiacal (secretum finis Africae manus supra idolum age primum et septimum de quatuor), voici ce que disait le texte grec :

Le poison redoutable qui donne la purification...

L'arme la meilleure pour détruire l'ennemi...

Sers-toi des personnes humbles, viles et laides, tire plaisir de leur défaut... Elles ne doivent pas mourir... Pas dans les demeures des nobles et des puissants mais à partir des villages des paysans, après abondant repas et moult libations... Des corps trapus, des faces difformes.

Ils violent des vierges et couchent avec des ribaudes, pas mauvais, sans crainte.

Une vérité différente, une différente image de la vérité...

Les vénérables figuiers.

La pierre éhontée roule dans la plaine... Sous les yeux.

Il faut rouler et surprendre en roulant, dire les choses contraires à celles qu'on croyait, dire une chose et en entendre une autre.

Pour eux les cigales chanteront depuis la terre.

Rien d'autre. A mon avis, trop peu, presque rien. On aurait dit les divagations d'un dément, et j'en fis part à Guillaume.

« Il se pourrait. Et il semble sans nul doute plus dément qu'il ne l'était à cause de ma traduction. Je connais le grec assez approximativement. Et toutefois, à supposer que Venantius fût fou, ou fou l'auteur du livre, on ne saurait pas pour autant pourquoi tant de personnes, et point toutes folles, ont tant fait, d'abord pour cacher le livre et ensuite pour le récupérer...

— Mais les choses qui sont écrites ici, elles proviennent du livre mystérieux ?

— Il s'agit, à n'en pas douter, de choses écrites par Venantius. Tu le vois, toi aussi, il ne s'agit pas d'un vieux parchemin. Et ce doivent être des notes prises en lisant le livre, autrement Venantius n'eût pas écrit en grec. Il a certainement recopié, en les abrégeant, des phrases qu'il a trouvées dans le volume dérobé au finis Africae. Il l'a emmené dans le scriptorium et a entrepris de le lire, tout en notant ce qui lui semblait digne d'être noté. Puis il est arrivé quelque chose. Ou il s'est senti mal, ou il a entendu quelqu'un monter. Alors il a remisé le livre, avec ses notes, sous sa table, se promettant probablement de le reprendre le lendemain soir. Dans tous les cas, ce n'est qu'en partant de cette feuille que nous pourrons reconstruire la nature du livre mystérieux, et ce n'est qu'à partir de la nature de ce livre qu'il sera possible d'inférer la nature de l'homicide. Car dans chaque crime commis pour la possession d'un objet, la nature de l'objet devrait nous fournir une idée, aussi pâle fût-elle, de la nature de l'assassin. Si on tue pour une poignée d'or, l'assassin sera une personne avide ; pour un livre, l'assassin n'aura de cesse qu'il ne cache aux autres les secrets de ce livre. Il est donc nécessaire de savoir ce que dit le livre que nous ne possédons pas.

— Et vous, serez-vous en mesure, à partir de ces quelques lignes, de comprendre de quel livre il retourne ?

— Cher Adso, ces mots semblent ceux d'un texte sacré, dont la signification va au-delà de la lettre. En les lisant ce matin, après que nous avons parlé avec le cellérier, j'ai été frappé du fait que là aussi il est question en partie de gens simples et de paysans, comme porteurs d'une vérité différente de celle des sages. Le cellérier a laissé entendre que quelque étrange complicité le liait à Malachie. Malachie aurait-il caché certain texte hérétique dangereux que Remigio lui avait confié ? Alors Venantius aurait lu et annoté quelque mystérieuse instruction concernant une communauté d'hommes frustes et vils en révolte contre tout et tous. Mais...

— Mais ?

— Mais il y a deux faits contre cette hypothèse. L'un, c'est que Venantius ne paraissait pas intéressé par ce genre de questions : il traduisait des textes grecs, et ne prêchait pas les hérésies... L'autre, c'est que des phrases comme celles des figuiers, de la pierre ou des cigales ne pourraient s'expliquer par cette première hypothèse...

— Ce sont peut-être des énigmes avec une autre signification, suggérai-je. Ou bien avez-vous une autre hypothèse ?

— J'en ai une, mais confuse encore. J'ai l'impression, en lisant cette page, d'avoir déjà lu certains de ces mots, et des phrases presque identiques, que j'ai vues ailleurs, me reviennent à l'esprit. Il me semble même que cette feuille parle de quelque chose dont on a déjà parlé ces jours-ci... Mais je ne me souviens pas de quoi. Il faut que j'y pense. Peut-être me faudra-t-il lire d'autres livres.

— Pourquoi donc ? Pour savoir ce que dit un livre vous devez en lire d'autres ?

— Parfois, oui. Souvent les livres parlent d'autres livres. Souvent un livre inoffensif est comme une graine, qui fleurira dans un livre dangereux, ou inversement, c'est le fruit doux d'une racine amère. Ne pourrais-tu pas, en lisant Albert, savoir ce qu'aurait pu dire Thomas ? Ou en lisant Thomas, savoir ce qu'avait dit Averroès ?

— C'est vrai », dis-je plein d'admiration. Jusqu'alors j'avais pensé que chaque livre parlait des choses, humaines ou divines, qui se trouvent hors des livres. Or je m'apercevais qu'il n'est pas rare que les livres parlent de livres, autrement dit qu'ils parlent entre eux. A la lumière de cette réflexion, la bibliothèque m'apparut encore plus inquiétante. Elle était donc le lieu d'un long et séculaire murmure, d'un dialogue imperceptible entre parchemin et parchemin, une chose vivante, un réceptacle de puissances qu'un esprit humain ne pouvait dominer, trésor de secrets émanés de tant d'esprits, et survivant après la mort de ceux qui les avaient produits, ou s'en étaient fait les messagers.

« Mais alors, dis-je, à quoi sert de cacher les livres, si on peut remonter des visibles à ceux qu'on occulte ?

— A l'aune des siècles, cela ne sert à rien. A l'aune des années et des jours, cela sert à quelque chose. De fait, tu vois à quel point nous sommes désorientés.

— Et donc une bibliothèque n'est pas un instrument pour répandre la vérité, mais pour en retarder l'apparition ? demandai-je pris de stupeur.

— Pas toujours et pas nécessairement. Dans le cas présent, elle l'est. »

SEXTE

Où Adso va chercher des truffes et trouve un arrivage de minorites, ceux-ci s'entretiennent longuement avec Guillaume et Ubertin, et l'on apprend des choses très tristes sur Jean XXII.

Après ces considérations mon maître décida de ne plus rien faire. J'ai déjà dit qu'il avait parfois de ces moments de totale absence d'activité, comme si le cycle incessant des astres s'était arrêté, et lui avec. Ainsi en alla-t-il ce matin-là. Il s'allongea sur sa paillasse, les yeux grand ouverts dans le vide et les mains croisées sur la poitrine, remuant à peine les lèvres comme s'il récitait une prière, mais de façon irrégulière et sans dévotion.

Je pensai qu'il pensait, et je résolus de respecter sa méditation. Je revins dans la cour et vis que le soleil s'était affaibli. De belle et limpide qu'elle était, la matinée (alors que le jour s'apprêtait à consumer sa première moitié) devenait peu à peu humide et brumeuse. De gros nuages arrivaient du septentrion et envahissaient le haut du plateau le recouvrant d'un brouillard léger. On aurait dit de la brume, et peut-être de la brume montait-elle aussi du sol, mais à cette hauteur il s'avérait malaisé de distinguer les nappes brumeuses qui venaient du bas de celles qui descendaient du haut. On commençait à distinguer avec peine la masse des bâtiments les plus lointains.

Je vis Séverin qui rassemblait les porchers et plusieurs de leurs animaux, dans l'allégresse. Il me dit qu'ils allaient le long des pentes du mont, et dans la vallée, chercher des truffes. Je ne connaissais pas encore ce fruit raffiné du sous-bois qui poussait dans cette péninsule, et paraissait typique des terres bénédictines, aussi bien à Norcia — noir — que dans ces terres-là — plus blanc et plus parfumé. Séverin m'expliqua de quoi il retournait, et combien la truffe est délectable, préparée des plus diverses façons. Et il me dit qu'elle était très difficile à trouver, parce qu'elle se cachait sous la terre, plus secrète qu'un champignon, et que les seuls animaux capables de la dénicher, guidés par leur flair, étaient les cochons. Sauf que, à peine la sentaient-ils, qu'ils voulaient la dévorer, et il fallait aussitôt les éloigner et intervenir pour la déterrer. Je sus plus tard que de nombreux gentilshommes ne dédaignaient pas de s'adonner à cette chasse, en suivant les cochons comme de très nobles limiers, et suivis à leur tour par des serviteurs munis de houes. Je me souviens même que bien plus tard encore un seigneur de mes contrées sachant que je connaissais l'Italie, me demanda comment il se faisait qu'il avait vu là-bas ses pairs mener paître des cochons, et moi je ris en comprenant qu'ils allaient au contraire à la recherche des truffes. Mais comme je lui dis que ces seigneurs souhaitaient vivement découvrir « le tar-toufo », comme on nomme la truffe là-bas, sous la terre pour le manger ensuite, il comprit que l'objet de leur recherche gourmande était « der Teufel », autrement dit le diable, et il se signa avec dévotion en me regardant tout ahuri. Puis l'équivoque se dissipa et l'un et l'autre nous en rîmes de bon cœur. Telle est la magie des langues humaines, que par un humain accord elles signifient souvent, avec des sons identiques, des choses différentes.

Intrigué par les préparatifs de Séverin, je décidai de le suivre, c'est qu'aussi je compris qu'il s'adonnait à cette recherche pour oublier les tristes vicissitudes qui nous accablaient tous ; et je pensai qu'en l'aidant, lui, à oublier ses pensées j'aurais peut-être, sinon oublié, du moins tenu en bride les miennes. Je ne cache pas non plus, puisque j'ai décidé d'écrire toujours et seulement la vérité, qu'en secret me séduisait l'idée que, une fois descendu dans la vallée, je pourrais peut-être entrevoir quelqu'un que je ne veux pas nommer. Mais à moi-même et quasi à haute voix je soutenais en revanche que, comme ce jour-là on attendait l'arrivée des deux légations, je pourrais peut-être en aviser une.

Au fur et à mesure qu'on descendait les tournants du mont, l'air s'éclaircissait ; non pas que le soleil revînt, car tout là-haut le ciel s'alourdissait de nuages, mais on distinguait nettement les choses, car le brouillard restait au-dessus de nos têtes. Et même, une fois que nous fûmes de beaucoup descendus, je me retournai pour regarder le faîte du mont, et ne vis plus rien : à partir de la mi-côte, le haut de la colline, le plateau, l'Edifice, tout disparaissait dans les nues.

Le matin de notre arrivée, quand déjà nous étions dans les monts, à certains tournants, il était encore possible d'apercevoir, à pas plus de dix milles et peut-être moins, la mer. Notre voyage avait été riche de surprises, parce que d'un coup on se trouvait comme sur une terrasse montagneuse qui donnait à pic sur des golfes splendides, et peu après on pénétrait dans des gorges profondes, où des montagnes s'élevaient entre les montagnes, et l'une bouchait à l'autre la vue de la côte lointaine, tandis que le soleil pénétrait à grand-peine au fond des vallées. Jamais comme en cette partie d'Italie je n'avais vu si étroites et soudaines des interpénétrations de mer et monts, de littoraux et de paysages alpins, et au vent qui soufflait dans les gorges, on pouvait percevoir la lutte alternée des baumes marins et des courants rupestres glacés.

Ce matin-là au contraire tout était gris, et presque d'une blancheur lactescente, et les horizons étaient escamotés, même lorsque les gorges s'ouvraient vers les côtes lointaines. Mais je m'attarde en des souvenirs de peu d'intérêt pour les événements qui nous tourmentent, mon patient lecteur. Aussi ne parlerai-je pas de notre aventureuse recherche des « derteufel ». Je parlerai plutôt de la légation des frères mineurs, que j'avisai le premier, courant aussitôt vers le monastère pour avertir Guillaume.

Mon maître laissa entrer les nouveaux venus et ne s'avança pas, tant que l'Abbé, selon le rite, ne les avait pas salués. Puis il se porta à la rencontre du groupe et ce fut une suite d'embrassements et de saluts fraternels.

L'heure du réfectoire était déjà passée, mais une table avait été dressée pour les hôtes et l'Abbé eut la délicatesse de les laisser entre eux, et seuls avec Guillaume, dispensés des devoirs de la règle, libres de se nourrir et d'échanger concurremment leurs impressions : vu qu'il s'agissait au fond, que Dieu me pardonne le déplaisant rapprochement, d'une manière de conseil de guerre, à tenir au plus tôt, avant que n'arrivât l'hôte ennemi, c'est-à-dire la légation avignonnaise.

Inutile de dire que les nouveaux venus s'abouchèrent aussi, dès leur arrivée, avec Ubertin qu'ils saluèrent tous, pleins de la surprise, de la joie et de la vénération qui étaient dues et à sa longue absence, et aux craintes qui avaient accompagné sa disparition, et aux qualités de ce courageux guerrier qui depuis des lustres avait déjà combattu avec eux une même bataille.

Des frères qui composaient le groupe, j'en toucherai un mot par la suite, en relatant la réunion du lendemain. C'est qu'aussi je parlai très peu avec eux, pris comme je l'étais par le conseil à trois qui s'établit sur-le-champ entre Guillaume, Ubertin et Michel de Césène.

Michel devait être un bien curieux homme : d'une grande ardeur dans sa passion franciscaine (il avait parfois les gestes, les accents d'Ubertin dans ses moments de ravissement mystique) ; très humain et jovial dans sa nature terrestre d'homme des Romagnes, susceptible d'apprécier la bonne chère et heureux de se retrouver avec ses amis ; subtil et évasif, devenant soudain avisé comme un renard, sournois comme une taupe, quand on effleurait des problèmes de rapports entre les puissants ; capable de grands éclats de rire, de ferventes tensions, de silences éloquents, habile à détourner son regard d'un interlocuteur lorsque la question de celui-là exigeait de masquer, par la distraction, le refus de répondre.

A son propos, j'ai déjà dit quelques mots dans les pages précédentes, et c'étaient des choses que j'avais entendu dire, peut-être par des gens à qui on les avait racontées. Maintenant, je comprenais mieux nombre de ses attitudes contradictoires et des changements subits de dessein politique grâce à quoi ces dernières années il avait stupéfait jusqu'à ses amis et disciples. Ministre général de l'ordre des frères mineurs, il était en principe l'héritier de saint François, de fait l'héritier de ses interprètes : il devait rivaliser avec la sainteté et la sagesse d'un prédécesseur comme le Docteur séraphique, il devait garantir le respect de la règle mais en même temps les destinées de l'ordre, si puissant et diffus, il devait prêter l'oreille aux cours et aux magistratures citadines d'où l'ordre retirait, fût-ce sous forme d'aumône, dons et legs, occasion de prospérité et richesse ; et il devait simultanément veiller à ce que le besoin de pénitence ne boutât point hors de l'ordre les spirituels les plus enflammés, désagrégeant cette splendide communauté, dont il était le chef, en une constellation de bandes d'hérétiques. Il devait plaire au pape, à l'Empire, aux frères de pauvre vie, à saint François qui, pour sûr, le surveillait du haut des cieux, au peuple chrétien qui le surveillait du haut de ses galoches. Quand Jean avait condamné tous les spirituels comme hérétiques, Michel n'avait pas hésité à lui remettre cinq d'entre les plus récalcitrants frères de Provence, laissant le Pontife les envoyer au bûcher. Mais s'avisant (et l'action d'Ubertin ne devait pas avoir été étrangère à cela) que beaucoup dans l'ordre sympathisaient avec les disciples de la simplicité évangélique, il avait justement agi en sorte que le chapitre de Pérouse, quatre ans plus tard, fît siennes les instances des brûlés. En cherchant naturellement à résorber un besoin, qui pouvait être hérétique, dans les limites et dans les institutions de l'ordre, et en voulant que ce que l'ordre voulait maintenant fût voulu par le pape aussi. Mais, tandis qu'il attendait de convaincre le pape, sans l'accord duquel il n'aurait pas voulu aller plus loin, il n'avait pas dédaigné d'accepter les faveurs de l'empereur et des théologiens impériaux. Pas plus tard que deux ans avant le jour où je le vis, il avait enjoint à ses frères, dans le chapitre général de Lyon, de ne parler de la personne du pape qu'avec modération et respect (et ce quelques mois après que le pape avait parlé des minorites en protestant contre « leurs aboiements, leurs erreurs et leurs insanités »). Mais maintenant il était attablé, en toute amitié, en compagnie de gens qui parlaient du pape avec un respect moins que nul.

Quant au reste, je l'ai déjà dit. Jean le voulait en Avignon, lui il voulait et ne voulait pas y aller, et la rencontre du lendemain aurait dû décider des conditions et des garanties d'un voyage qui n'eût pas dû apparaître comme un acte de soumission, mais non plus comme un acte de défi. Je ne crois pas que Michel eût jamais rencontré Jean en personne, du moins depuis qu'il était pape. En tout cas il ne le voyait pas depuis fort longtemps, si ses amis à qui mieux mieux lui portraituraient en touches noires la figure de ce simoniaque.

« Il faudra que tu apprennes une chose, lui disait Guillaume, à te défier de ses jurements, qu'il tient toujours à la lettre, en les violant dans leur substance.

— Tout le monde sait, disait Ubertin, ce qui arriva au temps de son élection...

— Je ne l'appellerais pas élection, mais plutôt imposition ! » intervint un commensal, que j'entendis ensuite appeler Hugues de Newcastle, et dont l'accent ressemblait à celui de mon maître. « En attendant, la mort de Clément V déjà n'a jamais été très claire. Le roi ne lui avait jamais pardonné d'avoir promis un procès à la mémoire de Boniface VIII, et puis d'avoir tout fait pour ne pas désavouer son prédécesseur. Comment il est mort à Carpentras, personne ne le sait bien. Le fait est que lorsque les cardinaux s'assemblent à Carpentras pour le conclave, il n'en sort pas de nouveau pape, parce que (et justement) la dispute se déplace sur le choix entre Avignon et Rome. Je ne sais pas très bien ce qui s'est passé en ces jours-là, un massacre me dit-on, avec les cardinaux menacés par le neveu du pape mort, leurs serviteurs trucidés, le palais livré aux flammes, les cardinaux qui en appellent au roi, celui-ci qui dit n'avoir jamais voulu que le pape désertât Rome, que donc ils patientent, et fassent un bon choix... Puis Philippe le Bel meurt, lui aussi Dieu sait comme...

— Ou le diable le sait, dit en se signant, par tous imité, Ubertin.

— Ou le diable le sait, admit Hugues en ricanant. Bref, un autre roi accède au trône, il survit dix-huit mois, meurt ; meurt aussi en quelques jours son héritier à peine né, son frère le régent s'empare du trône...

— Et c'est précisément ce Philippe V qui, encore comte de Poitiers, avait regroupé les cardinaux qui s'enfuyaient de Carpentras, dit Michel.

— En effet, poursuivit Hugues, il les remet en conclave à Lyon dans le couvent des dominicains, en jurant de veiller à leur sécurité et de ne point les retenir prisonniers. Cependant, à peine ils se mettent à sa merci, non seulement il les fait enfermer à clef (ce qui serait après tout de juste coutume) mais il diminue leur pitance de jour en jour jusqu'à ce qu'ils prennent une décision. Et il promet à chacun de le soutenir dans ses prétentions au Saint-Siège. Puis quand lui-même monte sur le trône, les cardinaux, las d'être prisonniers depuis deux années, par crainte d'avoir à rester là leur vie entière même, en mangeant d'une façon épouvantable, ils acceptent tout, les goulus, et mettent sur la chaire de Pierre ce gnome qui a largement passé les soixante-dix ans...

— Gnome certes oui, rit Ubertin, et d'aspect poitrinaire, mais plus robuste et plus rusé qu'on ne croyait !

— Fils de savetier, bougonna un des légats.

— Christ était fils de menuisier ! le tança Ubertin. Ce n'est pas là le fait. Il s'agit d'un homme cultivé, il a étudié son droit à Montpellier et médecine à Paris, il a su cultiver ses amitiés en employant les moyens les plus appropriés pour avoir et les sièges épiscopaux et le chapeau de cardinal quand cela lui parut opportun, et lorsqu'il a été conseiller de Robert le Sage à Naples, il en a épaté plus d'un pour sa pénétration d'esprit. Comme évêque d'Avignon, il a prodigué tous les justes conseils (justes, dis-je, pour réussir cette sordide entreprise) à Philippe le Bel afin d'amener les Templiers à la ruine. Et après son élection il a réussi à échapper à un complot de cardinaux qui voulaient l'occire... Mais tel n'était pas mon propos : je parlais de son habileté à trahir les jurements sans qu'on le puisse accuser de parjure. Quand il fut élu, et pour être élu, il a promis au cardinal Orsini qu'il aurait ramené le Saint-Siège à Rome, et il a juré sur l'hostie consacrée que s'il n'avait pas tenu sa promesse, il ne serait plus jamais monté sur un cheval ou sur une mule. Eh bien, savez-vous ce qu'il a fait, le renard ? Quand il s'est fait couronner à Lyon (contre la volonté du roi, qui désirait que la cérémonie eût lieu en Avignon) il a pris le bateau ensuite, de Lyon à Avignon ! »

Les frères se mirent tous à rire. Le pape était un parjure, mais on ne pouvait lui refuser une certaine ingéniosité.

« C'est un impudent, commenta Guillaume. Hugues n'a-t-il pas dit qu'il ne tenta pas même de cacher sa mauvaise foi ? Ne m'as-tu pas raconté, toi, Ubertin, ce qu'il a dit à l'Orsini le jour de son arrivée en Avignon ?

— Certes, dit Ubertin, il lui dit que le ciel de France était si beau qu'il ne voyait pas pourquoi il devrait poser le pied dans une ville pleine de ruines comme Rome. Et que puisque le pape, comme

Pierre, avait le pouvoir de lier et de délier, lui qui exerçait ce pouvoir maintenant, il décidait de rester là où il était et se trouvait si bien. Et comme l'Orsini chercha de lui rappeler que son devoir était de vivre sur la colline vaticane, il le rappela sèchement à l'obéissance, et coupa court à la discussion. Mais l'histoire du jurement ne finit pas là. Quand il descendit du bateau, il aurait dû monter une jument blanche, suivi des cardinaux montés sur des chevaux noirs, comme veut la tradition. En revanche, il s'est rendu à pied au palais épiscopal. Et je ne sache pas qu'il ne soit vraiment plus remonté à cheval. Or c'est sur la foi de cet homme-là, Michel, que se fondent les garanties que tu auras ? »

Michel resta un long temps en silence. Puis il dit : « Je peux comprendre le désir du pape de demeurer en Avignon, et je ne le discute pas. Mais lui ne pourra discuter notre désir de pauvreté et notre interprétation de l'exemple de Christ.

— Ne sois pas naïf, Michel, intervint Guillaume, votre, notre désir, met sous un jour sinistre le sien. Il faut que tu te rendes compte que depuis des siècles jamais homme plus avide n'avait été élevé au trône pontifical. Les prostituées de Babylone contre qui tonnait autrefois notre Ubertin, les papes corrompus dont parlaient les poètes de ton pays comme cet Alighieri, étaient des agneaux doux et sobres en regard de Jean. C'est une pie voleuse, un usurier juif, on trafique plus en Avignon qu'à Florence ! J'ai eu vent de son ignoble transaction avec le neveu de Clément, Bertrand de Goth, celui du massacre de Carpentras (où, entre autres, les cardinaux furent allégés de tous leurs bijoux) : celui-ci avait fait main basse sur le trésor de son oncle, qui n'était pas de la roupie de sansonnet, et rien de ce qu'il avait volé n'avait échappé à Jean (dans la *Cum venerabiles* il énumère avec précision les monnaies, les vases d'or et d'argent, les livres, les tapis, les pierres précieuses, les parements...). Jean fit pourtant mine d'ignorer que Bertrand avait mis les mains sur plus d'un million et demi de florins d'or au cours du sac de Carpentras, et discuta de trente mille autres florins, que Bertrand avouait avoir reçus de son oncle pour " un pieux dessein ", à savoir pour une croisade. Il fut établi que Bertrand aurait gardé la moitié de la somme pour la croisade et l'autre moitié serait allée au Saint-Siège. Ce convenu, Bertrand ne fit jamais la croisade, ou du moins ne l'a-t-il pas encore faite, et le pape n'a pas vu la couleur d'un florin...

— Il n'est pas si habile que cela, alors, observa Michel.

— C'est l'unique fois qu'il s'est fait jouer en matière d'argent, dit Ubertin. Il faut que tu saches bien à quelle race de mercanti tu as affaire. Dans tous les autres cas, il a montré une habileté diabolique pour ramasser de l'argent. C'est un roi Midas, ce qu'il touche devient de l'or qui afflue dans les caisses d'Avignon. Chaque fois que je suis entré dans ses appartements, j'ai trouvé des banquiers, des changeurs de monnaie, et des tables chargées d'or, et des clercs qui comptaient et empilaient des florins les uns sur les autres... Et tu verras quel palais il s'est fait construire, avec des richesses que jadis on n'attribuait qu'à l'empereur de Byzance ou au Grand Khan des Tartares. Et maintenant tu comprends pourquoi il a fulminé toutes ces bulles contre l'idée de la pauvreté. Sais-tu bien qu'il a poussé les dominicains, par haine de notre ordre, à sculpter des statues de Christ affublé de la couronne royale, de la tunique de pourpre et d'or et de cothurnes somptueux ? En Avignon ont été exposés des crucifix avec Jésus cloué par une seule main, tandis que de l'autre il touche une bourse pendue à sa ceinture, pour indiquer qu'Il autorise l'usage des deniers à des fins religieuses...

— Oh le sans-vergogne ! s'exclama Michel. Mais c'est là pur blasphème !

— Il a ajouté, continua Guillaume, une troisième couronne à la tiare papale, n'est-ce pas, Ubertin ?

— Sûr. Au début du millénaire, le pape Hildebrand en avait adopté une, avec écrit dessus *Corona regni de manu Dei*, l'infâme Boniface en avait ajouté récemment une seconde, avec ces mots *Diadema imperii de manu Petri*, et Jean n'a rien fait d'autre que de perfectionner le symbole : trois couronnes, le pouvoir spirituel, le temporel et l'ecclésiastique. Un symbole des rois persans, un symbole païen... »

Il y avait un frère qui jusqu'alors était resté silencieux, tout occupé, avec grande dévotion, à avaler les bons mets dont l'Abbé avait fait recouvrir la table. Il tendait une oreille distraite aux différents propos, en émettant de temps à autre un rire sarcastique à l'adresse du souverain pontife, ou un grognement d'approbation aux interjections d'indignation des commensaux. Mais pour le reste, il veillait à se nettoyer le menton des jus et des morceaux de viande qu'il laissait tomber de sa bouche édentée mais vorace, et les rares fois qu'il avait adressé la parole à un de ses voisins, ç'avait été pour porter aux nues quelque délectable gourmandise. Je sus ensuite qu'il s'agissait de messire Jérôme, cet évêque de Caffa qu'Ubertin quelques jours auparavant croyait bel et bien défunt (et je dois dire que l'idée qu'il était mort depuis deux ans circula comme une nouvelle vraie à travers toute la chrétienté pendant longtemps, car je l'entendis même par la suite ; et en effet il mourut peu de mois après notre rencontre, et je persiste à attribuer son décès à la grande rage que la réunion du lendemain lui aurait mise au corps, tellement que j'aurais presque cru le voir éclater sur-le-champ, tant il était frêle de corps et d'humeur bileuse).

Il s'introduisit à ce point-là dans la conversation, en parlant la bouche pleine : « Et puis, vous savez que l'infâme a élaboré une constitution sur les *taxae sacrae poenitentiariae* où il spécule sur les péchés des religieux pour en soutirer d'autres deniers encore. Si un ecclésiastique commet le péché de la chair avec une nonne, avec une parente, ou même avec une femme quelconque (parce qu'on en arrive jusque-là !), il ne pourra être absous que s'il paie soixante-sept lires d'or et douze sous. Et s'il commet des bestialités, ce sera plus de deux cents lires, mais s'il ne les a commises qu'avec des enfants ou des animaux, et non pas avec des femmes, l'amende sera réduite de cent lires. Et une religieuse qui se serait donnée à de nombreux hommes, soit en même temps soit à des moments différents, en dehors ou en dedans du couvent, et puis veut devenir abbesse, devra payer cent trente et une lires d'or et quinze sous...

— Allons donc, messire Jérôme, protesta Ubertin, vous savez combien peu j'aime le pape, mais là je dois le défendre ! C'est une calomnie qu'on fait circuler en Avignon, je n'ai jamais vu cette constitution !

— Elle existe, affirma vigoureusement Jérôme. Moi non plus je ne l'ai pas vue, mais elle existe. »

Ubertin hocha la tête et les autres se turent. Je m'aperçus qu'ils étaient habitués à ne point trop prendre au sérieux messire Jérôme, que l'autre jour Guillaume avait taxé de sot. Quoi qu'il en fût, Guillaume chercha à relancer la conversation : « En tout cas, vraie ou fausse, cette rumeur nous dit bien quel est le climat moral d'Avignon, où quiconque, exploités et exploiteurs, sait qu'il vit davantage dans un marché qu'à la cour d'un représentant de Christ. Lors de l'exaltation de Jean, on parlait d'un trésor de soixante-dix mille florins d'or, et maintenant certains disent qu'il en a amassé plus de dix millions.

— C'est vrai, dit Ubertin. Michel, Michel, tu ne sais pas les choses honteuses qu'il m'a fallu voir en Avignon !

— Cherchons à être honnêtes, dit Michel. Nous savons que les nôtres aussi ont commis des excès. J'ai su des franciscains qui attaquaient en armes les couvents dominicains et dénudaient leurs frères ennemis pour leur imposer la pauvreté... C'est pour cela que je n'osai pas m'opposer à Jean aux temps des affaires de Provence... Je veux aboutir à un accord avec lui, je n'humilierai pas son orgueil, je lui demanderai seulement qu'il n'humilie pas notre humilité. Je ne lui parlerai pas de l'or, je lui demanderai seulement d'être d'accord avec une saine interprétation des Ecritures. Et c'est ce que nous devrons faire avec ses légats, demain. En fin de compte, ce sont des hommes de théologie, et tous ne seront pas des rapaces comme Jean. Lorsque des hommes sages auront délibéré sur une interprétation scripturaire, lui ne pourra...

— Lui ? coupa Ubertin. Mais tu ne connais pas encore ses folies dans le domaine théologique. Lui veut lier vraiment tout de sa main, dans le ciel et sur la terre. Sur la terre nous avons vu ce qu'il fait. Quant au ciel... Eh bien, il n'a pas encore exprimé les idées que je te dis, pas publiquement du moins, mais je sais de source sûre qu'il en a touché un mot à ses fidèles. Il est en train d'élaborer certaines propositions folles, sinon perverses, qui changeraient la substance même de la doctrine, et ôteraient toute force à notre prédication !

— Lesquelles ? demandèrent beaucoup d'entre eux.

— Demandez à Bérenger, lui le sait, c'est lui qui m'en avait parlé. » Ubertin s'était adressé à Bérenger Talloni, qui avait été dans les années passées un des adversaires les plus décidés du souverain pontife à sa cour même. Venu d'Avignon, il avait depuis deux jours rejoint le groupe des franciscains, et avec eux il était arrivé à l'abbaye.

« C'est une sombre histoire et presque incroyable, dit Bérenger. Il semble donc que Jean ait en tête de soutenir que les justes ne jouiront de la vision béatifique qu'après le Jugement. Depuis longtemps, il réfléchit sur le verset neuf du sixième chapitre de l'Apocalypse, là où on parle de l'ouverture du cinquième sceau : où apparaissent sous l'autel ceux qui ont été égorgés pour avoir témoigné de la parole de Dieu, et demandent justice. On donne à chacun une robe blanche en leur disant de patienter encore un peu... Signe, en déduit Jean, qu'ils ne pourront voir Dieu dans son essence, avant l'accomplissement du Jugement Dernier.

— Mais à qui a-t-il débité ces sornettes ? demanda Michel atterré.

— Jusqu'à présent, à une poignée d'intimes, mais le bruit s'est répandu, on dit qu'il est en train de préparer une intervention ouverte, pas dans l'immédiat, peut-être dans quelques années, il consulte ses théologiens...

— Ah ah ! ricana Jérôme en mastiquant.

— Non seulement ; il semble qu'il veuille aller plus loin et soutenir que l'enfer non plus ne sera pas ouvert avant ce jour... Pas même pour les démons.

— Seigneur Jésus aide-nous ! s'exclama Jérôme. Et que raconterons-nous alors aux pécheurs, si nous ne pouvons les menacer d'un enfer immédiat, dès l'instant où ils meurent ?

— Nous sommes dans les mains d'un fou, dit Ubertin. Mais je ne comprends pas pourquoi il veut soutenir pareilles choses...

— Toute la doctrine des indulgences part en fumée, déplora Jérôme, et même lui ne pourra plus en vendre. Pourquoi un prêtre qui a fait péché de bestialité devrait-il payer tant de lires en or pour éviter un châtiment aussi lointain ?

— Pas si lointain que ça, dit avec force Ubertin, les temps sont proches !

— Tu le sais toi, cher frère, mais les simples ne le savent pas. Voilà où nous en sommes ! cria Jérôme qui n'avait plus l'air de se délecter en mâchonnant. Quelle idée néfaste, ce sont ces frères prêcheurs qui ont dû la lui fourrer dans le crâne... Ah ! » Et il secoua la tête.

« Mais pourquoi ? répéta Michel de Césène.

— Je ne crois pas qu'il y ait une raison, dit Guillaume. C'est une preuve qu'il s'octroie, un acte d'orgueil. Il veut vraiment être celui qui décide pour le ciel et pour la terre. J'étais au fait de ces rumeurs, Guillaume d'Occam m'en avait écrit. Nous verrons à la fin qui du pape ou des théologiens, de la voix de l'Eglise entière, des désirs mêmes du peuple de Dieu, des évêques, l'emportera...

— Oh, sur des matières doctrinales, il pourra plier même les théologiens, dit tristement Michel.

— Ce n'est pas dit, répondit Guillaume. Nous vivons en des temps où les savants ès choses divines n'ont crainte de proclamer que le pape est un hérétique. Les savants ès choses divines sont à leur façon la voix du peuple chrétien. Et là-contre, pas même le pape ne pourra désormais aller.

— De mal en pis, murmura Michel effaré. D'un côté un pape fol, de l'autre le peuple de Dieu qui, fût-ce par la bouche de ses théologiens, prétendra d'ici peu à l'interprétation libre des Ecritures...

— Pourquoi ? Pour votre part qu'avez-vous fait de différent à Pérouse ? » demanda Guillaume.

Michel eut une secousse, comme piqué au vif : « C'est pour cela que je veux rencontrer le pape. Nous ne pouvons rien faire, nous, s'il n'est pas d'accord, lui.

— Nous verrons, nous verrons bien », dit Guillaume d'une façon énigmatique.

Mon maître était vraiment d'une grande acuité d'esprit. Comment faisait-il pour prévoir que Michel soi-même déciderait par la suite de s'appuyer sur les théologiens de l'Empire et sur le peuple pour condamner le pape ? Comment faisait-il pour prévoir que, quand quatre ans plus tard Jean aurait énoncé pour la première fois son incroyable doctrine, il y aurait eu un soulèvement de la part de toute la chrétienté ? Si la vision béatifique était retardée à ce point, comment les défunts auraient-ils pu intercéder pour les vivants ? Et où aurait fini le culte des saints ? C'est justement les minorites qui ouvriraient les hostilités en condamnant le pape, et Guillaume d'Occam serait en première ligne, sévère et implacable dans ses argumentations. La lutte durerait trois ans, jusqu'à ce que Jean, arrivé au seuil de la mort, fasse en partie amende honorable. Je l'entendis décrire, des années après, tel qu'il apparut dans le consistoire de décembre 1334, plus petit qu'il n'était jamais apparu jusqu'alors, desséché par l'âge, nonagénaire et moribond, et il aurait dit (le renard, si habile à jouer sur les mots non seulement pour violer ses propres serments mais aussi pour renier ses propres obstinations) : « Nous reconnaissons et nous croyons que les âmes séparées du corps et complètement purifiées sont au ciel, au paradis avec les anges, et avec Jésus-Christ, et qu'elles voient Dieu dans sa divine essence, clairement et face à face... » et puis après une pause, personne ne sut jamais si due à des difficultés respiratoires ou à la volonté perverse de souligner comme adversative la dernière clause : « ... dans la mesure où l'état et la condition de l'âme séparée le permettent. » Le lendemain matin, c'était un dimanche, il se fit installer sur une chaise longue et au dossier incliné, il agréa de ses cardinaux le baiser de la main, et il mourut.

Mais de nouveau je divague, et je perds le fil de mon récit. C'est qu'aussi, dans le fond, le reste de cette conversation à table n'ajoute pas grand-chose à la compréhension des événements que je raconte. Les minorites s'accordèrent sur l'attitude à avoir pour le lendemain. Ils pesèrent un à un leurs adversaires. Ils commentèrent avec préoccupation la nouvelle, donnée par Guillaume, de l'arrivée de Bernard Gui. Et davantage encore le fait que la présidence de la légation reviendrait au cardinal Bertrand du Poggetto. Deux inquisiteurs, c'était trop : signe qu'on voulait utiliser contre les minorites l'argument de l'hérésie.

« Tant pis, dit Guillaume, ce sera nous qui les traiterons d'hérétiques, eux.

— Non, non, dit Michel, procédons avec prudence, nous ne devons compromettre aucun accord possible.

— J'ai beau tourner et retourner la question, dit Guillaume, tout en ayant œuvré pour la réalisation de cette rencontre, et tu le sais bien Michel, je ne crois pas que les Avignonnais viennent ici en vue d'un quelconque résultat positif. Jean te veut en Avignon seul et les mains nues. Mais la rencontre aura au moins pour effet de te faire comprendre cela. C'eût été pire si tu y étais allé avant cette expérience.

— Ainsi tu t'es mis en quatre, et des mois durant, pour réaliser une chose que tu crois inutile, dit Michel avec amertume.

— Qui m'avait été demandée, et par toi et par l'empereur, dit Guillaume. Et puis enfin, il n'est jamais inutile de mieux connaître ses propres ennemis. »

C'est à ce point-là qu'on vint nous prévenir : la deuxième délégation franchissait l'enceinte. Les minorites se levèrent et allèrent à la rencontre des hommes du pape.

Quatrième jour

NONE

Où arrivent le cardinal du Poggetto, Bernard Gui et autres hommes d'Avignon, et puis chacun en agit à sa guise.

Des hommes qui se connaissaient déjà depuis longtemps, des hommes qui sans se connaître avaient entendu parler les uns des autres, se saluaient dans la cour avec une apparente bienveillance. Aux côtés de l'Abbé, le cardinal Bertrand du Poggetto évoluait comme un familier du pouvoir, comme s'il était lui-même un second pape, et distribuait à tous, surtout aux minorites, des sourires cordiaux, souhaitant que des prodiges d'harmonieuse entente naissent de la réunion du lendemain, et transmettant explicitement les vœux de paix et bonheur (il se servit intentionnellement de cette expression chère aux franciscains) de la part de Jean XXII.

« Très bien, très bien », me dit-il, quand Guillaume eut la bonté de me présenter comme son secrétaire et disciple. Puis il me demanda si je connaissais Bologne et m'en loua la beauté, la bonne chère et la splendide université, en m'invitant à la visiter, au lieu de m'en retourner un jour, me dit-il, parmi ma gent allemande qui tant faisait souffrir notre seigneur le pape. Il me tendit son anneau à baiser, tandis qu'il adressait déjà son sourire à quelqu'un d'autre.

Par ailleurs mon attention se dirigea aussitôt vers le personnage dont j'avais entendu parler ces jours-ci : Bernard Gui, comme l'appelaient les Français, ou Bernardo Guidoni comme on l'appelait ailleurs.

C'était un dominicain d'environ soixante-dix ans, mince mais à la silhouette toute droite. Me frappèrent ses yeux gris, froids, capables de fixer sans expression, et que cependant maintes fois je verrais sillonnés d'éclairs équivoques ; son habileté aussi bien à celer pensées et passions qu'à les exprimer tout exprès.

Dans l'échange général des saluts, il ne fut pas comme les autres affectueux et cordial, mais toujours et tout juste courtois. Quand il vit Ubertin, que déjà il connaissait, il fut avec lui fort déférent, mais le fixa d'une telle manière qu'un frisson d'inquiétude me parcourut tout entier. Quand il salua Michel de Césène, il eut un sourire difficile à déchiffrer, et il murmura sans chaleur : « Là-haut on vous attend depuis longtemps », phrase où je ne parvins à saisir ni un signe d'anxiété, ni une ombre d'ironie, ni une mise en demeure, ni, d'ailleurs, une nuance d'intérêt. Il rencontra Guillaume, et en apprenant qui il était, il le regarda avec une hostilité polie : mais point pour que son visage trahît ses sentiments secrets, j'en étais certain (encore qu'incertain s'il nourrissait jamais quelque sentiment que ce fût), mais parce qu'il voulait certainement que Guillaume le sentît hostile. Guillaume lui rendit son hostilité en lui souriant de façon exagérément cordiale et en lui disant : « Je désirais connaître depuis longtemps un homme dont la renommée m'a servi de leçon et d'avertissement pour bien des décisions importantes qui ont orienté ma vie. » Sentence sans nul doute élogieuse et presque adulatrice pour qui ne savait pas, tandis que Bernard le savait fort bien, qu'une des décisions les plus importantes de la vie de Guillaume avait été celle d'abandonner le métier d'inquisiteur. J'en tirai l'impression que, si Guillaume aurait volontiers vu Bernard dans un cul-de-basse-fosse impérial, Bernard aurait certainement vu avec plaisir Guillaume saisi de mort accidentelle et foudroyante ; et comme Bernard avait à ses ordres ces jours-là des hommes d'armes, je craignis pour la vie de mon bon maître.

Bernard devait avoir déjà été informé par l'Abbé des crimes commis à l'abbaye. En effet, ayant l'air de ne pas relever le poison infus dans la phrase de Guillaume, il lui dit : « Il y a lieu de croire que ces jours-ci, sur la demande de l'Abbé, et pour m'acquitter de la tâche qui m'a été confiée au terme de l'accord nous voyant réunis ici, je devrai m'occuper d'événements fort tristes où l'on sent l'odeur pestifère du démon. Je vous en parle, car je sais qu'en des temps lointains, où vous m'auriez été plus proche, vous aussi à mes côtés — et aux côtés de mes pairs —, vous vous êtes battu sur ce terrain où s'affrontaient les bataillons du bien contre les bataillons du mal.

— En effet, dit calmement Guillaume, mais ensuite, je suis passé de l'autre côté. »

Bernard encaissa bravement le coup : « Pouvez-vous me dire quelque chose d'utile sur ces histoires de crimes ?

— Malheureusement non, répondit urbainement Guillaume. Je n'ai pas votre expérience en matière d'histoires criminelles. »

Dès lors, je perdis trace des uns et des autres. Guillaume, après une autre conversation avec Michel et Ubertin, se retira dans le scriptorium. Il demanda à Malachie de pouvoir consulter certains livres dont je ne parvins pas à saisir les titres. Malachie le regarda d'une façon étrange, mais il ne put pas les lui refuser. Curieusement, il ne dut pas les chercher dans la bibliothèque. Ils étaient déjà tous sur la table de Venantius. Mon maître se plongea dans la lecture, et je décidai de ne pas le déranger.

Je descendis dans les cuisines. Là je vis Bernard Gui. Peut-être voulait-il se rendre compte de la disposition de l'abbaye et circulait-il de partout. Je l'entendis qui interrogeait les cuisiniers et d'autres servants, parlant tant bien que mal le vulgaire du lieu (je me rappelai qu'il avait été inquisiteur en Italie septentrionale). J'eus l'impression qu'il demandait des informations sur les récoltes, sur l'organisation du travail dans le monastère. Mais fût-ce en posant les questions les plus innocentes, il regardait son interlocuteur avec des yeux pénétrants, puis il posait tout à trac une nouvelle question, et là sa victime pâlissait et balbutiait. J'en conclus que, de quelque singulière manière, il menait une enquête inquisitoriale, et il se prévalait d'une arme formidable que tout inquisiteur dans l'exercice de ses fonctions possède et manœuvre : la peur de l'autre. Car tout homme soumis à l'inquisition dit d'ordinaire à l'inquisiteur, par peur d'être soupçonné de quelque chose, ce qui peut servir à rendre suspect quelqu'un d'autre.

Pendant tout le reste de l'après-midi, au fil de mes déambulations, je vis Bernard procéder de cette manière, aussi bien près des moulins que dans le cloître. Mais il n'affronta presque jamais des moines, toujours des frères lais ou des paysans. Le contraire de ce qu'avait fait Guillaume jusqu'à présent.

Quatrième jour

VÊPRES

Où Alinardo semble donner des informations précieuses, et Guillaume révèle sa méthode pour arriver à une vérité probable à travers une série d'erreurs certaines.

Plus tard Guillaume descendit du scriptorium de bonne humeur. Tandis que nous attendions que se fît l'heure du repas du soir, nous trouvâmes Alinardo dans le cloître. Me souvenant de sa demande, dès le jour précédent je m'étais procuré des pois chiches dans les cuisines, et lui en offris. Il me remercia en les glissant dans sa bouche édentée et baveuse. « Tu as vu, mon garçon, me dit-il, l'autre cadavre aussi gisait là où le livre l'annonçait... Attends maintenant la quatrième trompette ! »

Je lui demandai comment il lui était venu à l'esprit que la clef de la série des crimes se trouvait dans le livre de la révélation. Il me regarda étonné : « Le livre de Jean offre la clef de tout ! » Et il ajouta, avec une grimace de rancœur : « Je le savais moi, je le disais moi, depuis beau temps... Ce fut moi, tu sais, qui proposai à l'Abbé... celui de l'époque, de recueillir le plus de commentaires possibles à l'Apocalypse. Je devais devenir bibliothécaire... Mais ensuite l'autre parvint à se faire envoyer à Silos, où il trouva les manuscrits les plus beaux, et il revint avec un butin splendide... Oh, lui, il savait où chercher, il parlait même la langue des infidèles... Et ainsi lui confia-t-on la garde de la bibliothèque, et pas à moi. Mais Dieu le punit, et le fit entrer avant l'âge dans le règne des ténèbres. Ah, ah !... » rit-il avec mauvaiseté, ce vieillard qui jusqu'à ce moment m'était apparu, plongé dans la sérénité de ses cheveux blancs, comme un enfant innocent.

« Qui était celui dont vous parlez ? » demanda Guillaume.

Il nous regarda interdit. « De qui parlais-je ? Je ne me souviens pas... Il y a tellement longtemps de cela. Mais Dieu punit, Dieu efface, Dieu estompe même les souvenirs. Beaucoup d'actes d'orgueil furent commis dans la bibliothèque. Surtout depuis qu'elle est tombée aux mains des étrangers. Dieu punit encore... »

Nous ne réussîmes pas à le faire parler davantage et nous l'abandonnâmes à son paisible et rancuneux délire. Guillaume se déclara très intéressé par cet entretien : « Alinardo est un homme à écouter, chaque fois qu'il parle il dit quelque chose d'intéressant.

— Qu'a-t-il dit cette fois-ci ?

— Adso, dit Guillaume, résoudre un mystère n'est pas la même chose qu'une déduction à partir de principes premiers. Et ça n'équivaut pas non plus à recueillir une bonne quantité de données particulières pour en inférer ensuite une loi générale. Cela signifie plutôt se trouver en face d'une, ou deux, ou trois données particulières qui apparemment n'ont rien en commun, et chercher à imaginer si elles peuvent être autant de cas d'une loi générale que tu ne connais pas encore, et qui n'a peut-être jamais été énoncée. Certes, si tu sais, comme dit le philosophe, que l'homme, le cheval et le mulet sont tous trois sans fiel et qu'ils ont tous trois longue vie, tu peux tenter d'énoncer le principe selon lequel les animaux sans fiel vivent longtemps. Mais imagine le cas des animaux à cornes. Pourquoi ont-ils des cornes ? Tu t'aperçois à l'improviste que tous les animaux pourvus de cornes n'ont pas de dents à la mâchoire supérieure. Ce serait une belle découverte, si tu ne te rendais pas compte que, malheureusement, il existe des animaux sans dents à la mâchoire supérieure et qui toutefois n'ont pas de cornes, comme le chameau. Enfin tu t'aperçois que tous les animaux sans dents à la mâchoire supérieure ont deux estomacs. Bon, tu peux imaginer que ceux qui n'ont pas de dents en quantité suffisante mastiquent mal et qu'ils ont donc besoin de deux estomacs pour pouvoir mieux digérer leurs aliments. Mais les cornes ? Alors tu t'essaies à imaginer une cause matérielle aux cornes : le manque de dents procure à l'animal une excédence de matière osseuse qui doit bien percer quelque part. Mais est-ce une explication suffisante ? Non, parce que le chameau n'a pas de dents supérieures, il a deux estomacs, mais pas de cornes. Et alors il faut que tu imagines aussi une cause finale. La matière osseuse ne saille en cornes que chez les animaux qui n'ont pas d'autres moyens de défense. Le chameau, par contre, a une peau très dure et n'a point besoin de cornes. Alors la loi pourrait s'énoncer...

— Mais que viennent faire ici les cornes ? demandai-je avec impatience, et pourquoi vous occupez-vous d'animaux avec des cornes ?

— Moi, je ne m'en suis jamais occupé, mais l'évêque de Lincoln s'en était fort occupé, lui, en suivant une idée d'Aristote. Honnêtement, je ne sais si les raisons qu'il a trouvées sont les bonnes, et je n'ai jamais contrôlé où le chameau a ses dents et combien il a d'estomacs : mais c'était pour te dire que la recherche des lois explicatives, dans les faits naturels, procède de façon tortueuse. Devant certains faits inexplicables tu dois essayer d'imaginer un grand nombre de lois générales, dont tu ne perçois pas encore le rapport avec les faits qui te font problème : et tout à coup, dans le rapport soudain d'un résultat, un cas et une loi, se profile à tes yeux un raisonnement qui te semble plus convaincant que les autres. Tu essaies de l'appliquer à tous les cas semblables, à l'utiliser pour en tirer des prévisions, et tu découvres que tu avais deviné. Mais jusqu'à la fin, tu ne sauras jamais quels prédicats introduire dans ton raisonnement et lesquels laisser tomber. Et c'est ainsi que je procède maintenant. J'aligne quantité d'éléments décousus et je fabrique des hypothèses. Mais je dois en fabriquer beaucoup, et nombre de celles-ci sont si absurdes que j'aurais honte de te les dire. Tu vois, dans le cas du cheval Brunel, quand j'aperçus les traces, je fabriquai grand nombre d'hypothèses complémentaires et contradictoires : il pouvait s'agir d'un cheval en fuite, il se pouvait que sur ce beau cheval l'Abbé fût descendu le long du sentier pentu, il se pouvait qu'un cheval Brunel eût laissé des traces sur la neige, et un cheval Favel, la veille, ses crins dans le buisson, et que les branches eussent été brisées par des hommes. Je ne savais pas quelle était la bonne hypothèse tant que je n'eus pas vu le cellérier et les servants qui cherchaient avec anxiété. Alors je compris que l'hypothèse Brunel était la seule juste, et j'essayai de voir si elle était vraie, en apostrophant les moines comme je le fis. J'ai gagné, mais j'aurais bien pu perdre aussi. Les autres m'ont cru sage parce que j'ai gagné, mais ils ne connaissaient pas les nombreux cas où j'ai été penaud parce que j'avais perdu, et ils ne savaient pas que quelques secondes avant de gagner je n'étais pas certain de ne pas avoir perdu. Or donc, dans le cas de l'abbaye, j'ai quantité de belles hypothèses, mais aucun fait évident qui me permette de dire quelle est la meilleure. Et alors, pour ne pas faire figure de penaud plus tard, je renonce à faire figure d'astucieux maintenant. Laisse-moi encore réfléchir, au moins jusqu'à demain. »

Je compris à ce moment-là quelle était la façon de raisonner de mon maître, et elle me sembla fort différente de celle du philosophe qui raisonne sur les principes premiers, à telle enseigne que son intellect fonctionne presque comme l'intellect divin. Je compris que, lorsqu'il n'avait pas de réponse, Guillaume s'en proposait un grand nombre, et très différentes les unes des autres. Je restai perplexe.

« Mais alors, osai-je commenter, vous êtes encore loin de la solution...

— J'en suis très près, dit Guillaume, mais je ne sais pas de laquelle.

— Donc, vous n'avez pas qu'une seule réponse à vos questions ?

— Adso, si tel était le cas, j'enseignerais la théologie à Paris.

— A Paris, ils l'ont toujours, la vraie réponse ?

— Jamais, dit Guillaume, mais ils sont très sûrs de leurs erreurs.

— Et vous, dis-je avec une infantile impertinence, vous ne commettez jamais d'erreurs ?

— Souvent, répondit-il. Mais au lieu d'en concevoir une seule, j'en imagine beaucoup, ainsi je ne deviens l'esclave d'aucune. »

J'eus l'impression que Guillaume n'était point du tout intéressé à la vérité, qui n'est rien d'autre que l'adéquation entre la chose et l'intellect. Lui, au contraire, il se divertissait à imaginer le plus de possibles qu'il était possible.

A ce moment-là, je l'avoue, je désespérai de mon maître et me surpris à penser : « Encore heureux que l'inquisition soit arrivée. » Je pris parti pour la soif de vérité qui animait Bernard Gui.

Et c'est dans ces coupables dispositions d'esprit, plus troublé que Judas la nuit du jeudi saint, que j'entrai avec Guillaume dans le réfectoire pour consommer le souper.

Quatrième jour

COMPLIES

Où Salvatore parle d'une magie prodigieuse.

Le repas pour la légation fut superbe. L'Abbé devait fort bien connaître et les faiblesses des hommes et les usages de la cour papale (qui n'eurent rien pour déplaire, je dois le dire, aux minorites de fra Michel non plus). Avec les cochons fraîchement égorgés, il devait y avoir du boudin à la mode de Cassin, nous dit le cuisinier. Mais la malheureuse fin de Venantius les avait obligés à jeter tout le sang des cochons, et il n'y en aurait plus jusqu'à ce qu'ils en égorgent d'autres. Et puis je crois que ces jours-ci tuer les créatures du Seigneur leur faisait horreur. Nous eûmes tout de même des pigeonneaux en salmis, macérés dans du vin de ce terroir, et du lapin rôti comme des cochons de lait, des miches de sainte Claire, du riz aux amandes de ces monts, autrement dit le blanc-manger des vigiles, des croûtons à la bourrache, des olives fourrées, du fromage frit, de la viande de mouton arrosée d'une sauce crue de poivrons, des fèves blanches, et des douceurs exquises, gâteau de saint Bernard, friands de saint Nicolas, quatre-yeux de sainte Lucie, et des vins, et des liqueurs d'herbes qui mirent de bonne humeur même Bernard Gui, si austère d'habitude : liqueur de citronnelle, brou de noix, vin contre la goutte et vin de gentiane. On aurait dit d'une réunion de gloutons, si chaque gorgée ou chaque bouchée n'avait été accompagnée par de dévotes lectures.

A la fin tous se levèrent très gais, certains alléguant de vagues malaises pour ne pas descendre à complies. Mais l'Abbé ne s'en ombragea point. Tous n'ont certes pas le privilège et les obligations qui dérivent de la consécration à notre ordre.

Tandis que les moines s'égaillaient, je m'attardai avec curiosité dans les cuisines, où l'on se disposait pour la fermeture nocturne. Je vis Salvatore qui s'éclipsait vers le jardin avec un ballot dans les bras. Intrigué, je le suivis et le hélai. Il chercha à s'esquiver, puis à mes questions il répondit qu'il portait dans son ballot (lequel ondulait comme habité par une chose vivante) un basilic.

« Cave basilischium ! Est le reys des serpents, tant plein de poison qu'il en brille todo dehors ! Que dicam, le poison, c'est la puanteur qu'il dégage hors qui t'occit ! T'intoxique... Et il a des taches blanches sur le dos, et caput comme un coq, et moitié va droite au-dessus de la terra et moitié va par terra comme les autres serpentes. Et l'occit la bellula...

— La bellula ?

— Oc ! Bestiole parvissime est, plus longue un peu que l'rat, et l'rat la hait muchissime. Et aussi le serpent et le crapaud. Et quand eux la mordent, la bellula court au fenouil ou à la circée et en mordille, et redet ad bellum. Et dicunt qu'elle engendre par les yeux, mais les plus nombreux disent qu'ils disent le faux. »

Je lui demandai ce qu'il faisait avec un basilic et il dit que c'étaient ses affaires. Je lui dis, désormais aiguillonné par la curiosité, que ces jours-ci, avec cette kyrielle de morts, il n'y avait plus d'affaires secrètes, et que j'en aurais parlé à Guillaume. Alors Salvatore me pria ardemment de me taire, il ouvrit le ballot et me montra un chat au poil noir. Il m'attira à lui et me dit avec un sourire obscène qu'il ne voulait plus que le cellérier ou moi, parce que nous étions l'un puissant et l'autre jeune et beau, nous pussions avoir l'amour des belles filles du village, et lui pas, parce qu'il était laid et pitoyable. Qu'il connaissait une magie tout à fait prodigieuse pour faire tomber dans ses rets toute femme prise d'amour. Il fallait tuer un chat noir et lui arracher les yeux, puis les mettre dans deux œufs de poule noire, un œil dans un œuf, un œil dans l'autre (et il me montra deux œufs qu'il m'assura avoir pris au nid des bonnes poules). Il fallait ensuite mettre les œufs à pourrir dans une pyramide de crottins de chevaux (et il en avait préparé une, juste dans un petit coin du jardin où ne passait jamais personne), et là serait né, pour chaque œuf, un diablotin, qui se serait mis à son service en lui procurant toutes les délices de ce monde. Mais hélas, me dit-il, pour que la magie réussît il fallait que la femme, dont il voulait l'amour, crachât sur les œufs avant qu'ils fussent enterrés dans le crottin, et ce problème lui faisait souci, parce que, cette nuit même, il avait besoin près de lui de la femme en question, pour qu'elle remplisse son office sans savoir quelle en était la fin.

Une flamme me parcourut soudain, au visage, ou aux entrailles, ou le corps entier, et je demandai avec un filet de voix si cette nuit-là il conduirait dans l'enceinte la jeune fille de la nuit précédente. Lui, il se prit à rire, se moquant de moi, et il dit que j'étais vraiment la proie d'un grand rut (je dis que non, que je demandais par pure curiosité), et puis il m'affirma qu'au village il y avait quantité de femmes, et qu'il en aurait fait monter une autre, plus belle encore que celle qui me plaisait à moi. Je supposai qu'il me mentait pour m'éloigner de lui. D'autre part, qu'aurais-je pu faire ? Le suivre toute la nuit, quand Guillaume m'attendait pour de tout autres entreprises ? Et voir à nouveau celle (si toutefois il s'agissait bien d'elle) vers qui mes appétits me poussaient, tandis que ma raison m'en détournait — et que je n'eusse dû jamais plus revoir, même si je désirais encore toujours la voir ? Certes non. Et donc je me convainquis moi-même que Salvatore disait le vrai, pour ce qui était de la femme. Ou que peut-être il mentait sur tout, que la magie dont il parlait était pure fantaisie de son esprit ingénu et superstitieux, et qu'il n'en aurait rien fait.

Je m'irritai contre lui, le traitai avec rudesse, lui dis que pour cette nuit il aurait mieux fait d'aller dormir, car les archers circulaient dans l'enceinte. Il répondit qu'il connaissait l'abbaye mieux que les archers, et qu'avec ce brouillard personne ne verrait personne. Mieux, me dit-il, maintenant je fiche le camp, et même toi tu ne me verras plus, même si j'étais ici à deux pas en train de prendre du bon temps avec la fille que tu désires. Il s'exprima avec d'autres mots, bien plus ignobles, mais c'était là le sens de ce qu'il disait. Je m'éloignai indigné, parce que vraiment il ne m'appartenait pas, à moi noble et novice, de jouer les rivaux de cette canaille.

Je rejoignis Guillaume et nous fîmes ce que nous devions. C'est-à-dire que nous nous disposâmes à suivre complies, au fond de la nef, de façon que, au moment où l'office prit fin, nous étions prêts à entreprendre notre second voyage (troisième pour moi) dans les viscères du labyrinthe.

Quatrième jour

APRÈS COMPLIES

Où l'on visite de nouveau le labyrinthe, l'on parvient au seuil du finis Africae mais on ne peut y entrer car on ne sait ce que sont le premier et le septième des quatre, et enfin Adso a une rechute, par ailleurs fort docte, dans sa maladie d'amour.

La visite à la bibliothèque nous prit de longues heures de travail. En théorie, le contrôle que nous devions faire était facile, mais procéder à la lumière de notre lampe, lire les inscriptions, marquer sur le plan les passages et les murs pleins, enregistrer les initiales, effectuer les différents parcours que le jeu des ouvertures et des blocages nous permettait, fut une chose fort longue. Et ennuyeuse.

Il faisait très froid. La nuit n'était pas venteuse et on n'entendait pas ces sifflements aigus qui nous avaient impressionnés le premier soir, mais par les rayères pénétrait un air humide et glacé. Nous avions mis des gants de laine pour pouvoir toucher les volumes sans que nos mains s'engourdissent. Mais c'étaient précisément de ceux qu'on utilisait pour écrire l'hiver, avec la pointe des doigts découverte, et de temps à autre nous devions approcher les mains de la flamme, ou les mettre sous notre scapulaire, ou les battre l'une contre l'autre, en sautillant tout transis.

C'est pourquoi nous n'accomplîmes pas notre tâche d'affilée. Nous nous arrêtions pour fouiner dans les armaria, et maintenant que Guillaume — avec ses nouveaux verres sur le nez — pouvait s'attarder à lire les livres, à chaque titre qu'il découvrait il se répandait en exclamations d'allégresse, soit parce qu'il connaissait l'ouvrage, soit parce qu'il le cherchait depuis longtemps, soit enfin parce qu'il ne l'avait jamais entendu mentionner et qu'il était extrêmement excité et intrigué. En somme, chaque livre s'avérait être pour lui comme un animal fabuleux qu'il rencontrait sur une terre inconnue. Et tout en feuilletant un manuscrit, il m'enjoignait d'en chercher d'autres.

« Regarde ce qu'il y a dans cette armoire ! »

Et moi, ânonnant et déplaçant des volumes : « *Historia anglorum* de Bède... Et toujours de Bède *De aedificatione templi, De tabernaculo, De temporibus et computo et chronica et circuli Dyonisi, Ortographia, De ratione metrorum, Vita Sancti Cuthberti, Ars metrica...*

— C'est normal, toutes les œuvres du vénérable... Et regarde-là ! *De rhetorica cognatione, Locorum rhetoricum distinctio,* et ici tous ces grammairiens, Priscien, Honorat, Donat, Maximien, Victorin, Métrorius, Eutychès, Servius, Phocas, Asper... Bizarre, je pensais à première vue qu'il y avait ici des auteurs de l'Anglie... Regardons plus bas...

— *Hisperica... famina.* Qu'est-ce que c'est ?

— Un poème hibernique. Ecoute :

> Hoc spumans mundanas obvallat Pelagus oras
> terrestres amniosis fluctibus cudit margines.
> Saxeas undosis molibus irruit avionias.
> Infima bomboso vertice miscet glareas
> asprifero spergit spumas sulco,
> sonoreis frequenter quatitur flabris...

Je n'en comprenais pas le sens, mais Guillaume lisait en faisant rouler les mots dans sa bouche si bien qu'on aurait cru entendre la rumeur des rouleaux et de l'écume marine.

« Et ça ? C'est Aldhelm de Malmesbury, oyez cette page : *Primitus pantorum procerum poematorum pio potissimum paternoque presertim privilegio panegiricum poemataque passim prosatori sub polo promulgatas...* les mots commencent tous par la même lettre !

— Les hommes de mes îles sont tous un peu fous, disait Guillaume avec orgueil. Regardons dans l'autre armoire.

— Virgile.

— Que fait-il ici ? Virgile quoi ? Les *Géorgiques ?*

— Non. *Epitomés.* Je n'en avais jamais entendu parler.

— Mais il ne s'agit pas du Maro ! C'est Virgile de Toulouse, le rhéteur, six siècles après la naissance de Notre Seigneur. Il fut considéré comme un grand sage...

— Ici il dit que les arts sont poema, rethoria, grama, leporia, dialecta, geometria... Mais quelle langue parle-t-il ?

— Latin, mais un latin de son cru, qu'il jugeait beaucoup plus beau. Lis voir ici : il dit que l'astronomie est l'étude des signes du zodiaque qui sont mon, man, tonte, piron, dameth, perfellea, belgalic, margaleth, lutamiron, taminon et raphalut.

— Il était fou ?

— Je l'ignore, mais il n'était pas de mes îles. Ecoute encore, il dit qu'il existe douze manières de désigner le feu, ignis, coquihabin (quia incocta coquendi habet dictionem), ardo, calax ex calore, fragon ex fragore flammae, rusin de rubore, fumaton, ustrax de urendo, vitius quia pene mortua membra suo vivificat, siluleus, quod de silice siliat, unde et silex non recte dicitur, nisi ex qua scintilla silit. Et aeneon, de Aenea deo, qui in eo habitat, sive a quo elementis flatus fertur.

— Il n'y a personne qui parle de la sorte !

— C'est heureux. Mais c'étaient les temps où, pour oublier un monde mauvais, les grammairiens s'amusaient d'abstruses questions. On me dit qu'à cette époque, pendant quinze jours et quinze nuits, les rhéteurs Gabundus et Terentius disputèrent sur le vocatif de *ego,* et pour finir en vinrent aux armes.

— Mais là aussi, oyez... » Je m'étais emparé d'un livre merveilleusement enluminé avec des labyrinthes végétaux aux vrilles desquels se présentaient des singes et des serpents. « Oyez ces mots : cantamen, collamen, gongelamen, stemiamen, plasmamen, sonerus, alboreus, gaudifluus, glaucicomus...

— Mes îles, dit de nouveau avec tendresse Guillaume. Ne sois pas sévère avec ces moines de la lointaine Hibernie, si cette abbaye existe, et si nous parlons encore de Saint Empire romain, nous le devons sans doute à eux. En ce temps-là, le reste de l'Europe était réduit à un amas de ruines, et un jour furent déclarés sans valeur les baptêmes administrés par certains prêtres des Gaules car on y baptisait *in nomine patris et filiae,* et pas parce qu'ils pratiquaient une nouvelle hérésie et considéraient Jésus comme une femme, mais parce qu'ils ne savaient plus le latin.

— Comme Salvatore ?

— Plus ou moins. Les pirates de l'extrême Nord arrivaient le long des fleuves pour mettre Rome à sac. Les temples païens tombaient en ruine, les temples chrétiens n'existaient pas encore. Et les moines de l'Hibernie furent les seuls qui, dans leurs monastères, écrivirent et lurent, lurent et écrivirent, et enluminèrent, et puis se jetèrent sur des nacelles faites de peaux de bêtes et naviguèrent vers ces terres et les évangélisèrent comme si vous étiez des infidèles, tu comprends ? Tu as été à Bobbio, c'est Colomban qui l'a fondé, l'un d'eux. Et donc laisse-les faire s'ils inventent un latin nouveau, vu qu'en Europe on ne savait plus l'ancien. Ce furent de grands hommes. Saint Brandan arriva jusqu'aux îles Fortunées, et longea les côtes de l'enfer où il vit Judas enchaîné à un rocher, et un jour il aborda à une île et y descendit, et c'était un monstre marin. Naturellement, ils étaient fous, répéta-t-il avec satisfaction.

— Leurs images sont... à n'en pas croire mes yeux ! Et quelle variété de couleurs ! dis-je, en m'extasiant.

— Dans une terre qui, en couleurs, n'est pas riche, un peu de bleu et du vert à n'en plus finir. Mais ne restons pas là à discuter des moines hibernes. Ce que je veux savoir c'est pourquoi ils sont ici avec les Angles et avec des grammairiens d'autres pays. Regarde sur ton plan, où devrions-nous être ?

— Dans les pièces de la tour occidentale. J'ai relevé aussi les cartouches. Donc, en sortant de la pièce aveugle, on entre dans la salle heptagonale et il y a un seul passage à une seule pièce de la tour, la lettre en rouge est H. Puis on passe de pièce en pièce en parcourant le périmètre de la tour et on revient à la pièce aveugle. La suite des lettres donne... vous avez raison ! HIBERNI !

— HIBERNIA, si de la pièce aveugle tu reviens dans l'heptagonale, qui a comme les trois autres le A de Apocalypsis. C'est pourquoi on y trouve les ouvrages des auteurs de la dernière Thulé, et les grammairiens aussi et les rhéteurs, parce que les ordonnateurs de la bibliothèque ont pensé qu'un grammairien doit se trouver avec les grammairiens d'Hibernie, même s'il est de Toulouse. C'est un critère. Tu vois que nous commençons à comprendre quelque chose ?

— Mais dans les pièces de la tour orientale par où nous sommes entrés, nous avons lu FONS... Qu'est-ce que cela signifie ?

— Lis bien ton plan, continue à lire les lettres des salles qui se suivent par ordre d'accès.

— FONS ADAEU...

— Non, Fons Adae, le U est la deuxième pièce aveugle orientale, je m'en souviens, il s'insère sans doute dans une autre suite. Et qu'avons-nous trouvé au Fons Adae, c'est-à-dire dans le paradis terrestre (rappelle-toi que là se trouve la pièce avec l'autel qui donne vers le lever du soleil) ?

— Il y avait quantité de Bibles, et des commentaires à la Bible, rien que des livres d'écritures saintes.

— Et donc tu vois, la parole de Dieu en correspondance avec le paradis terrestre, qui, comme il est dit par tous, est loin vers l'orient. Et ici, à l'occident, l'Hibernie.

— Le tracé de la bibliothèque reproduit donc le plan du monde tout entier ?

— C'est probable. Et les livres y sont placés selon leur pays de provenance, ou le lieu de naissance de leurs auteurs ou, comme en ce cas, le lieu où ils auraient dû naître. Les bibliothécaires se sont dit que Virgile, le grammairien, est né par un malentendu à Toulouse et qu'il aurait dû naître dans les îles occidentales. Ils ont réparé les erreurs de la nature. »

Nous poursuivîmes notre chemin. Nous passâmes par une enfilade de salles riches de splendides Apocalypses, et l'une d'elles était la pièce où j'avais eu des visions. Et même, comme nous vîmes de loin à nouveau la lampe fumigatoire, Guillaume se boucha le nez et courut l'éteindre, en crachant sur les cendres. Et pour plus de précaution, nous traversâmes la pièce en toute hâte, mais je me souvenais d'y avoir vu la ravissante Apocalypse multicolore avec la mulier amicta sole et le dragon. Nous reconstruisîmes la suite de ces salles à partir de la dernière où nous pénétrâmes et qui avait comme initiale en rouge un Y. La lecture à reculons donna le mot YSPANIA, mais le dernier A était le même sur lequel terminait HIBERNIA. Signe, dit Guillaume, qu'il restait des pièces où l'on recueillait des ouvrages de caractère mixte.

En tout cas, la zone dénommée YSPANIA nous sembla peuplée de recueils de l'Apocalypse en grand nombre, tous de très belle facture, que Guillaume reconnut pour de l'art hispanique. Nous notâmes que la bibliothèque recelait sans doute la plus vaste collection de copies du livre de l'apôtre qui existât dans la chrétienté, et une immense quantité de commentaires sur ce texte. Des volumes énormes étaient consacrés au commentaire sur l'Apocalypse de Beatus, et le texte était toujours plus ou moins le même, mais nous trouvâmes une fantastique diversité de variations dans les images, et Guillaume reconnut la patte de certains qu'il jugeait parmi les plus grands d'entre les enlumineurs du règne des Asturies, Magius, Facundus et d'autres.

D'une observation à l'autre, nous parvînmes à la tour méridionale, à proximité de laquelle nous étions déjà passés le soir précédent. La pièce S de YSPANIA — sans fenêtre — donnait dans une pièce E et circulairement nous parcourûmes à la file les cinq pièces de la tour pour arriver à la dernière, sans autres passages, qui portait un L en rouge. Nous relûmes en sens contraire et trouvâmes : LEONES.

« Leones, Midi, sur notre plan nous sommes en Afrique, hic sunt leones. Et cela explique pourquoi nous y avons découvert tant de textes d'auteurs infidèles.

— Et il y en a d'autres, dis-je en fouillant dans les armoires. *Canon* d'Avicenne, et ce manuscrit magnifique dans une calligraphie que je ne connais pas...

— A en juger d'après les décorations, ce devrait être un Coran, mais malheureusement je ne sais pas l'arabe.

— Le Coran, la Bible des infidèles, un livre pervers...

— Un livre qui contient une sagesse différente de la nôtre. Mais tu comprends pourquoi ils l'ont placé ici, où sont les lions et les monstres. Voilà pourquoi nous y avons vu cet ouvrage sur les bêtes monstrueuses où tu as trouvé aussi l'unicorne. Cette zone dite LEONES contient les livres qui, pour les bâtisseurs de la bibliothèque, étaient ceux du mensonge. Qu'y a-t-il là-bas ?

— Ils sont en latin, mais traduits de l'arabe. Ayyub al Ruhawi, un traité sur l'hydrophobie canine. Et celui-ci est un livre des trésors. Et cet autre le *De aspectibus* de Alhazen...

— Tu vois, ils ont placé au milieu des monstres et des mensonges même ces ouvrages scientifiques dont les chrétiens ont tant à apprendre. Ainsi pensait-on dans les temps où la bibliothèque fut constituée...

— Mais pourquoi ont-ils également mis parmi les faussetés un livre avec l'unicorne ? demandai-je.

— D'évidence, les fondateurs de la bibliothèque avaient de curieuses idées. Ils auront jugé que ce livre qui parle d'animaux fantastiques vivant dans des pays lointains faisait partie du répertoire de mensonges répandus par les infidèles...

— Mais l'unicorne est-il un mensonge ? C'est un animal d'une grande douceur et hautement symbolique. Figure de Christ et de la chasteté, il ne peut être capturé qu'en plaçant une vierge dans une forêt, de façon que l'animal, attiré par son odeur très chaste, aille poser sa tête dans son giron, s'offrant comme proie aux lacs des chasseurs.

— C'est ce qu'on dit, Adso. Mais beaucoup sont enclins à penser qu'il s'agit là d'une fable inventée par les païens.

— Quelle déception, dis-je. J'aurais eu plaisir à en rencontrer un au détour d'un chemin forestier. Autrement, quel plaisir peut-on prendre à traverser une forêt ?

— Ce n'est pas dit qu'il n'existe pas. Peut-être est-il différent de la façon dont le représentent ces livres. Un voyageur vénitien alla dans des terres fort lointaines, à proximité du fons paradisi dont parlent les mappemondes, et il vit des unicornes. Mais il les trouva mal dégrossis et sans nulle grâce, et d'une grande laideur et noirs. Je crois qu'il a bien vu de vraies bêtes avec une corne sur le front. Ce furent probablement les mêmes dont les maîtres de la science antique, jamais tout à fait erronée, qui reçurent de Dieu la possibilité de voir des choses que nous, nous n'avons pas vues, nous transmirent l'image avec une première description fidèle. Puis cette description, en voyageant d'auctoritas en auctoritas, se transforma par successives compositions de l'imagination, et les unicornes devinrent des animaux gracieux et blancs et doux. En raison de quoi, si tu sais que dans une forêt vit un unicorne, n'y va pas avec une vierge, car l'animal pourrait ressembler davantage à celui du témoin vénitien qu'à celui de ce livre.

— Mais comment échut-elle aux maîtres de la science antique, la révélation de Dieu sur la véritable nature de l'unicorne ?

— Pas la révélation, mais l'expérience. Ils eurent la chance de naître sur des terres où vivaient des unicornes ou en des temps où les unicornes vivaient sur ces mêmes terres.

— Mais alors comment pouvons-nous nous fier à la science antique, dont vous n'avez de cesse de rechercher les traces, si elle nous a été transmise par des livres mensongers qui l'ont interprétée avec une telle liberté ?

— Les livres ne sont pas faits pour être crus, mais pour être soumis à examen. Devant un livre, nous ne devons pas nous demander ce qu'il dit mais ce qu'il veut dire, idée fort claire pour les vieux commentateurs des livres saints. L'unicorne tel qu'en parlent ces livres masque une vérité morale, ou allégorique, ou analogique, qui demeure vraie, comme demeure vraie l'idée que la chasteté est une noble vertu. Mais quant à la vérité littérale qui soutient les trois autres, reste à voir à partir de quelle donnée d'expérience originaire est née la lettre. La lettre doit être discutée, même si le sens latent garde toute sa justesse. Il est écrit dans un livre que le diamant ne se taille qu'avec du sang de bouc. Mon grand maître Roger Bacon dit que ce n'était pas vrai, simplement parce que lui s'y était essayé, et sans résultat. Mais si le rapport entre diamant et sang de bouc avait eu un sens plus profond, cette affirmation ne perdrait rien de sa valeur.

— Alors on peut dire des vérités supérieures en mentant quant à la lettre, dis-je. Et cependant, je regrette encore que l'unicorne tel qu'il est n'existe pas, ou n'ait pas existé, ou ne puisse exister un jour.

— Il ne nous est pas permis de borner l'omnipotence divine, et si Dieu voulait, même les unicornes pourraient exister. Mais console-toi, ils existent dans ces livres, qui, s'ils ne parlent pas de l'être réel, parlent de l'être possible.

— Mais il faut donc lire les livres sans en appeler à la foi, qui est vertu théologale ?

— Restent les deux autres vertus théologales. L'espérance que le possible soit. Et la charité, envers qui a cru de bonne foi que le possible était.

— Mais à quoi vous sert, à vous, l'unicorne si votre intellect n'y croit pas ?

— Il sert comme m'a servi la trace des pieds de Venantius sur la neige, traîné jusqu'à la cuve des cochons. L'unicorne des livres est comme une empreinte. S'il est une empreinte, il doit y avoir eu quelque chose qui a laissé cette empreinte.

— Mais différente de l'empreinte, vous me dites.

— Certes. Une empreinte n'a pas toujours la forme même du corps qui l'a imprimée et elle ne naît pas toujours de la pression d'un corps. Elle reproduit parfois l'impression qu'un corps a laissée dans notre esprit, elle est empreinte d'une idée. L'idée est signe des choses, et l'image est signe de l'idée, signe d'un signe. Mais à partir de l'image je reconstruis, sinon le corps, l'idée que d'autres en avaient.

— Et cela vous suffit ?

— Non, parce que la vraie science ne doit pas se contenter des idées, qui sont précisément des signes, mais elle doit retrouver les choses dans leur vérité singulière. J'aimerais donc remonter de cette empreinte à l'unicorne individu qui se trouve au début de la chaîne. De même que j'aimerais remonter des signes vagues laissés par l'assassin de Venantius (signes qui pourraient renvoyer à beaucoup d'autres) à un individu unique, l'assassin en personne. Mais ce n'est pas toujours possible en un court laps de temps, et sans la médiation d'autres signes.

— Mais alors il m'est toujours et uniquement possible de parler de quelque chose qui me parle de quelque chose d'autre et ainsi de suite, mais le quelque chose final, le vrai, ne l'appréhende-t-on jamais ?

— Si, peut-être, c'est l'unicorne individu. Et ne t'inquiète pas, un jour ou l'autre tu le rencontreras, pour noir et laid qu'il soit.

— Unicornes, lions, auteurs arabes et maures en général, dis-je alors, sans nul doute c'est bien ici l'Africa dont parlaient les moines.

— Sans nul doute, c'est elle. Et si c'est elle, nous devrions trouver les poètes africains auxquels se référait Pacifico de Tivoli. »

Et de fait, en reparcourant notre chemin à rebours et en regagnant la pièce L, je trouvai dans une armoire toute une collection de livres de Florus, Fronton, Apulée, Martianus Capella et Fulgence.

« Donc c'est ici, selon Bérenger, qu'il devrait y avoir l'explication d'un certain secret, dis-je.

— Presque ici. Il employa l'expression " finis Africae " et c'est à cette expression que Malachie s'irrita fort. Le finis pourrait être cette dernière pièce, ou encore... (il eut une exclamation :) Par les sept églises de Clonmacnois ! Tu n'as rien remarqué ?

— Quoi ?

— Revenons sur nos pas, à la pièce S d'où nous sommes partis ! »

Nous revînmes à la première pièce aveugle où le verset disait :

Super thronos viginti quatuor. Elle avait quatre ouvertures. L'une donnait sur la pièce Y, avec fenêtre sur l'octogone. L'autre donnait sur la pièce P qui continuait, le long de la façade extérieure, la série YSPANIA. Une autre vers la tour desservait la pièce E que nous venions de parcourir. Puis il y avait un mur plein et enfin une ouverture qui desservait une seconde pièce aveugle avec l'initiale U. La pièce S était celle du miroir, et heureusement que ce dernier se trouvait sur la paroi immédiatement à ma droite, sans quoi j'eusse été de nouveau pris de peur.

A bien observer le plan, je me rendis compte de la singularité de cette pièce. Comme chaque pièce aveugle des trois autres tours, elle aurait dû desservir la salle heptagonale centrale. Si elle ne le faisait pas, l'entrée dans l'heptagone aurait dû s'ouvrir dans la pièce adjacente, la U. Celle-ci pourtant, qui desservait par une ouverture une pièce T avec fenêtre sur l'octogone intérieur, et par l'autre communiquait avec la pièce S, avait ses trois autres murs pleins et occupés par des armoires. En jetant un regard circulaire, nous relevâmes ce qui désormais était évident, même en lisant notre plan : pour des raisons de logique outre que de rigoureuse symétrie, cette tour devait avoir sa salle heptagonale, mais elle n'existait pas.

« Elle n'existe pas, dis-je.

— Ce n'est pas qu'elle n'existe pas. Si elle n'existait pas, les autres pièces seraient plus grandes, tandis qu'elles sont peu ou prou du même format que celles des autres côtés. Elle existe, mais on n'y accède pas.

— Elle est murée ?

— Probablement. Et voilà le finis Africae, voilà l'endroit que hantaient les petits curieux qui sont morts. Elle est murée, mais il n'est pas dit qu'il n'y ait pas de passage. Et même, ce passage existe à coup sûr, et Venantius l'avait trouvé, ou en avait eu la description par Adelme, et ce dernier par Bérenger. Relisons ses notes. »

Il tira de sa coule le parchemin de Venantius et lut : « La main sur l'idole opère sur le premier et sur le septième des quatre. » Il regarda autour de lui : « Mais bien sûr ! L'idolum, c'est l'image du miroir ! Venantius pensait en grec et dans cette langue, plus encore que dans la nôtre, *eidolon* est aussi bien image que spectre, et le miroir nous renvoie notre image déformée que nous-mêmes, l'autre nuit, nous avons prise pour un spectre ! Mais que peuvent être alors les quatre *supra speculum* ? Quelque chose sur la surface réfléchissante ? Mais alors nous devrions nous placer d'un certain point de vue, de façon à apercevoir quelque chose qui se reflète dans le miroir et qui correspond à la description donnée par Venantius... »

Nous nous déplaçâmes dans toutes les directions, mais sans

résultat. Au-delà de nos images, le miroir renvoyait les contours confus du reste de la salle, à grand-peine éclairée par notre lampe.

« Alors, méditait Guillaume, par *supra speculum* il pourrait vouloir entendre au-delà du miroir... Il importerait donc que d'abord nous allions au-delà, parce que ce miroir est sûrement une porte... »

Le miroir était plus grand qu'un homme normal, encastré dans le mur à l'aide d'un robuste cadre de chêne. Nous le touchâmes de mille manières, nous cherchâmes à glisser nos doigts, nos ongles entre le cadre et le mur, mais le miroir tenait ferme, comme s'il faisait partie du mur, pierre dans la pierre.

« Et si ce n'est pas au-delà, ce pourrait être *super speculum* », murmurait Guillaume, et ce disant il levait le bras et se haussait sur la pointe des pieds, et faisait courir sa main sur le bord supérieur du cadre, sans trouver autre chose que de la poussière.

« D'ailleurs, réfléchissait mélancoliquement Guillaume, si même là derrière il y avait une pièce, le livre que nous cherchons et que d'autres cherchent, n'est plus dans cette pièce, parce qu'on l'a emporté loin d'ici, d'abord Venantius et puis, qui sait où, Bérenger.

— Mais peut-être Bérenger l'a-t-il rapporté ici.

— Non, ce soir-là nous étions dans la bibliothèque, et tout porte à croire qu'il est mort peu après le vol, cette nuit-là même dans les balnea. Autrement nous l'aurions revu le matin suivant. Peu importe... Pour le moment nous nous sommes assurés du lieu où se trouve le finis Africae et nous avons presque tous les éléments pour compléter à la perfection le plan de la bibliothèque. Tu dois admettre que bien des mystères du labyrinthe se sont désormais éclaircis. Tous, dirais-je, sauf un. Je crois que je tirerai davantage parti d'une relecture attentive du manuscrit de Venantius que d'autres inspections. Tu as vu que le mystère du labyrinthe, nous l'avons mieux découvert du dehors que du dedans. Ce soir, en face de nos images déformées, nous ne viendrons pas à bout du problème. Et enfin, la lumière de notre lampe décline. Viens, mettons noir sur blanc les autres indications qui nous servent pour établir le plan définitif. »

Nous parcourûmes d'autres salles, toujours en enregistrant nos découvertes sur mon plan. Nous passâmes dans des salles uniquement consacrées à des écrits de mathématique et d'astronomie, d'autres avec des ouvrages en caractères araméens qu'aucun de nous deux ne connaissait, d'autres en caractères plus inconnus encore, peut-être des textes de l'Inde. Nous nous déplacions entre deux suites imbriquées qui disaient IUDAEA et AEGYPTUS. En somme, pour ne pas ennuyer le lecteur avec la chronique de notre

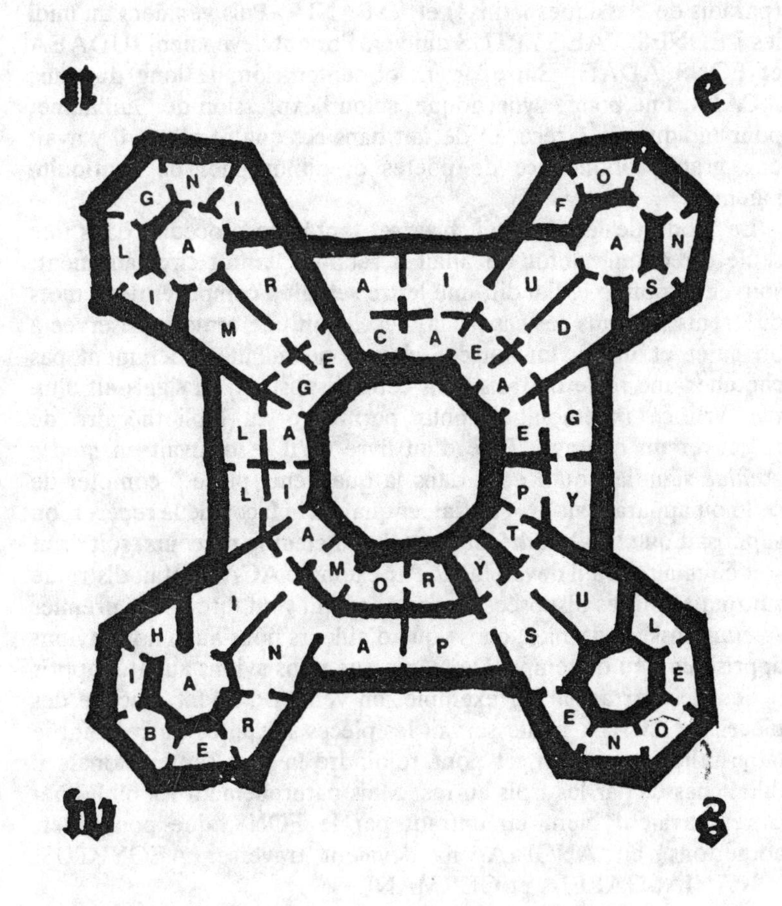

n
e
G N I
L A
I
R A I U
M
C A E
E
D
G
A
L A
E G
L I
P Y
T
A
M
O R Y
U
I
H
N A P
S
L
I A
E
B E R
E N O
w
s

déchiffrement, lorsque plus tard nous mîmes définitivement le plan au point, nous fûmes convaincus que la bibliothèque était vraiment constituée et distribuée selon l'image de l'orbe terraqué. Au septentrion nous trouvâmes ANGLIA et GERMANI, qui le long du mur occidental se rattachaient à GALLIA, pour ensuite engendrer à l'extrême occident HIBERNIA et vers le mur méridional ROMA (paradis de classiques latins !) et YSPANIA. Puis venaient au midi les LEONES, l'AEGYPTUS qui vers l'orient devenaient IUDAEA et FONS ADAE. Entre orient et septentrion, le long du mur, ACAIA, une bonne synecdoque, selon l'expression de Guillaume, pour indiquer la Grèce, et de fait dans ces quatre pièces il y avait une grande abondance de poètes et philosophes de l'antiquité païenne.

Le mode de lecture était bizarre, tantôt on procédait dans une seule direction, tantôt on allait à rebours, tantôt circulairement, souvent, comme je l'ai dit, une lettre servait à composer deux mots différents (et dans ces cas-là, la pièce avait une armoire réservée à un sujet et une à un autre). Mais il ne fallait évidemment pas chercher une règle de trois dans cette disposition. Il s'agissait d'un pur artifice mnémonique pour permettre au bibliothécaire de retrouver un ouvrage. Dire d'un livre qu'il se trouvait en *quarta Acaiae* signifiait qu'il était dans la quatrième pièce à compter de celle où apparaissait le A initial, et quant à la façon de la repérer, on supposait que le bibliothécaire savait par cœur le parcours, soit droit soit circulaire, qu'il devait faire. Par exemple ACAIA était distribué sur quatre pièces disposées en carré, ce qui veut dire que le premier A était aussi le dernier, chose que d'ailleurs nous aussi nous avions apprise en peu de temps. De même que nous avions aussitôt appris le jeu des barrages. Par exemple, en venant d'orient, aucune des pièces de ACAIA ne desservait les pièces suivantes : à ce point le labyrinthe prenait fin, et pour rejoindre la tour septentrionale il fallait passer par les trois autres. Mais naturellement les bibliothécaires savaient bien, en entrant par le FONS, que pour aller, admettons, en ANGLIA, ils devaient traverser AEGYPTUS, YSPANIA, GALLIA et GERMANI.

Avec toutes ces belles découvertes et d'autres encore, se termina notre fructueuse exploration de la bibliothèque. Mais avant d'annoncer que, satisfaits, nous nous apprêtions à en sortir (pour prendre part à d'autres événements que je raconterai d'ici peu), je dois faire un aveu à mon lecteur. J'ai dit que notre exploration fut menée d'une part en cherchant la clef du lieu mystérieux et d'autre part, en nous attardant au fur et à mesure, dans les salles où nous repérions la situation et le sujet, à feuilleter des livres de genres différents, comme si nous explorions les arcanes d'un continent ou une terra incognita. Et selon notre habitude cette exploration se fit d'un commun accord, Guillaume et moi nous arrêtions sur les mêmes livres, moi lui signalant les plus curieux, lui m'expliquant maintes choses que je n'arrivais pas à comprendre.

Mais à un certain point, et précisément tandis que nous parcourions les salles de la tour méridionale, dites LEONES, il advint que mon maître stationna dans une pièce riche d'ouvrages arabes avec de curieux dessins d'optique ; et comme ce soir-là nous disposions non seulement d'une mais de deux lampes, je me dirigeai par curiosité vers la pièce attenante, pour me rendre compte que la sagacité et la prudence des législateurs de la bibliothèque avaient rassemblé le long d'un de ses murs des livres qui ne pouvaient certes être mis entre les mains de n'importe qui, car chacun à sa façon ils traitaient de différentes maladies du corps et de l'esprit, ouvrages, presque tous, de savants infidèles. Et mon œil tomba sur un livre pas très grand, orné d'enluminures fort différentes (heureusement !) du thème, des fleurs, des vrilles, des animaux par couples, quelques herbes médicinales : son titre était *Speculum amoris,* de fra Maxime de Bologne, et il rapportait des citations de maints autres ouvrages, tous sur la maladie d'amour. Comme le lecteur comprendra, il n'en fallait pas davantage pour réveiller ma curiosité malade. Mieux, le seul titre suffit à enflammer derechef mon esprit, qui depuis le matin s'était apaisé, en l'excitant de nouveau avec l'image de la jeune fille.

Comme, la journée durant, j'avais ravalé mes pensées matinales, en me disant qu'elles n'étaient pas dignes d'un novice sain et équilibré, et comme, d'autre part, les événements de ce jour avaient été suffisamment riches et intenses pour me distraire, mes appétits s'étaient calmés, si bien que je croyais m'être désormais libéré de ce qui n'avait été rien d'autre qu'une inquiétude passagère. Il suffit en revanche de la vue de ce livre pour me faire dire « de te fabula narratur » et pour me découvrir plus malade d'amour que je ne croyais. J'appris par la suite que, à lire des livres de médecine, on se persuade toujours d'éprouver les douleurs dont ils parlent. Ce fut ainsi que justement la lecture de ces pages, lorgnées en toute hâte par peur que Guillaume n'entrât dans la pièce et ne me demandât sur quoi je me penchais si doctement, me persuada que je souffrais bien de cette maladie dont les symptômes étaient décrits avec tant de splendeur que, si d'un côté je m'inquiétais de me trouver malade (et dans la compagnie infaillible de maintes auctoritates), de l'autre je me réjouissais à voir dépeinte avec une telle vivacité ma situation ; convaincu peu à peu que, si donc j'étais malade, ma maladie était pour ainsi dire normale, étant donné que tant d'autres en avaient souffert mêmement, et les auteurs cités semblaient m'avoir pris moi précisément comme modèle de leurs descriptions.

Ainsi mon émotion s'épandit sur les pages de Ibn Hazm, qui définit l'amour comme une maladie rebelle ayant son antidote en soi-même, telle que celui qui est malade ne veut pas en guérir et qui en est atteint ne désire pas en réchapper (et Dieu sait comme ce n'était pas vrai !). Je me rendis compte pourquoi le matin j'étais si excité par tout ce que je voyais, parce qu'il paraît que l'amour entre à travers les yeux comme dit aussi Basile d'Ancyre, et — symptôme impossible à confondre — qui est pris d'un tel mal manifeste une excessive gaieté, tandis qu'il désire dans le même temps rester à l'écart et chérit la solitude (comme je l'avais fait ce matin-là), cependant que d'autres phénomènes l'accompagnent, telles l'inquiétude violente et la stupeur qui ôte la parole... J'eus peur en lisant que chez l'amant sincère, auquel se dérobe la vue de l'objet aimé, ne peut que survivre un état de consomption allant souvent jusqu'à lui faire prendre le lit, et parfois le mal accable le cerveau, on perd l'esprit et on délire (d'évidence je n'étais pas encore parvenu à cet état, puisque j'avais parfaitement travaillé à l'exploration de la bibliothèque). Mais je lus avec appréhension que si le mal empire, la mort peut en être l'issue, et je me demandai si la joie que la jeune fille me donnait à penser à elle, valait ce sacrifice suprême du corps, mise à part toute stricte considération sur la santé de l'âme.

C'est qu'aussi je trouvai une autre citation de Basile selon lequel « qui animam corpori per vitia conturbationesque commiscent, utrinque quod habet utile ad vitam necessarium demoliuntur, animamque lucidam ac nitidam carnalium voluptatum limo perturbant, et corporis munditiam atque nitorem hac ratione miscentes, inutile hoc ad vitae officia ostendunt ». Situation extrême où vraiment je ne voulais pas me trouver.

J'appris encore par une phrase de sainte Hildegarde que cette humeur mélancolique ressentie au cours de la journée, et que j'attribuais à un doux sentiment de peine causé par l'absence de la jeune fille, ressemble dangereusement au sentiment qu'éprouve celui qui se détourne de l'état harmonieux et parfait que l'homme ressent au paradis, et que cette mélancolie « nigra et amara » est produite par le souffle du serpent et par la suggestion du diable. Idée partagée aussi par des infidèles d'égale sagesse, car me tombèrent sous les yeux les lignes attribuées à Abu Bakr-Muhammad Ibn Zaka-riyya ar-Razi, qui dans un *Liber continens* identifie la mélancolie amoureuse à la lycanthropie, maladie poussant celui qui en est frappé à se comporter comme un loup. Sa description me serra la gorge : d'abord les amants apparaissent changés dans leur aspect extérieur, leur vue s'affaiblit, leurs yeux deviennent caves et perdent leurs larmes, leur langue lentement se dessèche et se couvre de pustules, leur corps entier brûle et ils souffrent sans arrêt de la soif ; c'est alors qu'ils passent leur journée allongés, la face contre le sol, sur leur visage et sur leurs tibias apparaissent des signes semblables à des morsures de chien, et enfin ils errent de nuit dans les cimetières comme des loups.

Je n'eus pour finir plus aucun doute sur la gravité de mon état quand je lus des citations du très grand Avicenne, où l'amour se voit défini comme une songerie lancinante de nature mélancolique, qui naît à force de penser et de repenser aux traits, aux gestes ou aux habitudes d'une personne du sexe opposé (comme Avicenne avait représenté en touches vives et fidèles mon propre cas !) : il ne naît pas comme maladie mais devient maladie quand, n'étant pas satisfait, il devient pensée obsessionnelle (et comment se faisait-il que j'éprouvais cette obsession, moi qui pourtant, Dieu me pardonne, m'était bel et bien satisfait ? Ou peut-être ce qui avait eu lieu la nuit précédente n'était point satisfaction d'amour ? Mais alors comment safisfait-on ce mal ?), dont la conséquence est un mouvement continu des paupières, une respiration irrégulière, tantôt on rit, tantôt on pleure, et le pouls bat la chamade (et en vérité le mien battait fort, et ma respiration se brisait tandis que je lisais ces lignes !). Avicenne conseillait une méthode infaillible déjà proposée par Galien pour découvrir de qui on est amoureux : tenir le poignet du souffrant et prononcer moult noms de personnes de l'autre sexe, jusqu'à ce qu'on perçoive à quel nom le rythme du pouls s'accélère : et moi je craignais que soudain mon maître n'entrât et ne me saisît le poignet pour épier dans la pulsation de mes veines mon secret, ce dont j'aurais eu grande honte... Hélas, Avicenne suggérait, comme remède, d'unir les deux amants en mariage, et le mal guérirait. C'était bien vraiment un infidèle, encore que sagace, parce qu'il ne prenait pas en compte la condition d'un novice bénédictin, condamné donc à ne jamais guérir — ou mieux s'étant voué, par choix personnel, ou par choix avisé de ses parents, à ne jamais tomber malade. Heureusement Avicenne, même si l'idée de l'ordre clunisien lui était étrangère, considérait le cas d'amants à jamais désunis, et conseillait comme cure radicale les bains chauds (Bérenger voulait-il par hasard guérir de son mal d'amour pour le défunt Adelme ? Mais pouvait-on souffrir du mal d'amour pour un être de son propre sexe, ou n'était-ce point là que bestiale luxure ? N'était-elle pas également bestiale, la luxure de ma nuit passée ? Non certes, me disais-je aussitôt, elle était très douce — et sitôt après : tu te trompes Adso, ce fut pure illusion du diable, elle était d'une grande bestialité, et si tu as péché en étant une bête, tu pèches encore plus maintenant à ne pas vouloir t'en rendre compte !). Mais ensuite je lus aussi que, toujours selon Avicenne, il y avait d'autres moyens : par exemple, recourir à l'assistance de femmes vieilles et expertes qui passeraient leur temps à dénigrer l'aimée — et il paraît que les vieilles femmes sont plus expertes que les hommes à ce genre de besogne. C'était peut-être la bonne solution, mais des vieilles à l'abbaye, je ne pouvais en trouver (ni des jeunes, en vérité) et j'aurais donc dû demander à quelque moine de me dire du mal de la fille, mais à qui ? Et puis, un moine pouvait-il connaître aussi bien les femmes que les connaissait une femme vieille et potinière ? La dernière solution suggérée par le Sarrasin était franchement effrontée car elle prétendait qu'on fît unir l'amant malheureux avec un grand nombre de belles esclaves, chose fort inconvenante pour un moine. Enfin, me disais-je, comment peut guérir du mal d'amour un jeune moine, n'y a-t-il vraiment point de salut pour lui ? Peut-être me fallait-il recourir à Séverin et à ses herbes ? De fait, je tombai sur un passage d'Arnaud de Villeneuve, auteur que j'avais déjà entendu citer par Guillaume avec grande considération, qui faisait naître le mal d'amour d'une abondance d'humeurs et de pneuma, c'est-à-dire quand l'organisme se trouve en excès d'humidité et de chaleur, étant donné que le sang (producteur de la semence générative) augmentant à l'excès, provoque un excès de semence, une « complexio venerea », et un désir intense d'union entre homme et femme. Il est une vertu estimative située dans la partie dorsale du ventricule moyen de l'encéphale (de quoi s'agit-il, me demandai-je ?) dont le but est de percevoir les intentiones non sensibles qui sont dans les objets sensibles captés par les sens, et, quand le désir pour l'objet perçu par les sens se fait trop fort, voilà que la faculté estimative s'en trouve bouleversée et ne se nourrit que du fantôme de la personne aimée ; alors se vérifie une inflammation de l'âme tout entière et du corps, dans un va-et-vient de tristesse et de joie, car la chaleur (qui dans les moments de désespoir descend dans les parties les plus profondes du corps et glace l'épiderme) dans les moments de joie monte à la surface en enflammant le visage. La cure suggérée par Arnaud consistait à perdre toute confiance et l'espoir de rejoindre l'objet aimé, de façon que la pensée s'en détournât.

Mais alors je suis guéri, ou en voie de guérison, me dis-je, car j'ai peu d'espoir, sinon aucun, de revoir l'objet de mes pensées, et si je le voyais, de le rejoindre, et si je le rejoignais, de le posséder de nouveau, et si je le repossédais, de le retenir près de moi, aussi bien en raison de mon état monacal que des devoirs qui me sont imposés par le rang de ma famille... Je suis sauvé, me dis-je ; je fermai le fascicule et repris contenance, juste au moment où Guillaume entrait dans la pièce. Je me remis en chemin avec lui à travers le labyrinthe aux parcours dès lors dévoilés (comme je l'ai déjà raconté) et pour l'heure oubliai mon obsession.

Comme on le verra, il me serait donné de la retrouver peu de temps après, mais en des circonstances (hélas !) bien différentes.

Quatrième jour

NUIT

Où Salvatore se fait misérablement découvrir par Bernard Gui, la fille aimée par Adso est prise comme sorcière, et tous s'en vont se coucher plus malheureux et préoccupés qu'avant.

Nous étions de fait en train de redescendre dans le réfectoire, lorsque nous entendîmes une clameur, et vîmes des lueurs sillonner l'obscurité du côté des cuisines. D'un souffle Guillaume éteignit la lampe. En suivant les murs, nous nous approchâmes de la porte qui donnait sur les cuisines, et nous rendîmes compte que la rumeur venait de l'extérieur, mais que la porte était ouverte. Puis les voix et les lumières s'éloignèrent, et quelqu'un claqua la porte avec violence. C'était un grand tumulte qui préludait à quelque chose de désagréable. Vivement nous repassâmes par l'ossuaire, réapparûmes dans l'église, déserte, sortîmes par le portail méridional, et nous aperçûmes un fourmillement lumineux de torches dans le cloître.

Nous nous approchâmes, et dans la confusion nous avions l'air nous aussi d'être accourus avec ceux, en grand nombre déjà sur les lieux, qui étaient sortis soit du dortoir soit de l'hôtellerie. Nous vîmes que les archers tenaient solidement Salvatore, blanc comme le blanc de ses yeux, et une femme qui pleurait. Je ressentis un serrement au cœur : c'était elle, la fille de mes pensers. Comme elle me vit, elle me reconnut et me lança un regard implorant et désespéré. Je cédai à l'impulsion de me jeter à son secours, mais Guillaume me retint en me murmurant quelques objurgations en rien affectueuses. Les moines et les hôtes accouraient maintenant de toutes parts.

L'Abbé arriva, Bernard Gui arriva, à qui le capitaine des archers fit un bref rapport. Voici ce qui était arrivé.

Par ordre de l'inquisiteur, les archers patrouillaient de nuit le plateau tout entier, tenant particulièrement à l'œil l'allée qui reliait la porte d'entrée et l'église, la zone des jardins, et la façade de l'Edifice (pourquoi ? me demandai-je, et je compris : évidemment parce que Bernard avait recueilli auprès des servants ou des cuisiniers des rumeurs sur certains commerces nocturnes, sans même savoir peut-être le nom exact des responsables, qui avaient lieu entre l'extérieur de l'enceinte et les cuisines ; et qui sait si ce sot de Salvatore, comme il m'avait raconté à moi ses intentions, n'en avait pas déjà parlé dans les cuisines ou dans les étables à quelque malheureux qui, effrayé par l'interrogatoire de l'après-midi, aurait donné ces bruits en pâture à Bernard). En rôdant avec circonspection dans l'obscurité et le brouillard, les archers avaient finalement surpris Salvatore, en compagnie de la femme, tandis qu'il s'affairait devant la porte des cuisines.

« Une femme dans ce saint lieu ! Et avec un moine ! dit sévèrement Bernard en se tournant vers l'Abbé. Seigneur très glorieux, poursuivit-il, s'il ne s'agissait que de la violation du vœu de chasteté, la punition de cet homme appartiendrait à votre juridiction. Mais comme nous ne savons pas encore si les manèges de ces deux misérables ont quelque chose à voir avec la santé de tous les hôtes, nous devons d'abord faire toute la lumière sur ce mystère. Allons, c'est à toi que je parle, misérable (et ce disant il arrachait le paquet bien visible que Salvatore croyait cacher sur sa poitrine), qu'as-tu là-dedans ? »

Moi, je le savais déjà : un couteau, un chat noir qui, à peine le paquet ouvert, s'enfuit en miaulant furieusement, et deux œufs, cassés à présent et gluants, que tout le monde prit pour du sang, ou de la bile jaune, ou une autre substance immonde. Salvatore était sur le point d'entrer dans les cuisines, de tuer le chat et de lui arracher les yeux, et qui sait avec quelles promesses il avait induit la fille à le suivre. Avec quelles promesses, je le sus aussitôt. Les archers fouillèrent la fille, au milieu d'éclats de rire malveillants et de mi-mots lascifs, et ils trouvèrent sur elle un coquelet mort, encore à plumer. La malchance voulut que dans la nuit, où tous les chats sont gris, le coq apparût noir lui aussi comme le chat. Je pensais qu'il n'en fallait pas davantage pour l'attirer, la pauvre affamée qui la nuit passée déjà avait abandonné (et par amour pour moi !) son précieux cœur de bœuf...

« Ah ah ! s'exclama Bernard d'un ton de grande préoccupation, chat et coq noirs... Mais moi je les connais ces frôleurs d'enfer... » Il aperçut Guillaume parmi les assistants : « Ne les connaissez-vous pas vous aussi, frère Guillaume ? Ne fûtes-vous pas inquisiteur à Kilkenny, il y a trois ans, où cette fille avait commerce avec un démon qui lui apparaissait sous la forme d'un chat noir ? »

J'eus l'impression que mon maître se taisait par lâcheté. Je le saisis par la manche, le secouai, lui murmurai désespéré : « Mais dites-lui que c'était pour manger... »

Il me fit lâcher prise et s'adressa poliment à Bernard : « Je ne crois pas que vous ayez besoin de mes anciennes expériences pour arriver à vos conclusions, dit-il.

— Oh ! que non, il est des témoignages bien plus autorisés, sourit Bernard. Stéphane de Bourbon raconte dans son traité sur les sept dons de l'Esprit Saint comment saint Dominique, après avoir prêché à Fanjeaux contre les hérétiques, annonça à certaines femmes qu'elles verraient qui elles avaient servi jusqu'alors. Et soudain sauta au milieu d'elles un chat épouvantable à la taille d'un gros chien, avec des yeux énormes et embrasés, la langue sanguinolente qui arrivait jusqu'à son nombril, la queue courte et dressée en l'air en sorte que de quelque côté que se tournât l'animal, il montrait la turpitude de son derrière, fétide comme aucun, ainsi qu'il convient à cet anus que moult dévots de Satan, et les Templiers sont loin d'être les derniers, ont toujours eu coutume de baiser au cours de leurs réunions. Et après avoir tourné autour des femmes pendant une heure, le chat sauta sur la corde de la cloche et s'y hissa, laissant derrière lui ses restes puants. Et le chat n'est-il pas l'animal aimé des cathares, qui selon Alain de Lille prennent leur nom de *catus* justement, car ils baisent le postérieur de cette bête en le croyant l'incarnation de Lucifer ? Et Guillaume d'Auvergne même ne confirme-t-il pas cette dégoûtante pratique dans le *De legibus ?* Et Albert le Grand ne dit-il pas que les chats sont des démons en puissance ? Et mon vénérable confrère Jacques Fournier ne rapporte-t-il pas que sur le lit de mort de l'inquisiteur Godefroi de Carcassonne apparurent deux chats noirs, qui n'étaient rien d'autre que des démons voulant tourner en dérision cette dépouille mortelle ? »

Un murmure d'horreur parcourut le groupe des moines, dont nombre fit le signe de la sainte croix.

« Messer Abbé, messer Abbé, disait cependant Bernard d'un air vertueux, peut-être votre magnificence ne sait-elle pas quel usage les pécheurs font de ces instruments ! Mais je le sais bien moi, puisque Dieu l'a voulu ! J'ai vu des femmes d'une grande scélératesse, aux heures les plus noires de la nuit, réunies avec d'autres du même acabit, se servir de chats noirs pour obtenir des prodiges qu'elles ne purent jamais nier : au point d'aller à cheval sur certains animaux, et de parcourir à la faveur des heures nocturnes des espaces immenses, en traînant leurs esclaves transformés en incubes aux envies folles... Et le diable soi-même se montre à elles, ou du moins le croient-elles fortement, sous la forme d'un coq, ou d'ur autre animal noir comme du charbon, et elles vont avec celui-ci, ne me demandez pas comme, jusqu'à coucher ensemble. Et je sais de source sûre qu'avec des nécromancies de ce genre, il n'y a pas longtemps de cela, précisément en Avignon, on préparait filtres et onguents pour attenter à la vie de notre seigneur le pape en personne, en lui empoisonnant sa nourriture. Le pape put s'en défendre et repérer la substance toxique uniquement parce qu'il était muni de prodigieux joyaux en forme de langue de serpent, fortifiés par d'admirables émeraudes et rubis qui, par vertu divine, servaient à révéler la présence de poison dans ses mets ! Le roi de France lui en avait offert onze, de ces langues très précieuses, grâce au ciel, et c'est seulement ainsi que notre seigneur le pape put échapper à la mort ! Il est vrai que les ennemis du souverain pontife firent davantage encore, et tout le monde sait ce qui se découvrit au sujet de l'hérétique Bernard Délicieux arrêté voilà dix ans : on trouva chez lui des livres de magie noire annotés très précisément aux pages les plus scélérates, avec toutes les instructions pour modeler des figures de cire à partir desquelles causer des dommages à ses ennemis. Et le croiriez-vous, on alla jusqu'à trouver chez lui encore des figures qui reproduisaient, avec un art admirable certes, l'image même du pape, couverte de petits cercles rouges sur les parties vitales de son corps : et tout le monde sait que de telles figures, suspendues à une corde, se placent devant un miroir, et puis qu'on frappe les cercles vitaux avec des aiguilles et... Oh, mais pourquoi m'attardé-je à ces dégoûtantes misères ? Le pape lui-même en a parlé et les a décrites, en les condamnant, justement l'année dernière, dans sa constitution *Super illius specula* ! Et j'espère vraiment que vous en avez un exemplaire dans votre riche bibliothèque, pour méditer dessus comme il se doit...

— Nous en avons un, nous en avons un, confirma avec ferveur l'Abbé fort troublé.

— C'est bon, conclut Bernard. Désormais le fait me semble clair. Un moine séduit, une sorcière, et certain rite qui par chance n'a pas eu lieu. A quelles fins ? C'est ce que nous saurons, et je veux sacrifier quelques heures de sommeil pour le savoir. Que Votre Magnificence veuille bien mettre à ma disposition un endroit où cet homme puisse être surveillé...

— Nous avons des cellules dans le sous-sol de l'atelier des forgerons, dit l'Abbé, qu'heureusement on utilise fort peu et qui sont vides depuis des années...

— Heureusement ou malheureusement », observa Bernard. Il donna l'ordre aux archers qu'on lui indiquât le chemin, et de conduire dans deux cellules différentes leurs captures ; et de solidement attacher l'homme à quelque anneau pris dans le mur, de façon que lui-même pût d'ici peu descendre l'interroger en le regardant bien au visage. Quant à la fille, ajouta-t-il, de qui il s'agissait c'était clair, il ne valait pas la peine de l'interroger cette nuit-là. On produirait d'autres preuves, avant de la brûler comme sorcière. Et si c'était bien une sorcière, elle ne parlerait pas facilement. Mais le moine, peut-être, pouvait encore se repentir (et il fixait Salvatore tout tremblant, comme pour lui faire entendre qu'il lui offrait une dernière chance), en racontant la vérité et, ajouta-t-il, en dénonçant ses complices.

On emmena les deux captifs, l'un silencieux et défait, presque dans un état fiévreux, l'autre qui pleurait, et lançait des coups de pied, et criait comme une bête à l'abattoir. Mais ni Bernard, ni les archers, ni moi-même, ne comprenions ce qu'elle disait dans sa langue de paysanne. Elle avait beau parler, elle était comme muette. Il y a des mots qui donnent du pouvoir, d'autres qui rendent encore plus démuni, et dans cette dernière catégorie entrent les mots des simples en langue vulgaire, à qui le Seigneur n'a pas donné de savoir s'exprimer dans la langue universelle de la sapience et de la puissance.

Encore une fois je fus tenté de la suivre, encore une fois Guillaume, l'œil noir, me retint. « Ne bouge pas, idiot, dit-il, la fille est perdue, c'est de la chair à bûcher. »

Tandis que j'observais atterré toute la scène, dans un tourbillon de pensées contradictoires, fixant la jeune fille, je sentis qu'on me touchait à l'épaule. Je ne sais pourquoi, mais encore avant de me retourner, à son toucher, je reconnus Ubertin.

« Tu regardes la sorcière, n'est-ce pas ? » me demanda-t-il. Et je savais qu'il ne pouvait rien connaître de mon aventure, et il ne parlait donc ainsi que pour avoir saisi, avec sa terrible pénétration des passions humaines, l'intensité de mon regard.

« Non... m'esquivai-je, je ne la regarde pas... en somme, je la regarde peut-être, mais ce n'est pas une sorcière... nous n'en savons rien, elle est peut-être innocente...

— Tu la regardes parce qu'elle est belle. Elle est belle, n'est-ce pas ? me demanda-t-il avec extraordinaire chaleur, en m'empoignant le bras. Si tu la regardes parce qu'elle est belle, et que tu en es troublé (mais je sais que tu es troublé, car le péché dont on la soupçonne augmente pour toi son charme), si tu la regardes et éprouves du désir, pour cela même c'est une sorcière. Prends garde, mon fils... La beauté du corps se limite à la peau. Si les hommes voyaient ce qui gît sous la peau, ainsi qu'il advient avec le lynx de Béotie, ils auraient un frisson d'horreur à la vision de la femme.

Toute cette grâce se compose de mucosités et de sang, d'humeurs et de bile. Si l'on songe à ce qui se cache dans ses narines, dans sa gorge et dans son ventre, on ne trouvera que tas d'ordures. Et s'il te répugne de toucher la morve ou la merde du bout des doigts, comment donc pourrions-nous désirer étreindre le sac même qui contient l'excrément ? »

J'eus un haut-le-cœur. Je ne voulais plus écouter ces paroles. Mon maître vint à mon secours, qui avait entendu. Il s'approcha brusquement d'Ubertin, lui saisit le bras qu'il détacha du mien.

« Suffit comme ça, Ubertin, dit-il. D'ici peu cette fille passera à la torture, et puis sur le bûcher. Elle deviendra exactement comme tu le dis si bien, glaire, sang, humeurs et bile. Mais ce seront nos semblables qui arracheront sous sa peau ce que le Seigneur a voulu protéger et orner par cette peau. Et du point de vue de la matière première, tu n'es pas, toi, meilleur qu'elle. Laisse ce garçon tranquille. »

Ubertin se troubla : « J'ai peut-être péché, murmura-t-il. Nul doute, j'ai péché. Que peut faire d'autre un pécheur ? »

Tous rentraient désormais, en commentant l'événement. Guillaume s'entretint un peu avec Michel et les autres minorites, qui lui demandaient ses impressions.

« Bernard a maintenant dans la poche un argument, fût-il équivoque. Dans l'abbaye rôdent des nécromants, qui font les mêmes choses qui furent faites contre le pape en Avignon. Ce n'est certes pas une preuve, et en premier ressort elle ne peut être utilisée pour perturber la rencontre de demain. Il va tâcher cette nuit d'arracher à ce malheureux quelque autre renseignement, dont, j'en suis sûr, il ne se servira pas aussitôt demain matin. Il le gardera en réserve, cela lui sera utile plus tard, pour brouiller le déroulement des discussions, si jamais elles prenaient une tournure qui ne lui plaît pas.

— Pourrait-il lui faire dire quelque chose qu'il rétorquerait contre nous ? »

Guillaume resta dubitatif : « Espérons que non », dit-il. Je me rendis compte que, si Salvatore disait à Bernard ce qu'il nous avait dit à nous, sur son passé et celui du cellérier, et s'il faisait la moindre allusion au rapport entre eux deux et Ubertin, pour éphémère qu'il fût, une situation fort embarrassante se serait créée.

« Dans tous les cas, attendons les événements, dit Guillaume avec sérénité. D'autre part, Michel, tout a déjà été décidé à l'avance. Mais toi, tu veux essayer.

— Je le veux, dit Michel, et le Seigneur me viendra en aide. Que saint François intercède pour nous tous.

— Amen, répondirent-ils en chœur.

— Mais ce n'est pas dit, fut l'irrévérent commentaire de Guillaume. Saint François pourrait se trouver quelque part on ne sait où en attendant le Jugement, sans voir le Seigneur en face.

— Maudit soit l'hérétique Jean ! » entendis-je grommeler messer Jérôme tandis que chacun s'en retournait dormir. « Si à présent il nous enlève aussi l'assistance des saints, où finirons-nous, pauvres pécheurs ? »

CINQUIÈME JOUR

Cinquième jour

PRIME

Où a lieu une fraternelle discussion sur la pauvreté de Jésus.

Le cœur agité par mille angoisses, après la scène de la nuit, je me levai le matin du cinquième jour : déjà sonnait la première heure, quand Guillaume me secoua rudement en m'avertissant qu'allaient bientôt se réunir les deux légations. Je regardai dehors, par la fenêtre de la cellule, et je ne vis rien. Le brouillard de la veille était devenu un linceul lactescent qui enveloppait manifestement tout le plateau.

A peine sorti, je vis l'abbaye comme je ne l'avais jamais vue auparavant ; seules les plus grandes constructions, l'église, l'Edifice, la salle capitulaire se profilaient même de loin, de façon plutôt imprécise, ombres parmi les ombres, mais le reste des bâtiments n'était visible qu'à quelques pas. On eût dit que les formes, choses et animaux, surgissaient soudain du néant ; les personnes paraissaient émerger du brouillard, d'abord grises comme des fantômes, puis peu à peu et difficilement reconnaissables.

Ayant vu le jour dans les pays nordiques, je n'étais pas neuf à cet élément, qui, à d'autres moments, m'aurait rappelé avec quelque douceur la plaine et le château de ma naissance. Mais ce matin-là les conditions de l'air me semblèrent douloureusement analogues aux conditions de mon âme, et l'impression de tristesse avec laquelle je m'étais réveillé s'accrut au fur et à mesure que je me rapprochais de la salle capitulaire.

A quelques pas de la construction je vis Bernard Gui prendre congé d'une autre personne qu'au premier abord je ne reconnus pas. Puis, comme elle passa tout près de moi, je m'aperçus qu'il s'agissait de Malachie. Il jetait des coups d'œil circulaires tel un qui veut passer inaperçu tandis qu'il commet un crime : mais j'ai déjà dit que l'expression de cet homme était naturellement celle de qui cache, ou tente de cacher, un inconfessable secret.

Il ne me reconnut pas et s'éloigna. Moi, mû par la curiosité, je suivis Bernard et je vis qu'il parcourait du regard des feuillets que peut-être Malachie lui avait remis. Sur le seuil du chapitre, il héla d'un geste de la tête le chef des archers, qui se trouvait là, et il lui murmura quelques mots. Puis il entra. Je lui emboîtai le pas.

C'était la première fois que je mettais les pieds dans ce lieu, qui, vu de l'extérieur, était de dimensions modestes et sobre de formes ; je me rendis compte qu'il avait été reconstruit en des temps récents sur les restes d'une primitive église abbatiale, peut-être détruite en partie par un incendie.

En entrant de l'extérieur, on passait sous un portail à la dernière mode, à l'arc en ogive, sans décorations et surmonté d'une rosace. Mais, à l'intérieur, on se trouvait dans un vestibule, refait sur les vestiges d'un vieux narthex. En face se présentait un autre portail, avec son arc à la mode ancienne, son tympan en demi-lune admirablement sculpté. Ce devait être le portail de l'église disparue.

Les sculptures du tympan étaient tout aussi belles mais moins inquiétantes que celles de l'église actuelle. Là aussi le tympan était dominé par un Christ en majesté ; mais à côté de lui, en des poses variées et avec différents objets dans les mains, se trouvaient les douze apôtres qui de lui avaient reçu mission d'aller de par le monde évangéliser les gentils. Au-dessus de la tête du Christ, dans un arc divisé en douze panneaux, et sous les pieds du Christ, en une procession ininterrompue de figures, étaient représentés les peuples du monde, destinés à recevoir la bonne nouvelle. Je reconnus à leurs costumes les Juifs, les Cappadociens, les Arabes, les Indiens, les Phrygiens, les Byzantins, les Arméniens, les Scythes, les Romains. Mais, au milieu d'eux, dans trente médaillons qui faisaient un arc au-dessus de l'arc des douze panneaux, se trouvaient les habitants des mondes inconnus, dont nous parle à peine le *Physiologue* et les récits incertains des voyageurs. J'ignorais l'existence de beaucoup d'entre eux, j'en reconnus d'autres : par exemple les Brutiens avec six doigts à chaque main, les Fauniens qui naissent des vers qui se forment entre l'écorce et l'aubier des arbres, les Sirènes avec leur queue écailleuse, qui séduisent les marins, les Ethiopiens au corps tout noir, qui se défendent des flammes du soleil en creusant des cavernes souterraines, les Onacentaures, hommes jusqu'au nombril et ânes en dessous, les Cyclopes avec un œil unique de la largeur d'un écu, Scylla avec sa tête et sa poitrine de fille, son ventre de loup et sa queue de dauphin, les hommes velus de l'Inde qui vivent dans les marais et sur le fleuve Epigmaride, les Cynocéphales, qui ne peuvent dire un mot sans s'interrompre et aboyer, les Sciapodes, qui courent à folle allure sur leur unique jambe et quand ils veulent se protéger du soleil, s'allongent et dressent leur grand pied comme une ombrelle, les Astomates de la Grèce, sans bouche, qui respirent par leurs narines et ne vivent que d'air, les femmes barbues d'Arménie, les Pygmées, les Epistiges que certains appellent aussi Blemmes, qui naissent sans tête, ont la bouche sur le ventre et les yeux sur les épaules, les femmes monstrueuses de la mer Rouge, de douze pieds de haut, avec des cheveux qui leur arrivent aux talons, une queue bovine au bas du dos et des sabots de chameau, et puis ceux qui ont la plante des pieds dirigée vers l'arrière, tant et si bien qu'à les suivre à la trace, on arrive toujours d'où ils viennent et jamais où ils vont, et encore ceux dont les yeux brillent comme des lampes et les monstres de l'île de Circé, corps humains et cols des animaux les plus variés...

C'étaient là, parmi d'autres, les prodiges sculptés sur ce portail. Mais aucun d'eux ne suscitait l'inquiétude, car ils ne voulaient pas signifier les maux de cette terre ou les tourments de l'enfer, ils étaient bien au contraire les témoins du fait que la bonne nouvelle avait atteint toute la terre connue et s'apprêtait à s'étendre à l'inconnue, raison pour quoi le portail était joyeuse promesse de concorde, d'unité réalisée dans la parole de Christ, de splendide œcuménicité.

Heureux présage, me dis-je, pour la rencontre qui se déroulera au-delà de ce seuil où des hommes devenus ennemis les uns des autres à cause d'interprétations opposées de l'Evangile, se retrouveront peut-être pour vider aujourd'hui leurs querelles. Et je me dis que j'étais un bien pauvre pécheur à m'affliger sur mon cas personnel tandis qu'allaient se produire des événements d'une importance sans pareille pour l'histoire de la chrétienté. Je confrontai la petitesse de mes peines à la grandiose promesse de paix et de sérénité scellée dans la pierre du tympan. Je demandai pardon à Dieu pour ma fragilité, et rasséréné je franchis le seuil.

A peine entré je vis les membres des deux légations au complet, qui se faisaient face sur une rangée de sièges disposés en hémicycle, les deux fronts séparés par une table où avaient pris place l'Abbé et le cardinal Bertrand.

Guillaume, que je suivis pour prendre des notes, me plaça du côté des minorites, où se trouvaient Michel avec les siens et d'autres franciscains de la cour d'Avignon : car la rencontre ne devait pas apparaître comme un duel entre Italiens et Français, mais comme une dispute entre les partisans de la règle franciscaine et leurs critiques, tous unis par une saine et catholique fidélité à la cour pontificale.

Avec Michel de Césène se trouvaient frère Arnaud d'Aquitaine, frère Hugues de Newcastle et frère Guillaume Alnwick, qui avait pris part au chapitre de Pérouse, et puis l'évêque de Caffa et Bérenger Talloni, Bonagrazia de Bergame et d'autres minorites de la cour avignonnaise. Du côté opposé étaient assis Laurent Décoalcon, bachelier d'Avignon, l'évêque de Padoue et Jean d'Anneaux, docteur en théologie à Paris. A côté de Bernard Gui, silencieux et pensif, il y avait le dominicain Jean de Baune qu'en Italie on appelait Giovanni Dalbena. Ce dernier, me dit Guillaume, avait été des années auparavant inquisiteur à Narbonne, où il avait fait le procès de nombreux béguins et bougres ; mais comme il avait taxé d'hérétique précisément une proposition concernant la pauvreté de Christ, contre lui s'était dressé Bérenger Talloni, lecteur dans le couvent de cette ville, qui en appela au pape. A l'époque, Jean avait encore les idées peu claires sur cette matière, et il les avait convoqués tous les deux à la cour pour discuter, sans qu'on aboutît à une conclusion. Tant et si bien que, peu de temps après, les franciscains avaient pris la position dont j'ai déjà parlé au chapitre de Pérouse. Enfin, du côté des Avignonnais, il y en avait d'autres encore, parmi lesquels l'évêque d'Alboréa.

La séance fut ouverte par Abbon qui jugea opportun de résumer les faits les plus récents. Il rappela qu'en l'an du Seigneur 1322, le chapitre général des frères mineurs, s'étant réuni à Pérouse sous la conduite de Michel de Césène, avait établi, après mûre et diligente délibération, que Christ, pour donner un exemple de vie parfaite, et les apôtres pour se conformer à son enseignement, n'avaient jamais possédé en commun la moindre chose, aussi bien à titre de propriété que de seigneurie, et que cette vérité était matière de foi saine et catholique, comme on le déduisait de différents passages des livres canoniques. Le renoncement à la propriété de toute chose s'avérait donc méritoire et saint, et à cette règle de sainteté s'étaient tenus les premiers fondateurs de l'Eglise militante. A cette vérité s'était tenu en 1312 le concile de Vienne, et le pape Jean lui-même en 1317, dans la constitution sur l'état des frères mineurs qui commence *Quorundam exigit,* avait commenté les délibérés de ce concile comme saintement composés, lucides, solides et mûrs. En conséquence de quoi, le chapitre de Pérouse, jugeant que ce que par saine doctrine le Siège apostolique avait toujours approuvé, se devait tenir toujours pour accepté, et qu'on ne devait d'aucune façon s'en écarter, s'était contenté de sceller à nouveau une telle décision conciliaire, par le paraphe de maîtres en sainte théologie comme frère Guillaume d'Angleterre, frère Henri d'Allemagne, frère Arnaud d'Aquitaine, provinciaux et ministres; ainsi que par le sceau de frère Nicolas ministre de France, frère Guillaume Bloc bachelier, du ministre général et de quatre ministres provinciaux, frère Thomas de Bologne, frère Pierre de la province de saint François, frère Fernand de Castel et frère Simon de Turonie. Cependant, ajouta Abbon, l'année suivante le pape promulguait la décrétale *Ad conditorem canonum* contre laquelle faisait appel frère Bonagrazia de Bergame, la jugeant contraire aux intérêts de son ordre. Le pape avait alors décloué la décrétale des portes de la cathédrale d'Avignon où elle avait été clouée, et il l'avait amendée sur plusieurs points. Mais en réalité, il l'avait rendue encore plus âpre, preuve en était que, comme conséquence immédiate, frère Bonagrazia avait été gardé une année en prison. Et on ne pouvait avoir aucun doute sur la sévérité du souverain pontife, car la même année il promulguait la désormais célèbre *Cum inter nonnullos,* où se voyaient définitivement condamnées les thèses du chapitre de Pérouse.

C'est alors que prit la parole, interrompant courtoisement Abbon, le cardinal Bertrand : il dit qu'il fallait rappeler comment, pour compliquer les choses et irriter le souverain pontife, était intervenu en 1324 Louis le Bavarois avec la déclaration de Sachsenhausen, où l'on adoptait sans aucune raison valable les thèses de Pérouse (et on comprenait mal, remarqua Bertrand avec un fin sourire, comment il se faisait que l'empereur acclamât avec un tel enthousiasme une pauvreté qu'il était bien loin de pratiquer lui), prenant des positions antagoniques contre messer le pape, l'appelant inimicus pacis et le disant tout occupé à susciter scandales et discordes, le traitant pour finir d'hérétique, et même d'hérésiarque.

« Pas exactement, fit Abbon en médiateur.

— En substance, si », dit Bertrand d'un ton sec. Et il ajouta que c'était précisément pour riposter à l'intervention inopportune de l'empereur que messer le pape avait été contraint de promulguer la décrétale *Quia quorundam,* et qu'il avait enfin sévèrement invité Michel de Césène à se présenter devant lui. Michel avait mandé des lettres d'excusation se disant malade, chose dont personne ne doutait, envoyant à sa place frère Jean Fidanza et frère Modeste Custodio de Pérouse. Mais le hasard voulut, dit le cardinal, que les guelfes de Pérouse eussent informé le pape que, loin d'être malade, fra Michel entretenait des contacts avec Louis de Bavière. Et en tout cas, ce qui avait été ayant été, maintenant fra Michel semblait d'aspect bel et serein, et on l'attendait donc en Avignon. Cependant, mieux valait, admettait le cardinal, jauger d'abord, comme on le faisait en ce moment, en présence d'hommes prudents des deux parties, ce que Michel dirait ensuite au pape, étant donné que le but de tous était bien de ne pas envenimer les choses et de mettre fraternellement fin à une dissension qui n'avait pas lieu d'être entre un père aimant et ses fils dévoués, et qui jusqu'alors ne s'était ravivée qu'à cause des interventions d'hommes du siècle, empereurs ou leurs vicaires comme on veut, lesquels n'avaient rien à voir avec les questions de notre sainte mère l'Eglise.

Alors intervint Abbon et il dit que, tout en étant homme d'Eglise et abbé d'un ordre auquel l'Eglise devait tant (un murmure de respect et de déférence parcourut les deux côtés de l'hémicycle), il ne pensait pourtant pas que l'empereur dût demeurer étranger à de telles questions, pour les nombreuses raisons que frère Guillaume de Baskerville exposerait par la suite. Mais, disait toujours Abbon, il s'avérait toutefois juste que la première partie du débat se déroulât entre les envoyés pontificaux et les représentants de ces fils de saint François qui, du fait même d'être intervenus à cette rencontre, démontraient qu'ils étaient les fils très fidèles du souverain pontife. Et donc il invitait frère Michel ou l'un des siens parlant en son nom, à dire ce qu'il entendait soutenir en Avignon.

Michel dit que, pour sa joie et son émotion, se trouvait parmi eux ce matin-là Ubertin de Casale, à qui le Pontife lui-même, en 1322, avait demandé une relation motivée sur la question de la pauvreté. Et Ubertin justement pourrait résumer, avec la lucidité, l'érudition et la foi passionnée que tout le monde lui reconnaissait, les points capitaux de ce qu'étaient désormais, et indéfectiblement, les idées de l'ordre franciscain.

Ubertin se leva et, à peine commença-t-il à parler, que je compris comment il avait pu susciter un tel enthousiasme, et en tant que prédicateur et en tant qu'homme de cour. Le geste passionné, la voix persuasive, le sourire fascinant, le raisonnement clair et conséquent, il s'attacha son auditoire pendant tout le temps qu'il eut la parole. Il débuta par une disquisition fort docte sur les raisons qui confortaient les thèses de Pérouse. Il dit qu'avant tout on devait reconnaître que Christ et ses apôtres furent dans un double état, parce qu'ils ont été les prélats de l'Eglise du Nouveau Testament et ainsi possédèrent-ils, quant à l'autorité de dispensation et de distribution, pour donner aux pauvres et aux ministres de l'Eglise, comme il est écrit dans le IVe chapitre des Actes des apôtres, et ce point, personne ne le conteste. Mais secondement on doit considérer Christ et les apôtres comme des personnes particulières, fondement de toute perfection religieuse, et parfaits contempteurs du monde. Et alors se proposent deux manières d'avoir, l'une est civile et mondaine, que les lois impériales définissent par les mots in bonis nostris, parce que nôtres sont dits ces biens dont on a la garde et que, si on nous les enlève, nous avons le droit de les exiger. Raison pour quoi un compte est de défendre civilement et mondainement son propre bien contre celui qui veut nous le prendre, en faisant appel au juge impérial (mais dire que Christ et les apôtres possédèrent quoi que ce fût de cette manière est une affirmation hérétique, car comme le dit Matthieu dans le Ve chapitre, celui qui veut t'attaquer en justice et t'enlever ta tunique, abandonne-lui aussi ton manteau, et Luc ne dit pas autre chose dans le VIe chapitre, où Christ repousse toute offre de domination et de seigneurie, refus qu'il impose aussi à ses apôtres, et puis qu'on se reporte en outre à Matthieu chapitre XXIV, où Pierre dit au Seigneur qu'ils abandonnèrent tout pour le suivre) ; un autre compte de posséder des choses temporelles, en raison de la charité fraternelle commune, et de cette manière Christ et les siens eurent des biens par raison naturelle, raison que certains appellent jus poli, c'est-à-dire raison du ciel, pour sustenter la nature qui sans ordonnance humaine est en accord avec la juste raison ; tandis que le jus fori est puissance qui dépend d'humaines stipulations. Antérieurement au premier partage des choses, celles-ci, quant à la domination, furent comme maintenant sont celles qui finalement n'appartiennent à personne et se prêtent à qui les occupe et furent en un certain sens communes à tous les hommes, alors qu'après le péché seulement nos ancêtres commencèrent à se partager la propriété des choses et dès lors débutèrent les dominations mondaines telles qu'elles sont connues aujourd'hui. Mais Christ et les apôtres eurent les choses de la première manière, et ainsi des vêtements et des pains et des poissons, et comme dit Paul dans la Première à Timothée, nous avons les aliments, et de quoi nous couvrir, et nous sommes contents. Il en résulte que ces choses Christ et les siens les eurent non en possession, mais bien en usage, leur absolue pauvreté restant sauve. Ce qui a déjà été reconnu par le pape Nicolas II dans la décrétale *Exiit qui seminat.*

Mais du côté opposé, se leva Jean d'Anneaux, et il dit que les positions d'Ubertin lui semblaient contraires et à la juste raison et à la juste interprétation des Ecritures. Pour ce que dans les biens périssables à l'usage, comme le pain et les poissons, on ne peut parler de simple droit d'usage, et on ne peut pas non plus avoir usage de fait, mais abus seulement ; tout ce que les croyants avaient en commun dans l'Eglise primitive, comme on l'infère des Actes second et troisième, ils l'avaient sur la base du même type de possession d'avant leur conversion ; les apôtres, après la descente du Saint-Esprit, possédèrent des propriétés en Judée ; le vœu de vivre sans propriété ne comprend pas ce dont l'homme a nécessairement besoin pour vivre, et quand Pierre dit qu'il avait tout abandonné, il n'entendait pas signifier qu'il avait renoncé à la propriété ; Adam eut domination et propriété des choses ; le serviteur qui prend de l'argent à son maître n'en fait certes ni us ni abus ; les phrases de la *Exiit qui seminat* à quoi les minorites se réfèrent sans cesse et qui établit que les frères mineurs ont seulement l'usage de ce dont ils se servent, sans en avoir la domination et la propriété, il faut les rapporter uniquement aux biens qui ne s'épuisent pas à l'usage, et de fait si la *Exiit* comprenait les biens périssables, elle soutiendrait une chose impossible ; on ne peut distinguer l'usage de fait de la domination juridique ; tout droit humain, sur la base duquel on possède des biens matériels, est contenu dans les lois des rois ; Christ comme homme mortel, dès l'instant de sa conception, fut propriétaire de tous les biens terrestres et comme Dieu, il eut de son père la domination universelle ; il fut propriétaire de robes, d'aliments, de deniers grâce aux contributions et aux offrandes des fidèles, et s'il fut pauvre ce n'a point été parce qu'il n'eut pas de propriété mais parce qu'il n'en percevait pas les fruits, pour ce que la simple domination juridique, séparée du recouvrement des intérêts, ne rend pas riche qui la possède ; et enfin, la *Exiit* eût-elle dit des choses différentes, le Pontife romain, pour ce qui est afférent à la foi et aux questions morales, peut révoquer les déterminations de ses prédécesseurs et produire même des affirmations contraires.

Ce fut à ce point-là que se leva avec véhémence frère Jérôme, évêque de Caffa, la barbe vibrant de colère, même si ses paroles cherchaient à paraître conciliantes. Et il se lança dans une argumentation qui me sembla plutôt confuse. « Ce que je voudrais dire au Saint-Père, et moi-même qui le dirai, je le place dès à présent sous sa correction, car je crois vraiment que Jean est le vicaire de Christ, et pour cette confession je fus pris par les Sarrasins. Et je commencerai en citant un fait rapporté par un grand docteur, sur la dispute qui s'éleva un jour entre des moines au sujet de l'identité du père de Melchisédech. Et alors l'abbé Copes, interrogé à ce propos, se heurta le chef et dit : " Gare à toi Copes car tu cherches uniquement ces choses que Dieu ne te commande pas de chercher et tu négliges celles qu'Il veut que tu trouves. " Voilà, comme on le déduit clairement de mon exemple, il est si évident que Christ et la Bienheureuse Vierge et les apôtres n'eurent rien ni en particulier ni en commun, qu'il serait moins évident de reconnaître que Jésus fut homme et Dieu à la fois, et pourtant il me semble clair que celui qui nierait la première évidence devrait ensuite nier la seconde ! »

Dit-il triomphalement, et je vis Guillaume qui levait les yeux au ciel. J'eus le soupçon qu'il jugeait le syllogisme de Jérôme plutôt défectueux, et je ne peux lui donner tort, mais encore plus défectueuse me parut l'argumentation contraire et furieuse de Jean de Baune, qui dit qu'à affirmer quelque chose sur la pauvreté de Christ on affirme ce qui se voit (ou ne se voit pas) des deux yeux, tandis qu'à définir son humanité et sa divinité intervient la foi, raison pour laquelle les deux propositions ne peuvent être mises à égalité. Dans sa réponse, Jérôme fut plus subtil que son adversaire :

« Oh non, mon cher frère, dit-il, c'est précisément le contraire qui me semble vrai, car tous les évangiles déclarent que Christ était homme et mangeait et buvait et, du fait de ses très évidents miracles, il était Dieu aussi, et tout cela saute justement aux yeux !

— Les mages aussi et les devins firent des miracles, dit de Baune avec suffisance.

— Oui, rétorqua Jérôme, mais par des opérations d'art magique. Et tu veux mettre sur le même pied les miracles de Christ et l'art des magiciens ? » L'assemblée murmura indignée que non, qu'elle ne le voulait pas. « Et enfin, poursuivit Jérôme qui désormais se sentait près de la victoire, messer le cardinal du Poggetto voudrait considérer comme hérétique la croyance en la pauvreté de Christ quand c'est sur cette proposition que s'étaye la règle d'un ordre tel que l'ordre franciscain, dont il n'est royaume, du Maroc jusqu'à l'Inde, où les fils ne soient allés prêchant et répandant leur sang ?

— Sainte âme de Pierre d'Espagne, murmura Guillaume, protège-nous, toi.

— Frère très cher, vociféra alors de Baune en faisant un pas en avant, va pour le sang de tes frères, mais n'oublie pas que ce tribut a aussi été payé par les religieux d'autres ordres...

— Sauf ma révérence au seigneur cardinal, cria Jérôme, aucun dominicain n'est jamais mort au milieu des infidèles, tandis que rien qu'à mon époque neuf minorites ont été martyrisés ! »

Le visage écarlate, le dominicain évêque d'Alboréa se leva :

« Alors moi je peux démontrer qu'avant que les minorites fussent en Tartarie, le pape Innocent y envoya trois dominicains !

— Ah oui ? ricana Jérôme. Eh bien, moi je sais que depuis quatre-vingts ans les minorites sont en Tartarie et ont quarante églises dans tout le pays, alors que les dominicains n'ont que cinq postes sur la côte et doivent être en tout quinze frères ! Et le problème est ainsi résolu !

— Aucun problème n'est résolu, cria Alboréa, car ces minorites, qui accouchent de bougres comme les chiennes mettent bas leurs chiots, s'attribuent tout à eux-mêmes, ils se vantent de leurs martyrs et puis ont de belles églises, des parements somptueux et ils achètent et ils vendent comme tous les autres religieux !

— Non, mon sire, non, intervint Jérôme, ils n'achètent ni ne vendent eux-mêmes, mais par l'intermédiaire des procurateurs du siège apostolique, et les procurateurs détiennent la propriété tandis que les minorites n'en ont que l'usage !

— Vraiment ? railla Alboréa, et combien de fois as-tu vendu alors sans procurateurs ? Je connais l'histoire de certains domaines que...

— Si je l'ai fait, j'ai commis une erreur, interrompit précipitamment Jérôme, ne rejette pas sur l'ordre ce qui peut avoir été faiblesse de ma part !

— Mais mes vénérables frères, intervint alors Abbon, notre problème n'est pas de savoir si les minorites sont pauvres, mais si Notre Seigneur était pauvre...

— Eh bien, se fit encore entendre Jérôme, j'ai sur cette question un argument tranchant comme le fil de l'épée...

— Saint François, protège tes fils... dit Guillaume ayant perdu toute confiance.

— L'argument est, poursuivit Jérôme, que les Orientaux et les Grecs, bien plus familiers que nous de la doctrine des saints pères, tiennent pour certaine la pauvreté de Christ. Et si ces hérétiques et schismatiques soutiennent aussi limpidement une aussi limpide vérité, voudrions-nous être, nous, plus hérétiques et schismatiques qu'eux et la nier ? Ces Orientaux, s'ils entendaient certains d'entre nous prêcher contre une telle vérité, ils les lapideraient !

— Mais qu'est-ce que tu me racontes, persifla Alboréa, et pourquoi alors ne lapident-ils pas les dominicains qui prêchent justement contre ça ?

— Les dominicains ? Mais si là-bas je n'en ai jamais vu ! »

Alboréa, rouge de colère, observa que ce frère Jérôme avait été en Grèce quinze ans peut-être, tandis que lui, il y avait été dès son enfance. Jérôme répliqua que lui, le dominicain Alboréa, avait peut-être été jusqu'en Grèce, mais pour y mener une vie douillette dans de beaux palais épiscopaux, alors que lui, franciscain, y avait vécu non pas quinze mais vingt-deux années et avait prêché devant l'empereur à Constantinople. Alboréa, à court d'arguments, tenta de franchir l'espace qui le séparait des minorites, en proclamant à haute voix, et avec des mots que je n'ose rapporter, sa ferme intention d'arracher sa barbe à l'évêque de Caffa, dont il révoquait en doute la virilité, et que précisément selon la logique du talion il voulait punir, en utilisant cette barbe en guise de fleau.

Les autres minorites coururent faire un rempart en défense de leur frère, les Avignonnais jugèrent utile de prêter main-forte au dominicain et il s'ensuivit (Seigneur, prends pitié des meilleurs de tes fils !) une rixe que l'Abbé et le cardinal cherchèrent en vain d'apaiser. Au cours de ce tumulte, minorites et dominicains se lancèrent réciproquement des mots fort graves, comme si chacun d'eux était un chrétien en lutte avec les Sarrasins. Les seuls qui restèrent à leur place furent d'un côté Guillaume, de l'autre Bernard Gui. Guillaume paraissait triste et Bernard gai, si tant est qu'on pût parler de gaieté pour le pâle sourire qui plissait la lèvre de l'inquisiteur.

« N'y a-t-il point de meilleurs arguments, demandai-je à mon maître, tandis qu'Alboréa s'acharnait sur la barbe de l'évêque de Caffa, pour démontrer ou nier la pauvreté de Christ ?

— Mais tu peux aussi bien affirmer l'une et l'autre chose, mon bon Adso, dit Guillaume, et tu ne pourras jamais établir sur la base des évangiles si Christ considérait comme sa propriété, et jusqu'à quel point, la tunique qu'il portait et dont il est bien possible qu'il se débarrassait quand elle était usée. Et, si tu veux, la doctrine de Thomas d'Aquin sur la propriété est plus hardie que celle des minorites. Nous, nous disons : nous ne possédons rien et nous avons usage de tout. Lui, il disait : vous pouvez vous considérer possesseurs pourvu que, si quelqu'un manque de ce que vous possédez, vous lui en permettiez l'usage, et par obligation, non par charité. Mais la question n'est pas si Christ était pauvre, et si l'Eglise se doit d'être pauvre. Et pauvre en ce cas, ne signifie pas tant posséder ou non un palais, mais garder ou abandonner le droit de légiférer sur les affaires terrestres.

— Voilà donc pourquoi, dis-je, l'empereur tient tant aux discours des minorites sur la pauvreté.

— En effet. Les minorites font le jeu impérial contre le pape. Mais pour Marsile et pour moi le jeu est double, et nous voudrions que le jeu de l'Empire fît notre jeu et servît à notre idée de l'humain gouvernement.

— Et c'est ce que vous direz quand il faudra que vous preniez la parole ?

— Si je le dis, j'accomplis ma mission, qui était de rendre manifestes les opinions des théologiens impériaux. Mais si je le dis, ma mission échoue, car j'aurais dû faciliter une seconde rencontre en Avignon, et je ne crois pas que Jean accepte que j'aille là-bas dire ces choses-là.

— Et alors ?

— Et alors je suis pris entre deux forces opposées, comme un âne qui ne sait, de deux sacs de foin, lequel manger. Le fait est que les temps ne sont pas mûrs. Marsile divague sur une transformation impossible, pour l'heure, et Louis n'est pas meilleur que ses prédécesseurs, même si pour le moment il reste l'unique garde-fou contre un misérable comme Jean. Peut-être devrai-je parler, à moins que ceux-là ne finissent d'abord par se tuer les uns les autres. Dans tous les cas, écris, Adso, qu'au moins reste trace de ce qui est en train de se passer aujourd'hui.

— Et Michel ?

— Je crains qu'il ne perde son temps. Le cardinal sait que le pape ne cherche pas une médiation, Bernard Gui sait que sa tâche est de faire échouer la rencontre ; et Michel sait qu'il ira en Avignon, quoi qu'il arrive, parce qu'il ne veut pas que l'ordre coupe tous les ponts avec le pape. Et il va risquer sa vie. »

Tandis que nous parlions de la sorte — et je ne sais vraiment pas comment nous pouvions nous entendre l'un l'autre — la dispute était à son comble. Les archers intervenaient, sur un signe de Bernard Gui, pour empêcher que les deux bandes en vinssent définitivement aux mains. Mais tels des assiégeants et des assiégés, de chaque côté des murailles d'une forteresse, ils se lançaient contestations et injures, que je rapporte ici au hasard, sans plus réussir à en attribuer la paternité, et étant bien entendu que les phrases ne furent pas prononcées à tour de rôle, comme cela se produirait lors d'une dispute dans mes contrées, mais à la mode méditerranéenne, les unes chevauchant les autres, comme les lames d'une mer enragée.

« L'Evangile dit que Christ avait une bourse !

— Tais-toi, veux-tu, avec cette bourse que vous peignez même sur les crucifix ! Qu'en dis-tu, alors, du fait que Notre Seigneur quand il était à Jérusalem revenait chaque soir à Béthanie ?

— Et si Notre Seigneur voulait aller dormir à Béthanie, qui es-tu toi, pour critiquer sa décision ?

— Non, vieux bouc, Notre Seigneur revenait à Béthanie parce qu'il n'avait pas de quoi se payer l'auberge à Jérusalem !

— Bonagrazia, c'est toi le bouc ! Et que mangeait Notre Seigneur à Jérusalem ?

— Et toi tu dirais que le cheval, qui reçoit de l'avoine de son maître pour survivre, a la propriété de l'avoine ?

— Tu vois bien que tu compares Christ à un cheval...

— Non, c'est toi qui compares Christ à un prélat simoniaque de ta cour, chantepleure d'excréments !

— Oui ? Et combien de fois le Saint-Siège a dû endosser des procès pour défendre vos biens ?

— Les biens de l'Eglise, pas les nôtres ! Nous, nous en avions l'usage !

— L'usage pour les dévorer, pour vous fabriquer de charmantes églises avec des statues d'or, hypocrites, vaisseaux d'iniquité, sépulcres blanchis, sentines de vices ! Vous le savez bien que c'est la charité, et non la pauvreté, le principe de la vie parfaite !

— Ça, c'est votre glouton de Thomas qui l'a dit !

— Attention à toi, impie ! Celui que tu appelles glouton est un saint de la sainte Eglise romaine !

— Saint de mes sandales, canonisé par Jean pour irriter les franciscains ! Votre pape ne peut pas faire de saints, car c'est un hérétique ! Mieux, c'est un hérésiarque !

— Cette belle proposition, nous la connaissons déjà ! C'est la déclaration du fantoche de Bavière à Sachsenhausen, préparée par votre Ubertin !

— Attention à ce que tu dis, porc, fils de la prostituée de Babylone et d'autres roulures encore ! Tu sais parfaitement que cette année-là Ubertin n'était pas auprès de l'empereur, mais se trouvait justement en Avignon, au service du cardinal Orsini, et le pape l'envoyait comme messager en Aragon !

— Je le sais, je sais qu'il faisait vœu de pauvreté à la table du cardinal, comme il le fait maintenant dans l'abbaye la plus riche de la péninsule ! Ubertin, si tu n'y étais pas toi, qui a suggéré à Louis de se servir de tes écrits ?

— Est-ce ma faute si Louis lit mes écrits ? Il ne peut certes pas lire les tiens, illettré que tu es !

— Moi un illettré ? Il était lettré votre François, qui parlait avec les oies ?

— Tu as blasphémé !

— C'est toi qui blasphèmes, fraticelle au balai rôti !

— Moi je n'ai jamais rôti le balai, et tu le sais bien ! ! !

— Bien sûr que si, avec tes fraticelles, quand tu t'enfilais dans le lit de Claire de Montfaucon !

— Que Dieu te foudroie ! J'étais inquisiteur en ce temps-là, et Claire avait déjà expiré en odeur de sainteté !

— Continue, continue, l'ire de Dieu s'abattra sur toi comme elle s'abattra sur ton maître, qui a donné asile à deux hérétiques comme cet ostrogoth d'Eckhart et ce nécromant anglais que vous appelez Branucerton !

— Vénérables frères, vénérables frères ! » criaient le cardinal Bertrand et l'Abbé.

Cinquième jour

TIERCE

Où Séverin parle à Guillaume d'un livre étrange et Guillaume parle aux légats d'une étrange conception du gouvernement temporel.

La querelle faisait encore rage, lorsque l'un des novices de garde à la porte entra, passant au milieu de cette confusion comme qui traverse un champ battu par la grêle, et vint glisser à l'oreille de Guillaume que Séverin désirait lui parler d'urgence. Nous sortîmes dans le narthex bondé de moines curieux qui tentaient de saisir au milieu des cris et des bruits, quelque chose de ce qui se passait à l'intérieur. Au premier rang, nous vîmes Aymaro d'Alexandrie qui nous accueillit avec son habituel rictus de commisération pour l'imbécillité de l'univers entier : « Certes, depuis qu'ont fleuri les ordres mendiants, la chrétienté est devenue plus vertueuse », dit-il.

Guillaume l'écarta, non sans brusquerie, et se dirigea sur Séverin, qui nous attendait dans un coin. Il était anxieux, il voulait nous entretenir en privé, mais on ne pouvait trouver un endroit tranquille dans ce tohu-bohu. Nous voulions sortir en plein air, mais sur le seuil de la salle capitulaire apparaissait Michel de Césène qui exhortait Guillaume à rentrer car, disait-il, la querelle se vidait, et on devait continuer la série d'interventions.

Guillaume, partagé entre les deux sacs de foin, incita Severin à parler et l'herboriste chercha de ne pas se faire entendre des présents.

« Bérenger a sûrement été à l'hôpital, avant de se rendre aux balnea, dit-il.

— Comment le sais-tu ? » Quelques moines s'approchaient, intrigués par notre entretien. Séverin parla à voix encore plus basse, en jetant des coups d'œil circulaires.

« Tu m'avais dit que cet homme... devait avoir quelque chose avec lui... Bien, j'ai trouvé quelque chose dans mon laboratoire, au milieu des autres livres... un livre qui ne m'appartient pas, un livre étrange...

— Ce doit être lui, dit Guillaume triomphant, apporte-le-moi tout de suite.

— Je ne peux pas, dit Séverin, je t'expliquerai, j'ai découvert... je crois avoir découvert quelque chose d'intéressant... Il faut que tu viennes toi, il faut que je te montre le livre... avec prudence... » Il arrêta de parler. Nous nous aperçûmes que, silencieux comme de coutume, Jorge avait surgi presque à l'improviste à nos côtés. Il tendait les mains devant lui comme si, non habitué à se diriger dans ce lieu, il cherchait à comprendre où il allait. Une personne normale n'aurait pu entendre les murmures de Séverin, mais nous avions appris depuis beau temps que l'ouïe de Jorge, comme celle de tous les aveugles, était particulièrement aiguë.

Le vieillard eut toutefois l'air de n'avoir rien entendu. Il s'en alla même dans une direction opposée à la nôtre, toucha un des moines et demanda quelque chose. Celui-ci le soutint avec délicatesse au bras et le conduisit dehors. A ce moment-là réapparut Michel qui sollicita de nouveau Guillaume, et mon maître prit une résolution : « Je t'en conjure, dit-il à Séverin, retourne sur-le-champ d'où tu viens. Enferme-toi à double tour et attends-moi. Toi, me dit-il en se tournant vers moi, suis Jorge. Même s'il a entendu quelque chose, je ne crois pas qu'il se fasse emmener à l'hôpital. En tout cas, tâche de me dire où il va. »

Il s'apprêta à rentrer dans la salle, et aperçut (comme je l'aperçus moi aussi) Aymaro jouant des coudes dans la foule pour suivre Jorge qui sortait. C'est alors que Guillaume commit une imprudence, car cette fois à voix haute, d'un bout à l'autre du narthex, il dit à Séverin, déjà sur le seuil extérieur : « C'est bien entendu. Ne permets à personne que... ces feuillets... retournent d'où ils sont sortis ! » Moi, qui m'apprêtais à suivre Jorge, je vis à cet instant, adossé au montant de la porte extérieure, le cellérier : il avait entendu les paroles de Guillaume et il regardait alternativement mon maître et l'herboriste, le visage contracté de peur. Il vit Séverin qui s'en allait, il le suivit. Moi, sur le seuil, je craignais de perdre de vue Jorge, qui allait disparaître, avalé par le brouillard : mais les deux autres aussi, dans la direction opposée, allaient disparaître de même. Je calculai rapidement ce que je devais faire. Il m'avait été ordonné de suivre l'aveugle, mais dans la crainte qu'il n'aille vers l'hôpital. En revanche, la direction qu'il prenait, avec son accompagnateur, était tout autre, parce qu'il traversait le cloître, marchant vers l'église, ou l'Edifice. Par contre le cellérier était certainement en train de suivre l'herboriste, et Guillaume s'inquiétait de ce qui pourrait se passer dans le laboratoire. Aussi me mis-je à suivre ces deux-là, en me demandant, entre autres, où se rendait Aymaro, si toutefois il n'était pas sorti pour des raisons fort différentes des nôtres.

Me tenant à une distance raisonnable, je ne perdais pas de vue le cellérier, qui ralentissait le pas, parce qu'il s'était aperçu que je le suivais. Il ne pouvait pas savoir si l'ombre qui le talonnait c'était moi, comme moi je ne pouvais savoir si l'ombre que je talonnais c'était lui, mais comme moi je n'avais aucun doute à son sujet, lui n'avait aucun doute à mon sujet.

En le contraignant à me contrôler, je l'empêchai de serrer de trop près Séverin. Ainsi, quand la porte de l'hôpital apparut dans le brouillard, elle était déjà refermée. Séverin s'était désormais claquemuré, grâce au ciel. Le cellérier se retourna encore une fois pour me regarder, moi qui restais immobile comme une souche, puis il parut prendre une décision et se dirigea vers les cuisines. Il me sembla avoir rempli ma mission, Séverin était un homme plein de bon sens, il se garderait tout seul sans ouvrir à personne. Je n'avais plus rien d'autre à faire et surtout je brûlais de la curiosité de voir ce qui se passait dans la salle capitulaire. Je décidai donc de revenir faire mon rapport à Guillaume. Peut-être fut-ce une erreur de ma part, j'aurais dû monter encore la garde, et nous aurions évité beaucoup d'autres malheurs. Mais cela je le sais à présent, je ne le savais pas alors.

Tandis que je rentrais, il s'en fallut de peu que je ne me heurtasse à Bence qui souriait d'un air complice : « Séverin a trouvé quelque chose dont Bérenger s'est défait, n'est-ce pas ?

— Qu'en sais-tu, toi ? » lui répondis-je insolemment, le traitant comme un de mon âge, en partie par colère et en partie à cause de son visage jeune qui prenait maintenant une expression malicieuse presque enfantine.

« Je ne suis pas un idiot, répondit Bence, Séverin court dire quelque chose à Guillaume, toi tu contrôles si personne ne le suit...

— Et toi, tu nous observes un peu trop, nous et Séverin, dis-je irrité.

— Moi ? bien sûr que je vous observe. Depuis avant-hier, je ne perds de vue ni les balnea ni l'hôpital. L'eussé-je pu, j'y serais déjà entré. Je donnerais les yeux de la tête pour savoir ce que Bérenger a trouvé dans la bibliothèque.

— Tu veux savoir trop de choses sans en avoir le droit !

— Moi je suis un escholier et j'ai le droit de savoir, je suis venu des confins du monde pour connaître la bibliothèque et la bibliothèque reste fermée comme si elle renfermait des choses mauvaises et moi...

— Laisse-moi aller, dis-je d'un ton brusque.

— Je te laisse aller, d'ailleurs tu m'as dit ce que je voulais.
— Moi ?
— On parle même en se taisant.
— Je te conseille de ne pas entrer dans l'hôpital, lui dis-je.
— Je n'entrerai pas, je n'entrerai pas, sois tranquille. Mais personne ne m'interdit de regarder de l'extérieur. »

Je ne l'écoutai plus et rentrai. Ce curieux, me sembla-t-il, ne représentait pas un grand danger. Je me rapprochai de Guillaume et le mis brièvement au courant des faits. Il hocha la tête en marque d'approbation, puis il me fit signe de me taire. La confusion allait décroissant désormais. Les légats des deux partis échangeaient le baiser de la paix. Alboréa louait la foi des minorites, Jérôme exaltait la charité des prêcheurs, tous acclamaient l'espérance d'une Eglise plus jamais agitée par des luttes intestines. Qui célébrait le courage des uns, qui la tempérance des autres, tous invoquaient la justice et en appelaient à la prudence. Jamais je ne vis autant d'hommes visant aussi sincèrement au triomphe des vertus théologales et cardinales.

Mais déjà Bertrand du Poggetto invitait Guillaume à exprimer les thèses des théologiens impériaux. Guillaume se leva à contrecœur : d'un côté il se rendait compte que la rencontre n'avait aucune utilité, d'un autre côté il avait hâte d'en finir, et le livre mystérieux lui importait davantage, désormais, que l'issue de la rencontre. Mais il était clair qu'il ne pouvait se soustraire à son devoir.

Il commença donc à parler, avec de nombreux « eh » et « oh », peut-être plus que d'habitude et plus qu'il ne devait, comme pour faire comprendre qu'il était absolument incertain sur le discours à tenir, et dans son exorde il affirma entendre fort bien le point de vue de ceux qui avaient parlé avant lui, et que par ailleurs ce que d'autres appelaient la « doctrine » des théologiens impériaux n'allait pas au-delà de certaines observations éparses sans prétention de s'imposer comme vérité de foi.

Il dit ensuite que, étant donné l'immense bonté que Dieu avait manifestée en créant le peuple de ses enfants, les aimant tous sans distinction dès ces pages de la Genèse où il n'était pas encore fait mention de prêtres et de rois, considérant aussi que le Seigneur avait donné à Adam et à ses descendants autorité sur les choses de cette terre, pourvu qu'ils se pliassent aux lois divines, il s'avérait loisible de soupçonner qu'elle n'était pas étrangère au Seigneur lui-même l'idée que dans les affaires terrestres le peuple soit législateur et première cause effective de la loi. Par peuple, dit-il, il eût été bon d'entendre l'universalité des citoyens, mais comme parmi les citoyens il faut aussi prendre en considération les jeunes enfants, les abrutis, les malfaiteurs et les femmes, sans doute pouvait-on en arriver d'une façon raisonnable à une définition de peuple comme la partie la meilleure des citoyens, bien que, pour le moment, lui ne jugeât pas opportun de se prononcer sur ceux qui appartenaient effectivement à cette partie-là.

Il toussota, s'excusa auprès de l'assistance en suggérant que ce jour l'atmosphère était indubitablement très humide, et il supposa que la façon dont le peuple aurait pu exprimer sa volonté pouvait coïncider avec une assemblée générale élective. Il dit qu'il lui paraissait tout à fait sensé qu'une telle assemblée pût interpréter, changer ou suspendre la loi, parce que si le législateur est seul, il pourrait mal agir par ignorance ou par malignité, et il ajouta que point n'était besoin de rappeler aux présents le nombre de cas de ce genre qu'on avait relevés récemment. Je m'aperçus que l'assemblée, plutôt perplexe à ses précédentes paroles, ne pouvait qu'approuver ces dernières, car chacun s'était mis évidemment à penser à une personne différente, et chacun jugeait désastreuse la personne à qui il pensait.

Bien, continua Guillaume, si un seul individu peut faire de méchantes lois, un grand nombre d'individus ne feront-ils pas mieux l'affaire ? Naturellement, souligna-t-il, on parlait là de lois terrestres, afférentes au bon ordre des choses civiques. Dieu avait dit à Adam de ne pas manger de l'arbre du bien et du mal, et ça, c'était la loi divine ; mais ensuite il l'avait autorisé, que dis-je ? encouragé à donner un nom aux choses, et sur ce point il avait laissé toute liberté à son sujet terrestre. En effet, bien que d'aucuns, à notre époque, disent que nomina sunt consequentia rerum, le livre de la Genèse est d'ailleurs fort clair en l'occurrence : Dieu mena à l'homme tous les animaux pour voir comment il les appellerait, et quelle que fût la manière dont l'homme aurait appelé chacun des êtres vivants, ce nom devait être le sien. Et, bien que le premier homme eût été certainement fort avisé, au point de nommer, dans sa langue édénique, chaque chose et animal selon sa nature, cela ne veut pas dire qu'il n'exerçât point une sorte de droit souverain en imaginant le nom qui à son avis correspondait le mieux à cette nature. Car en fait on sait combien sont différents les noms que les hommes imposent pour désigner les concepts, et que, seuls les concepts, signes des choses, sont égaux pour tous. Ainsi le mot *nomen* vient certainement de *nomos,* autrement dit loi, vu que justement les *nomina* sont donnés par les hommes *ad placitum,* c'est-à-dire par libre et collective convention.

Les présents n'osèrent contester cette docte démonstration. En conséquence de quoi, conclut Guillaume sur ce point, on voit parfaitement pourquoi légiférer sur les choses de cette terre, et donc sur les affaires des villes et des royaumes, n'a rien à voir avec la garde et l'administration de la parole divine, privilège inaliénable de la hiérarchie ecclésiastique. Malheureux même, les infidèles, dit Guillaume, qui n'ont pas semblable autorité interprétant chacun pour soi la parole divine (et tous de s'apitoyer sur les infidèles). Mais pouvons-nous dire pour autant, que les infidèles n'ont pas tendance à faire des lois et à administrer leurs affaires au moyen de gouvernements, rois, empereurs ou sultans et califes, comme on voudra ? Et pouvait-on nier que de nombreux empereurs romains eussent exercé le pouvoir temporel avec sagesse, qu'on songeât à Trajan ? Et qui a donné, à des païens et à des infidèles, cette capacité naturelle de légiférer et de vivre en communautés politiques ? Leurs divinités mensongères peut-être, qui nécessairement n'existent pas (ou n'existent pas nécessairement, de quelque façon qu'on veuille entendre la négation de cette modalité) ? Certes pas. Seul le Dieu des armées, le Dieu d'Israël, père de Notre Seigneur Jésus-Christ, pouvait la leur avoir conférée... Preuve admirable de la bonté divine qui a conféré la capacité de juger des choses politiques, fût-ce à qui désavoue l'autorité du pontife romain et ne professe pas les mêmes sacrés, doux et terribles mystères que le peuple chrétien ! Est-il plus belle démonstration que celle-là, du fait que la domination temporelle et la juridiction séculaire n'ont rien à voir avec l'Eglise et avec la loi de Jésus-Christ, et qu'elles furent ordonnées par Dieu en dehors de toute ratification ecclésiastique et avant même que ne naquît notre sainte religion ?

Il toussa de nouveau, mais cette fois-ci pas tout seul. Beaucoup des assistants s'agitaient sur leurs sièges et se raclaient la gorge. Je vis le cardinal se passer la langue sur les lèvres et faire un geste, anxieux mais courtois, pour inviter Guillaume à en venir au fait. Et Guillaume affronta ce qui maintenant paraissait à tous, même à qui ne les partageait pas, les conclusions peut-être désagréables de cet irréfutable discours. Guillaume dit alors que ses déductions lui semblaient s'appuyer sur l'exemple même du Christ, qui ne vint pas en ce monde pour commander, mais pour se soumettre aux conditions qu'il trouvait dans le monde, du moins en regard des lois de César. Il ne voulut pas que les apôtres eussent commandement et domination, il semblait donc sage que les successeurs des apôtres dussent être allégés de tout pouvoir mondain et coercitif. Si le pape, les évêques et les prêtres n'étaient pas soumis au pouvoir mondain et coercitif du prince, l'autorité du prince en serait invalidée, et ce faisant on invaliderait un ordre qui, comme il fut d'abord démontré, avait été disposé par Dieu. On doit certes prendre en considération des cas fort délicats — dit Guillaume — comme celui des hérétiques, sur l'hérésie desquels la seule Eglise, gardienne de la vérité, peut se prononcer, quand toutefois le seul bras séculier peut agir. Lorsque l'Eglise repère des hérétiques, elle devra certes les signaler au prince, qu'il est bon d'informer des conditions de ses citoyens. Mais que devra faire le prince avec un hérétique ? Le condamner au nom de cette vérité divine dont il n'est pas le gardien ? Le prince peut et doit condamner l'hérétique si son action nuit à la vie en société de tout le monde, si en somme l'hérétique affirme son hérésie en tuant ou en entravant ceux qui ne la partagent pas. Mais là s'arrête le pouvoir du prince, car personne sur cette terre ne peut être contraint supplices aidant, de suivre les préceptes de l'Evangile, sinon où finirait cette libre volonté sur l'exercice de quoi chacun se verra ensuite jugé dans l'autre monde ? L'Eglise peut et doit avertir l'hérétique qu'il est en train de sortir de la communauté des fidèles, mais elle ne peut le juger sur la terre et l'obliger contre sa volonté. Si Christ avait voulu que ses prêtres obtinssent un pouvoir coercitif, il eût établi des préceptes précis comme fit Moïse avec la loi ancienne. Il ne l'a pas fait. Donc il ne l'a pas voulu. Ou entend-on suggérer l'idée qu'il le voulait, mais qu'il lui serait manqué le temps ou la capacité de le dire, en trois années de prédication ? Mais il était juste qu'il ne le voulût pas, car si telle avait été sa volonté, alors le pape aurait pu imposer sa loi au roi, et le christianisme ne serait plus loi de liberté, mais intolérable esclavage.

Tout ceci, ajouta Guillaume, le visage hilare, ne limite aucunement les pouvoirs du souverain pontife, mais exalte au contraire sa mission : car le serviteur des serviteurs de Dieu est sur cette terre pour servir et non pas pour être servi. Et, enfin, il serait pour le moins bizarre que le pape eût juridiction sur les affaires de l'Empire et pas sur les autres royaumes de la terre. Comme bien on le sait, ce que le pape dit sur les choses divines vaut pour les sujets du roi de France comme pour ceux du roi d'Angleterre, mais doit valoir aussi pour les sujets du Grand Khan ou du sultan des infidèles, précisément nommés infidèles parce qu'ils ne sont pas fidèles à cette belle vérité. Et donc, si le pape se chargeait d'avoir juridiction temporelle — en tant que pape — sur les choses de l'Empire, il pourrait laisser soupçonner que, la juridiction temporelle s'identifiant avec la spirituelle, pour cela même non seulement il n'aurait pas juridiction spirituelle sur les Sarrasins ou sur les Tartares, mais pas davantage sur les Français et les Anglais — ce qui serait un blasphème criminel. Voilà la raison, concluait mon maître, pour laquelle il lui semblait juste de suggérer que l'Eglise d'Avignon faisait injure à l'humanité entière en affirmant qu'il lui revenait d'approuver ou de suspendre celui qui avait été élu empereur des Romains. Le pape n'a pas sur l'Empire des droits plus grands que sur les autres royaumes, et comme ne sont sujets à l'approbation du pape ni le roi de France ni le sultan, on ne voit aucune bonne raison pour que doive y être sujet l'empereur des Allemands et des Italiens. Un tel assujettissement n'est pas de droit divin, parce que les Ecritures n'en parlent pas. Il n'est pas sanctionné par le droit des gentils, en vertu des raisons avancées plus haut. Quant aux rapports avec la dispute de la pauvreté, dit enfin Guillaume, ses modestes opinions, élaborées en forme d'affables suggestions par lui et par certains comme Marsile de Padoue et Jean de Jandun, portaient aux conclusions suivantes : si les franciscains voulaient rester pauvres, le pape ne pouvait ni ne devait s'opposer à un désir aussi vertueux. Nul doute que si l'hypothèse de la pauvreté de Christ avait été prouvée, non seulement cela eût aidé les minorites, mais renforcé l'idée que Jésus n'avait voulu pour lui aucune juridiction terrestre. Cependant il avait entendu ce matin des personnes fort sages affirmer qu'on ne pouvait prouver que Jésus eût été pauvre. A la suite de quoi, il lui semblait plus convenable de renverser la proposition. Puisque personne n'avait soutenu, et n'aurait pu soutenir, que Jésus avait demandé pour lui et pour les siens une quelconque juridiction terrestre, ce détachement de Jésus des choses temporelles lui paraissait un indice suffisant pour inviter à penser, sans pécher, que Jésus avait aussi chéri la pauvreté.

Guillaume avait parlé d'un ton si modeste, il avait exprimé ses certitudes d'une manière si dubitative, qu'aucun des présents n'avait pu se lever pour le réfuter. Cela ne veut pas dire que tous étaient convaincus de ce qu'il avait dit. Non seulement les Avignonnais s'agitaient maintenant avec des faces courroucées et en murmurant entre eux leurs commentaires, mais l'Abbé lui-même paraissait très défavorablement impressionné par ces paroles, comme s'il pensait que ce n'était pas du tout là les rapports dont il rêvait entre son ordre et l'Empire. Et quant aux minorites, Michel de Césène était perplexe, Jérôme atterré, Ubertin pensif.

Le silence fut rompu par le cardinal du Poggetto, toujours souriant et détendu, qui de bonne grâce demanda à Guillaume s'il irait en Avignon pour dire ces mêmes choses à messer le pape. Guillaume demanda l'avis du cardinal, celui-ci lui dit que messer le pape avait entendu émettre beaucoup d'opinions discutables dans sa vie et que c'était un homme plein d'amour pour ses fils, mais qu'à coup sûr ces propositions l'auraient fort affligé.

Bernard Gui intervint, qui jusqu'alors n'avait pas ouvert la bouche : « Moi je serais très heureux si frère Guillaume, si habile et éloquent dans l'exposition de ses propres idées, allait les soumettre au jugement du souverain pontife...

— Vous m'avez convaincu, sire Bernard, dit Guillaume. Je n'irai pas. » Puis, s'adressant au cardinal, d'un ton d'excuse : « Vous savez, cette fluxion qui me prend à la poitrine me déconseille d'entreprendre un voyage aussi long par cette saison...

— Mais alors pourquoi avez-vous parlé si longtemps ? demanda le cardinal.

— Pour témoigner de la vérité, dit humblement Guillaume. La vérité nous rendra libres.

— Eh non ! explosa à ce moment-là Jean de Baune. Il ne s'agit pas ici de la vérité qui nous fait libres, mais de l'excessive liberté qui veut se faire vraie !

— Cela aussi est possible », admit Guillaume avec douceur.

Je sentis par une intuition subite qu'allait éclater une tempête de cœurs et de langues bien plus furieuse que la première. Mais il ne se passa rien. De Baune n'avait pas encore fini de parler, que le capitaine des archers était entré et murmurait quelque chose à l'oreille de Bernard. Qui se leva soudain et de la main demanda qu'on lui prêtât attention.

« Mes frères, dit-il, il est possible que cette roborative discussion puisse être reprise, mais à présent un événement d'une immense gravité nous oblige à suspendre nos travaux, avec l'autorisation de l'Abbé. Peut-être ai-je comblé, sans le vouloir, l'attente de l'Abbé lui-même, qui espérait découvrir le coupable de ces nombreux crimes des jours passés. Cet homme est maintenant entre mes mains. Mais hélas, il a été pris trop tard, encore une fois... Quelque chose est arrivé là-bas... » et il indiquait vaguement l'extérieur. Il traversa rapidement la salle et sortit, suivi par beaucoup, Guillaume parmi les premiers et moi avec lui.

Mon maître me regarda et me dit : « Je crains qu'il ne soit arrivé quelque chose à Séverin. »

Cinquième jour

SEXTE

Où l'on trouve Séverin assassiné, sans plus trouver le livre qu'il avait trouvé.

Nous traversâmes l'esplanade d'un pas rapide et le souffle angoissé. Le capitaine des archers nous conduisait vers l'hôpital et comme nous y arrivions, nous découvrîmes dans la dense grisaille un fourmillement d'ombres : c'étaient des moines et des servants qui accouraient, c'étaient des archers qui barraient la porte et empêchaient l'accès.

« Ceux qui sont armés de pied en cap, je les avais envoyés pour chercher un homme qui pouvait faire la lumière sur tant de mystères, dit Bernard.

— Le frère herboriste ? demanda stupéfait l'Abbé.

— Non, vous allez voir », dit Bernard en se frayant un chemin pour entrer.

Nous pénétrâmes dans le laboratoire de Séverin et là, un spectacle pénible s'offrit à nos yeux. Le malheureux herboriste gisait mort dans un lac de sang, la tête fendue. Tout autour, on eût dit que les étagères avaient été dévastées par une tempête : flacons, bouteilles, livres, documents étaient éparpillés dans le plus grand désordre et dans un état désastreux. A côté du corps se trouvait une sphère armillaire, grande comme au moins deux fois la tête d'un homme ; de métal finement ouvragé, surmontée d'une croix d'or et fixée sur un court trépied décoré. Les autres fois je l'avais remarquée à gauche de l'entrée, placée sur une table.

A l'autre bout de la pièce deux archers tenaient fortement le cellérier qui se démenait en protestant de son innocence et qui redoubla de cris quand il vit l'Abbé. « Seigneur, hurlait-il, les apparences sont contre moi ! Je suis entré quand Séverin était déjà mort et ils m'ont trouvé tandis que j'observais, le souffle coupé, ce massacre ! »

Le chef des archers s'approcha de Bernard, et, avec sa permission, il lui fit un rapport, devant tout le monde. Les archers avaient reçu l'ordre de trouver le cellérier et de l'arrêter, et depuis plus de deux heures, ils le cherchaient dans toute l'abbaye. Il devait s'agir, pensai-je, de la disposition donnée par Bernard avant d'entrer dans le chapitre, et les soldats, étrangers à ces lieux, avaient probablement mené leurs recherches aux mauvais endroits, sans s'apercevoir que le cellérier, ignorant encore son destin, était dans le narthex avec les autres ; et par ailleurs le brouillard avait rendu leur chasse plus ardue. En tout cas, d'après les paroles du capitaine, on pouvait déduire que quand Rémigio, après que je l'avais laissé, était allé vers les cuisines, quelqu'un l'avait vu et en avait averti les archers, lesquels étaient arrivés à l'Edifice lorsque le même Rémigio s'en était de nouveau éloigné, et depuis fort peu, car dans les cuisines se trouvait Jorge qui affirmait venir à peine de lui parler. Les archers avaient alors exploré le plateau dans la direction des jardins et là, surgi du brouillard comme un fantôme, ils avaient surpris le vieil Alinardo, qui s'était presque perdu. Et c'est précisément Alinardo qui avait dit avoir vu le cellérier, peu auparavant, entrer dans l'hôpital. Les archers s'y étaient rendus, trouvant la porte ouverte. A l'intérieur, ils avaient découvert Séverin inanimé et le cellérier qui, comme un forcené, fouillait sur les étagères, en jetant tout à terre, probablement à la recherche de quelque chose. Il était facile de comprendre ce qui s'était passé, concluait le capitaine. Rémigio était entré, s'était jeté sur l'herboriste, l'avait occis, pour chercher ensuite ce pour quoi il l'avait tué.

Un archer souleva de terre la sphère armillaire et la tendit à Bernard. L'élégante architecture de cercles de cuivre et d'argent, réunis par une plus robuste charpente d'anneaux de bronze, empoignée par le fût du trépied, avait été assenée avec tant de force sur le crâne de la victime, que dans l'impact nombre de cercles parmi les plus petits s'étaient brisés ou écrasés d'un côté. Et qu'on eût abattu ce côté-là sur la tête de Séverin, les traces de sang le révélaient et même les grumeaux de cheveux et les éclaboussures immondes et baveuses de matière cérébrale.

Guillaume se pencha sur Séverin pour en constater la mort. Les yeux du pauvre malheureux, voilés par le sang jailli de son crâne, étaient écarquillés, et je me demandai s'il avait jamais été possible de lire dans la pupille roidie, comme, raconte-t-on, cela s'était passé en d'autres cas, l'image de l'assassin, ultime vestige des perceptions de la victime. Je vis que Guillaume cherchait les mains du mort, pour vérifier si des taches noires apparaissaient sur les doigts, quand bien même en l'occurrence la cause de la mort était plus qu'évidente : mais Séverin portait ces mêmes gants de peau, avec lesquels je l'avais vu parfois manier des herbes dangereuses, des lézards verts, des insectes inconnus.

Cependant Bernard Gui s'adressait au cellérier : « Rémigio de Varagine, c'est bien ton nom, n'est-ce pas ? Je t'avais fait rechercher par mes hommes sur la base d'autres accusations et pour confirmer d'autres soupçons. Je vois maintenant que j'étais dans le juste chemin, bien que, je me le reproche, avec trop de retard. Sire, dit-il à l'Abbé, je me juge presque responsable de ce dernier crime, car dès ce matin je savais qu'il fallait remettre cet homme à la justice, après avoir écouté les révélations de l'autre misérable arrêté cette nuit. Mais comme vous l'avez pu constater vous aussi, durant la matinée j'ai été pris par d'autres devoirs et mes hommes ont fait de leur mieux… »

Tandis qu'il parlait, à voix bien haute pour que tous les présents entendissent (et la pièce s'était entre-temps remplie de gens qui se faufilaient de partout, regardant les choses éparses et détruites, se montrant du doigt le cadavre et commentant à mi-voix le grand crime), j'aperçus au milieu de la petite foule Malachie, qui observait la scène d'un air sombre. Le cellérier aussi l'aperçut, qui juste à ce moment-là était traîné dehors. Il s'arracha à l'étreinte des archers et se jeta sur son frère, le saisissant à la robe et lui parlant brièvement et désespérément face contre face, jusqu'à ce que les archers le tirassent de nouveau à eux. Mais, emmené avec brutalité, il se tourna encore vers Malachie en lui criant : « Jure, et moi je jure ! »

Malachie ne répondit pas aussitôt, comme s'il cherchait les mots appropriés. Puis, alors que le cellérier de force passait déjà le seuil, il lui dit : « Je ne ferai rien contre toi. »

Guillaume et moi nous nous regardâmes, nous demandant ce que signifiait cette scène. Bernard aussi l'avait observée, mais il n'en parut point troublé, il sourit même à Malachie comme pour approuver ses paroles, et sceller avec lui une sinistre complicité. Puis il annonça que sitôt après le repas un premier tribunal se réunirait dans le chapitre pour instruire publiquement cette enquête. Et il sortit en ordonnant de conduire le cellérier dans les forges, sans le laisser parler avec Salvatore.

A ce moment-là nous nous entendîmes appeler par Bence, qui se trouvait derrière nous : « Moi je suis entré sitôt après vous, dit-il dans un murmure, quand la pièce était encore à moitié vide, et Malachie n'y était pas.

— Il sera entré après, dit Guillaume.

— Non, assura Bence, je me trouvais près de la porte, j'ai vu qui entrait. Je vous le dis, Malachie était déjà dedans… avant.

— Quand, avant ?

— Avant que le cellérier n'y entrât. Je ne peux le jurer, mais je crois qu'il est sorti de derrière ce rideau, quand nous étions déjà nombreux ici », et il montra une large tenture qui protégeait le lit où d'habitude Séverin laissait se reposer qui venait de subir une médication.

« Tu veux insinuer que c'est lui qui a tué Séverin et qu'il s'est retiré là derrière lorsque le cellérier est entré ? demanda Guillaume.

— Ou encore, que de là derrière il a assisté à ce qui s'est passé ici. Sinon pourquoi le cellérier l'aurait-il imploré de ne pas lui nuire en lui promettant de lui rendre la pareille ?

— C'est possible, dit Guillaume. En tout cas ici il y avait un livre et il devrait y être encore, parce qu'aussi bien le cellérier que Malachie sont sortis les mains vides. » Guillaume savait, d'après mon rapport, que Bence savait : et en cet instant, il avait besoin d'aide. Il s'approcha de l'Abbé qui observait tristement le cadavre de Séverin et il le pria de faire sortir tout le monde parce qu'il voulait mieux examiner les lieux. L'Abbé acquiesça et sortit lui-même, non sans lancer à Guillaume un regard de scepticisme, comme s'il lui reprochait d'arriver toujours en retard. Malachie essaya de rester, prétextant diverses raisons plus vagues les unes que les autres : Guillaume lui fit observer qu'il ne s'agissait point là de la bibliothèque et qu'en cet endroit il ne pouvait alléguer des droits. Il fut courtois mais inflexible, et il se vengea du moment où Malachie ne lui avait pas permis d'examiner la table de Venantius.

Quand nous restâmes nous trois, Guillaume débarrassa une des tables des tessons et des feuilles de parchemin qui la recouvraient, et il me dit de lui passer un par un les livres de la collection de Séverin. Petite bibliothèque, comparée à l'immense du labyrinthe, mais toujours est-il qu'il ne s'agissait pas moins de dizaines et de dizaines de volumes de différentes grosseurs, qui, avant, étaient en bon ordre sur les étagères, et à présent se trouvaient en désordre par terre, au milieu de bien d'autres objets, et déjà mis sens dessus dessous par les mains fébriles du cellérier, certains même déchirés, comme s'il n'avait pas cherché un livre, mais quelque chose qui devait se trouver entre les pages d'un livre. Plusieurs avaient été déchiquetés avec violence, séparés de leur reliure. Les recueillir, en examiner rapidement la nature et les replacer en tas sur la table, ne fut pas une petite affaire, et menée en toute hâte, car l'Abbé nous avait accordé peu de temps, étant donné que des moines devaient ensuite entrer afin de recomposer le corps massacré de Séverin et de le préparer pour la sépulture. Et puis il fallait aussi aller chercher de tous les côtés, sous les tables, derrière les étagères et les armoires, si quelque chose avait échappé à une première inspection. Guillaume ne voulut pas que Bence m'aidât et il ne lui permit que de monter la garde à la porte. Malgré les ordres de l'Abbé, beaucoup s'obstinaient à vouloir entrer, servants consternés par la nouvelle, moines pleurant leur frère, novices arrivés avec des draps blancs et des bassines d'eau pour laver et envelopper le cadavre...

Nous devions donc procéder à vive allure. Je saisissais les livres, les présentais à Guillaume qui les examinait et les déposait sur la table. Puis nous nous rendîmes compte que le travail était trop long et nous poursuivîmes ensemble, c'est-à-dire que je ramassais un livre, le remettais en ordre s'il était en désordre, en lisais le titre, le posais. Et en de nombreux cas, il s'agissait de feuillets épars.

« *De plantis libri tres,* malédiction ce n'est pas ça », disait Guillaume et il jetait le livre sur la table.

« *Thesaurus herbarum* », disais-je, et Guillaume : « Laisse tomber, nous cherchons un livre grec !

— Celui-ci ? » demandais-je en lui montrant un ouvrage aux pages couvertes de caractères abstrus. Et Guillaume : « Non, celui-ci est arabe, idiot ! Il avait bien raison Bacon : le premier devoir du sage, c'est d'étudier les langues !

— Mais l'arabe vous ne le savez pas vous non plus ! » rétorquais-je piqué au vif, à quoi Guillaume me répondait : « Mais au moins je comprends quand c'est de l'arabe ! » Et moi je rougissais car j'entendais Bence rire dans mon dos.

Les livres étaient en grand nombre, et beaucoup plus nombreux les notes, les rouleaux avec des dessins de la voûte céleste, les catalogues de plantes bizarres, des manuscrits du défunt probablement, sur des feuillets détachés. Nous travaillâmes longtemps, nous explorâmes le laboratoire de fond en comble, Guillaume en arriva même, avec une grande froideur, à déplacer le cadavre pour voir s'il n'y avait rien dessous, et il fouilla sa robe. Rien.

« C'est impossible, dit Guillaume. Séverin s'est enfermé là-dedans avec un livre. Le cellérier ne l'avait pas...

— Il ne l'aura tout de même pas caché dans sa robe ? demandai-je.

— Non, le livre que j'ai vu l'autre matin sous la table de Venantius était d'un grand format, nous nous en serions aperçus.

— Comment était-il relié ? demandai-je.

— Je l'ignore. Il se trouvait ouvert et je ne l'ai vu que quelques secondes, tout juste le temps de me rendre compte qu'il était en grec, mais je n'en garde aucun autre souvenir. Continuons : le cellérier ne l'a pas pris, et Malachie non plus, je crois.

— Absolument pas, confirma Bence, quand le cellérier l'a saisi à la poitrine, on voyait qu'il ne pouvait l'avoir sous son scapulaire.

— C'est bon. En somme, c'est mauvais. Si le livre n'est pas dans cette pièce, il est évident que quelqu'un d'autre, outre Malachie et le cellérier, était entré avant.

— C'est-à-dire une troisième personne qui a tué Séverin ?

— Trop de monde, dit Guillaume.

— D'autre part, dis-je, qui pouvait savoir que le livre était ici ?

— Jorge, par exemple, s'il nous a entendus.

— Oui, dis-je, mais Jorge n'aurait pu tuer un homme robuste comme Séverin, et avec une telle violence.

— Certainement pas. En outre, tu l'as vu se diriger vers l'Edifice, et les archers l'ont croisé dans les cuisines peu avant de trouver le cellérier. Il n'aurait donc pas eu le temps de venir ici et puis de s'en retourner aux cuisines. Tiens compte du fait que, même s'il se déplace avec une certaine désinvolture, il doit pourtant avancer en longeant les murs et il n'aurait pas pu traverser les jardins, et à vive allure...

— Laissez-moi raisonner avec ma tête, dis-je, moi qui désormais avais l'ambition de rivaliser avec mon maître. Donc ça n'a pu être Jorge. Alinardo rôdait dans les environs, mais lui aussi se tient malaisément sur ses jambes, et il ne peut l'avoir emporté sur Séverin. Le cellérier est venu ici, mais le temps écoulé entre sa sortie des cuisines et l'arrivée des archers a été si bref qu'il me semble difficile qu'il ait pu se faire ouvrir par Séverin, l'affronter, le tuer et puis combiner cette chienlit. Malachie pourrait avoir précédé tout le monde : Jorge vous a entendu dans le narthex, il est allé dans le scriptorium informer Malachie qu'un livre de la bibliothèque se trouvait chez Séverin. Malachie vient ici, convainc Séverin de lui ouvrir, le tue, Dieu sait pourquoi. Mais s'il cherchait le livre, il aurait dû le reconnaître sans farfouiller comme une brute, car enfin c'est lui le bibliothécaire ! Alors, qui reste-t-il ?

— Bence », dit Guillaume.

Bence nia avec vigueur en secouant le chef : « Non, frère Guillaume, vous savez que je brûlais de curiosité. Mais si j'étais entré ici, et si j'avais pu sortir avec le livre, je ne serais pas maintenant en train de vous tenir compagnie : je serais quelque part en train d'examiner mon trésor...

— Une preuve presque convaincante, sourit Guillaume. Pourtant toi non plus tu ne sais pas comment est fait le livre. Tu pourrais avoir tué et maintenant tu serais ici pour chercher de l'identifier. »

Bence rougit violemment. « Moi je ne suis pas un assassin ! protesta-t-il.

— Personne ne l'est, avant de commettre son premier crime, dit philosophiquement Guillaume. En tout état de cause, le livre n'est pas ici, cela suffit à prouver que tu ne l'as pas laissé ici. Et il me semble raisonnable que, si tu l'avais pris avant, tu te serais éclipsé dans la confusion. »

Ensuite il se tourna pour considérer le cadavre. On eût dit qu'alors seulement il se rendait compte de la mort de son ami. « Pauvre Séverin, dit-il, je t'avais soupçonné toi aussi et tes poisons. Et tu t'attendais à la félonie d'un poison, autrement tu n'aurais pas enfilé ces gants. Tu craignais un danger venu de la terre et en revanche il t'est arrivé de la voûte céleste... » Il reprit la sphère dans sa main, en l'observant avec attention. « Qui sait pourquoi on a utilisé précisément cette arme...

— Elle était à portée de la main.

— Possible. Il y avait aussi d'autres choses, des vases, des outils de jardinier... C'est un bel exemple d'art des métaux et de science astronomique. On a abîmé et... Juste ciel ! s'exclama-t-il.

— Qu'y a-t-il ?

— Alors furent frappés le tiers du soleil et le tiers de la lune et le tiers des étoiles... », récita-t-il.

Je connaissais trop bien le texte de l'apôtre Jean : « La quatrième trompette ! m'écriai-je.

— En effet. D'abord la grêle, puis le sang, puis l'eau et maintenant les étoiles... S'il en va ainsi tout doit être revu, l'assassin n'a pas frappé au hasard, il a suivi un plan... Mais est-il donc possible d'imaginer un esprit si mauvais qu'il ne tue que lorsqu'il peut le faire en suivant la dictée du livre de l'Apocalypse ?

— Qu'arrivera-t-il avec la cinquième trompette ? » demandai-je atterré. Je cherchai à me rappeler : « Alors j'aperçus un astre qui du ciel avait chu sur la terre. On lui remit la clef du puits de l'abîme... Quelqu'un mourra-t-il en se noyant dans le puits ?

— La cinquième trompette nous promet beaucoup d'autres choses, dit Guillaume. Du puits montera la fumée d'une fournaise, puis en sortiront des sauterelles qui tourmenteront les hommes avec un aiguillon semblable à celui des scorpions. Et la forme des sauterelles sera semblable à celle de chevaux avec des couronnes d'or sur leurs têtes et des crocs de lions... Notre homme aurait différents moyens à sa disposition pour réaliser les paroles du livre... Mais ne suivons pas nos imaginations. Cherchons plutôt de nous rappeler ce que nous a dit Séverin quand il nous a annoncé avoir trouvé le livre...

— Vous lui avez dit de vous l'apporter et lui, il a dit qu'il ne pouvait pas...

— En effet, puis nous avons été interrompus. Pourquoi ne pouvait-il pas ? Un livre, on peut le transporter. Et pourquoi a-t-il mis ses gants ? Y a-t-il quelque chose dans la reliure du livre en rapport avec le poison qui a tué Bérenger et Venantius ? Un leurre mystérieux, une pointe infectée...

— Un serpent ! dis-je.

— Pourquoi pas une baleine ? Non, nous laissons encore errer notre imagination. Le poison, nous l'avons vu, devrait passer par la bouche. Ensuite, Séverin n'a pas précisément dit qu'il ne pouvait pas transporter le livre. Il a dit qu'il préférait me le faire voir ici. Et il a enfilé ses gants... Pour l'instant, nous savons qu'il faut toucher ce livre avec des gants. Et cela vaut aussi pour toi, Bence, si tu le trouves comme tu l'espères. Et vu que tu es si serviable, tu peux m'aider. Remonte au scriptorium et tiens bien à l'œil Malachie. Ne le perds pas de vue.

— Ce sera fait ! » dit Bence, et il sortit, heureux, nous sembla-t-il, de sa mission.

Nous ne pûmes retenir plus longtemps les autres moines et la pièce fut envahie. L'heure du dîner était désormais passée et Bernard probablement déjà en train de réunir sa cour dans le chapitre.

« Ici, il n'y a plus rien à faire », dit Guillaume.

Une idée me traversa l'esprit : « L'assassin, dis-je, ne pourrait-il pas avoir jeté le livre par la fenêtre pour ensuite aller le récupérer derrière l'hôpital ? » Guillaume regarda avec scepticisme les grandes verrières du laboratoire, qui paraissaient hermétiquement closes. « Nous pouvons toujours contrôler », dit-il.

Nous sortîmes et fîmes l'inspection du côté arrière de la construction, qui se trouvait presque adossée au mur d'enceinte, ne laissant qu'un étroit passage. Guillaume avança avec précaution, car dans cet espace la neige des jours passés s'était conservée intacte. Nos pas imprimaient sur la croûte glacée, mais fragile, des signes évidents, et donc si quelqu'un s'était aventuré là avant nous, la neige nous l'aurait signalé. Nous ne vîmes rien.

Nous abandonnâmes avec l'hôpital ma pauvre hypothèse, et tandis que nous traversions le jardin je demandai à Guillaume s'il se fiait vraiment à Bence. « Pas complètement, dit Guillaume, mais dans tous les cas nous ne lui avons rien dit qu'il ne sût déjà, et nous lui avons inspiré la peur du livre. Enfin en lui faisant surveiller Malachie, nous le faisons aussi surveiller, lui, par Malachie, qui de toute évidence est en train de chercher le livre pour son propre compte.

— Et le cellérier, que voulait-il ?

— Nous le saurons vite. Certes il voulait quelque chose et il le voulait tout de suite pour éviter un danger qui le terrorisait. Ce quelque chose doit être connu de Malachie, autrement on ne pourrait s'expliquer l'invocation désespérée que Rémigio lui a adressée...

— En tout cas, le livre a disparu...

— C'est la chose la plus invraisemblable, dit Guillaume tandis que nous allions déjà arriver au chapitre. S'il était là, et Séverin a dit qu'il y était, ou bien on l'a emporté, ou bien il y est encore.

— Et comme il n'y est pas, quelqu'un l'a emporté, conclus-je.

— Il n'est pas dit qu'il ne faille pas faire le raisonnement en partant d'une autre prémisse mineure. Comme tout confirme que personne ne peut l'avoir emporté...

— Il devrait alors être encore là. Mais il n'y est pas.

— Un instant. Nous disons qu'il n'y était pas parce que nous ne l'avons pas trouvé. Mais peut-être ne l'avons-nous pas trouvé parce que nous ne l'avons pas vu là où il était.

— Mais nous avons regardé de partout !

— Regardé, mais pas vu. Ou encore, vu mais pas reconnu... Adso, Séverin l'a décrit comment ce livre, quels mots a-t-il employés ?

— Il a dit qu'il avait trouvé un livre qui ne faisait pas partie des siens, en grec...

— Non ! A présent je me souviens. Il a dit un livre *étrange*. Séverin était un savant et pour un savant un livre en grec n'est pas étrange, même si ce savant ne sait pas le grec, du moins en reconnaîtrait-il l'alphabet. Et un savant ne taxerait d'étrange pas même un livre en arabe, n'eût-il aucune connaissance de l'arabe... » Il s'interrompit. « Et que pouvait bien faire un livre arabe dans le laboratoire de Séverin ?

— Mais pourquoi aurait-il dû taxer d'étrange un livre arabe ?

— C'est là la question. S'il l'a défini comme étrange, c'est parce qu'il avait une apparence inhabituelle, inhabituelle du moins pour lui, qui était herboriste et pas bibliothécaire... Et dans les bibliothèques il arrive que de nombreux manuscrits anciens soient parfois reliés ensemble, ainsi réunissant en un seul volume des textes différents et curieux, un en grec, un en araméen...

— ... et un en arabe ! » m'écriai-je, foudroyé par cette illumination.

Guillaume m'entraîna brutalement hors du narthex en me faisant courir vers l'hôpital : « Bête de Teuton, courge, ignorant, tu n'as regardé que les premières pages et pas le reste !

— Mais, maître, haletais-je, c'est vous qui avez regardé les pages que je vous ai montrées, et vous avez dit que c'était de l'arabe et pas du grec !

— C'est vrai, Adso, c'est vrai, c'est moi la bête, cours, vite ! »

Nous revînmes dans le laboratoire où nous entrâmes non sans peine car les novices transportaient déjà le cadavre vers l'extérieur. D'autres curieux rôdaient dans la pièce. Guillaume se précipita sur la table, souleva les volumes en cherchant le livre fatidique, il les jetait au fur et à mesure par terre sous les yeux ahuris des présents, puis il les ouvrit et les rouvrit tous, deux fois. Hélas, le manuscrit arabe n'était plus là. Je m'en rappelais vaguement la vieille couverture, pas très robuste, fort usée, avec de fines bandes métalliques.

« Qui est entré ici, après que je suis sorti ? » demanda Guillaume à un moine. Celui-ci haussa les épaules, il était évident que tout le monde était entré, et personne.

Nous nous mîmes à considérer les possibilités. Malachie ? C'était vraisemblable, il savait ce qu'il voulait, il nous avait peut-être surveillés, il nous avait vus sortir sans rien dans les mains, il était revenu sûr de son coup. Bence ? Je me souvins que lors de notre prise de bec sur le texte arabe, il avait ri. Alors j'avais cru qu'il s'était gaussé de mon ignorance, mais sans doute riait-il de l'ingénuité de Guillaume, lui qui savait bien toutes les façons dont peut se présenter un vieux manuscrit, peut-être avait-il pensé ce que nous, nous n'avions pas pensé sur-le-champ, et que nous aurions dû penser, c'est-à-dire : Séverin ne connaissait pas l'arabe et donc il était pour le moins singulier qu'il gardât parmi les siens un livre qu'il ne pouvait pas lire. Ou bien y avait-il un troisième personnage ?

Guillaume était profondément humilié. J'essayais de le consoler, je lui disais qu'il cherchait depuis trois jours un texte en grec et qu'il était naturel qu'il eût rejeté au cours de son examen tous les livres qui n'apparaissaient pas en grec. Et lui répondait qu'il était certainement humain de commettre des erreurs, que pourtant il y a des êtres humains qui en commettent plus que d'autres, ceux qu'on appelle des sots, et lui se trouvait de ceux-là, et il se demandait s'il avait valu la peine d'étudier à Paris et à Oxford pour se montrer ensuite incapable de penser qu'on relie parfois les manuscrits en les regroupant, chose que savent même les novices, sauf les stupides comme moi, et un couple de stupides comme nous deux aurait eu un franc succès dans les foires, et c'est ce que nous devions faire au lieu de chercher à résoudre les mystères, surtout quand il fallait contrecarrer des gens bien plus astucieux que nous.

« Mais il est inutile de pleurer, conclut-il ensuite. Si c'est Malachie qui l'a pris, il l'a déjà replacé dans la bibliothèque. Et nous le retrouverions seulement si nous savions entrer dans le finis Africae. Si c'est Bence qui l'a pris, il aura imaginé que tôt ou tard j'aurais le soupçon que j'ai eu et retournerais dans le laboratoire, autrement il n'eût pas agi avec une telle hâte. Et donc il se sera caché, et l'unique endroit où il ne s'est sûrement pas caché, c'est celui où nous le chercherions tout de suite : sa cellule. Or regagnons le chapitre et voyons si au cours de l'instruction le cellérier dira quelque chose d'utile. Car en fin de compte, le plan de Bernard ne m'est pas encore bien clair ; lui qui cherchait son homme avant la mort de Séverin, et pour d'autres fins. »

Nous revînmes au chapitre. Nous aurions bien fait de nous rendre dans la cellule de Bence car, comme nous l'apprîmes ensuite, notre jeune ami ne tenait point du tout en si grande estime Guillaume pour n'avoir pas songé qu'il retournerait si vite dans le laboratoire ; raison pour quoi, croyant n'être pas cherché de ce côté-là, il était justement allé cacher le livre dans sa cellule.

Mais de cela je parlerai plus loin. Entre-temps eurent lieu des faits si dramatiques et si inquiétants que nous en oubliâmes presque le livre mystérieux. Et si même nous ne l'oubliâmes pas vraiment, nous fûmes pris par d'autres tâches urgentes, en rapport avec la mission dont Guillaume était, malgré tout, toujours chargé.

Cinquième jour

NONE

Où l'on administre la justice et l'on a l'embarrassante impression que tout le monde a tort.

Bernard Gui se plaça au centre de la grande table de noyer dans la salle du chapitre. Près de lui un dominicain faisait fonction de tabellion et deux prélats de la légation pontificale étaient à ses côtés en tant que juges. Le cellérier se tenait debout devant la table, entre deux archers.

L'Abbé se tourna vers Guillaume pour lui murmurer. « Je ne sais si la procédure est légitime. Le concile du Latran de 1215 a établi dans son canon XXXVII qu'on ne peut citer un prévenu à comparaître devant des juges qui siègent à plus de deux journées de marche de son domicile. Ici la situation est sans doute différente, c'est le juge qui vient de loin, mais...

— L'inquisiteur ne relève d'aucune juridiction régulière, dit Guillaume, et il n'a pas à suivre les normes du droit commun. Il jouit d'un privilège spécial et n'est même pas tenu d'écouter les avocats. »

Je regardai le cellérier. Rémigio était réduit à un état déplorable. Il regardait autour de lui comme une bête apeurée, comme s'il reconnaissait les mouvements et les gestes d'une liturgie redoutée. Je sais maintenant qu'il tremblait pour deux raisons, aussi épouvantables l'une que l'autre : l'une, parce qu'il avait été pris, selon toute apparence, en flagrant délit, l'autre parce que dès le premier jour, quand Bernard avait commencé son enquête, recueillant murmures et insinuations, il redoutait que vinssent à la lumière ses erreurs passées ; et il avait été saisi d'une plus grande agitation encore, lorsqu'il avait vu prendre Salvatore.

Si le malheureux Rémigio était en proie à ses propres terreurs, Bernard Gui savait de son côté les manières de transformer en panique la peur de ses propres victimes. Il ne parlait pas : alors que tous s'attendaient à ce qu'il engageât l'interrogatoire, il tenait ses mains sur les feuilles qu'il avait devant lui, faisant semblant de les réordonner, mais distraitement. Le regard était en vérité pointé sur l'accusé, et c'était un regard mêlé d'hypocrite indulgence (comme pour dire : « N'aie crainte, tu es entre les mains d'une assemblée fraternelle, qui ne peut que vouloir ton bien »), d'ironie glacée (comme pour dire : « Tu ne sais pas encore quel est ton bien, et moi d'ici peu je te le dirai »), d'impitoyable sévérité (comme pour dire : « Mais dans tous les cas, je suis ton seul juge, et toi tu es ma chose »). Ce que le cellérier savait pertinemment déjà, mais le silence et les atermoiements du juge servaient à le lui rappeler, presque à le lui faire mieux goûter, afin que — au lieu de l'oublier — il en tirât d'autant plus motif d'humiliation, que son inquiétude se transformât en désespoir, et qu'il devînt bien la chose exclusive du juge, cire molle dans ses mains.

Enfin Bernard rompit le silence. Il prononça certaines formules rituelles, dit aux juges qu'on procédait à l'interrogatoire du prévenu pour deux crimes aussi odieux l'un que l'autre, dont l'un était à tous patent mais moins méprisable que l'autre, car en effet le prévenu avait été surpris en train de commettre un homicide quand il était recherché pour crime d'hérésie.

Il l'avait dit. Le cellérier cacha son visage dans ses mains, qu'il bougeait à grand-peine car elles étaient serrées dans des chaînes. Bernard engagea l'interrogatoire.

« Qui es-tu, toi ? demanda-t-il.

— Rémigio de Varagine. Je suis né il y a cinquante-deux ans et je suis entré encore enfant dans le couvent des minorites de Varagine.

— Et comment se fait-il que tu te trouves aujourd'hui dans l'ordre de saint Benoît ?

— Il y a des années, quand le souverain pontife fulmina la bulle *Sancta Romana*, comme je craignais d'être contaminé par l'hérésie des fraticelles... tout en n'ayant jamais adhéré à leurs propositions... je pensai qu'il était plus utile à mon âme pécheresse de me soustraire à un milieu lourd de séductions et j'obtins d'être admis parmi les moines de cette abbaye, où depuis plus de huit ans je sers en tant que cellérier.

— Tu t'es soustrait aux séductions de l'hérésie, persifla Bernard, autrement dit tu t'es soustrait à l'enquête de ceux qui étaient chargés de découvrir l'hérésie et d'en déraciner la male plante, et les bons moines clunisiens ont cru accomplir un acte de charité en t'accueillant toi et ceux de ton espèce. Mais il ne suffit pas de changer de froc pour effacer de son âme la turpitude de la dépravation hérétique, et c'est pour cela que nous sommes ici maintenant à explorer les recoins de ton âme impénitente et à examiner les faits qui ont précédé ta venue dans ce lieu saint.

— Mon âme est innocente et je ne sais ce que vous entendez quand vous parlez de dépravation hérétique, dit prudemment le cellérier.

— Vous voyez ? s'exclama Bernard à l'adresse des autres juges. Tous de la même eau, ceux-là ! Quand l'un d'eux est arrêté, il comparaît en justice comme si sa conscience était tranquille et sans remords. Et ils ne savent pas que c'est là le signe le plus évident de leur faute, car le juste, à son procès, comparaît pris d'inquiétude ! Demandez-lui s'il connaît la cause pour laquelle j'avais préparé son arrestation. Tu la connais, Rémigio ?

— Seigneur, répondit le cellérier, je serais heureux de l'apprendre de votre bouche. »

Je fus surpris, car il me semble que le cellérier répondait aux questions rituelles avec des mots tout aussi rituels, comme s'il connaissait bien les règles de l'instruction et ses chausse-trappes, et que depuis longtemps il avait été instruit pour affronter un pareil événement.

« Voilà, s'écriait alors Bernard, la réponse typique de l'hérétique impénitent ! Ils parcourent leurs sentiers de renard et il est très difficile de les prendre en faute car leur communauté admet le droit au mensonge pour éviter le châtiment mérité. Ils ont recours à des réponses tortueuses pour tenter d'abuser l'inquisiteur, qui doit déjà supporter le contact de gens aussi méprisables. Or donc Rémigio, tu n'as jamais rien eu à voir avec lesdits fraticelles ou frères de la pauvre vie, ou béguins ?

— J'ai vécu les vicissitudes des frères mineurs, lors de la longue discussion sur la pauvreté, mais je n'ai jamais appartenu à la secte des béguins.

— Vous voyez ? dit Bernard. Il nie avoir été béguin parce que les béguins, tout en participant de la même hérésie que les fraticelles, considèrent ces derniers comme une branche sèche de l'ordre franciscain et se jugent plus purs et parfaits qu'eux. Mais nombre de comportements des uns sont communs aux autres. Peux-tu nier, Rémigio, d'avoir été vu à l'église recroquevillé, la face tournée vers le mur, ou prosterné, la tête couverte du capuchon, au lieu d'être agenouillé les mains jointes comme les autres hommes ?

— Dans l'ordre de saint Benoît aussi on se prosterne à terre, aux moments voulus...

— Je ne te demande pas ce que tu as fait dans les moments voulus, mais dans les autres moments ! Tu ne nies donc pas avoir pris l'une ou l'autre posture, typiques des béguins ! Mais tu n'es pas béguin, as-tu dit... Et alors dis-moi : à quoi crois-tu ?

— Seigneur je crois à tout ce que croit un bon chrétien...

— Quelle sainte réponse ! Et que croit un bon chrétien ?

— Ce qu'enseigne la sainte Eglise.

— Et quelle sainte Eglise ? Celle que jugent telle les croyants qui se définissent parfaits, les pseudo-apôtres, les fraticelles hérétiques, ou l'Eglise qu'ils comparent à la prostituée de Babylone, et en laquelle nous tous au contraire croyons fermement ?

— Seigneur, dit le cellérier dérouté, dites-moi, vous, celle que vous croyez être la véritable Eglise...

— Moi, je crois que c'est l'Eglise romaine, une, sainte et apostolique, gouvernée par le pape et par ses évêques.

— C'est ce que je crois, dit le cellérier.

— Admirable astuce ! s'écria l'inquisiteur. Admirable subtilité de dicto ! Vous l'avez entendu : il veut dire qu'il croit que je crois à cette Eglise, et il se dérobe au devoir de dire en quoi il croit, lui ! Mais nous connaissons bien ces artifices de fouine ! Venons-en au fait. Crois-tu que les sacrements aient été institués par Notre Seigneur, que pour faire une juste pénitence il faille se confesser aux serviteurs de Dieu, que l'Eglise romaine ait le pouvoir de délier et de lier sur cette terre ce qui sera lié et délié au ciel ?

— Ne devrais-je pas le croire peut-être ?

— Je ne te demande pas ce que tu devrais croire, mais ce que tu crois !

— Moi, je crois à tout ce que vous et les autres bons docteurs m'ordonnez de croire, dit le cellérier épouvanté.

— Ah ! Mais les bons docteurs auxquels tu fais allusion ne sont-ils pas par hasard ceux qui commandent ta secte ? C'est ce que tu entendais dire quand tu parlais des bons docteurs ? C'est à ces menteurs pervers qui s'estiment les uniques successeurs des apôtres que tu te réfères pour connaître tes articles de foi ? Tu insinues que si moi je crois à ce qu'eux croient, alors tu me croiras, autrement tu ne croiras qu'en eux !

— Je n'ai pas dit cela, seigneur, balbutia le cellérier, c'est vous qui me le faites dire. Je crois à ce que vous me dites, si vous m'enseignez ce qui est bien.

— Oh arrogance ! s'écria Bernard en frappant du poing sur la table. Tu répètes de mémoire avec une louche détermination le formulaire qu'on enseigne dans ta secte. Tu dis que tu me croiras dans la mesure où je prêche ce que ta secte juge être le bien. Ainsi ont toujours répondu les pseudo-apôtres et ainsi maintenant tu réponds, sans t'en rendre compte peut-être, car réaffleurent à tes lèvres les phrases qui te furent enseignées naguère afin de tromper les inquisiteurs. Et ainsi es-tu en train de t'accuser avec tes propres paroles, et moi je donnerais dans ton piège si je n'avais une longue expérience d'inquisition... Mais venons-en à la vraie question, homme pervers. N'as-tu jamais entendu parler de Gérard Segalelli de Parme ?

— J'en ai entendu parler, dit le cellérier en pâlissant, si tant est qu'on pût encore parler de pâleur pour ce visage défait.

— N'as-tu jamais entendu parler de fra Dolcino de Novare ?

— J'en ai entendu parler.

— Ne l'as-tu jamais vu en personne, as-tu conversé avec lui ? »

Le cellérier garda quelques instants le silence, comme pour peser jusqu'à quel point il lui conviendrait de dire une partie de la vérité. Puis il se décida, et avec un filet de voix : « Je l'ai vu et je lui ai parlé.

— Plus fort ! cria Bernard, qu'enfin on puisse entendre un mot vrai s'écouler de tes lèvres ! Quand lui as-tu parlé ?

— Seigneur, dit le cellérier, j'étais frère dans un couvent du Novarois lorsque les gens de Dolcino se réunirent dans cette région, et passèrent aussi à côté de mon couvent, et au début on ne savait pas trop bien qui ils étaient...

— Tu mens ! Comment un franciscain de Varagine pouvait-il être dans un couvent du Novarois ? Tu n'étais pas dans un couvent, tu faisais déjà partie d'une bande de fraticelles qui parcouraient ces terres en vivant d'aumônes et tu t'es uni aux dolciniens !

— Comment pouvez-vous affirmer cela, seigneur ? dit en tremblant le cellérier.

— Je te le dirai, comment je peux, ou plutôt je dois, l'affirmer », dit Bernard, et il donna l'ordre qu'on fît entrer Salvatore.

La vue du malheureux, qui avait certainement passé la nuit en un interrogatoire non public et plus sévère, m'émut de pitié. Le visage de Salvatore, je l'ai dit, était d'habitude horrible. Mais ce matin-là il avait l'air encore plus semblable à celui d'un animal. Il ne portait pas de marques de violence, mais la façon dont le corps enchaîné avançait, avec ses membres déboîtés, presque incapable de bouger, traîné par les archers comme un singe attaché à sa corde, proclamait bien haut la manière dont avait dû se dérouler son atroce répons.

« Bernard l'a torturé... murmurai-je à Guillaume.

— Pas du tout, répondit Guillaume. Un inquisiteur ne torture jamais. La gestion d'un corps de prévenu est toujours confiée au bras séculier.

— Mais c'est la même chose ! dis-je.

— Que non. Ni pour l'inquisiteur, qui a les mains pures, ni pour celui qui est questionné, lequel, quand vient l'inquisiteur, trouve en lui un soutien inattendu, un soulagement à ses peines, et lui ouvre son cœur. »

Je regardai mon maître : « Vous plaisantez, dis-je effaré.

— Cela te semble sujet à plaisanterie ? » répondit Guillaume.

Bernard était maintenant en train d'interroger Salvatore, et ma plume n'arrive pas à transcrire les mots hachés et, si tant est que ce fût possible, encore plus babéliques, par lesquels cet homme déjà diminué, ravalé à présent au rang de babouin, répondait, compris péniblement de tous, aidé par Bernard qui lui posait ses questions de manière qu'il ne pût répondre que oui ou non, incapable de tout mensonge. Et ce que dit Salvatore, mon lecteur peut bien l'imaginer. Il raconta, ou admit avoir raconté durant la nuit, une partie de cette histoire que j'avais déjà reconstruite : ses vagabondages en tant que fraticelle, pastoureau et pseudo-apôtre ; et comment aux temps de fra Dolcino il avait rencontré Rémigio parmi les dolciniens, et avec lui s'était sauvé après la bataille du mont Rebello, se réfugiant après diverses péripéties dans le couvent de Casale. En plus il ajouta que l'hérésiarque Dolcino, à l'approche de la défaite et de la capture, avait confié à Rémigio quelques lettres, à remettre il ne savait où ni à qui. Et Rémigio avait toujours porté ces lettres sur lui, sans oser les remettre à leurs destinataires, et à son arrivée à l'abbaye, craignant de les garder encore par-devers lui, mais ne voulant pas les détruire, il les avait remises au bibliothécaire, oui à Malachie précisément, pour qu'il les cachât quelque part dans un recoin de l'Edifice.

Tandis que Salvatore parlait, le cellérier le regardait avec haine ; à un certain point, il ne put s'empêcher de lui crier : « Serpent, singe lascif, je t'ai servi de père, d'ami, d'écu, et c'est ainsi que tu me rends la monnaie de ma pièce ! »

Salvatore regarda son protecteur réclamant protection désormais, et répondit avec peine : « Seigneur Rémigio, si c'était que je pouvais j'étais à toi. Tu étais por moi moult amado. Mais tu connais la famille du Bargello, y ses prisons. Qui non habet caballum vadat cum pede...

— Fou ! lui cria encore Rémigio. Tu espères t'en tirer ? Ne sais-tu pas que tu mourras comme un hérétique toi aussi ? Dis que tu as parlé sous la torture, dis que tu as tout inventé !

— Qu'est-ce que j'en sais, moi, seigneur, comment elles s'appellent toutes ces résies... Paterins, boglolimes, léoniens, arnaldistes, jacobites, circoncis... Je ne suis point homo literatus, peccavi sine malitia et le seigneur Bernard très magnifique el sait, et j'espère en son indulgentia in nomine patre et filio et spiritis sanctis...

— Nous serons indulgent autant que notre office nous le permettra, dit l'inquisiteur, et nous pèserons avec bienveillance paternelle la bonne volonté avec laquelle tu nous as ouvert ton âme. Va, va, retourne méditer dans ta cellule et espère en la miséricorde du Seigneur. Maintenant nous avons à débattre une question d'une tout autre importance. Or donc Rémigio, tu emportais avec toi des lettres de Dolcino et tu les donnas à ton frère qui a charge de la bibliothèque...

— Ce n'est pas vrai, ce n'est pas vrai ! » cria le cellérier, comme si cette défense avait encore quelque efficacité. Et justement Bernard l'interrompit : « Mais ce n'est pas de ta part que nous sert une confirmation, bien plutôt de Malachie de Hildesheim. »

Il fit appeler le bibliothécaire ; il ne se trouvait pas parmi les présents. Moi, je savais qu'il était dans le scriptorium, ou autour de l'hôpital, à la recherche de Bence et du livre. On partit à ses trousses, et lorsqu'il apparut, troublé et faisant son possible pour ne regarder personne en face, Guillaume murmura tout désappointé : « Et maintenant Bence pourra faire ce qu'il veut. » Mais il se trompait, car je vis la tête de Bence émerger au-dessus des épaules de tous les moines qui s'entassaient aux portes de la salle pour suivre l'interrogatoire. Je le montrai à Guillaume. Nous pensâmes alors que la curiosité pour cet événement était encore plus forte que sa curiosité pour le livre. Nous apprîmes plus tard que, à ce moment-là, il avait déjà conclu un ignoble marché.

Malachie apparut donc devant les juges, sans jamais croiser son regard avec celui du cellérier.

« Malachie, dit Bernard, ce matin, après les aveux de Salvatore faits dans la nuit, je vous ai demandé si vous aviez reçu de la part du prévenu ci-présent des lettres...

— Malachie ! hurla le cellérier, tu m'as juré il y a peu que tu ne feras rien contre moi ! »

Malachie se tourna à peine vers le prévenu, placé derrière lui, et dit d'une voix très basse, au point que j'avais du mal à l'entendre : « Je ne suis pas un parjure. Si je pouvais faire quelque chose contre toi, c'était déjà fait. Les lettres avaient été remises au seigneur Bernard ce matin, avant que tu n'aies tué Séverin...

— Mais tu le sais, toi, tu dois le savoir que je n'ai pas tué Séverin ! Tu le sais, parce que tu étais déjà là !

— Moi ? demanda Malachie. Moi je suis entré là-bas après qu'ils t'ont découvert.

— Et quand bien même ce serait, interrompit Bernard, que cherchais-tu chez Séverin, Rémigio ? »

Le cellérier se retourna pour regarder Guillaume avec des yeux éperdus, puis il regarda Malachie, puis encore Bernard : « Mais... j'ai entendu ce matin frère Guillaume ici présent dire à Séverin de bien garder certains parchemins... et, depuis hier soir, après la capture de Salvatore, je tremblais qu'on ne parlât de ces lettres...

— Alors tu sais quelque chose sur ces lettres ! » s'exclama triomphalement Bernard. Le cellérier dès lors était pris au piège. Il se trouvait coincé entre deux urgences, se disculper de l'accusation d'hérésie et éloigner de lui le soupçon d'homicide. Il se résolut probablement à affronter la seconde accusation, d'instinct, car désormais il agissait sans règle, et sans prudence : « Je parlerai des lettres après... je justifierai... je dirai comment j'en vins en possession... Mais laissez-moi vous expliquer ce qui s'est passé ce matin. Je pensais bien qu'on parlerait de ces lettres, quand j'ai vu Salvatore tomber entre les mains du seigneur Bernard, il y a des années que le souvenir de ces lettres me tourmente le cœur... Alors quand j'entendis Guillaume et Séverin parler de feuillets... je ne sais, pris par la peur, je pensai que Malachie s'en était débarrassé et les avait donnés à Séverin... je voulais les détruire et c'est ainsi que j'allai chez Séverin... la porte était ouverte et Séverin était déjà mort, je me suis mis à fouiller au milieu de ses affaires pour chercher les lettres... je n'éprouvais que ma peur... »

Guillaume me murmura à l'oreille : « Pauvre idiot, effrayé par un danger il a foncé tête baissée dans un autre... »

« Admettons que tu dises presque — je dis presque — la vérité, intervint Bernard. Tu pensais que Séverin avait les lettres et tu les as cherchées chez lui. Et pourquoi as-tu pensé qu'il les avait ? Et pourquoi as-tu tué d'abord tes autres frères aussi ? Peut-être pensais-tu que ces lettres circulaient depuis beau temps dans les mains de beaucoup ? Peut-être a-t-on coutume dans cette abbaye de donner la chasse aux reliques des hérétiques brûlés ? »

Je vis l'Abbé tressaillir. Il n'y avait rien de plus insidieux que l'accusation de recueillir des reliques d'hérétiques, et Bernard était très habile de mêler les crimes à l'hérésie, et le tout à la vie de l'abbaye. Je fus interrompu dans mes réflexions par le cellérier qui criait qu'il n'avait rien à voir avec les autres crimes. Bernard, indulgent, le tranquillisa : ce n'était pas là, pour le moment, la question dont on discutait, il était interrogé pour crime d'hérésie, et qu'il ne tentât pas (et ici la voix se fit sévère) de détourner l'attention de son passé d'hérétique en parlant de Séverin ou en cherchant de faire peser des soupçons sur Malachie. Qu'on en revînt donc aux lettres.

« Malachie de Hildesheim, dit-il tourné vers le témoin, vous n'êtes pas ici en tant qu'accusé. Ce matin vous avez répondu à mes demandes et à ma requête sans essayer de rien cacher. Maintenant vous répéterez devant ce tribunal ce que vous m'avez dit ce matin et vous n'aurez rien à craindre.

— Je répète ce que j'ai dit ce matin, dit Malachie. Peu après son arrivée en ce lieu, Rémigio commença de s'occuper des cuisines, et nous avions de fréquents contacts pour des raisons de travail... moi, en tant que bibliothécaire, je suis chargé de la fermeture nocturne de tout l'Edifice, et par conséquent des cuisines aussi... je n'ai aucun motif de cacher que nous devînmes des amis fraternels, je n'avais aucune raison de nourrir des soupçons contre lui. Et lui me raconta qu'il avait certains documents de nature secrète, confiés à lui en confession, qui ne devaient pas tomber sous les yeux de profanes, et qu'il n'osait pas détenir plus longtemps. Comme j'avais la garde de l'unique lieu du monastère interdit à quiconque, il me demanda de lui conserver ces feuilles de parchemin loin de tout regard curieux, et je consentis, n'imaginant pas que les documents étaient de nature hérétique, et je ne les lus même pas avant de les placer.. de les placer dans l'endroit le plus retiré, le plus inaccessible de la bibliothèque, et depuis lors j'avais oublié cet incident, jusqu'au moment où ce matin le seigneur inquisiteur y a fait allusion, et alors je suis allé les rechercher et les lui ai remises... »

L'Abbé prit la parole, courroucé : « Pourquoi ne m'as-tu pas tenu au courant de ton pacte avec le cellérier ? La bibliothèque n'est pas une réserve d'affaires appartenant aux moines ! » L'Abbé avait mis au clair que l'abbaye n'avait rien à voir avec cette histoire.

« Seigneur, répondit confus Malachie, ce m'avait semblé chose de peu d'importance. J'ai péché sans malice.

— Certes, certes, dit Bernard d'un ton cordial, nous sommes tous convaincus que le bibliothécaire a agi de bonne foi, et la franchise avec laquelle il a collaboré avec ce tribunal en est la preuve. Je prie fraternellement Votre Magnificence de ne pas lui faire grief de cette ancienne imprudence. Nous croyons à Malachie. Et nous lui demandons seulement de nous confirmer à présent sous serment que les parchemins que je lui montre sont bien ceux qu'il m'a donnés ce matin et sont bien ceux que Rémigio de Varagine lui remit il y a des années, après son arrivée à l'abbaye. » Il montrait deux parchemins qu'il avait extraits des feuillets posés sur la table. Malachie les regarda et dit d'une voix ferme : « Je jure sur Dieu le Père tout-puissant, sur la très sainte Vierge et sur tous les saints qu'il en est et en a été bien ainsi.

— Cela me suffit, dit Bernard. Vous pouvez disposer, Malachie de Hildesheim. »

Tandis que Malachie sortait tête basse, peu avant qu'il ne parvînt à la porte, on entendit une voix s'élever du groupe des curieux entassés au fond de la salle : « Toi, tu lui cachais les lettres et lui, il te montrait le cul des novices aux cuisines ! » Des éclats de rire fusèrent, Malachie sortit rapidement en jouant des coudes à gauche et à droite, moi j'aurais juré que le timbre était celui de Aymaro, mais la phrase avait été criée d'une voix de fausset. L'Abbé, le visage cramoisi, hurla de faire silence et menaça de terribles punitions pour tous, intimant aux moines d'évacuer la salle. Bernard souriait lubriquement, le cardinal Bertrand, d'un autre côté de la salle, se penchait à l'oreille de Jean d'Anneaux et lui disait quelque chose, à quoi l'autre réagissait en se couvrant la bouche de sa main et en inclinant la tête comme s'il toussait. Guillaume me dit : « Le cellérier n'était pas seulement un pécheur charnel pour son plaisir, mais il faisait aussi le rufian. Cependant, rien de cela n'importe à Bernard, si ce n'est juste ce qu'il faut pour mettre Abbon, médiateur impérial, en embarras... »

Il fut interrompu précisément par Bernard qui maintenant s'adressait à lui : « Il m'intéresserait ensuite de savoir de vous, frère Guillaume, de quels feuillets vous parliez ce matin avec Séverin, lorsque le cellérier vous entendit et commit son erreur. »

Guillaume soutint son regard : « Il commit une erreur, justement. Nous parlions d'un exemplaire du traité sur l'hydrophobie canine de Ayyub al Ruhawi, livre admirable de doctrine que certainement vous connaissez de renommée et qui vous aura souvent été de grande utilité... L'hydrophobie, dit Ayyub, se reconnaît d'après vingt-cinq signes évidents... »

Bernard, qui appartenait à l'ordre des domini canes, ne jugea pas opportun d'affronter une nouvelle bataille. « Il s'agissait donc de choses étrangères au cas en question », dit-il rapidement. Et il poursuivit l'instruction.

« Revenons à toi, frère Rémigio minorite, bien plus dangereux qu'un chien hydrophobe. Si frère Guillaume avait ces jours-ci prêté plus d'attention à la bave des hérétiques qu'à celle des chiens, peut-être aurait-il découvert lui aussi quel serpent nichait dans l'abbaye. Revenons à ces lettres. A présent nous savons sans l'ombre d'un doute qu'elles furent entre tes mains et que tu pris soin de les cacher comme un poison mortel, et que tu es allé jusqu'à tuer... (il arrêta d'un geste une tentative de déni)... et du meurtre nous parlerons ensuite... jusqu'à tuer, disais-je, pour qu'elles ne vinssent jamais en ma possession. Alors, tu reconnais ces feuillets comme t'appartenant ? »

Le cellérier ne répondit pas, mais son silence était suffisamment éloquent. Raison pour quoi Bernard poursuivit : « Et que sont ces parchemins ? Deux pages rédigées de la main même de l'hérésiarque Dolcino, peu de jours avant d'être pris, et qu'il confiait à l'un de ses acolytes pour qu'il les portât à d'autres de ses sectateurs encore éparpillés à travers l'Italie. Je pourrais vous lire tout ce qu'elles renferment, et comment Dolcino, redoutant sa fin imminente, confie un message d'espérance — à ses frères dit-il — en Satan ! Il les console en annonçant que, si les dates prévues ici ne concordent pas avec celles de ses lettres précédentes, où il avait promis pour l'année 1305 la destruction complète de tous les prêtres par les soins de l'empereur Frédéric, cette destruction ne serait toutefois pas éloignée. Une fois de plus, l'hérésiarque mentait, car plus de vingt ans ont passé depuis ce jour et aucune de ses prédictions néfastes ne s'est réalisée. Cependant ce n'est pas sur la risible présomption de ces prophéties que nous devons discuter, mais bien sur le fait que Rémigio en était le porteur. Peux-tu encore nier, frère hérétique et impénitent, que tu as eu commerce et contubernalité avec la secte des pseudo-apôtres ? »

Le cellérier ne pouvait plus nier désormais. « Seigneur, dit-il, ma jeunesse a été peuplée d'erreurs très funestes. Quand j'eus vent de la prédication de Dolcino, déjà séduit comme je l'étais par les erreurs des frères de pauvre vie, je crus en ses paroles et je m'unis à sa bande. Oui, c'est vrai, je fus avec eux dans les régions de Brescia, de Bergame, je fus avec eux à Côme et en Valsesia, avec eux je me réfugiai à la Paroi Chauve et en val de Rassa, et enfin sur le mont Rebello. Mais je ne pris part à aucun méfait, et quand ils commirent saccages et violences, je portais encore en moi l'esprit de mansuétude qui fut le propre des fils de François et précisément sur le mont Rebello je dis à Dolcino que je n'avais plus le cœur à participer à leur lutte, et il me donna la permission de m'en aller, car, dit-il, il ne voulait pas de femmelette avec lui, et il me demanda de lui porter ces lettres à Bologne...

— A qui ? questionna le cardinal Bertrand.

— A certains de ses sectateurs, dont il me semble me rappeler le nom, et comme je me le rappelle je vous le dis, seigneur », se hâta d'assurer Rémigio. Et il prononça certains noms que le cardinal Bertrand devait connaître, parce qu'il sourit d'un air satisfait, en faisant un signe d'entente à Bernard.

« Fort bien », dit Bernard, et il prit note de ces noms. Puis il demanda à Rémigio : « Et comment se fait-il qu'à présent tu nous livres tes amis ?

— Ce ne sont pas mes amis, seigneur, preuve en soit que les lettres, je ne les remis jamais. Mieux, je fis davantage, et je le dis maintenant après avoir tenté de l'oublier pendant tant d'années :

afin de pouvoir quitter ces lieux sans être pris par l'armée de l'évêque de Verceil qui nous attendait dans la plaine, je parvins à me mettre en contact avec certains d'entre les assiégeants, et en échange d'un sauf-conduit je leur indiquai les bons passages pour aller prendre d'assaut les fortifications de Dolcino, en raison de quoi partie du succès des forces de l'Eglise fut due à ma collaboration...

— Très intéressant. Ce qui nous apprend que non seulement tu fus hérétique, mais aussi que tu fus vil et traître. Ta situation n'en est pas pour autant changée. Comme aujourd'hui pour te sauver tu as tenté d'accuser Malachie, qui pourtant t'avait rendu un service, ainsi naguère pour te sauver tu remis tes compagnons de péché dans les mains de la justice. Mais tu as trahi leurs corps, tu n'as pas trahi leurs enseignements, et tu as conservé ces lettres comme des reliques, et espérant un jour avoir le courage, et la possibilité, sans courir de risques, de les remettre, pour que de nouveau t'accueillent avec faveur les pseudo-apôtres.

— Non, seigneur, non, disait le cellérier, couvert de sueur, les mains tremblantes. Non, je vous jure que...

— Un serment ! dit Bernard. Voilà une autre preuve de ta malice ! Tu veux jurer car tu sais que je sais que les hérétiques vaudois sont prêts à n'importe quelle ruse, et même à la mort, plutôt que de jurer ! Et s'ils sont poussés par la peur, ils feignent de jurer et marmonnent de faux serments ! Mais moi je le sais bien que tu n'es pas de la secte des pauvres de Lyon, maudit renard, et que tu cherches à me convaincre que tu n'es pas ce que tu es afin que je ne dise pas que tu es ce que tu es ! Tu jures alors ? Jure pour être absous, mais sache qu'un seul serment ne me suffit pas ! Je peux en exiger un, deux, trois, cent, tant que j'en voudrai. Je sais pertinemment que vous, les pseudo-apôtres, vous accordez des dispenses à qui jure le faux pour ne point trahir la secte. Et ainsi tout serment sera une nouvelle preuve de ta culpabilité !

— Mais alors, que dois-je faire ? hurla le cellérier, en tombant à genoux.

— Ne te prosterne pas comme un béguin ! Tu ne dois rien faire. Moi seul désormais sais ce qu'il faudra faire, dit Bernard avec un sourire effrayant. Toi, tu n'as qu'à avouer. Et tu seras damné et condamné si tu avoues, et tu seras damné et condamné si tu n'avoues pas, parce que tu seras puni comme parjure ! Alors avoue, au moins pour abréger ce fort douloureux interrogatoire, qui trouble nos consciences et notre sens de l'indulgence et de la compassion !

— Mais que dois-je avouer ?

— Deux ordres de péchés. Que tu as été de la secte de Dolcino, que tu en as partagé les propositions hérétiques, et les coutumes et les offenses à la dignité des évêques et des magistrats citadins, qu'impénitent tu continues à en partager les mensonges et les illusions, fût-ce après la mort de l'hérésiarque et la dispersion de sa secte, même si elle n'est pas tout à fait vaincue et détruite. Et que, corrompu au plus profond de ton âme par les pratiques que tu appris dans la secte immonde, tu es coupable des désordres contre Dieu et les hommes perpétrés dans cette abbaye, pour des raisons qui encore m'échappent mais qui n'auront pas même besoin d'être complètement éclaircies, une fois qu'il sera lumineusement démontré (comme nous sommes en train de le faire) que l'hérésie de ceux qui prêchèrent et prêchent la pauvreté, contre les enseignements du seigneur pape et de ses bulles, ne peut que conduire à des agissement criminels. C'est ce que devront apprendre les fidèles et cela me suffira. Avoue. »

Ce que Bernard voulait fut alors évident. Nullement intéressé à savoir qui avait tué les autres moines, il voulait uniquement démontrer que Rémigio partageait d'une certaine façon les idées soutenues par les théologiens de l'empereur. Et après avoir montré le lien entre ces idées, qui étaient aussi celles du chapitre de Pérouse, et celles des fraticelles et des dolciniens, et avoir montré qu'un seul homme, dans cette abbaye, participait de toutes ces hérésies, et avait été l'auteur de nombreux crimes, de cette manière il porterait un coup vraiment mortel à ses adversaires. Je regardai Guillaume et je compris qu'il avait compris, mais ne pouvait rien y faire, même s'il l'avait prévu. Je regardai l'Abbé et je lui vis un air sombre : il se rendait compte, trop tard, d'avoir été lui aussi attiré dans un piège, et que son autorité même de médiateur se délitait, à présent qu'il allait apparaître comme le seigneur d'un lieu où toutes les infamies du siècle s'étaient donné rendez-vous. Quant au cellérier, il ne savait plus désormais quel était le crime dont il pouvait encore se disculper. Mais sans doute, il ne fut capable à ce moment-là d'aucun calcul, le cri qui sortit de sa bouche était le cri de son âme, et en lui et avec lui il expulsait des années de longs et secrets remords. Ou encore, après une vie d'incertitudes, enthousiasmes et déceptions, lâchetés et trahisons, placé devant l'inéluctabilité de sa ruine, il décidait de professer la foi de sa jeunesse, sans plus se demander si elle était juste ou erronée, mais comme pour se démontrer à lui-même qu'il était capable de croire en quelque chose.

« Oui, c'est vrai, s'écria-t-il, j'ai vécu avec Dolcino et j'en ai partagé les crimes, les licences, peut-être étais-je fou, je confondais l'amour de Jésus-Christ Notre Seigneur avec le besoin de liberté et notre haine pour les évêques, c'est vrai, j'ai péché, mais je suis innocent de ce qui est arrivé à l'abbaye, je le jure !

— En attendant nous avons obtenu quelque chose, dit Bernard. Tu admets donc avoir pratiqué l'hérésie de Dolcino, de la sorcière Marguerite et de ses pairs. Admets-tu avoir été avec eux tandis que près de Trivero ils pendaient un grand nombre de fidèles de Christ parmi lesquels un enfant innocent de dix ans ? Et lorsqu'ils pendirent d'autres hommes en présence de leurs épouses et de leurs parents parce qu'ils refusaient de s'en remettre à la volonté de ces chiens ? Et parce que, désormais, aveuglés par votre fureur et votre orgueil, vous pensiez que personne ne pouvait être sauvé sans appartenir à votre communauté ? Parle !

— Oui, oui, j'ai cru à ceci et fait cela !

— Et tu étais présent lorsqu'ils s'emparèrent de plusieurs fidèles des évêques, et que, certains, ils les firent mourir de faim dans une fosse, et qu'ils coupèrent un bras et une main à une femme grosse, la laissant ensuite accoucher d'un enfant qui mourut aussitôt sans baptême ? Et tu étais avec eux, lorsqu'ils rasèrent au sol et livrèrent aux flammes les villages de Mosso, Trivero, Cossila et Flecchia, et beaucoup d'autres localités de la région de Crèvecœur et un grand nombre de maisons à Mortiliano et à Quorino, et incendièrent l'église de Trivero, souillant d'abord les images saintes, déchaussant la pierre des autels, brisant un bras à la statue de la Vierge, saccageant les calices, les ornements sacrés et les livres, détruisant le clocher, cassant l'airain des cloches, s'appropriant tous les vases de la confrérie et les biens du prêtre ?

— Oui, oui, j'y étais, et personne ne savait plus ce qu'il faisait ; nous voulions devancer l'heure du châtiment, nous étions les avant-gardes de l'empereur envoyé par le ciel et par le pape saint, nous devions hâter le moment de la descente de l'ange de Philadelphie, et alors tous auraient reçu la grâce de l'Esprit Saint et l'Eglise eût été renouvelée, et après la destruction de tous les pervers, les seuls parfaits auraient régné ! »

Le cellérier paraissait possédé et illuminé à la fois, on eût dit que maintenant la digue du silence et de la simulation s'était rompue, que son passé revenait non seulement en mots, mais en images, et qu'il éprouvait de nouveau les émotions qui l'avaient exalté autrefois.

« Alors, le talonnait Bernard, tu avoues que vous avez honoré comme martyr Gérard Segalelli, que vous avez nié toute autorité à l'Eglise romaine, que vous affirmiez que ni le pape ni aucune autorité ne pouvait vous prescrire un mode de vie différent du vôtre, que personne n'avait le droit de vous excommunier, que depuis le temps de saint Sylvestre tous les prélats de l'Eglise avaient été des prévaricateurs et des séducteurs, sauf Pierre du Morron, que les laïcs ne sont pas tenus de payer les dîmes aux prêtres qui n'observeraient pas un état de perfection absolue et de pauvreté comme l'observaient les premiers apôtres, que les dîmes donc devaient être payées à vous seuls, les uniques apôtres et pauvres de Christ, que pour prier Dieu une église consacrée ne vaut pas plus qu'une étable, que vous parcouriez les villages et séduisiez les gens en criant " pénitenziagité ", que vous chantiez le *Salve Regina* pour attirer perfidement les foules, et vous vous faisiez passer pour des pénitents menant une vie parfaite aux yeux du monde, et puis vous vous octroyiez toute licence et toute luxure car vous ne croyiez pas au sacrement du mariage, ni à aucun autre sacrement, et vous considérant plus purs que les autres, vous pouviez vous permettre toute souillure et toute offense de votre corps et du corps des autres ? Parle !

— Oui, oui, j'avoue la vraie foi à laquelle j'avais cru alors de toute mon âme, j'avoue que nous avons abandonné nos vêtements en signe de spoliation, que nous avons renoncé à tous nos biens tandis que vous, race de chiens, vous n'y renoncerez jamais, que depuis lors nous n'avons plus accepté d'argent de personne et n'en avons plus porté sur nous, et nous avons vécu d'aumônes et nous n'avons point gardé de poire pour notre soif, et lorsqu'on nous accueillait et qu'on dressait la table pour nous, nous mangions et repartions en laissant sur la table les restes du repas...

— Et vous avez incendié et saccagé pour vous adjuger les biens des bons chrétiens !

— Et nous avons incendié et saccagé parce que nous avions élu la pauvreté comme loi universelle et nous avions le droit de nous approprier la richesse illégitime des autres, et nous voulions frapper au cœur la trame d'avidité qui se tissait de paroisse en paroisse, mais nous n'avons jamais saccagé pour posséder, ni tué pour saccager, nous tuions pour châtier, pour purifier les impurs à travers le sang, peut-être étions-nous pris d'un désir démesuré de justice, on pèche aussi par excès d'amour de Dieu, par surabondance de perfection, nous étions la vraie congrégation spirituelle envoyée par le Seigneur et réservée à la gloire des temps derniers, nous cherchions notre place au paradis en devançant les temps de votre destruction, nous seuls étions les apôtres de Christ, tous les autres avaient trahi, et Gérard Segalelli avait été une plante divine, planta Dei pullulans in radice fidei, notre règle nous venait directement de Dieu, non pas de vous chiens damnés, prêcheurs de mensonges qui épandez autour de vous l'odeur du soufre et pas celle de l'encens, chiens vils, charognes putrides, busards, serfs de la putain d'Avignon, promis que vous êtes à la perdition ! Naguère j'avais la foi, et notre corps aussi s'était racheté, et nous étions l'épée du Seigneur, il fallait pourtant tuer des innocents pour pouvoir tous vous tuer au plus vite. Nous voulions un monde meilleur, de paix et de courtoisie, et le bonheur pour tous, nous voulions tuer la guerre que vous répandiez avec votre avidité, pourquoi nous faire des reproches si pour établir la justice et le bonheur nous avons dû verser un peu de sang... c'est... c'est qu'il s'en fallait de peu, nous devions faire vite, et cela valait bien la peine de teinter de rouge toute l'eau du Carnasco, ce jour-là à Stavello, c'était aussi notre sang, nous ne nous épargnions pas, sang à nous et sang à vous, tant et tant, tout de suite de suite, les temps de la prophétie de Dolcino pressaient, il fallait hâter le cours des événements... »

Il tremblait des pieds à la tête, il se passait les mains sur son habit comme s'il voulait les blanchir du sang qu'il évoquait. « Le glouton est redevenu un pur, me dit Guillaume.

— Mais c'est cela la pureté ? demandai-je horrifié.

— Il en existera aussi d'une autre espèce, dit Guillaume, pourtant, quelle qu'elle soit, elle me fait toujours peur.

— Qu'est-ce qui vous effraie le plus dans la pureté ? demandai-je.

— La hâte », répondit Guillaume.

« Ça suffit, ça suffit, disait maintenant Bernard, nous te demandions des aveux, non point un appel au massacre. D'accord, non seulement tu as été hérétique, mais tu l'es encore. Non seulement tu as été assassin, mais tu as encore tué. Alors dis-nous comment tu as tué tes frères dans cette abbaye, et pourquoi. »

Le cellérier se mit à trembler, il regarda autour de lui comme s'il sortait d'un rêve : « Non, dit-il, je n'ai rien à voir avec les crimes de l'abbaye. J'ai avoué tout ce que j'ai fait, ne me faites pas avouer ce que je n'ai pas fait...

— Mais que reste-t-il que tu ne puisses avoir fait ? A présent, tu te dis innocent ? Ô agnelet, ô parangon de douceur ! Vous l'avez entendu, il a eu naguère les mains souillées de sang et à présent il est innocent ! Sans doute nous méprenons-nous, Rémigio de Varagine est un modèle de vertu, un fils fidèle de l'Eglise, un ennemi des ennemis de Christ, il a toujours respecté l'ordre que la main vigilante de l'Eglise s'est efforcée anxieusement d'imposer aux villages et aux villes, la paix des commerces, les boutiques des artisans, les trésors des églises. Il est innocent, il n'a rien commis de mal, dans mes bras, frère Rémigio, que je puisse te consoler des accusations que les méchants ont portées contre toi ! » Et tandis que Rémigio le regardait avec des yeux éperdus, comme si d'un coup il croyait en une absolution finale, Bernard reprit son âpre prestance et s'adressa d'un ton de commandement au capitaine des archers.

« Il me répugne de recourir à des moyens que l'Eglise a toujours critiqués quand ils sont employés par le bras séculier. Mais il est une loi qui domine et dirige même mes sentiments personnels. Demandez à l'Abbé un endroit où l'on puisse préparer les instruments de torture. Mais que l'on ne procède pas tout de suite. Qu'il reste pendant trois jours dans une cellule, mains et pieds dans les fers. Ensuite, on lui montrera les instruments. Seulement. Et le quatrième jour, que l'on procède. La justice n'agit pas avec précipitation, comme croyaient les pseudo-apôtres, et celle de Dieu a des siècles à sa disposition. Que l'on procède lentement, et par degrés. Et surtout, rappelez-vous ce qu'on ne cesse de répéter : qu'on évite les mutilations et le danger de mort. Une des mesures providentielles que ce procédé concède à l'impie, c'est précisément que la mort soit savourée, et attendue, mais ne vienne pas avant que les aveux aient été complets, et volontaires, et purificateurs. »

Les archers se penchèrent pour relever le cellérier, mais celui-ci s'arc-bouta et fit résistance, indiquant qu'il voulait parler. Comme il en obtint l'autorisation, il parla, mais ses paroles sortaient péniblement de sa bouche et son discours était comme le bredouillement d'un ivrogne et avait quelque chose d'obscène. Ce n'est que peu à peu, en parlant, qu'il retrouva cette espèce de sauvage énergie qui avait animé ses premiers aveux.

« Non, mon seigneur. La torture, non. Je suis un homme vil. J'ai trahi alors, j'ai renié pendant onze années dans ce monastère ma foi de naguère, en percevant les dîmes des vignerons et des paysans, en faisant l'inspection des étables et des soues pour qu'elles fussent florissantes et gonflassent d'or l'escarcelle de l'Abbé, j'ai collaboré de bon gré à l'administration de cette officine de l'Antéchrist. Et je m'en trouvais bien, j'avais oublié les jours de la révolte, je me délectais aux plaisirs de la gueule et à d'autres encore. Je suis un lâche, moi. J'ai vendu aujourd'hui mes anciens frères de Bologne, autrefois j'ai vendu Dolcino. Et c'est en lâche que, déguisé comme un des hommes de la croisade, j'ai assisté à la capture de Dolcino et de Marguerite, quand ils les emmenèrent le samedi saint dans le château du Bugello. Je rôdai autour de Verceil pendant trois mois, jusqu'à ce qu'arrivât la lettre du pape Clément, porteuse de la condamnation. Et je vis Marguerite découpée en morceaux sous les yeux de Dolcino, et elle criait, toute massacrée qu'elle était, pauvre corps qu'une nuit j'avais touché moi aussi... Et tandis que son cadavre déchiré brûlait, ils furent sur Dolcino, et lui arrachèrent le nez et les testicules avec des tenailles chauffées à blanc, et ce n'est pas vrai, comme on l'a dit par la suite, qu'il ne poussa pas même un gémissement. Dolcino était grand et fort, il avait une longue barbe de diable et des cheveux rouges qui tombaient en boucles sur ses épaules, il était beau et puissant lorsqu'il nous guidait avec son chapeau à large bord, et la plume, et son épée ceinte sur sa robe brune, Dolcino faisait peur aux hommes et faisait crier de plaisir les femmes... Mais quand ils le torturèrent, il criait de douleur lui aussi, comme une femme, comme un veau, il perdait du sang par toutes ses blessures tandis qu'on le tirait d'un endroit à un autre, et ils continuaient de le blesser légèrement, pour montrer combien longtemps pouvait vivre un émissaire du démon, et lui voulait mourir, il demandait qu'on l'achevât, mais il mourut trop tard, à son arrivée sur le bûcher, et ce n'était plus qu'un tas de chairs sanguinolentes. Moi, je le suivais et je me félicitais d'avoir échappé à cette épreuve, j'étais fier de mon astuce, et cette vermine de Salvatore se pressait à mes côtés, et me disait : comme nous avons bien fait, frère Rémigio, de nous comporter en personnes avisées, il n'y a rien de pire que la torture ! J'aurais abjuré mille religions, ce jour-là. Et il y a des années, tant d'années que je me dis : comme tu fus lâche, et comme tu fus heureux d'être lâche, et cependant je ne perdais jamais l'espoir de pouvoir me montrer à moi-même que je n'étais pas aussi vil que ça. Aujourd'hui tu m'as donné cette force, seigneur Bernard, tu as été pour moi ce que les empereurs païens ont été pour les plus lâches des martyrs. Tu m'as donné le courage d'avouer ce à quoi j'ai cru de toute mon âme, tandis que mon corps s'en éloignait. Pourtant n'exige pas trop de courage de moi, pas plus que ne peut supporter ma carcasse mortelle. La torture, non. Je dirai tout ce que tu veux, mieux vaut le bûcher tout de suite, on y meurt étouffé avant de brûler. La torture comme à Dolcino, non. Tu veux un cadavre et pour l'avoir tu as besoin que je prenne sur moi d'autres crimes, d'autres cadavres. Cadavre, je le serai bientôt, dans tous les cas. Et donc, je te donne ce que tu demandes. J'ai tué Adelme d'Otrante par haine de sa jeunesse et de son habileté à se jouer de monstres comme moi, vieux, gros, petit et ignorant. J'ai tué Venantius de Salvemec parce qu'il était trop savant et lisait des livres que je ne comprenais pas. J'ai tué Bérenger d'Arundel par haine de sa bibliothèque, moi qui ai fait théologie en bâtonnant les curés trop gras. J'ai tué Séverin de Sant-Emmerano... pourquoi ? parce qu'il collectionnait les herbes, moi qui ai été sur le mont Rebello où les herbes on les mangeait sans s'interroger sur leurs vertus. En vérité, je pourrais occire les autres aussi, y compris notre Abbé : avec le pape ou avec l'Empire, il fait toujours partie de mes ennemis et je l'ai toujours haï, même quand il me donnait à manger parce que je lui donnais à manger. Cela te suffit ? Ah, non, tu veux savoir aussi comment j'ai occis tout ce beau monde... Mais je les ai tués... voyons... En évoquant les puissances infernales, avec l'aide de mille légions que j'obtins de commander grâce à l'art que m'a enseigné Salvatore. Pour tuer quelqu'un, il n'est pas nécessaire de frapper, le diable le fait pour vous, si vous savez commander au diable. »

Il regardait l'assistance d'un air complice, en riant. Mais c'était désormais le ris d'un fol, même si, comme me le fit observer après Guillaume, ce fol avait eu l'adresse d'entraîner Salvatore dans sa propre ruine, pour se venger de sa délation.

« Et comment pouvais-tu commander au diable ? poursuivait Bernard, qui prenait ce délire pour légitimes aveux.

— Tu le sais aussi bien que moi ; on n'entretient pas commerce pendant tant d'années avec les possédés du démon sans se mettre dans leur peau ! Tu le sais aussi bien que moi, égorgeur d'apôtres ! Tu prends un chat noir, n'est-ce pas ? qui n'ait pas un seul poil blanc (et tu le sais bien) et tu lui attaches les quatre pattes, après quoi tu l'emportes à minuit à une croisée de chemins, et tu cries ensuite à gorge déployée : “ Ô grand Lucifer empereur de l'enfer, je te prends et je t'introduis dans le corps de mon ennemi ainsi qu'à présent je tiens prisonnier ce chat, et si tu mènes mon ennemi à la mort, le lendemain à la minuit, dans ce même lieu, je t'offrirai ce chat en sacrifice, et tu feras tout ce que je te commande en vertu des pouvoirs de magie que j'exerce maintenant selon le livre occulte de saint Cyprien, au nom de tous les chefs des plus grandes légions de l'enfer, Adramelch, Alastor et Azazel, que je prie à présent avec tous leurs frères... ” » Sa lèvre tremblait, ses yeux semblaient sortis de leurs orbites, et il commença à prier — ou plutôt, on eût dit qu'il priait, mais il élevait ses implorations vers tous les barons des légions infernales... « Abigor, pecca pro nobis... Amon, miserere nobis... Samaël, libera nos a bono... Bélial eleyson... Focalor, in corruptionem meam intende... Haborym, damnamus dominum... Zaebos, anum meum aperies... Léonard, asperge me spermate tuo et inquinabor...

— Suffit, suffit ! » hurlaient les présents en se signant. Et : « Oh Seigneur, pardonne-nous tous ! »

Le cellérier se taisait maintenant. Une fois prononcés les noms de tous ces diables, il tomba face contre terre en bavant de la salive blanchâtre qui coulait de sa bouche tordue et de ses dents qui grinçaient. Ses mains, encore que meurtries par les chaînes, s'ouvraient et se serraient convulsivement, ses pieds ruaient dans l'air par à-coups irréguliers. Comme il s'aperçut qu'un tremblement d'horreur me prenait, Guillaume posa sa main sur ma tête, m'empoigna presque à la nuque en la serrant, et me faisant recouvrir mon calme : « Apprends, me dit-il, sous la torture, ou menacé de torture, un homme dit non seulement ce qu'il a fait mais aussi ce qu'il aurait voulu faire, même s'il ne le savait pas. Rémigio veut maintenant la mort, de toute son âme. »

Les archers emmenèrent le cellérier encore en proie à des convulsions. Bernard rassembla ses parchemins. Puis il fixa les assistants, immobiles et remplis d'un grand trouble.

« L'interrogatoire est terminé. Le prévenu, qui s'est reconnu coupable, sera conduit en Avignon, où aura lieu le procès définitif, pour sauvegarde scrupuleuse de la vérité et de la justice, et seulement après ce procès régulier, il sera brûlé. Celui-là, Abbon, il ne vous appartient plus, ni à moi d'ailleurs, qui n'ai été que l'humble instrument de la vérité. L'instrument de la justice se trouve en un autre lieu, les pasteurs ont fait leur devoir, maintenant aux chiens, qu'ils séparent la brebis galeuse du troupeau et la purifient avec le feu. Le misérable épisode qui a vu cet homme coupable de tant de crimes atroces est conclu. A présent, que l'abbaye vive en paix. Mais le monde... (et là il haussa le ton et s'adressa au groupe des légats), le monde n'a pas encore trouvé la paix, le monde est déchiré par l'hérésie, qui trouve refuge jusque dans les salles des palais impériaux ! Que mes frères se souviennent de ceci : un cingulum diaboli lie les pervers sectateurs de Dolcino aux maîtres honorés du chapitre de Pérouse. Ne l'oublions pas, aux yeux de Dieu les divagations de ce misérable que nous venons de remettre à la justice ne diffèrent aucunement de celles des maîtres qui banquettent à la table de l'Allemand excommunié de Bavière. La source scélérate des hérétiques jaillit des nombreuses prédications, même honorées, encore impunies. Dure passion et humble calvaire pour celui qui a été appelé par Dieu, comme ma personne pécheresse, afin de repérer le serpent de l'hérésie où qu'il se love. Mais dans l'accomplissement de cette œuvre sainte, on apprend que l'hérétique n'est pas seulement celui qui pratique l'hérésie à découvert. Les partisans de l'hérésie peuvent se reconnaître à travers cinq indices probants. Primo, ceux qui viennent en visite incognito pour les voir, tandis qu'ils sont gardés en prison ; secundo, ceux qui pleurent leur capture et ont été leurs amis intimes dans la vie (il est difficile en effet que celui qui fréquente longtemps un hérétique ne sache rien de son activité) ; tertio, ceux qui soutiennent que les hérétiques ont été condamnés injustement, quand bien même leur faute a été démontrée ; quarto, les gens regardant d'un mauvais œil et critiquant ceux qui poursuivent les hérétiques et prêchent avec succès contre eux, et on peut le déduire à leurs yeux, à leur nez, à l'expression qu'ils cherchent à cacher, montrant par là leur haine de ceux pour lesquels ils éprouvent de l'amertume et leur amour pour ceux dont le malheur les affecte tant. Cinquième signe enfin : le fait qu'on recueille les cendres des hérétiques brûlés et qu'on en fasse un objet de vénération... Mais personnellement j'attribue une très grande importance aussi à un sixième signe, et je considère comme manifestement amis des hérétiques ceux dont les livres (même s'ils n'offensent pas ouvertement l'orthodoxie) ont offert aux hérétiques les prémisses de leur argumentation perverse. »

Disait-il ; et il regardait Ubertin. La légation franciscaine tout entière entendit fort bien à quoi Bernard faisait allusion. Dès lors la rencontre avait échoué, personne ne se serait plus enhardi à reprendre la discussion de la matinée, sachant que chaque mot eût été écouté en pensant aux derniers et malheureux événements. Si Bernard avait été invité par le pape pour empêcher une recomposition entre les deux groupes, il avait réussi.

Cinquième jour

VÊPRES

Où Ubertin prend ses jambes à son cou, Bence commence à observer les lois, et Guillaume fait quelques réflexions sur les différents types de luxure rencontrés ce jour-là.

Tandis que l'assemblée s'écoulait lentement de la salle capitulaire, Michel s'approcha de Guillaume, et tous deux furent rejoints par Ubertin. Tous ensemble nous sortîmes, pour discuter dans le cloître, protégés par le brouillard qui n'avait pas l'air de vouloir décroître, les ténèbres le rendant au contraire plus dense encore.

« Je ne crois pas qu'il faille commenter ce qui s'est passé, dit Guillaume. Bernard nous a battus à plate couture. Ne me demandez pas si cet imbécile de dolcinien est vraiment coupable de tous ces crimes. Selon mon humble opinion, non, sans nul doute. Le fait est que nous en sommes au point de départ. Jean te veut tout seul en Avignon, Michel, et cette rencontre ne t'a pas fourni les garanties que nous cherchions. Elle t'a plutôt illustré comment chacune de tes paroles, là-bas, pourrait se rétorquer contre toi. De quoi il faut déduire, me semble-t-il, que tu ne dois pas y aller. »

Michel secoua la tête : « En revanche, j'irai. Je ne veux pas de schisme. Toi, Guillaume, aujourd'hui tu as parlé clair, et tu as dit ce que tu voudrais. Eh bien, ce n'est pas ce que je veux moi, et je me rends compte que les résolutions du chapitre de Pérouse ont été utilisées par les théologiens impériaux au-delà de nos intentions. Moi, je veux que l'ordre franciscain soit accepté, dans ses idéaux de pauvreté, par le pape. Et il faudra que le pape comprenne que seulement si l'ordre prend sur soi l'idéal de la pauvreté, on pourra réabsorber ses ramifications hérétiques. Moi, je ne pense pas à l'assemblée du peuple ou au droit des gens. Je dois empêcher que l'ordre ne se dissolve en une pluralité de fraticelles. J'irai en Avignon, et si nécessaire, je ferai acte de soumission à Jean. Je transigerai sur tout, sauf sur le principe de pauvreté. »

Ubertin intervint : « Tu sais que tu risques ta vie ?

— Et ainsi soit-il, répondit Michel, c'est mieux que de risquer son âme. »

Il risqua sérieusement sa vie et, si Jean était dans le vrai (ce que je ne crois toujours pas encore), il perdit aussi son âme. Comme désormais tout le monde le sait, Michel se rendit auprès du pape, la semaine qui suivit les faits que je suis en train de raconter. Il lui tint tête quatre mois durant, jusqu'à ce que, en avril de l'année suivante, Jean convoquât un consistoire où il le traita de fou, téméraire, tête de mule, tyran, fauteur d'hérésie, serpent nourri par l'Eglise dans son sein même. Et j'ai tout lieu de penser que dès lors, selon sa façon de voir les choses, Jean avait raison, car au cours de ces quatre mois, Michel était devenu ami de l'ami de mon maître, l'autre Guillaume, celui d'Occam, et il en avait partagé les idées — pas très différentes, peut-être encore plus extrêmes, de celles que mon maître partageait avec Marsile et avait exprimées ce matin-là. La vie de ces dissidents devint précaire, en Avignon, et à la fin mai Michel, Guillaume d'Occam, Bonagrazia de Bergame, François d'Ascoli et Henri de Talheim prirent la fuite, poursuivis par les hommes du pape à Nice, Toulon, Marseille et Aigues-Mortes, où ils furent rejoints par le cardinal Pierre de Arrablay qui tenta en vain de les induire à revenir, sans vaincre leurs résistances, leur haine pour le souverain pontife, leur peur. En juin, ils arrivèrent à Pise, accueillis triomphalement par les Impériaux, et dans les mois qui suivraient, Michel dénoncerait publiquement Jean. Trop tard, désormais. La fortune de l'empereur déclinait, depuis Avignon Jean manigançait pour donner aux minorites un nouveau supérieur général, obtenant enfin victoire. Michel eût mieux fait ce jour-là de ne pas décider de se rendre auprès du pape : il aurait pu veiller de près à la résistance des minorites, sans perdre tous ces mois à la merci de son ennemi, affaiblissant sa position... Mais peut-être ainsi en avait décidé l'omnipotence divine — et je ne sais plus à présent qui d'entre eux tous était dans le vrai, et après tant d'années même le feu des passions s'éteint, et avec lui ce qu'on croyait être la lumière de la vérité. Lequel de nous est encore capable de dire qui avait raison d'Hector ou d'Achille, d'Agamemnon ou de Priam quand ils se battaient pour la beauté d'une femme qui maintenant est cendres de cendres ?

Mais je me perds en divagations mélancoliques. Je dois en revanche dire la fin de ce triste entretien. Michel avait décidé, et rien n'y fit pour le convaincre de renoncer. A part qu'il se posait à présent un autre problème, et Guillaume l'énonça sans ambages : Ubertin lui-même n'était plus en sécurité. Les phrases que lui avait adressées Bernard, la haine que le pape nourrissait désormais pour lui, et puis, si Michel représentait encore un pouvoir avec lequel traiter, Ubertin par contre était demeuré seul, lui-même son propre partisan.

« Jean veut Michel à sa cour et Ubertin en enfer. Si je connais bien Bernard, d'ici demain, et avec la complicité du brouillard, Ubertin sera tué. Et si quelqu'un se demande par qui, l'abbaye pourra bien supporter un autre crime, et l'on dira que c'étaient des diables évoqués par Rémigio avec ses chats noirs, ou quelque dolcinien rescapé qui hante encore ces murailles... »

Ubertin était soucieux : « Et alors ? demanda-t-il.

— Alors, dit Guillaume, va parler avec l'Abbé. Demande-lui une monture, des provisions, une lettre pour une abbaye lointaine, au-delà des Alpes. Et profite du brouillard et de l'obscurité pour partir sur-le-champ.

— Mais les archers ne gardent-ils pas encore les portes ?

— L'abbaye a d'autres sorties, et l'Abbé les connaît. Il suffit qu'un servant t'attende à l'un des tournants en contrebas de l'enceinte avec une monture et, en sortant par un passage dans les murs, tu n'auras qu'à faire un bout de chemin à travers bois. Tu dois agir de suite, avant que Bernard ne se remette de l'extase de son triomphe. De mon côté, je dois m'occuper d'une autre affaire, j'avais deux missions, l'une a échoué, qu'au moins n'échoue pas l'autre. Je veux mettre la main sur un livre, et sur un homme. Si tout va bien, tu seras hors d'ici encore avant que je ne m'inquiète de toi. Or donc adieu. » Il ouvrit les bras. Avec émotion, Ubertin l'étreignit fortement : « Adieu Guillaume, tu es un Anglais fou et arrogant, mais tu as un grand cœur. Nous reverrons-nous ?

— Nous nous reverrons, le rassura Guillaume, Dieu le voudra. »

Mais Dieu ne le voulut pas. Comme je l'ai dit déjà, Ubertin mourut tué dans des circonstances mystérieuses, deux ans plus tard. Vie dure et aventureuse, que celle de ce vieux combatif et ardent. Peut-être ne fut-il pas un saint, mais j'espère que Dieu a récompensé son adamantine assurance d'être tel. Plus je deviens vieux et plus je m'abandonne à la volonté de Dieu, et de moins en moins j'apprécie l'intelligence qui veut savoir et la volonté qui veut faire : et je reconnais comme unique élément de salut la foi, qui sait attendre patiemment sans trop interroger. Et Ubertin eut certainement grande foi dans le sang et dans l'agonie de Notre Seigneur crucifié.

Peut-être alors pensais-je à tout cela et le vieux mystique s'en aperçut-il, ou devina-t-il que je le penserais un jour. Il me sourit avec douceur et m'embrassa, sans l'ardeur avec laquelle il m'avait saisi parfois les jours précédents. Il m'embrassa comme un aïeul embrasse son petit-fils, et dans le même esprit je lui rendis son étreinte. Puis il s'éloigna avec Michel pour chercher l'Abbé.

« Et à présent ? demandai-je à Guillaume.

— Et à présent revenons à nos crimes.

— Maître, dis-je, aujourd'hui se sont passées des choses très graves pour la chrétienté et votre mission a échoué. Et pourtant vous paraissez plus intéressé à la solution de ce mystère qu'à l'antagonisme entre le pape et l'empereur.

— Les fous et les enfants disent toujours la vérité, Adso. Ce doit être parce que, comme conseiller impérial, mon ami Marsile est plus doué que moi, mais comme inquisiteur, c'est moi le plus doué. Plus doué même que Bernard Gui, Dieu me pardonne. Car ce n'est pas de découvrir les coupables qui intéresse Bernard, mais de brûler les prévenus. Moi, par contre, je trouve mon plus grand plaisir, ma plus grande joie à démêler un bel écheveau bien enchevêtré. Et ce doit être encore parce que dans un moment où, comme philosophe, je doute que le monde ait un ordre, je trouve une consolation à découvrir, sinon un ordre, du moins une série de liens dans les menus lots des affaires du monde. Enfin il existe probablement une autre raison : c'est que dans cette histoire il entre sans doute en jeu des choses plus grandes et importantes que la bataille entre Jean et Louis...

— Mais c'est une histoire de larcins et de vengeance entre moines de peu de vertu ! m'exclamai-je plein de doute.

— Autour d'un livre interdit, Adso, autour d'un livre interdit », répondit Guillaume.

Les moines maintenant s'acheminaient vers le repas du soir. Nous étions déjà au milieu du souper quand Michel de Césène vint s'asseoir à nos côtés en nous annonçant qu'Ubertin était parti. Guillaume poussa un soupir de soulagement.

A la fin du repas nous évitâmes l'Abbé qui s'entretenait avec Bernard et nous repérâmes Bence, qui nous salua avec un demi-sourire, et tenta de gagner la porte. Guillaume le rejoignit et le contraignit à nous suivre dans un coin des cuisines.

« Bence, lui demanda Guillaume, où est le livre ?

— Quel livre ?

— Bence, aucun de nous deux n'est un idiot. Je parle du livre que nous cherchions aujourd'hui chez Séverin et que je n'ai pas reconnu et que toi tu as fort bien reconnu et que tu es allé reprendre...

— Qu'est-ce qui vous fait penser que je l'ai pris ?

— Je le pense, et tu le penses toi aussi. Où est-il ?

— Je ne puis le dire.

— Bence, si tu ne me le dis pas, j'en parlerai à l'Abbé.

— Je ne puis le dire par ordre de l'Abbé, dit Bence d'un air vertueux. Aujourd'hui, après que nous nous sommes vus, il s'est passé quelque chose que vous devez savoir. Bérenger mort, il manquait un aide-bibliothécaire. Cet après-midi, Malachie m'a proposé de prendre sa place. Il y a juste une demi-heure, l'Abbé a consenti, et à partir de demain matin, je l'espère, je serai initié aux secrets de la bibliothèque. C'est vrai, j'ai pris le livre ce matin, et je l'avais caché dans la paillasse de ma cellule sans même l'ouvrir, car je savais que Malachie me surveillait. Et à un certain point, Malachie m'a fait la proposition que je vous ai dite. Alors, de mon côté, j'ai fait ce que doit faire un aide-bibliothécaire : je lui ai remis le livre. »

Je ne pus m'empêcher d'intervenir, et avec violence.

« Mais Bence, hier, et avant-hier tu... vous disiez que vous brûliez de la curiosité de connaître, que vous ne vouliez plus que la bibliothèque renfermât des mystères, qu'un escholier doit savoir... »

Bence se taisait en rougissant, mais Guillaume m'arrêta : « Adso, depuis quelques heures Bence est passé de l'autre côté. A présent, c'est lui le gardien de tous ces secrets qu'il voulait connaître, et tout en les gardant il aura tout le temps qu'il voudra pour les connaître.

— Mais les autres ? demandai-je. Bence parlait au nom de tous les savants !

— Avant », dit Guillaume. Et il m'entraîna, laissant Bence en proie à la confusion.

« Bence, me dit ensuite Guillaume, est la victime d'une grande luxure, qui n'est pas celle de Bérenger ni celle du cellérier. Comme de nombreux chercheurs, il a la luxure du savoir. Du savoir en soi. Exclu d'une partie de ce savoir, il voulait s'en emparer. Maintenant, il s'en est emparé. Malachie connaissait son homme et il a utilisé le meilleur moyen pour ravoir le livre et sceller les lèvres de Bence. Tu me demanderas à quoi bon contrôler une telle réserve de savoir si on accepte de ne pas le mettre à la disposition de tous les autres. Mais c'est précisément pour ça que j'ai parlé de luxure. Elle n'était pas luxure, la soif de connaissance de Roger Bacon, qui voulait user de la science pour rendre plus heureux le peuple de Dieu, et ne cherchait donc pas le savoir pour le savoir. La curiosité de Bence n'est qu'insatiable orgueil de l'intellect, une façon comme une autre, pour un moine, de transformer et apaiser les désirs de ses reins, ou l'ardeur qui fait d'un autre un guerrier de la foi ou de l'hérésie. Il n'y a pas que la luxure de la chair. Luxure, que celle de Bernard Gui, luxure altérée de justice qui s'identifie à une luxure de pouvoir. Luxure de richesse, que celle de notre saint et non plus romain pontife. Luxure de témoignage et de transformation et de pénitence et de mort que celle du cellérier dans sa jeunesse. Et celle de Bence est une luxure de livres. Comme toutes les luxures, comme celle d'Onan qui répandait par terre sa propre semence, c'est une luxure stérile, et elle n'a rien à voir avec l'amour, pas même avec l'amour charnel...

— Je le sais », murmurai-je malgré moi. Guillaume fit semblant de n'avoir pas entendu. Mais, comme poursuivant son propos, il dit : « L'amour vrai veut le bien de l'aimé.

— Ne se peut-il que Bence veuille le bien de ses livres (car désormais ils sont aussi à lui) et pense que leur bien est de rester loin des mains rapaces ? demandai-je.

— Le bien, pour un livre, c'est d'être lu. Un livre est fait de signes qui parlent d'autres signes, lesquels à leur tour parlent des choses. Sans un œil qui le lit, un livre est porteur de signes qui ne produisent pas de concepts, et donc il est muet. Cette bibliothèque est née peut-être pour sauver les livres qu'elle contient, mais maintenant elle vit pour les enterrer. Raison pour quoi elle est devenue source d'impiété. Le cellérier a dit qu'il avait trahi. C'est aussi ce qu'a fait Bence. Il a trahi. Oh ! quelle sale journée, mon bon Adso ! Pleine de sang et de ruine. Pour aujourd'hui, j'en ai assez. Allons nous aussi à complies, et puis nous irons dormir. »

Au sortir des cuisines, nous rencontrâmes Aymaro. Il nous demanda si ce qui se murmurait était vrai, que Malachie aurait proposé Bence comme son aide. Nous ne pûmes que confirmer.

« Ce Malachie a fait de fort belles choses, aujourd'hui, dit Aymaro avec son habituel ricanement de mépris et d'indulgence. S'il y avait une justice, le diable viendrait le prendre, cette nuit même. »

Cinquième jour

COMPLIES

Où l'on écoute un sermon sur la venue de l'Antéchrist et Adso découvre le pouvoir des noms propres.

Les vêpres avaient eu lieu dans la confusion, alors que le cellérier subissait encore l'interrogatoire, avec les novices curieux qui avaient échappé à la férule de leur maître pour suivre à travers fenêtres et pertuis ce qui se passait dans la salle capitulaire. Il fallait à présent que toute la communauté priât pour l'âme bonne de Séverin. On pensait que l'Abbé parlerait à tous, et on se demandait ce qu'il dirait. En revanche, après l'homélie rituelle de saint Grégoire, les répons et les trois psaumes prescrits, l'Abbé monta en chaire, mais seulement pour annoncer que ce soir-là il se tairait. Trop de malheurs avaient désolé l'abbaye, dit-il, pour que même le père commun pût prendre la parole avec l'accent de celui qui reproche et avertit. Il fallait que tous, sans exclure personne, fissent un sévère examen de conscience. Mais puisqu'il était de règle que quelqu'un parlât, il proposait que l'avertissement vînt de celui qui, le plus âgé de tous et désormais proche de la mort, serait le moins impliqué de tous dans les passions terrestres qui avaient occasionné tant de maux. Par priorité d'âge la parole aurait dû revenir à Alinardo de Grottaferrata, mais nous savions tous combien la santé de notre vénérable frère était fragile. Sitôt après Alinardo, dans l'ordre établi par le passage inexorable du temps, venait Jorge. C'est à lui que l'Abbé cédait maintenant la parole.

Nous entendîmes un murmure de ce côté des stalles où prenaient place d'habitude Aymaro et le groupe des Italiens. J'imaginai que l'Abbé avait confié le sermon à Jorge sans consulter Alinardo. Mon maître me fit remarquer à mi-voix que le fait de ne pas parler était pour l'Abbé une prudente décision : car quoi qu'il eût dit aurait été minutieusement évalué par Bernard et par les autres Avignonnais présents. Par contre le vieux Jorge se limiterait à quelqu'une de ses vaticinations mystiques, et les Avignonnais n'y donneraient pas grand poids. « A tort selon moi, ajouta Guillaume, parce que je ne crois pas que Jorge ait accepté, et peut-être demandé de parler sans un but bien précis. »

Jorge apparut en chaire, soutenu par quelqu'un. Son visage était éclairé par le trépied qui, seul, donnait de la lumière à la nef. L'éclat de la flamme mettait en évidence la ténèbre qui pesait sur ses yeux comme deux trous noirs.

« Frères bien-aimés, commença-t-il, et vous tous nos hôtes très chers, si vous voulez écouter ce pauvre vieillard... Les quatre morts qui ont endeuillé notre abbaye — pour ne rien dire des péchés, lointains et récents, des plus misérables d'entre les vivants — ne sont pas, vous le savez, à attribuer aux rigueurs de la nature qui, implacable dans ses rythmes, administre notre journée terrestre, du berceau au tombeau. Vous tous penserez peut-être que, pour bouleversés de douleur qu'il vous ait laissés, ce triste événement ne compromet point votre âme, parce que tous, sauf un, vous êtes innocents, et quand cet individu aurait été puni il vous resterait certes à pleurer l'absence des disparus, mais vous n'auriez vous-même à vous disculper d'aucune accusation devant le tribunal de Dieu. Ainsi pensez-vous. Fols ! cria-t-il d'une voix terrible, fols et téméraires que vous êtes ! Qui a tué portera devant Dieu le fardeau de ses fautes, mais seulement pour avoir accepté de se faire le messager des décrets divins. De même qu'il fallait que quelqu'un trahît Jésus pour que le mystère de la rédemption fût accompli, et toutefois le Seigneur a ouvertement puni par la damnation et la honte qui l'a trahi, de même quelqu'un ces jours-ci a péché en semant mort et ruine, mais moi je vous le dis : cette ruine a été, sinon voulue, du moins permise par Dieu pour humilier notre superbe ! »

Il se tut, et dirigea son regard vide sur la sombre assemblée, comme si de ses yeux il pouvait en percevoir les émotions, tandis qu'en fait son oreille en goûtait le silence consterné.

« Dans cette communauté, continua-t-il, serpente depuis longtemps l'aspic de l'orgueil. Mais de quel orgueil s'agit-il ? L'orgueil du pouvoir dans un monastère isolé du monde ? Non, certes. L'orgueil de la richesse ? Mes frères, avant que le monde connu ne retentît de longues querelles sur la pauvreté et sur la possession, dès les temps de notre fondateur, nous, même quand nous avons eu tout, nous n'avons rien eu, notre unique vraie richesse était l'observance de la règle, la prière et le travail. Mais de notre travail, du travail de notre ordre, et en particulier du travail de ce monastère fait partie — ou plutôt en est la substance — l'étude, et la garde du savoir. La garde, dis-je, pas la recherche, car le propre du savoir, chose divine, est d'être complet et défini dès le commencement, dans la perfection du verbe qui s'exprime à lui-même. La garde, dis-je, pas la recherche, car le propre du savoir, chose humaine, est d'avoir été défini et complété dans l'espace des siècles qui va de la prédication des prophètes à l'interprétation des Pères de l'Eglise. Il n'est point de progrès, il n'est point de révolution d'âges, dans les vicissitudes du savoir, mais au mieux une continue et sublime récapitulation. L'histoire de l'humanité marche d'un mouvement irrépressible depuis la création, à travers la rédemption, vers le retour du Christ triomphant, qui apparaîtra auréolé d'un nimbe pour juger les vivants et les morts, mais le savoir divin ne suit pas ce cours : immobile comme une forteresse indestructible, il nous permet, quand nous nous faisons humbles et attentifs à sa voix, de suivre, de prédire ce cours, sans en être entamé. Je suis celui qui est, dit le Dieu des Juifs. Je suis la voie, la vérité et la vie, dit Notre Seigneur. Voilà, le savoir n'est rien d'autre que le commentaire étonné de ces deux vérités. Tout ce qui a été dit en plus fut proféré par des prophètes, par les évangélistes, par les Pères et par les docteurs pour rendre plus claires ces deux sentences. Et parfois un commentaire pertinent vint même des païens qui les ignoraient, et leurs paroles ont été acceptées par la tradition chrétienne. Mais à part cela, il n'y a plus rien à dire. Il y a à reméditer, gloser, conserver. Voilà ce qui était et devrait être l'office de notre abbaye avec sa splendide bibliothèque — pas autre chose. On raconte qu'un calife oriental un jour livra aux flammes la bibliothèque d'une ville célèbre et glorieuse et orgueilleuse et que, devant ces milliers de volumes en feu, il disait qu'ils pouvaient et devaient disparaître : car ou bien ils répétaient ce que le Coran disait déjà, et donc ils étaient inutiles, ou bien ils contredisaient ce livre sacré pour les infidèles, et donc ils étaient pernicieux. Les docteurs de l'Eglise, et nous avec eux, ne raisonnèrent pas de la sorte. Tout ce qui se veut commentaire et clarification de l'Ecriture doit être conservé, car cela augmente la gloire des Ecritures divines ; tout ce qui les contredit ne doit pas être détruit, car c'est seulement en le conservant que cela pourra être contredit à son tour, par qui le pourra et en aura l'office, dans les manières et dans les temps que le Seigneur voudra. De là, la responsabilité de notre ordre au cours des siècles, et le fardeau de notre abbaye aujourd'hui : orgueilleux de la vérité que nous proclamons, humbles et prudents dans la garde des paroles ennemies de la vérité, sans nous en laisser souiller. Or donc, mes frères, quel est le péché d'orgueil qui peut tenter un moine savant ? Celui d'entendre son propre travail non comme garde mais comme recherche de quelque nouvelle qui n'ait pas encore été donnée aux humains, comme si la dernière n'avait pas déjà résonné dans les paroles du dernier ange qui parle dans le dernier livre des Ecritures : " Je déclare, moi, à quiconque écoute les paroles prophétiques de ce livre : qui oserait y faire des surcharges, Dieu le chargera de tous les fléaux décrits dans ce livre ! Et qui oserait retrancher aux paroles de ce livre prophétique, Dieu retranchera son lot du livre de la Vie et de la Cité Sainte et des choses décrites dans ce livre. " Voilà... ne vous semble-t-il pas, ô mes malheureux frères, que ces paroles reflètent très précisément ce qui s'est passé récemment entre ces murs, tandis que ce qui s'est passé entre ces murs reflète très précisément les vicissitudes mêmes du siècle où nous vivons, briguant dans ses discours comme dans ses œuvres, dans ses villes comme dans ses châteaux, dans ses fières universités et dans ses églises cathédrales, avec acharnement la découverte de nouveaux codicilles aux paroles de la vérité, ainsi déformant le sens de cette vérité déjà riche de toutes les scolies, et qui n'a besoin que d'une intrépide défense, pas d'un stupide développement ? C'est là l'orgueil qui a serpenté et serpente encore entre ces murs : et moi je dis à qui s'est acharné et s'acharne à briser les sceaux des livres qui ne lui sont pas dus, que c'est cet orgueil précisément que Notre Seigneur a voulu punir et qu'il continuera à punir s'il ne décroît ni ne s'humilie, car il n'est pas difficile pour le Seigneur de trouver, toujours et encore, à cause de notre fragilité, les instruments de sa vengeance. »

« Tu as entendu, Adso ? me murmura Guillaume. Le vieux en sait plus qu'il ne dit. Qu'il trempe ou non dans cette histoire, il sait, et il avertit que si les moines curieux continuent à violer la bibliothèque, l'abbaye ne retrouvera pas sa paix. »

Jorge à présent, après une longue pause, se remettait à parler.

« Mais enfin qui est le symbole même de cet orgueil, de qui les orgueilleux sont figure et hérauts, complices et enseignes ? Qui en vérité a agi et peut-être agit encore dans ces murs, au point de nous avertir que les temps sont proches — et de nous consoler, car si les temps sont proches, les souffrances seront certes insoutenables, mais non pas infinies dans le temps, étant donné que le grand cycle de cet univers va d'ici peu s'accomplir ? Oh, vous l'avez parfaitement compris, et tremblez d'en dire le nom, parce que c'est aussi le vôtre et vous en avez peur, mais si la peur vous étreint, elle ne m'étreint pas moi, et ce nom je le dirai à très haute voix afin que vos entrailles se tordent d'épouvante et que vos dents claquent jusqu'à vous couper la langue, et que la glace qui se formera dans votre sang fasse tomber un voile sombre sur vos yeux... C'est la Bête immonde, c'est Antéchrist ! »

Il fit une autre, très longue pause. Les assistants paraissaient morts. L'unique chose mobile dans toute l'église était la flamme du trépied, mais les ombres mêmes qu'elle projetait paraissaient avoir gelé. L'unique bruit, faible, rauque, étouffé, était le halètement de Jorge, qui épongeait la sueur de son front. Puis il reprit :

« Vous allez peut-être me dire : non, celui-là n'est pas encore près de venir, où sont les signes de sa prochaine venue ? Sot qui le dirait ! Mais puisque nous en avons devant les yeux, jour après jour, dans le grand amphithéâtre du monde, et dans l'image réduite de l'abbaye, les avant-coureurs catastrophiques !... Il a été dit que quand le moment sera proche se dressera en occident un roi étranger, seigneur d'immenses biens frauduleusement acquis, athée, massacreur d'hommes, assoiffé d'or, astucieux comme un renard, mauvais, ennemi des fidèles et leur persécuteur, et qu'à son époque on ne tiendra nul compte de l'argent mais on n'aura d'estime que pour l'or ! Je sais, je sais : vous qui m'écoutez, vous vous hâtez maintenant de faire vos petits calculs pour savoir si celui dont je parle ressemble au pape ou à l'empereur ou au roi de France ou à qui vous voudrez, pour pouvoir dire : c'est bien lui mon ennemi et je suis du bon côté ! Mais je ne suis pas ingénu au point de vous indiquer un homme ; l'Antéchrist quand il vient, vient en tout le monde et pour tout le monde, et chacun en est partie. Il sera dans les bandes de brigands qui saccageront villes et régions, il sera en d'inattendus signes des cieux où apparaîtront soudain des arcs-en-ciel, des cornes et des feux, tandis qu'on entendra mugir des voix et que la mer bouillonnera. On a dit que les hommes et les bêtes engendreront des dragons, mais on voulait dire que les cœurs concevront haine et discorde, et cessez de regarder autour de vous pour apercevoir les bêtes des miniatures qui vous divertissent dans les parchemins ! On a dit que les jeunes épousées accoucheront d'enfants déjà en mesure de parler parfaitement, lesquels annonceront que les temps sont mûrs et demanderont d'être tués. Mais ne cherchez point parmi les villages dans la vallée, les enfants trop savants ont déjà été tués dans ces murs ! Et comme ceux des prophéties, ils avaient l'aspect d'hommes déjà chenus, et de la prophétie ils étaient les fils quadrupèdes, et les spectres, et les embryons qui devraient prophétiser dans le ventre des mères en prononçant des incantations magiques. Et tout a été écrit, savez-vous ? Il a été écrit que nombreuses seront les agitations dans les couches de la société, dans les peuples, dans les églises ; que surgiront des pasteurs iniques, pervers, dénigreurs, avides, désireux de plaisirs, aimant le gain, se complaisant en de vains discours, hâbleurs, hautains, gourmands, arrogants, plongés dans la luxure, en quête de gloriole, ennemis de l'Evangile, prêts à renier la porte étroite, à mépriser la vraie parole, et ils prendront en haine tout sentier de pitié, ils ne se repentiront pas de leurs péchés, au point qu'au milieu des peuples se répandront l'incrédulité, la haine entre frères, la méchanceté, la dureté, l'envie, l'indifférence, le vol, l'ivresse, l'intempérance, la lubricité, le plaisir charnel, la fornication et tous les autres vices. S'éclipseront l'affliction, l'humilité, l'amour de la paix, la pauvreté, la compassion, le don des larmes... Allons, courage, vous ne vous reconnaissez pas, vous tous ici présents, moines de l'abbaye et puissants venus de l'extérieur ? »

Dans la pause qui suivit on entendit un bruissement. C'était le cardinal Bertrand qui s'agitait sur son siège. Au fond, pensai-je, Jorge se comportait en grand prédicateur, et tout en fustigeant ses frères, il n'épargnait pas même les visiteurs. Et j'eusse donné je ne sais quoi pour savoir ce qui se passait en ce moment par la tête de Bernard, ou des gras Avignonnais.

« Et ce sera juste à ce point-là, qui est justement le nôtre, tonna Jorge, que l'Antéchrist aura sa parousie blasphématoire, singe qu'il se veut de Notre Seigneur. En ces temps-là (qui sont les nôtres) tous les royaumes seront bouleversés, il y aura famine et pauvreté, et pénurie de moissons, et hivers d'une exceptionnelle rigueur. Et les enfants de ce temps-là (qui est le nôtre) n'auront plus personne pour administrer leurs biens et conserver dans leurs dépôts les aliments et ils seront humiliés sur les marchés d'achat et de vente. Bienheureux alors ceux qui ne vivront plus, ou qui tout en vivant réussiront à survivre ! Alors viendra le fils de la perdition, l'adversaire qui se glorifie et se gonfle, en exhibant de multiples vertus pour leurrer toute la terre et pour prévaloir sur les justes. La Syrie s'effondrera et pleurera ses fils. La Cilicie dressera sa tête tant que n'apparaîtra pas celui qui est appelé pour la juger. La fille de Babylone se lèvera du trône de sa splendeur pour boire à la coupe de l'amertume. La Cappadoce, la Lycie et la Lycaonie ploieront l'échine car des foules entières se verront détruites dans la corruption de leur iniquité. Des campements de barbares et des chars de guerre apparaîtront de partout pour occuper les terres. En Arménie, au Pont et en Bithynie les adolescents périront par le fer, les fillettes tomberont en captivité, les fils et les filles consommeront des incestes, la Pisidie, qui s'exalte dans sa gloire, sera prostrée, l'épée passera au milieu de la Phénicie, la Judée revêtira le deuil et se préparera au jour de la perdition causée par son impureté. Alors de tous côtés se montreront abomination et désolation, l'Antéchrist triomphera de l'occident et détruira les voies de circulation, il aura dans les mains flamberge et feu ardent et il brûlera plein de fureur, de violence et de flammes : sa force sera le blasphème, tromperie sa main, la dextre sera ruine, la senestre porteuse de ténèbres. Voici les traits qui le distingueront : sa tête sera de feu ardent, son œil droit injecté de sang, son œil gauche d'un vert félin, et il aura deux pupilles, et ses paupières seront blanches, large sa lèvre inférieure, faible son fémur, gros ses pieds, son pouce écrasé et allongé ! »

« On dirait son portrait », ricana Guillaume dans un souffle. C'était une phrase fort impie, mais je lui en sus gré, car mes cheveux se dressaient sur ma tête. Je retins tout juste un éclat de rire, gonflant les joues et laissant échapper un filet d'air de mes lèvres closes. Bruit que, dans le silence tombé sur les dernières paroles du vieillard, on entendit très bien, mais heureusement tous pensèrent qu'il s'agissait de quelqu'un qui toussait ou pleurait, ou frémissait, et tous en avaient largement de quoi.

« C'est le moment où, disait maintenant Jorge, tout tombera dans l'arbitraire, les enfants lèveront les mains contre leurs géniteurs, l'épouse tramera contre son mari, le mari appellera en jugement son épouse, les maîtres seront inhumains avec leurs serviteurs et les serviteurs désobéiront à leurs maîtres, on ne révérera plus les vieillards, les adolescents demanderont le commandement, le travail apparaîtra à tous une peine inutile, de partout s'élèveront des cantiques de gloire à la licence, au vice, à la liberté dissolue des mœurs. Après quoi, viols, adultères, parjures, péchés contre nature suivront par grandes vagues, et les maux, et les divinations, et les ensorcellements, et apparaîtront dans le ciel des corps volants, surgiront au milieu des bons chrétiens de faux prophètes, de faux apôtres, des corrupteurs, des imposteurs, des sorciers, des violateurs, des avares, des traîtres et des falsificateurs, les pasteurs se changeront en loups, les prêtres répandront le mensonge, les moines désireront les choses du monde, les pauvres n'accourront pas à l'aide des chefs, les puissants seront sans miséricorde, les justes se feront témoins d'injustice. Toutes les villes seront ébranlées par des tremblements de terre, il y aura des épidémies de peste dans toutes les régions, des tempêtes de vent soulèveront la terre, les champs seront contaminés, la mer sécrétera des humeurs noirâtres, de nouveaux prodiges inconnus auront lieu sur la lune, les étoiles abandonneront leur cours normal, d'autres — inconnues — sillonneront le ciel, il neigera l'été et fera une chaleur torride l'hiver. Et seront venus les temps de la fin et la fin des temps... Le premier jour, à la troisième heure, s'élèvera dans le firmament une voix haute et puissante, une nue purpurine viendra du septentrion, tonnerres et éclairs la suivront, et sur la terre descendra une pluie de sang. Le deuxième jour la terre sera arrachée à son socle et la fumée d'un grand feu passera à travers les portes du ciel. Le troisième jour, les abîmes de la terre gronderont aux quatre coins du cosmos. Les pinacles du firmament s'ouvriront, l'air se remplira de piliers de fumée et une puanteur de soufre s'exhalera jusqu'à la dixième heure. Le quatrième jour, tôt le matin l'abîme se liquéfiera et émettra d'énormes explosions, et les édifices tomberont. Le cinquième jour, à la sixième heure se verront défaites les puissances de lumière et la roue du soleil, et les ténèbres envelopperont le monde jusqu'au soir, et les étoiles et la lune cesseront de jouer leur rôle. Le sixième jour, à la quatrième heure, le firmament se fendra de l'orient à l'occident et les anges pourront regarder sur la terre à travers la trouée des cieux et tous ceux qui sont sur la terre pourront voir les anges qui regardent du ciel. Alors tous les hommes se cacheront sur les montagnes pour fuir le regard des anges justes. Et le septième jour arrivera le Christ dans la lumière de son père. Et il y aura alors le jugement des bons et leur ascension, dans la béatitude éternelle des corps et des âmes. Mais ce n'est pas sur cela que vous méditerez ce soir, frères orgueilleux ! Ce n'est pas aux pécheurs qu'il reviendra de voir l'aube du huitième jour, lorsque de l'orient s'élèvera une voix douce et tendre, au milieu du ciel, et que se manifestera cet Ange qui a pouvoir sur tous les autres anges saints, et tous les anges avanceront avec lui, assis sur un char de nues, pleins de joie, courant à vive allure à travers les airs, pour libérer les élus qui ont cru, et tous ensemble ils se réjouiront parce que la destruction de ce monde aura été consommée ! Ce n'est point de cela, nous, que nous devons orgueilleusement nous réjouir ce soir ! Nous méditerons par contre sur les paroles que le Seigneur prononcera pour chasser loin de lui ceux qui n'ont pas mérité d'être sauvés : loin de moi, maudits, dans le feu éternel qui vous a été préparé par le diable et par ses ministres ! Vous-mêmes l'avez bien mérité, et maintenant vous pouvez en jouir ! Eloignez-vous de moi, en descendant dans les ténèbres extérieures et dans le feu inextinguible ! C'est moi qui vous ai donné forme, et vous vous fîtes les disciples d'un autre ! Vous vous êtes faits les servants d'un autre seigneur, allez demeurer avec lui dans le noir, avec lui, le serpent qui n'a ni paix ni trêve, au milieu des grincements de dents ! Je vous ai donné l'ouïe pour que vous prêtiez votre attention à la lecture des Ecritures, et vous écoutez les paroles des païens ! Je vous ai modelé une bouche pour glorifier Dieu, et vous en avez usé pour le leurre des poètes et pour les énigmes des histrions ! Je vous ai donné des yeux pour que vous voyiez la lumière de mes préceptes, et vous en avez usé pour scruter dans la ténèbre ! Je suis un juge humain, mais juste. Je donnerai à chacun selon son mérite. Je voudrais avoir miséricorde de vous, mais je ne trouve point d'huile dans vos vases. Je serais enclin à m'apitoyer, mais vos lampes sont enfumées. Eloignez-vous de moi... Ainsi parlera le Seigneur. Et ceux-là... et nous peut-être, descendront dans l'éternel supplice. Au nom du Père, du Fils et du Saint-Esprit. »

« Amen ! » répondirent-ils tous d'une seule voix.

Tous en rang, sans un murmure, les moines allèrent à leurs grabats. Sans désir de se parler disparurent les minorites et les hommes du pape, aspirant à l'isolement et au repos. Mon cœur était lourd.

« Au lit, Adso, me dit Guillaume en montant les escaliers de l'hôtellerie. Ce n'est pas un soir à circuler dehors. Il pourrait venir à l'esprit de Bernard Gui d'anticiper la fin du monde en commençant par nos carcasses. Demain nous tâcherons d'être présents à matines, car sitôt après partiront Michel et les autres minorites.

— Bernard aussi partira avec ses prisonniers ? demandai-je dans un filet de voix.

— Sûrement, il n'a plus rien à faire ici. Il voudra précéder Michel en Avignon, mais de telle manière que son arrivée coïncide avec le procès du cellérier, minorite, hérétique et assassin. Le bûcher du cellérier éclairera comme un flambeau propitiatoire la première rencontre de Michel avec le pape.

— Et qu'arrivera-t-il à Salvatore... et à la fille ?

— Salvatore accompagnera le cellérier, parce qu'il devra témoigner à son procès. Il se peut qu'en échange de ce service Bernard lui accorde la vie sauve. Il pourra même le laisser filer, pour le faire tuer ensuite. Ou peut-être le laissera-t-il aller vraiment, car un être comme Salvatore n'intéresse pas un être comme Bernard. Qui sait, peut-être finira-t-il coupe-jarret dans quelque forêt du Languedoc...

— Et la fille ?

— Je te l'ai dit, c'est de la chair à bûcher. Mais elle brûlera avant, en cours de route, façon d'édifier quelque village cathare le long de la côte. J'ai entendu dire que Bernard devra rencontrer son collègue Jacques Fournier (souviens-toi de ce nom, pour l'heure il brûle des albigeois, mais il vise plus haut), et une belle sorcière à mettre sur les fagots augmentera le prestige et la renommée de l'un et de l'autre...

— Mais ne peut-on rien faire pour les sauver ? m'écriai-je. L'Abbé ne peut-il intervenir ?

— Pour qui ? Pour le cellérier, accusé qui s'est reconnu coupable ? Pour un misérable comme Salvatore ? Ou tu penses à la fille ?

— Et si cela était ? m'enhardis-je. Des trois, au fond, c'est la seule vraiment innocente, vous savez bien, vous, que ce n'est pas une sorcière...

— Et tu crois que l'Abbé, après ce qui s'est passé, voudra risquer le peu de prestige qui lui reste pour une sorcière ?

— Mais il a pris sur lui de faire fuir Ubertin !

— Ubertin était l'un de ses moines et il n'était accusé de rien. Et puis quelles sottises me dis-tu là, Ubertin était une personne importante, Bernard n'aurait pu le frapper que dans le dos.

— Ainsi, le cellérier avait raison, les simples paient toujours pour tout le monde, même pour ceux qui parlent en leur faveur, même pour ceux, comme Ubertin et Michel, qui avec leurs mots de pénitence les ont poussés à la révolte ! » J'étais désespéré, et je ne considérais même pas que la fille n'avait rien d'un fraticelle, séduit par la mystique d'Ubertin. Pourtant, c'était une paysanne, et elle payait pour une histoire qui ne la concernait pas.

« C'est ainsi, me répondit tristement Guillaume. Et si tu tiens réellement à trouver un rai de justice, je te dirai qu'un jour les gros chiens, le pape et l'empereur, pour faire la paix passeront sur le corps des chiens plus petits qui se sont empoignés à leur service. Et Michel ou Ubertin seront traités comme aujourd'hui on traite ta jeune fille. »

A présent je sais que Guillaume prophétisait, autrement dit argumentait par syllogismes sur la base de principes de philosophie naturelle. Mais à ce moment-là, ses prophéties et ses syllogismes ne me consolèrent nullement. L'unique chose certaine était que la jeune fille serait brûlée. Et je me sentais coresponsable, car c'était comme si sur le bûcher elle expiait aussi pour le péché que moi j'avais commis avec elle.

J'éclatai sans pudeur en sanglots et m'enfuis dans ma cellule, où pendant toute la nuit je mordis ma paillasse et gémis impuissant, parce qu'il ne m'était pas même permis — comme j'avais lu dans les romans de chevalerie avec mes compagnons de Melk — de me lamenter en invoquant le nom de l'aimée.

De l'unique amour terrestre de ma vie je ne savais, et ne sus jamais, le nom.

SIXIÈME JOUR

Sixième jour

MATINES

Où les princes sederunt, et Malachie est terrassé.

Nous descendîmes à matines. Cette dernière partie de la nuit, presque la première du nouveau jour imminent, était encore nappée de brouillard. Tandis que je traversais le cloître, l'humidité me pénétrait jusqu'aux os, et j'avançais le corps moulu par un sommeil inquiet. Bien que l'église fût froide, c'est avec un soupir de soulagement que je m'agenouillai sous ces voûtes, à l'abri des éléments, réconforté par la chaleur des autres corps, et de la prière.

Le chant des psaumes avait commencé depuis peu, quand Guillaume m'indiqua une place vide dans les stalles en face de nous, entre Jorge et Pacifico de Tivoli. C'était la place de Malachie, qui en effet s'asseyait toujours à côté de l'aveugle. Nous n'étions pas les seuls à nous être rendu compte de cette absence. D'une part je surpris le regard soucieux de l'Abbé, qui certes savait bien désormais comme ces absences étaient le signe avant-coureur de sombres nouvelles. Et d'autre part, je m'aperçus qu'une singulière inquiétude altérait le vieux Jorge. Son visage, d'habitude si indéchiffrable en raison de ses yeux blancs dénués de lumière, était plongé aux trois quarts dans l'ombre, mais ses mains s'agitaient, nerveuses. De fait, à plusieurs reprises il tâta la place à côté de lui, comme pour contrôler si elle était occupée. Il faisait et refaisait le geste à intervalles réguliers, comme s'il espérait que l'absent recomparût d'un moment à l'autre, mais craignait de ne pas le voir recomparaître.

« Où a bien pu passer le bibliothécaire ? murmurai-je à Guillaume.

— Malachie, répondit Guillaume, était désormais le seul à avoir le livre entre les mains. Si ce n'est pas lui le coupable des crimes, alors il pourrait ne pas connaître les dangers que ce livre renferme... »

Il n'y avait rien d'autre à dire. Il fallait seulement attendre. Et nous attendîmes, nous, l'Abbé qui continuait à fixer la stalle vide, Jorge qui ne cessait d'interroger l'obscurité de ses mains.

Lorsque l'office toucha à sa fin, l'Abbé rappela aux moines et aux novices qu'il fallait se préparer à la grand'messe de Noël et que pour ce faire, selon la coutume, on emploierait le temps précédant laudes à vérifier l'homogénéité de la communauté tout entière dans l'exécution de certains des chants prévus pour cette solennité. Cette troupe d'hommes dévots était en effet harmonisée comme un seul corps et une seule voix, et par un long cortège d'années se reconnaissait unie, comme une seule âme, dans le chant.

L'Abbé invita à entonner le *Sederunt :*

Sederunt principes
et adversus me
loquebantur, iniqui.
Persecuti sunt me.
Adjuva me, Domine,
Deus meus salvum me
fac propter magnam misericordiam tuam.

Je me demandai si l'Abbé n'avait pas choisi de faire chanter ce graduel précisément cette nuit-là, quand encore étaient présents à la fonction les envoyés des princes, pour rappeler combien depuis des siècles notre ordre était prêt à résister à la persécution des puissants, grâce à son rapport privilégié avec le Seigneur, Dieu des armées. Et en vérité, à peine entonné le chant donna une grande impression de puissance.

Sur la première syllabe *sé* débuta un chœur lent et solennel de dizaines et de dizaines de voix, dont la tonalité basse emplit les nefs et flotta au-dessus de nos têtes, quand elle semblait pourtant surgir du cœur de la terre. Et elle ne s'interrompit pas, car, tandis que d'autres voix commençaient à tisser, sur cette ligne profonde et continue, une série de vocalises et de mélismes, elle — tellurique — ne cessait de dominer et n'eut point de trêve pendant tout le temps qu'il faut à un récitant à la voix cadencée et lente pour répéter douze fois l'*Ave Maria*. Et comme libérées de toute crainte, en raison de la confiance que cette syllabe obstinée, allégorie de la durée éternelle, donnait aux orants, les autres voix (pour la plupart celles des novices) sur cette base pierreuse et solide, élevaient des flèches, des colonnes, des pinacles de neumes liquescents et pointés. Et tandis que mon cœur s'étourdissait de douceur à la vibration d'un climacus ou d'un porrectus, d'un torculus ou d'un salicus, ces voix paraissaient me dire que l'âme (celle des orants et la mienne, moi qui les écoutais), ne pouvant soutenir l'exubérance du sentiment, à travers eux se déchirait pour exprimer la joie, la douleur, la louange, l'amour, dans un élan de sonorités suaves. Cependant, l'acharnement obstiné des voix chthoniennes ne désemparait pas, comme si la présence menaçante des ennemis, des puissants qui persécutaient le peuple du Seigneur, demeurait irrésolue. Jusqu'à ce que ce tumulte neptunien d'une seule note semblât vaincu, ou du moins convaincu et captivé par la jubilation alléluiatique des antagonistes, et s'évanouît sur un majestueux, un parfait accord et sur un neume couchant.

Une fois prononcé, avec une peine quasi obtuse, le « sederunt », s'éleva bien haut le « principes », dans un grand calme séraphique. Je ne me demandai plus qui étaient les puissants qui parlaient contre moi (contre nous), elle avait disparu, elle s'était dissipée l'ombre de ce fantôme assis et menaçant.

Et d'autres fantômes, crus-je alors, se dissipèrent à cet instant-là car, en regardant la stalle de Malachie, après que mon attention avait été absorbée par le chant, je vis la silhouette du bibliothécaire parmi celle des autres orants, comme s'il n'avait jamais été absent. Je regardai Guillaume et notai une nuance de soulagement dans ses yeux, la même que j'aperçus de loin dans les yeux de l'Abbé. Quant à Jorge, il avait de nouveau tendu les mains et, comme elles rencontrèrent le corps de son voisin, il les avait promptement retirées. Mais pour lui, je ne saurais dire quels sentiments l'agitèrent.

Maintenant le chœur entonnait joyeusement l' « adjuva me », dont le *a* clair se répandait gaiement à travers l'église, et le *u* même n'apparaissait pas sombre comme celui de « sederunt », mais plein de sainte énergie. Les moines et les novices chantaient, comme le veut la règle du chant, le corps droit, la gorge libre, la tête tournée vers le haut, l'antiphonaire presque au niveau des épaules de façon qu'on y puisse lire sans que, en baissant le chef, l'air sorte avec une moindre énergie de la poitrine. Mais l'heure était encore nocturne et, encore que retentissent les trompettes de la jubilation, le brouillard du sommeil tombait comme une embûche sur bon nombre de chantres qui, égarés peut-être dans l'émission d'une longue note, confiants dans l'onde même du cantique, parfois inclinaient la tête, tentés par la somnolence. Alors les circateurs, même en cette occurrence, exploraient leurs visages avec la lanterne, un par un, pour les ramener justement à la veille, du corps et de l'âme.

Ce fut donc d'abord un moine circateur qui aperçut Malachie dodeliner d'une manière bizarre, osciller comme si d'un coup il était retombé dans les brumes cimmériennes d'un sommeil contre lequel, cette nuit, il avait probablement lutté. Le circateur s'approcha de lui, la lampe à bout de bras, lui éclairant le visage et attirant ainsi mon attention. Le bibliothécaire ne réagit pas. Le circateur le toucha, et l'autre bascula lourdement en avant. Le circateur s'y prit juste à temps pour soutenir le bibliothécaire avant qu'il ne piquât du nez.

Le chant ralentit, les voix s'éteignirent, il y eut un court remue-ménage. Guillaume avait tout de suite bondi de sa place et s'était précipité là où, n'y pouvant mais, Pacifico de Tivoli et le circateur allongeaient Malachie par terre, inanimé.

Nous les rejoignîmes presque en même temps que l'Abbé, et à la lumière de la lanterne nous vîmes le visage du malheureux. J'ai déjà décrit l'aspect de Malachie, mais cette nuit-là, à cette lumière, il était désormais l'image même de la mort. Le nez effilé, les yeux caves, les tempes creusées, les oreilles blanches et contractées, aux lobes tournés vers l'extérieur, la peau de la face devenue rigide, tendue et sèche, la couleur des joues jaunâtre et ombrée de noir. Les yeux étaient encore ouverts et une respiration pénible s'exhalait de ces lèvres brûlées. Il ouvrit la bouche et, penché derrière Guillaume qui s'était penché sur lui, je vis s'agiter entre ses dents une langue tout à fait noirâtre. Guillaume le souleva en lui passant un bras autour des épaules, d'une main il lui épongea un voile de sueur qui rendait son front livide. Malachie sentit un attouchement, une présence, il fixa droit devant lui, certainement sans voir, sûrement sans reconnaître celui qui se trouvait devant lui. Il leva une main tremblante, saisit Guillaume à la poitrine, en attirant son visage jusqu'à presque toucher le sien, puis d'une voix faible et rauque il articula quelques mots : « Il me l'avait dit... vraiment... il avait le pouvoir de mille scorpions...

— Qui te l'avait dit ? lui demanda Guillaume. Qui ? »

Malachie essaya encore de parler. Puis il fut secoué d'un grand tremblement et sa tête retomba en arrière. Son visage perdit toute couleur, tout signe de vie. Il était mort.

Guillaume se releva. Il aperçut à côté de lui l'Abbé, et il ne lui dit pas un mot. Puis il vit, derrière l'Abbé, Bernard Gui.

« Seigneur Bernard, demanda Guillaume, qui a tué celui-ci, puisque vous avez si bien trouvé et enchaîné les assassins ?

— Ne me le demandez pas à moi, dit Bernard. Je n'ai jamais dit que j'avais livré à la justice toutes les âmes mauvaises qui hantent cette abbaye. Je l'aurais fait volontiers, si j'avais pu (il fixa Guillaume), mais les autres, je les abandonne maintenant à la sévérité... ou à l'excessive indulgence du sire Abbé. » Dit-il, tandis que l'Abbé pâlissait en silence. Et il s'éloigna.

C'est alors que nous entendîmes comme un piaulement, un sanglot éraillé. C'était Jorge, ployé sur son agenouilloir, soutenu par un moine qui devait lui avoir décrit l'événement.

« Cela ne finira jamais... dit-il d'une voix brisée. Oh ! Seigneur, pardonne-nous tous ! »

Guillaume se pencha encore un instant sur le cadavre. Il lui saisit les poignets, en tournant vers la lumière la paume des mains. Le bout des trois premiers doigts de la main droite était foncé.

Sixième jour

LAUDES

Où l'on voit élire un nouveau cellérier,
mais pas un nouveau bibliothécaire.

Etait-ce déjà l'heure de laudes ? Etait-ce plus tôt ou plus tard ? A partir de ce moment je perdis le sentiment du temps. Des heures peut-être passèrent, peut-être moins, pendant lesquelles le corps de Malachie fut allongé dans l'église sur un catafalque, tandis que ses frères se disposaient en éventail. L'Abbé donnait des dispositions pour les prochaines obsèques. Je l'entendis appeler à lui Bence et Nicolas de Morimonde. En l'espace de moins d'un jour, dit-il, l'abbaye avait été privée du bibliothécaire et du cellérier. « Toi, dit-il à Nicolas, tu prendras les fonctions de Rémigio. Tu connais le travail de beaucoup, ici à l'abbaye. Mets quelqu'un à ta place pour surveiller les forges, pourvois aux nécessités immédiates d'aujourd'hui, cuisines et réfectoire. Tu es dispensé des offices. Va. » Puis, à Bence : « Juste hier soir tu avais été nommé aide de Malachie. Fais le nécessaire pour l'ouverture du scriptorium et veille à ce que personne ne monte tout seul à la bibliothèque. » Bence fit timidement observer qu'il n'avait pas encore été initié aux secrets de ce lieu. L'Abbé le fixa avec sévérité : « Personne n'a dit que tu le seras. Tu veilleras que le travail ne s'arrête pas et soit vécu comme prière pour nos frères morts... et pour ceux qui mourront encore. Chacun travaillera seulement sur les livres qu'il a reçus en dépôt, qui le veut pourra consulter le catalogue. Rien d'autre. Tu es dispensé des vêpres car à cette heure-là tu fermeras tout.

— Et comment sortirai-je ? demanda Bence.

— C'est vrai, je fermerai moi-même les portes d'en bas après le souper. Va. »

Il sortit avec eux, évitant Guillaume qui cherchait à lui parler. Dans le chœur restaient, en un petit groupe, Alinardo, Pacifico de

Tivoli, Aymaro d'Alexandrie et Pierre de Sant'Albano. Aymaro ricanait.

« Remercions le Seigneur, dit-il. L'Allemand mort, nous courions le risque d'avoir un nouveau bibliothécaire plus barbare encore.

— Qui, pensez-vous, sera nommé à sa place ? » demanda Guillaume.

Pierre de Sant'Albano sourit d'une façon énigmatique : « Après tout ce qui s'est passé ces jours-ci, le problème n'est plus le bibliothécaire, mais bien l'Abbé...

— Tais-toi », lui dit Pacifico. Et Alinardo, toujours avec son regard pensif : « Ils vont commettre une autre injustice... comme à mon époque. Il faut les arrêter.

— Qui ? » demanda Guillaume. Pacifico le prit confidentiellement par le bras et l'accompagna loin du vieillard, vers la porte. « Alinardo... tu le sais, nous l'aimons beaucoup, il représente pour nous l'antique tradition et les jours les meilleurs de l'abbaye... Mais il lui arrive de parler sans savoir ce qu'il dit. Nous tous sommes en souci pour le nouveau bibliothécaire. Il devra être digne, et mûr, et sage... Voilà tout.

— Devra-t-il connaître le grec ? demanda Guillaume.

— Et l'arabe, ainsi le veut la tradition, ainsi l'exige son office. Mais beaucoup parmi nous ont de ces qualités. Moi, en toute humilité, et Pierre, et Aymaro...

— Bence sait le grec.

— Bence est trop jeune. Je ne sais pourquoi Malachie l'a choisi hier comme son aide, mais...

— Adelme connaissait-il le grec ?

— Je crois que non. Bien sûr que non, sans nul doute.

— Mais Venantius le connaissait. Et Bérenger. C'est bon, je te remercie. »

Nous sortîmes pour aller prendre quelque chose aux cuisines.

« Pourquoi vouliez-vous savoir qui connaissait le grec ? demandai-je.

— Parce que tous ceux qui meurent avec les doigts noirs connaissent le grec. Il ne sera donc pas mauvais d'attendre le prochain mort parmi ceux qui savent le grec. Moi compris. Toi, tu es sauvé.

— Et que pensez-vous des dernières paroles de Malachie ?

— Tu les as entendues. Les scorpions. La cinquième trompette annonce entre autres l'invasion des sauterelles qui tourmenteront les hommes avec un dard pareil à celui des scorpions, tu le sais bien. Et Malachie nous a fait savoir que quelqu'un le lui avait annoncé.

— La sixième trompette, dis-je, promet des chevaux à têtes de lions qui vomissent de leur bouche fumée et feu et soufre, montés par des hommes portant des cuirasses de feu, d'hyacinthe et de soufre.

— Trop de choses. Mais le prochain crime pourrait avoir lieu près des écuries. Il faudra les surveiller. Et préparons-nous à la septième sonnerie. Encore deux personnes, donc. Qui sont les candidats les plus probables ? Si l'objectif est le secret du finis Africae, ceux qui le connaissent. Et à ma connaissance, il n'y a que l'Abbé. A moins que la trame ne soit encore autre. Tu l'as entendu à l'instant, on complotait pour déposer l'Abbé, mais Alinardo a parlé au pluriel...

— Il faudra prévenir l'Abbé, dis-je.

— De quoi ? Qu'on va l'assassiner ? Je n'ai pas de preuves convaincantes. Je procède comme si l'assassin raisonnait comme moi. Mais s'il poursuivait un autre dessein ? Et si, surtout, il n'existait pas *un* assassin ?

— Qu'entendez-vous dire ?

— Je ne le sais pas exactement. Mais comme je te l'ai dit, il faut imaginer tous les ordres possibles, et tous les désordres. »

Sixième jour

PRIME

Où Nicolas raconte maintes choses, tandis que nous visitons la crypte du trésor.

Nicolas de Morimonde, en sa nouvelle qualité de cellérier, était en train de donner ses dispositions aux cuisiniers, et ceux-ci lui donnaient des informations sur les usages des cuisines. Guillaume voulait lui parler, et il nous demanda d'attendre quelques minutes. Ensuite, dit-il, il devrait descendre dans la crypte du trésor pour veiller au travail de nettoyage des châsses, qui lui revenait encore, et là il aurait davantage le temps de converser.

Peu après en effet, il nous invita à le suivre, entra dans l'église, passa derrière le maître-autel (alors que les moines disposaient un catafalque dans la nef, pour veiller la dépouille mortelle de Malachie), et nous fit descendre un escalier étroit, au pied duquel nous nous trouvâmes dans une salle aux voûtes très basses soutenues par de gros piliers en pierre de taille. Nous étions dans la crypte où l'on gardait les richesses de l'abbaye, lieu dont l'Abbé se montrait fort jaloux et qu'il n'ouvrait qu'en des circonstances exceptionnelles et pour des hôtes de marque.

Nous étions entourés de reliquaires et de châsses de grandeur variée, à l'intérieur desquels la lumière des torches (tenues par deux aides de confiance de Nicolas) faisait resplendir des objets d'une merveilleuse beauté. Des parements tissés de fils d'or, des couronnes d'or constellées de gemmes, des coffrets de différents métaux historiés avec des figures, des nielles, des ivoires. Nicolas nous détailla, extasié, un évangéliaire dont la reliure sautait aux yeux avec ses admirables plaques d'émail qui composaient une unité bariolée de compartiments ordonnés, cloisonnés par des filigranes d'or et fixés, en guise de clous, par des pierres précieuses. Il nous montra un délicat édicule avec deux colonnes de lapis-lazuli et d'or qui encadraient une descente au sépulcre représentée en un fin bas-relief d'argent, surmontée par une croix d'or criblée de treize diamants sur un fond d'onyx bigarré, tandis qu'un petit fronton était cintré d'agate et de rubis. Puis je vis un diptyque chryséléphantin, divisé en cinq parties, avec cinq scènes de la vie de Christ, et au centre un agneau mystique composé d'alvéoles d'argent doré et de pâte de verre, unique image polychrome sur un fond de cireuse blancheur.

Le visage, les gestes de Nicolas, alors qu'il nous indiquait ces objets, étaient illuminés d'orgueil. Guillaume loua les choses qu'il avait vues, puis il demanda à Nicolas quel genre d'homme pouvait bien être Malachie.

« Curieuse question, dit Nicolas, tu le connaissais toi aussi.

— Oui, mais pas suffisamment. Je n'ai jamais compris quelles pensées il cachait... et... (il hésita à se prononcer sur quelqu'un qui venait de disparaître)... et s'il en avait ».

Nicolas s'humidifia un doigt, le passa sur une surface de cristal pas tout à fait impeccable, et répondit avec un demi-sourire, sans regarder Guillaume au visage : « Tu vois que tu n'as pas besoin de poser de questions... C'est vrai, au dire de beaucoup Malachie avait l'air fort pensif, mais c'était en revanche un homme très simple. Selon Alinardo, c'était un idiot.

— Alinardo garde rancœur contre quelqu'un pour un fait lointain, quand lui fut refusée la dignité de bibliothécaire.

— J'en ai entendu parler moi aussi, mais il s'agit d'une vieille histoire, elle remonte au moins à cinquante ans. Quand moi j'arrivai ici, le bibliothécaire était Robert de Bobbio, et les vieux allaient murmurant d'une injustice commise aux dépens d'Alinardo. A l'époque, je ne voulus pas approfondir, parce que ce me semblait un manque de respect envers les plus âgés, et je ne voulais pas me prêter à des médisances. Robert avait un aide, qui mourut, et à sa place fut nommé Malachie, encore très jeune. Beaucoup dirent qu'il n'avait aucun mérite, qu'il soutenait savoir le grec et l'arabe et ce n'était pas vrai, qu'il était seulement un singe doué qui copiait en belle calligraphie les manuscrits de ces langues-là, mais sans comprendre ce qu'il copiait. On disait qu'un bibliothécaire se doit d'être bien plus docte que cela. Alinardo, qui alors était encore un homme plein de force, émit des jugements très amers sur cette nomination. Et il insinua que Malachie avait été installé à cette place pour faire le jeu de son ennemi, mais je ne compris pas de qui il parlait. Voilà tout. On a toujours murmuré que Malachie défendait la bibliothèque comme un chien de garde, mais sans bien comprendre ce qu'elle renfermait. D'autre part, des bruits circulèrent aussi contre Bérenger, lorsque Malachie le choisit comme aide.

On disait que lui-même n'était pas plus apte que son maître, que c'était un intrigant. On raconta également... Mais d'ailleurs de ton côté tu as dû entendre ces on-dit... qu'il y avait un étrange rapport entre Malachie et lui... Vieilles lunes, et puis tu sais que des rumeurs ont circulé sur Bérenger et Adelme, et les jeunes copistes disaient que Malachie souffrait en silence d'une atroce jalousie... Et encore, on murmurait sur les rapports entre Malachie et Jorge, non, pas dans le sens que tu peux croire... personne n'a jamais médit de la vertu de Jorge ! Mais Malachie, comme bibliothécaire, par tradition, avait dû élire l'Abbé pour confesseur, tandis que tous les autres se confessaient à Jorge (ou à Alinardo, mais le vieillard est maintenant à peu près dément)... Eh bien, on disait que malgré cela Malachie s'entretenait trop souvent avec Jorge, comme si l'Abbé dirigeait son âme, tandis que Jorge réglait son corps, ses gestes, son travail. D'autre part, tu le sais, tu l'as vu, probablement : si quelqu'un voulait un renseignement sur un livre ancien et oublié, il ne le demandait pas à Malachie, mais à Jorge. Malachie veillait sur le catalogue et montait à la bibliothèque, mais Jorge savait ce que signifiait chaque titre...

— Pourquoi Jorge savait-il tant de choses sur la bibliothèque ?

— C'était le plus ancien, après Alinardo, il est ici depuis sa jeunesse. Jorge doit avoir plus de quatre-vingts ans, on dit qu'il est aveugle depuis au moins quarante ans et peut-être davantage...

— Comment a-t-il fait pour devenir aussi savant avant d'être frappé de cécité ?

— Oh, il y a des légendes sur lui. Il paraît qu'enfant déjà il était touché par la grâce divine, et là-bas en Castille, encore impubère, il lisait les livres des Arabes et des docteurs grecs. Et puis même après être devenu aveugle, même à présent, il reste assis de longues heures dans la bibliothèque, on lui récite le catalogue, on lui apporte des livres et un novice lui fait la lecture à haute voix pendant des heures et des heures. Il se souvient de tout, il n'est pas sans mémoire comme Alinardo. Mais pourquoi m'interroger sur ces choses-là ?

— Maintenant que Malachie et Bérenger sont morts, qui possède encore les secrets de la bibliothèque ?

— L'Abbé, et l'Abbé devra maintenant les transmettre à Bence... s'il le veut bien...

— Pourquoi s'il le veut bien ?

— Parce que Bence est jeune, il a été nommé aide quand Malachie était encore en vie, et ce n'est pas pareil d'être aide-bibliothécaire et bibliothécaire. Par tradition, le bibliothécaire devient ensuite Abbé...

— Ah, c'est ainsi... C'est pourquoi la place de bibliothécaire est si convoitée. Mais alors Abbon a été bibliothécaire ?

— Non, Abbon non. Sa nomination eut lieu avant que je n'arrive ici, il doit bien y avoir trente ans maintenant. Avant c'est Paul de Rimini qui était abbé, un homme curieux sur lequel on raconte d'étranges histoires : il paraît que c'était un grand dévoreur de livres, il connaissait de mémoire tous les ouvrages de la bibliothèque, mais il avait une bizarre infirmité, il ne parvenait pas à écrire, on l'appelait Abbas agraphicus... Il devint abbé très jeune, on disait qu'il avait l'appui d'Algirdas de Cluny, le Doctor Quadratus... Mais ce sont là vieux bavardages de moines. Bref, Paul devint abbé, Robert de Bobbio prit sa place dans la bibliothèque, mais il était miné par un mal qui le consumait, on savait qu'il ne pourrait présider aux destinées de l'abbaye, et quand Paul de Rimini disparut...

— Il mourut ?

— Non, il disparut, je ne sais comme, un jour il partit pour un voyage et il ne revint plus, peut-être fut-il tué par des voleurs de grand chemin au cours de son voyage... Bref, quand Paul disparut, Robert ne pouvait prendre sa place, et il y eut des trames obscures. Abbon — dit-on — était fils naturel du seigneur de cette contrée, il avait grandi dans l'abbaye de Fossanova, on racontait que garçonnet il avait assisté saint Thomas lorsqu'il mourut là-bas et avait veillé au transport de ce grand corps descendu par les escaliers d'une tour, dont l'étroitesse ne permettait pas au cadavre de passer... c'était là toute sa gloire, murmuraient ici les mauvaises langues... Le fait est qu'il fut élu abbé, même sans avoir été bibliothécaire, et il fut instruit par quelqu'un, Robert je crois, des mystères de la bibliothèque.

— Et Robert, pourquoi fut-il élu ?

— Je l'ignore. J'ai toujours essayé de ne point trop mettre mon nez dans ces choses : nos abbayes sont des lieux saints, mais autour de la dignité abbatiale sont parfois tissées d'horribles trames. Pour ma part, je m'intéressais à mes verres et à mes reliquaires, je ne voulais pas être mêlé à ces histoires. Mais à présent, tu comprends pourquoi je ne sais si l'Abbé veut instruire Bence, ce serait comme désigner en lui son successeur, un garçon irréfléchi, un grammairien presque barbare, de l'extrême nord, qu'en saurait-il de ce pays, de l'abbaye et de ses rapports avec les seigneurs du lieu...

— Mais Malachie non plus n'était pas italien, ni Bérenger, ils ont pourtant été mis à la tête de la bibliothèque.

— Voilà un fait obscur. Les moines murmurent que depuis un

demi-siècle l'abbaye a abandonné ses traditions... Raison pour quoi, il y a plus de cinquante ans, et bien avant peut-être, Alinardo aspirait à la dignité de bibliothécaire. Le bibliothécaire avait toujours été italien, les grands esprits ne manquent pas dans cette terre. Et puis tu vois... (et là Nicolas marqua une hésitation comme s'il ne voulait pas dire ce qu'il était sur le point de dire)... tu vois, Malachie et Bérenger sont morts, peut-être pour qu'ils ne deviennent pas abbés. »

Il se secoua, agita la main devant son visage comme pour chasser des idées peu honnêtes, puis il fit le signe de la croix. « Qu'est-ce que je suis en train de raconter ? Tu vois, depuis bien des années il se passe des choses honteuses dans ce pays, même dans les monastères, à la cour papale, dans les églises... Luttes pour conquérir le pouvoir, accusations d'hérésie pour soustraire une prébende à quelqu'un... Quelle vilaine époque, je suis en train de perdre confiance dans le genre humain, je vois partout complots et conspirations de palais. C'est à cela que devait se réduire aussi cette abbaye, un nid de vipères surgi par magie occulte dans ce qui était une châsse de membres saints. Regarde, le passé de ce monastère ! »

Il nous indiquait du doigt les trésors épandus tout autour, et omettant croix et autres objets sacrés, il nous dirigea vers les reliquaires qui constituaient la gloire de ce lieu.

« Regardez, disait-il, c'est la pointe de la lance qui perça le côté du Sauveur ! » Il s'agissait d'une boîte d'or, au couvercle de cristal, où sur un coussinet de pourpre reposait un morceau de fer triangulaire, déjà rongé par la rouille mais ramené maintenant à une vive splendeur par les huiles et les cires longuement travaillées. Mais ceci n'était rien encore. Car dans une autre boîte d'argent constellée d'améthystes, et dont le couvercle était transparent, je vis un morceau de bois vénérable de la sainte croix, ramené dans cette abbaye par la reine Hélène elle-même, mère de l'empereur Constantin, après qu'elle s'était rendue en pèlerinage sur les lieux saints, et avait exhumé la colline du Golgotha et le saint sépulcre avant d'y faire construire une cathédrale.

Ensuite Nicolas nous fit admirer d'autres choses, et je ne saurais rendre compte de toutes, vu leur quantité et leur rareté. Il y avait, dans un reliquaire tout d'aigue-marine, un clou de la croix. Il y avait, dans une ampoule, posée sur un lit de petites roses fanées, une partie de la couronne d'épines, et dans une autre boîte, toujours sur un tapis de fleurs fanées, un lambeau jauni de la nappe de la dernière Cène. Et puis il y avait la bourse de saint Matthieu, en mailles d'argent, et dans un cylindre, noué par un ruban violet élimé par le temps et scellé d'or, un os du bras de sainte Anne. Je vis merveille des merveilles, surmonté d'une cloche de verre et placé sur un coussin rouge festonné de perles, un fragment de la mangeoire de Bethléem, et un empan de la tunique purpurine de saint Jean l'Evangéliste, deux des chaînes qui serrèrent les chevilles de l'apôtre Pierre à Rome, le crâne de saint Adalbert, l'épée de saint Etienne, un tibia de sainte Marguerite, un doigt de saint Vital, une côte de sainte Sophie, le menton de saint Eoban, la partie supérieure de l'omoplate de saint Jean Chrysostome, la bague de fiançailles de saint Joseph, une dent de saint Jean-Baptiste, la verge de Moïse, un point de dentelle déchiré et minuscule de l'habit nuptial de la Vierge Marie.

Et puis d'autres choses qui n'étaient pas des reliques mais n'en représentaient pas moins des témoignages de prodiges et d'êtres prodigieux de terres lointaines, ramenés à l'abbaye par des moines qui avaient voyagé jusqu'aux extrêmes confins du monde : un basilic et une hydre empaillés, une corne d'unicorne, un œuf qu'un ermite avait trouvé à l'intérieur d'un autre œuf, un flocon de la manne qui nourrit les Hébreux dans le désert, une dent de baleine, une noix de coco, l'humérus d'une bête antédiluvienne, le croc d'ivoire d'un éléphant, la côte d'un dauphin. Et puis encore d'autres reliques que je ne reconnus pas, dont les reliquaires qui les contenaient étaient peut-être plus précieux, et certaines (à en juger d'après la facture de leurs contenants, d'argent noirci) très anciennes, une série infinie de fragments d'os, d'étoffe, de bois, de métal, de verre. Et des flacons avec des poudres foncées, dont je sus que l'un d'eux renfermait des débris calcinés de la ville de Sodome, et un autre de la chaux des murailles de Jéricho. Toutes choses, fût-ce les plus modestes, pour lesquelles un empereur aurait donné plus d'un fief, et qui constituaient une réserve non seulement d'immense prestige, mais aussi d'authentique richesse matérielle pour l'abbaye qui nous donnait l'hospitalité.

Abasourdi, je continuais cette exploration, tandis que Nicolas avait désormais cessé de nous illustrer les objets, qui d'ailleurs étaient décrits chacun par un cartouche, libre maintenant de musarder presque au hasard à travers cette réserve de merveilles inestimables, tantôt admirant ces choses en pleine lumière, tantôt les entrevoyant dans la demi-obscurité, quand les acolytes de Nicolas se déplaçaient vers un autre point de la crypte avec leurs torches. J'étais fasciné par ces cartilages jaunis, mystiques et répugnants à la fois, transparents et mystérieux, par ces lambeaux de vêtements d'époque immémoriale, décolorés, effilochés, parfois enroulés dans une fiole comme un manuscrit défraîchi, par ces matières en miettes se confondant avec l'étoffe qui leur servait de couche, saints détritus d'une vie jadis animale (et rationnelle) et maintenant, prisonniers des édifices de cristal ou de métal qui mimaient dans leur minuscule dimension la hardiesse des cathédrales de pierre avec leurs tours et leurs flèches, semblant transformés eux aussi en substance minérale. C'est donc ainsi que le corps des saints attend enseveli la résurrection de la chaïr ? C'est à partir de ces échardes, de ces esquilles que se recomposeraient les organismes qui dans la splendeur de la vision divine, recouvrant toute leur sensibilité naturelle, ressentiraient, comme écrivait Piperno, jusqu'aux minimas differentias odorum ?

De ces méditations me tira soudain Guillaume, qui me touchait à l'épaule : « Moi je remonte, dit-il. Je grimpe au scriptorium, j'ai encore quelque chose à consulter...

— Mais il sera impossible d'avoir des livres, dis-je, Bence a reçu l'ordre...

— Il me faut seulement examiner encore les livres que je lisais l'autre jour, et ils sont encore tous sur la table de Venantius. Toi, si tu veux, reste ici. Cette crypte est un bel épitomé des débats sur la pauvreté auxquels tu as assisté ces jours-ci. Et maintenant tu sais pour quoi les frères de ton ordre s'écharpent, lorsqu'ils aspirent à la dignité abbatiale.

— Mais vous croyez à ce que vous a suggéré Nicolas ? Les crimes concernent alors une lutte pour l'investiture ?

— Je t'ai déjà dit que pour l'heure je ne veux pas hasarder d'hypothèses à voix haute. Nicolas a dit beaucoup de choses. Et certaines m'ont intéressé. Mais à présent je vais suivre une autre piste encore. Ou peut-être la même, mais par un autre bout. Et toi, ne t'extasie pas trop sur ces châsses. Des fragments de la croix, j'en ai vu quantité d'autres, dans d'autres églises. S'ils étaient tous authentiques, Notre Seigneur n'eût pas été supplicié sur deux planches croisées, mais sur une forêt entière.

— Maître ! dis-je scandalisé.

— Il en va ainsi, Adso. Et il y a des trésors encore plus riches. Jadis, dans la cathédrale de Cologne je vis le crâne de Jean-Baptiste à l'âge de douze ans.

— Vraiment ? » m'exclamai-je tout admiratif. Puis, un doute me saisit : « Mais Jean-Baptiste fut tué à un âge plus avancé !

— L'autre crâne doit se trouver dans un autre trésor », dit Guillaume le plus sérieusement du monde. Je ne comprenais jamais quand il se mettait à plaisanter. Dans mes contrées, lorsqu'on plaisante, on dit une chose et puis on rit très bruyamment, de façon que tous les présents participent à la plaisanterie. Guillaume, au contraire, riait seulement quand il disait des choses sérieuses, et il gardait tout son sérieux quand censément il plaisantait.

Sixième jour

TIERCE

Où Adso, en écoutant le « Dies irae », a un rêve ou une vision, comme on voudra.

Guillaume salua Nicolas et monta au scriptorium. J'avais suffisamment contemplé le trésor, et je décidai de me rendre à l'église afin de prier pour l'âme de Malachie. Je n'avais jamais aimé cet homme, qui me faisait peur, et je ne cache pas qu'à la longue je l'avais cru coupable de tous les crimes. Or, j'avais appris que ce n'était sans doute qu'un pauvre homme, angoissé par des passions insatisfaites, vase de terre au milieu de vases de fer, assombri parce que fourvoyé, silencieux et fuyant parce que conscient de n'avoir rien à dire. J'éprouvais un certain remords à son endroit et je pensai que prier pour sa destinée surnaturelle pourrait apaiser mon sentiment de faute.

L'église était maintenant éclairée par une lueur pâle et livide, dominée par la dépouille du malheureux, habitée par le murmure monotone des moines qui récitaient l'office des morts.

Au monastère de Melk, j'avais assisté plusieurs fois au trépas d'un frère. C'était une circonstance que je ne puis qualifier de gaie mais qui m'apparaissait cependant sereine, réglée par le calme et par un sentiment diffus de justice. Chacun se relayait dans la cellule du moribond, le réconfortant avec de bonnes paroles, et chacun songeait au fond de lui-même à la grande félicité du mourant, qui était sur le point de couronner sa vie vertueuse et ne tarderait guère à s'unir au chœur des anges, dans le bonheur éternel. Et partie de cette égalité d'âme, la fragrance de cette sainte aspiration se communiquait à l'agonisant, qui à la fin trépassait dans la sérénité. Comme elles avaient été différentes, les morts de ces derniers jours ! J'avais finalement vu de près comment mourait une victime des diaboliques scorpions du finis Africae, et Venantius et Bérenger étaient certainement morts de même, cherchant réconfort dans l'eau, le visage déjà s'abîmant comme celui de Malachie...

Je pris place au fond de l'église, me recroquevillai sur moi-même pour lutter contre le froid. Je sentis un peu de chaleur, remuai les lèvres pour m'unir au chœur de mes frères orants. Je les suivais sans presque me rendre compte de ce que disaient mes lèvres, ma tête dodelinait et mes yeux se fermaient. Un long temps passa, je crois m'être endormi et réveillé au moins trois ou quatre fois. Puis le chœur entonna le *Dies irae*... La psalmodie s'empara de moi comme un narcotique. Je m'endormis tout à fait. Ou peut-être, plus que m'assoupir, je tombai épuisé dans une torpeur agitée, replié sur moi-même, comme une créature enclose encore dans le ventre de sa mère. Et dans ce brouillard de l'âme, me retrouvant comme dans une région qui n'était pas de ce monde, j'eus une vision, ou un rêve, c'est selon.

Je pénétrais par un escalier étroit dans un boyau souterrain, comme si j'entrais dans la crypte du trésor, mais je parvenais, toujours en descendant, à une crypte plus vaste qui était les cuisines de l'Edifice. Il s'agissait certainement des cuisines, mais nanties outre que de fours et de marmites, de soufflets aussi et de marteaux, comme si c'était aussi un lieu de réunion pour les forgerons de Nicolas. C'était une rutilance d'éclairs rouges de poêles et de chaudrons, et de casseroles bouillantes qui lançaient de la fumée tandis qu'à la surface de leurs liquides montaient de grosses bulles crépitantes qui s'ouvraient d'un coup dans une rumeur sourde et continue. Les cuisiniers agitaient bien haut leurs broches, alors que les novices, s'étant tous donné rendez-vous ici, bondissaient pour capturer les poulets et autre gibier à plume enfilé sur ces fers chauffés au rouge. Mais, à côté, les forgerons martelaient avec une telle force que tout l'air en était assourdi, et des nues d'étincelles s'élevaient des enclumes en se confondant avec celles que les deux fours vomissaient.

Je ne comprenais pas si je me trouvais en enfer ou dans un paradis tel qu'aurait pu le concevoir Salvatore, ruisselant de jus et palpitant d'andouillettes. Mais je n'eus pas le temps de me demander où j'étais, parce qu'une troupe d'avortons, de nabots aux grosses têtes en forme de braisière, entra en courant et, m'emportant dans son élan, me poussa sur le seuil du réfectoire, me contraignit à entrer.

La salle était parée comme pour une fête. De grandes tapisseries pendaient aux murs, mais les images qui les ornaient n'étaient pas de celles qui d'habitude font appel à la piété des fidèles ou célèbrent les gloires des rois. Elles me semblaient plutôt s'inspirer des marginalia d'Adelme et d'entre ses figures elles reproduisaient les moins effrayantes et les plus bouffonnes : des lièvres qui dansaient autour d'un mât de cocagne, des rivières sillonnées de poissons qui se jetaient spontanément dans la poêle, tendue par des singes vêtus en évêques-cuisiniers, monstres au ventre gras qui dansaient autour de marmites fumantes.

Au centre de la table se tenait l'Abbé, avec ses habits de fête, une grande robe de pourpre brodée, empoignant sa fourchette comme un sceptre. A côté de lui, Jorge s'abreuvait à un grand pichet de vin, et le cellérier, habillé comme Bernard Gui, lisait vertueusement dans un livre en forme de scorpion la vie des saints et des passages de l'Evangile, mais c'étaient des histoires qui racontaient que Jésus plaisantait avec l'apôtre en lui rappelant qu'il était une pierre et que sur cette pierre éhontée qui roulait à travers la plaine il fonderait son Eglise, ou l'histoire de saint Jérôme qui commentait la Bible en disant que Dieu voulait dénuder le derrière de Jérusalem. Et à chaque phrase du cellérier, Jorge riait en donnant du poing sur la table et s'écriait : « Tu seras le prochain Abbé, ventre-Dieu ! », c'est précisément son expression, que Dieu me pardonne.

A un signe badin de l'Abbé, la théorie des vierges fit son entrée. C'était un resplendissant défilé de femmes richement vêtues, au milieu desquelles j'eus tout d'abord l'impression de distinguer ma mère, puis je me rendis compte de ma bévue, car il s'agissait sûrement de la jeune fille redoutable comme des bataillons. Sauf qu'elle portait sur la tête une couronne de perles blanches, sur deux rangs, et deux autres cascades de perles descendaient de chaque côté de son visage, s'entremêlant à deux autres rangs de perles en sautoir, et à chaque perle était accroché un diamant gros comme une prune. En outre, de ses oreilles coulait un rang de perles bleues qui se rejoignaient en gorgerette à la base de son col, blanc et droit comme une tour du Liban. Son manteau était couleur droite-épine, et elle tenait à la main une coupe d'or constellée de diamants dans laquelle je sus, je ne sais comme, qu'on renfermait l'onguent létal dérobé un jour à Séverin. Suivaient cette femme, belle comme l'aurore, d'autres figures féminines, l'une vêtue d'un manteau blanc brodé sur une robe sombre ornée d'une double étole d'or festonnée de fleurs des champs ; la seconde avait un manteau de damas jaune, sur une robe rose pâle parsemée de feuilles vertes et où se dessinaient deux grands carrés filés en forme de labyrinthe brun ; et la troisième avait le manteau rouge et la robe émeraude brochée de petits animaux rouges, et elle tenait dans ses mains une étole blanche brodée ; quant aux autres, je n'observai pas leurs vêtures, car je cherchais à comprendre quelles étaient celles qui accompagnaient la jeune fille, si ressemblante maintenant à la Vierge Marie ;

et comme si chacune exhibait à la main, ou expulsait de sa bouche, un cartouche, je sus qu'elles étaient Ruth, Sara, Suzanne et d'autres femmes des Ecritures.

A ce moment-là, l'Abbé cria : « Entrez donc, fils de pute ! » et dans le réfectoire entra une autre troupe bien ordonnée de saints personnages, que je reconnus aussitôt, austèrement et splendidement habillés, et au centre de la troupe se trouvait un trônant, qui était Notre Seigneur mais dans le même temps Adam, vêtu d'un manteau de pourpre qu'un grand diadème rouge et blanc de rubis et de perles d'Orient fixait aux épaules, coiffé d'une couronne semblable à celle de la jeune fille, avec dans sa main une coupe plus large, pleine du sang des porcs. D'autres personnages très saints dont je parlerai, tous fort connus de moi, faisaient cercle autour de lui, outre une bande d'archers du roi de France, vêtus les uns en vert les autres en rouge, avec un écu smaragdin sur lequel tranchait le monogramme de Christ. Le chef de cette brigade s'avança pour rendre hommage à l'Abbé et lui présenta la coupe tout en disant : « Saü avek kes terres pour kes fins ke ki kontient, trente ans les possédez part sancti Benedicti. » A quoi l'Abbé répondit : « Age primum et septimum de quatuor » et tous entonnèrent : « In finibus Africae, amen. » Ensuite tous sederunt.

Une fois dispersées les deux troupes, à un ordre de l'Abbé, Salomon se disposa à mettre le couvert, Jacques et André apportèrent une botte de foin, Adam s'installa au milieu, Eve se coucha sur une feuille, Caïn entra en traînant une charrue, Abel vint avec un seau pour traire Brunel, Noé fit une entrée triomphale en ramant debout sur l'arche, Abraham s'assit sous un arbre, Isaac se coucha sur l'autel d'or de l'église, Moïse s'accroupit sur un caillou, Daniel apparut sur une estrade funèbre au bras de Malachie, Tobie s'allongea sur un lit, Joseph se jeta sur un boisseau, Benjamin s'étendit sur un sac et puis encore, mais à ce point la vision devenait confuse, David resta sur un tertre, Jean par terre, Pharaon sur le sable (naturellement, me dis-je, mais pourquoi ?), Lazare sur la table, Jésus sur la margelle du puits, Zachée sur les branches d'un arbre, Matthieu sur un escabeau, Raab sur l'étoupe, Ruth sur la paille, Técla sur le rebord de la fenêtre (de l'extérieur apparut le visage pâle d'Adelme l'avertissant qu'on pouvait faire une belle chute le long de l'à-pic), Suzanne dans le jardin, Judas parmi les tombes, Pierre en chaire, Jacques sur un filet, Elie sur une selle, Rachel sur un ballot. Et l'apôtre Paul, l'épée au rancart, écoutait Esaü qui ronchonnait, tandis que Job gémissait sur le fumier et qu'à son aide accouraient Rébecca avec une robe, Judith avec une couverture, Agar avec un drap mortuaire, et quelques novices apportaient un énorme chaudron fumant d'où bondissait Venantius de Salvemec, tout rouge, qui commençait à distribuer des boudins pur sang de porc.

Le réfectoire se remplissait à présent de plus en plus et tous s'empiffraient, Jonas servait des courges, Isaïe des légumes variés, Ezéchiel des mûres, Zachée des fleurs de sycomore, Adam des citrons, Daniel des lupins, Pharaon des poivrons, Caïn des cardons, Eve des figues, Rachel des prunelles, Ananias des abricots gros comme des diamants, Lia des oignons, Aaron des olives, Joseph un œuf, Noé du raisin, Siméon des noyaux de pêches, tandis que Jésus chantait le *Dies irae* et répandait allégrement sur toutes ces nourritures du vinaigre qu'il pressait d'une petite éponge qu'il avait prise sur la lance d'un des archers du roi de France.

« Mes enfants, ô mes brebis, dit alors l'Abbé, ivre maintenant, vous ne pouvez souper habillés de la sorte, comme des gueux, venez, venez. » Et il frappait le premier et le septième des quatre qui sortaient difformes comme des spectres, du plus profond du miroir, le miroir volait en éclats et projetait au sol, le long des salles du labyrinthe, des robes multicolores incrustées de pierres, toutes crasseuses et déchirées. Et Zacharie prit une robe blanche, Abraham une grivelée, Lot une soufrée, Jonas azurée, Técla carminée, Daniel tigrée, Jean irisée, Adam fourrée, Judas en deniers d'argent, Raab écarlate, Eve couleur de l'arbre du bien et du mal, et qui la prenait diaprée, qui plombée, qui pourprée et qui ardoisée, qui mordorée et qui murexée, ou bien cuivrée et bistrée et hyacinthe et couleur de feu et de soufre, et Jésus se pavanait dans une robe gorge-de-pigeon et en riant accusait Judas de n'avoir jamais su plaisanter en sainte gaieté.

Et à ce moment-là Jorge, une fois ôtés ses vitra ad legendum, alluma un buisson ardent que Sara alimentait avec du bois, que Jephté avait ramassé, Isaac chargé, Joseph coupé, et tandis que Jacob ouvrait le puits et Daniel s'asseyait près du lac, les serviteurs apportaient de l'eau, Noé du vin, Agar une outre, Abraham un veau que Raab attacha à un pieu alors que Jésus présentait la corde et qu'Elie lui liait les pieds : puis Absalon le suspendit par les cheveux, Pierre offrit son épée, Caïn le tua, Hérode en versa le sang, Sem le débarrassa des viscères et des excréments, Jacob mit l'huile, Molessadon le sel, Antiochus le mit sur le feu, Rébecca le fit cuire et Eve en goûta la première et mal lui en prit, mais Adam disait qu'il ne fallait plus y penser et donnait de grandes tapes dans le dos de Séverin qui conseillait d'y ajouter des herbes aromatiques. Ensuite Jésus rompit le pain, distribua des poissons, Jacob criait parce que Esaü lui avait mangé toutes ses lentilles, Isaac dévorait à lui seul un chevreau cuit au four et Jonas une baleine bouillie, et Jésus resta à jeun pendant quarante jours et quarante nuits.

Cependant tous entraient et sortaient les bras chargés des meilleures pièces de gibier de toutes les formes et de toutes les couleurs, dont Benjamin se réservait toujours la plus grosse part et Marie la plus délicate, tandis que Marthe se plaignait de devoir toujours laver tous les plats. Ensuite ils partagèrent le veau qui entre-temps était devenu énorme et Jean en eut la tête, Absalon la nuque, Aaron la langue, Samson la mâchoire, Pierre l'oreille, Holopherne la tête avec Jean, Lia le cul, Saül le cou, Jonas le ventre, Tobie le fiel, Eve la côte, Marie le sein, Elisabeth la vulve, Moïse la queue, Lot les jambes et Ezéchiel les os. Pendant ce temps-là Jésus dévorait un âne à belles dents, saint François un loup, Abel un mouton, Eve une murène, Baptiste une sauterelle, Pharaon un poulpe (naturellement, me dis-je, mais pourquoi ?) et David mangeait de la cantharide en se jetant sur la jeune fille nigra sed formosa tandis que Samson plantait ses dents dans le derrière d'un lion et que Técla s'enfuyait en hurlant, poursuivie par une araignée noire et velue.

Tous à présent étaient évidemment ivres, et qui glissait sur le vin, qui tombait dans les poêlons ne laissant dépasser que deux jambes croisées comme deux piquets, et Jésus avait tous ses doigts noirs et il offrait les feuillets d'un livre en disant prenez et mangez, ce sont les énigmes de Symphosius, parmi lesquelles celle du poisson qui est le fils de Dieu et votre sauveur. Et tous de boire, Jésus du vin de paille, Jonas de l'entre-deux-mers, Pharaon du sorrente (pourquoi ?), Moïse du vin de canne, Isaac du crétois, Aaron de l'adrien, Zachée du vin brûlé, Técla du capiteux, Jean de l'albain, Abel du campanie, Marie du bouqueté, Rachel du florentin.

Adam gargouillait renversé en arrière et le vin sortait de sa côte, Noé maudissait Cam dans son sommeil, Holopherne ronflait sans se douter de rien, Jonas dormait seul, Pierre veillait jusqu'au chant du coq et Jésus se réveilla en sursaut en entendant Bernard Gui et Bertrand du Poggetto qui se proposaient de brûler la jeune fille ; et il cria : père s'il est possible passe-moi ce calice ! Et qui versait mal, qui buvait bien, qui mourait en riant et qui riait en mourant, qui trimbalait son flacon et qui buvait dans le verre des autres. Suzanne hurlait qu'elle n'aurait jamais dû céder son beau corps blanc au cellérier et à Salvatore pour un misérable cœur de bœuf, Pilate rôdait dans le réfectoire comme une âme en peine en demandant de l'eau pour ses mains et fra Dolcino, la plume au chapeau, la lui apportait, puis il ouvrait sa robe en ricanant et montrait ses pudenda rouges de sang, tandis que Caïn se gaussait de lui en étreignant la belle Marguerite de Trente : et Dolcino se mettait à pleurer et allait poser la tête sur l'épaule de Bernard Gui en l'appelant pape angélique, Ubertin le consolait avec un arbre de la vie, Michel de Césène avec une bourse d'or, les Marie le couvraient d'onguents et Adam le persuadait de mordre une pomme à peine cueillie.

Et alors s'ouvrirent les voûtes de l'Edifice et Roger Bacon descendit du ciel sur une machine volante, unico homine regente. Puis David joua de la cithare, Salomé dansa avec ses sept voiles et à chaque voile qui tombait, elle sonnait une des sept trompettes et montrait un des sept sceaux, jusqu'à ce qu'elle restât uniquement *amicta sole.* Tout le monde disait qu'on n'avait jamais vu une abbaye aussi joyeuse et Bérenger retroussait à chacun sa robe, hommes et femmes, les baisant au fondement. Et les premières mesures d'une danse se firent entendre, Jésus était habillé en maître, Jean en gardien, Pierre en rétiaire, Nemrod en chasseur, Judas en délateur, Adam en jardinier, Eve en tisserande, Caïn en voleur de grand chemin, Abel en pasteur, Jacob en curseur, Zacharie en prêtre, David en roi, Jubal en citharède, Jacques en pêcheur, Antiochus en cuisinier, Rébecca en porteuse d'eau, Molessadon en idiot, Marthe en servante, Hérode en fou furieux, Tobie en médecin, Joseph en menuisier, Noé en ivrogne, Isaac en paysan, Job en homme triste, Daniel en juge, Tamar en prostituée, Marie en maîtresse de maison et elle ordonnait aux serviteurs d'aller chercher encore du vin, car son insensé de fils ne voulait pas changer l'eau en nectar.

Ce fut alors que l'Abbé entra en fureur car, disait-il, c'était lui qui avait organisé une aussi belle fête et personne ne lui donnait rien : en un éclair tous rivalisèrent pour lui apporter dons et trésors, un taureau, une brebis, un lion, un chameau, un cerf, un veau, une jument, un chariot solaire, le menton de saint Eoban, la queue de sainte Morimonde, l'utérus de sainte Arundaline, la nuque de sainte Burgosine ciselée comme une coupe à l'âge de douze ans, et un exemplaire du *Pentagonum Salomonis.* Mais l'Abbé se mit à crier que ce faisant ils cherchaient à détourner son attention et lui saccageaient de fait la crypte du trésor, où maintenant nous nous trouvions tous, et qu'un livre très précieux avait été distrait, qui parlait des scorpions et des sept trompettes, et il appelait les archers du roi de France pour qu'ils fouillassent tous les suspects. Et on retrouva, à la honte de tous, un drap multicolore sur Agar, un sceau d'or sur Rachel, un miroir d'argent sur le sein de Técla, un siphon pour breuvages sous le bras de Benjamin, une couverture de soie sous les robes de Judith, une lance à la main de Longin et l'épouse d'un autre dans les bras d'Abimelech. Mais survint le pire lorsqu'ils trouvèrent un chat noir sur la jeune fille, noire et d'une admirable beauté comme un chat de la même couleur, et ils l'appelèrent sorcière et pseudo-apôtre, au point qu'ils se jetèrent tous sur elle pour la punir. Baptiste la décapita, Abel l'égorgea, Adam la chassa, Nabuchodonosor lui écrivit d'une main de feu des signes zodiacaux sur les seins, Elie la ravit sur son char de feu, Noé la plongea dans l'eau, Lot la changea en une statue de sel, Suzanne l'accusa de luxure, Joseph la trahit avec une autre, Ananias la fourra dans une fournaise, Samson l'enchaîna, Paul la flagella, Pierre la crucifia la tête en bas, Etienne la lapida, Laurent la brûla sur le gril, Barthélemy l'écorcha, Judas la dénonça, le cellérier la lia sur le bûcher, et Pierre niait tout. Après quoi, ils s'élancèrent tous sur ce corps la recouvrant d'étrons, lui pétant sur le visage, lui pissant sur la tête, lui vomissant entre les seins, lui arrachant les cheveux, lui frappant les fesses avec des flambeaux ardents. Le corps de la jeune fille, si beau et si doux naguère, se décharnait maintenant, se fractionnant en mille fragments qui s'éparpillaient dans les châsses et les reliquaires de cristal et d'or de la crypte. En vérité, ce n'était pas le corps de la jeune fille qui allait peuplant la crypte, c'étaient les fragments de la crypte qui en tourbillonnant peu à peu se composaient pour former le corps de la jeune fille, chose minérale désormais, et puis de nouveau se décomposaient en s'éparpillant, poussière sacrée de segments accumulés par une impiété forcenée. On eût dit à présent d'un seul corps immense qui s'était au cours des millénaires dissous dans ses parties et que ces parties s'étaient disposées pour occuper toute la crypte, plus resplendissante mais non dissemblable de l'ossuaire des moines défunts, et que la forme substantielle du corps même de l'homme, chef-d'œuvre de la création, s'était fragmentée en formes accidentelles multiples et séparées, devenant ainsi image de son propre contraire, forme non plus idéale mais terrestre, de poussière et esquilles nauséabondes, uniquement capables de signifier mort et destruction...

Je ne retrouvais plus maintenant les personnages du festin, et les dons qu'ils avaient apportés, c'était comme si tous les hôtes de ce banquet gisaient à présent dans la crypte chacun momifié en son propre débris, chacun diaphane synecdoque de soi-même, Rachel comme un os, Daniel comme une dent, Samson comme une mâchoire, Jésus comme un lambeau de robe purpurine. Comme si à la fin, la fête s'étant transformée en massacre de la jeune fille, le festin était devenu le massacre universel et que j'en voyais ici le résultat dernier, les corps (que dis-je ? la totalité du corps terrestre et sublunaire de ces commensaux faméliques et assoiffés) changés en un unique corps mort, déchiré et tourmenté comme le corps de

Dolcino après le supplice, changé en un immonde et rayonnant trésor, étendu de toute sa surface comme la peau d'un animal écorché et suspendu, qui cependant contiendrait encore pétrifiés, avec son cuir, ses entrailles et ses organes au complet, et les traits mêmes de son visage. La peau avec chacun de ses plis, rides, cicatrices, avec ses plateaux veloutés, avec la forêt des poils, de l'épiderme, de la poitrine, et des pudenda, devenues un somptueux damas, et les seins, les ongles, les formations cornées sous le talon, les filaments des cils, la matière aqueuse des yeux, la pulpe des lèvres, la fragile épine dorsale, l'architecture des os, tout réduit en farine sablonneuse, sans que rien n'eût pourtant perdu de sa forme propre ni de sa disposition relative, les jambes vidées et floches comme une chausse, leur chair disposées à côté comme une chasuble avec toutes les arabesques vermeilles des veines, l'amas giselé des viscères, l'intense et muqueux rubis du cœur, la théorie nacrée des dents toutes égales disposées en collier, avec la langue en guise de pendentif rose et bleu, les doigts alignés comme des cierges, le sceau du nombril renouant les fils relâchés sur le tapis du ventre... De tout côté, dans la crypte, il ricanait maintenant à mon nez, me susurrait à l'oreille, m'invitait à la mort, ce macrocorps réparti dans les châsses et les reliquaires et toutefois reconstruit dans sa vaste et déraisonnable totalité, et c'était le même corps qui au souper mangeait et faisait des entrechats obscènes et ici m'apparaissait au contraire fixé désormais dans l'intangibilité de sa ruine sourde et aveugle. Et Ubertin, me saisissant par le bras, à m'en planter ses ongles dans les chairs, me murmurait : « Tu vois, c'est la même chose, celui qui d'abord triomphait dans sa folie et qui se plaisait à son jeu, est ici maintenant, puni et récompensé, libéré de la séduction des passions, roidi par l'éternité, remis au gel éternel pour qu'il le conserve et le purifie, soustrait à la corruption à travers l'apothéose de la corruption, car rien ne pourra plus réduire en poussière ce qui est déjà poussière et substance minérale, mors est quies viatoris, finis est omnis laboris... »

Mais soudain dans la crypte entra Salvatore, flamboyant comme un vilain diable, et il cria : « Idiot ! Ne vois-tu pas que c'est là la grande bête Béhémoth du livre de Job ? De quoi a donc peur mon petit maître ? Voici l'angelot en palette ! » Et soudain la crypte s'illumina de lueurs rougeâtres et c'étaient de nouveau les cuisines, mais plus que des cuisines c'était l'intérieur d'un grand ventre, muqueux et visqueux, avec au centre une bête noire comme un corbeau muni de mille mains, enchaîné à une grande grille, allongeant ses membres pour se saisir de tous ceux qui se trouvaient autour de lui, et comme le vilain quand il a soif presse une grappe de raisin, ainsi cet animal énorme pressait ses captures de façon qu'il les brisait toutes de ses mains, qui les jambes, qui la tête, pour en faire ensuite une grande ventrée, et éructer un feu qui paraissait plus puant que le soufre. Pourtant, très admirable mystère, cette scène ne m'inspirait plus d'effroi et je me surprenais à regarder avec familiarité ce « bon diable » (ainsi pensai-je) qui après tout n'était autre que Salvatore, car à présent du corps humain mortel, de ses souffrances et de sa corruption, je savais tout et ne craignais plus rien. En effet dans cette lumière projetée par les flammes, dès lors semblant douce et accueillante, je revis tous les hôtes du souper, rendus à leur figure, qui chantaient en affirmant que de nouveau tout recommençait, et parmi eux la jeune fille, intègre et splendide, qui me disait : « Ce n'est rien, ce n'est rien, tu verras que je redeviendrai ensuite plus belle qu'avant, laisse-moi aller rien qu'un moment brûler sur le bûcher, et puis nous nous reverrons là-dedans ! » Et elle me montrait, que Dieu me pardonne, sa vulve, où je pénétrai, et je me trouvai dans une caverne merveilleuse, qui avait l'air de la vallée charmante de l'âge d'or, irriguée de rosée, couverte de fruits et d'arbres sur lesquels poussaient les angelots en palette. Et tous de remercier l'Abbé pour cette belle fête, et de lui manifester affection et bonne humeur en lui flanquant des coups de coude, des coups de pied, en lui arrachant sa robe, le projetant par terre, lui donnant des verges sur la verge, tandis qu'il riait et priait qu'on ne le chatouillât plus. Et à cheval sur des chevaux qui soufflaient des nuages de soufre par les naseaux, entrèrent les frères de pauvre vie qui portaient à la ceinture des bourses pleines d'or avec lesquelles ils convertissaient les loups en agneaux et les agneaux en loups et les couronnaient empereurs avec l'approbation de l'assemblée du peuple qui acclamait l'omnipotence infinie de Dieu. « Ut cachinnis dissolvatur, torqueatur rictibus ! » criait Jésus en agitant sa couronne d'épines. Entra le pape Jean pestant contre la chienlit et disant : « De ce pas, je ne sais où nous allons finir ! » Mais tous le moquaient et, l'Abbé en tête, ils sortirent avec les cochons pour chercher des truffes dans la forêt. Je m'apprêtais à les suivre, lorsque je vis dans un coin Guillaume qui sortait du labyrinthe, et tenait dans la main l'aimant qui l'entraînait à vive allure vers le septentrion. « Maître, ne m'abandonnez pas ! m'écriai-je. Je veux voir moi aussi ce qu'il y a dans le finis Africae !

— Tu l'as déjà vu ! » me répondit Guillaume déjà perdu dans les lointains. Et je me réveillai au moment où s'achevaient dans l'église les dernières paroles du chant funèbre :

Lacrimosa dies illa
qua resurget ex favilla
iudicandus homo reus :
huic ergo parce deus !
Pie Iesu domine
dona eis requiem.

Signe que ma vision, si elle n'avait pas duré, foudroyante comme toutes les visions, la durée d'un amen, avait duré un peu moins qu'un *Dies irae*.

Sixième jour

APRÈS TIERCE

Où Guillaume explique son rêve à Adso.

Je sortis tout étourdi par le portail principal et me trouvai devant une petite foule. C'étaient les franciscains qui partaient, et Guillaume avait quitté le scriptorium pour les saluer.

Je me joignis aux adieux, aux embrassements fraternels. Ensuite je demandai à Guillaume quand les autres partiraient, avec leurs prisonniers. Il me dit qu'ils étaient déjà partis une demi-heure avant, alors que nous étions dans le trésor, peut-être, pensai-je, alors que j'étais déjà en train de rêver.

Un instant j'en fus consterné, puis je me repris. Mieux valait ainsi. Je n'aurais pu supporter la vision des condamnés (je parle du pauvre malheureux cellérier, de Salvatore... et, certes, je veux parler aussi de la jeune fille), emportés loin et pour toujours. Et puis j'étais encore si troublé par mon rêve que mes sentiments mêmes s'étaient comme glacés.

Tandis que la caravane des minorites se dirigeait vers la sortie de l'enceinte, Guillaume et moi restâmes devant l'église, l'un et l'autre mélancolique, encore que pour différentes raisons. Je décidai alors de raconter le rêve à mon maître. Pour multiforme et illogique qu'eût été ma vision, je me la rappelais avec une extraordinaire lucidité, image par image, geste par geste, mot par mot. Et ainsi la racontai-je, sans rien négliger, car je savais que les rêves sont souvent des messages mystérieux où les personnes doctes peuvent lire de lumineuses prophéties.

Guillaume m'écouta en silence, puis il me demanda : « Sais-tu à quoi tu as rêvé ?

— A ce que je vous ai dit... répondis-je déconcerté.

— Certes, je t'entends bien. Mais sais-tu qu'en grande partie ce que tu m'as raconté a déjà été écrit ? Tu as inséré des personnes et des événements de ces jours-ci dans un cadre que tu connaissais, car la trame du rêve tu l'as déjà lue quelque part, ou bien on te l'a racontée quand tu étais enfant, à l'école, au couvent. C'est la *Coena Cypriani.* »

Je demeurai un instant perplexe. Puis je me souvins. C'était vrai ! Sans doute en avais-je oublié le titre, mais quel moine adulte ou moinillon agité n'a pas souri ou ri des différentes visions, en prose ou vers, de cette histoire qui appartient à la tradition du rite pascal et des ioca monachorum ? Interdite ou blâmée par les plus austères d'entre les maîtres des novices, il n'est toutefois point de couvent où les moines ne la fasse circuler de bouche à oreille, diversement résumée et arrangée, tandis que certains la transcrivaient en catimini, soutenant que derrière le masque de l'enjouement elle cachait de secrets enseignements moraux ; et d'autres en encourageaient la diffusion car, disaient-ils, à travers le jeu les jeunes pouvaient plus aisément apprendre par cœur les épisodes de l'histoire sainte. Une version en vers avait été écrite pour le souverain pontife Jean VIII, avec ces mots dédicatoires : « Ludere me libuit, ludentem, papa Johannes, accipe. Ridere, si placet, ipse potes. » Et l'on disait que Charles le Chauve lui-même en avait mis en scène, sous forme de plaisant mystère sacré, une version rimée pour divertir aux repas ses dignitaires :

Ridens cadit Gaudericus
Zacharias admiratur,
supinus in lectulum
docet Anastasius...

Et que de reproches n'avais-je pas dû essuyer de la part de mes maîtres, lorsque avec mes compagnons nous nous en récitions des morceaux. Je me souvenais d'un vieux moine de Melk disant qu'un homme vertueux comme Cyprien n'avait pu écrire une chose aussi indécente, une pareille et sacrilège parodie des Ecritures, plus digne d'un infidèle et d'un bouffon que d'un saint martyr... Depuis des années j'avais oublié ces jeux enfantins. Comment se faisait-il que précisément ce jour, la *Coena* était réapparue avec un tel éclat dans mon rêve ? J'avais toujours pensé que les rêves étaient des messages divins, ou à la rigueur qu'ils étaient d'absurdes balbutiements de la mémoire endormie concernant des choses qui s'étaient passées durant le jour. Je m'aperçois maintenant qu'on peut aussi rêver de livres, et qu'on peut donc rêver de rêves.

« J'aimerais être Artémidore pour interpréter correctement ton rêve, dit Guillaume. Mais il me semble que même sans la science d'Artémidore il est facile de comprendre ce qui est arrivé. Tu as vécu ces jours-ci, mon pauvre garçon, une série d'événements où toute juste règle paraît s'être délitée. Et ce matin a réaffleuré à ton esprit endormi le souvenir d'une sorte de comédie où, fût-ce sans doute avec d'autres fins, le monde se présentait la tête en bas. Tu y as inséré tes souvenirs les plus récents, tes angoisses, tes craintes. Tu es parti des marginalia d'Adelme pour revivre un grand carnaval où tout semble aller de travers, et où pourtant, comme dans la *Coena*, chacun fait ce qu'il a vraiment fait dans la vie. Et à la fin tu t'es demandé, en rêve, quel est le monde qui va de travers, et que veut dire avancer la tête en bas. Ton rêve ne savait plus où était le haut et où le bas, où la mort et où la vie. Ton rêve a révoqué en doute les enseignements que tu as reçus.

— Pas moi, dis-je vertueusement, mais bien mon rêve. Et alors, les rêves ne sont pas des messages divins, mais des divagations diaboliques, et ils ne renferment aucune vérité !

— Je l'ignore, Adso, dit Guillaume. Nous avons déjà tant de vérités dans les mains que le jour où il arriverait aussi quelqu'un pour prétendre extraire une vérité de nos rêves, alors vraiment les temps de l'Antéchrist seraient proches. Et pourtant, plus je pense à ton rêve, plus je le trouve révélateur. Peut-être pas pour toi, mais pour moi. Tu m'excuseras si je m'approprie tes rêves pour développer mes hypothèses, je le sais, c'est assez vil, cela ne devrait pas se faire... Mais je crois que ton âme endormie a compris plus de choses que je n'en ai compris, moi, pendant ces six jours, et bien réveillé...

— Vrai ?

— Vrai. Ou peut-être pas. Je le trouve révélateur ton rêve parce qu'il coïncide avec une de mes hypothèses. En tout cas tu m'as été d'une aide précieuse. Merci.

— Mais qu'y avait-il de si intéressant pour vous dans mon rêve ? Il n'avait ni queue ni tête, comme tous les rêves !

— Il avait une autre queue, une autre tête, comme tous les rêves, et les visions. Il faut le lire allégoriquement ou anagogiquement...

— Comme les Ecritures ! ?

— Un rêve est une écriture, et maintes écritures ne sont que des rêves. »

Sixième jour

SEXTE

Où l'on reconstruit l'histoire des bibliothécaires et l'on a quelques nouvelles supplémentaires sur le livre mystérieux.

Guillaume voulut remonter au scriptorium, dont il venait de descendre. Il demanda à Bence de consulter le catalogue, et il le feuilleta rapidement. « Il doit être par là, disait-il, je l'avais précisément vu il y a une heure... » Il s'arrêta sur une page. « Voilà, dit-il, lis ce titre. »

Sous une seule référence (finis Africae !) se trouvait une liste de quatre titres, signe qu'il s'agissait d'un seul volume qui contenait plusieurs textes. Je lus :

I. ar. de dictis cujusdam stulti
II. syr. libellus alchemicus aegypt.
III. Expositio Magistri Alcofribae de cena beati Cypriani Cartaginensis Episcopi
IV. Liber acephalus de stupris virginum et meretricum amoribus

« De quoi s'agit-il ? demandai-je.

— C'est notre livre, me murmura Guillaume. Voilà pourquoi ton rêve m'a suggéré quelque chose. Maintenant je suis certain que c'est lui. Et de fait... (il feuilletait rapidement les pages immédiatement précédentes et les suivantes), de fait voici les livres auxquels je pensais, tous ensemble. Mais ce n'est pas cela que je voulais contrôler. Ecoute. Tu as ta tablette ? Bon, nous devons faire un calcul, et cherche à bien te rappeler d'une part ce que nous a dit Alinardo l'autre jour, d'autre part ce que nous a raconté Nicolas ce matin. Or, Nicolas nous a dit que lui-même est arrivé ici il y a environ trente ans et qu'Abbon avait déjà été nommé abbé. Avant lui, c'était Paul de Rimini. Exact ? Disons que cette succession a lieu autour de 1290, à une année près, peu importe. Ensuite Nicolas nous a dit que, lorsque lui est arrivé, Robert de Bobbio était déjà bibliothécaire. D'accord ? Puis il meurt, et la place est confiée à Malachie, disons au début de ce siècle. Ecris. Il y a cependant une période précédant la venue de Nicolas, où Paul de Rimini est bibliothécaire. Depuis quand l'était-il ? On ne nous l'a pas dit, nous pourrions examiner les registres de l'abbaye, mais je suppose qu'ils sont chez l'Abbé, et pour le moment je ne voudrais pas le lui demander. Faisons l'hypothèse que Paul a été élu bibliothécaire il y a soixante ans, écris. Pourquoi Alinardo se plaint-il du fait que, voilà environ cinquante ans, la place de bibliothécaire devait lui revenir, et qu'en revanche elle fut attribuée à un autre ? Faisait-il allusion à Paul de Rimini ?

— Ou bien à Robert de Bobbio ! dis-je.

— Il semblerait. Mais à présent observe ce catalogue. Tu sais que les titres sont enregistrés, c'est Malachie qui nous l'a dit le premier jour, dans l'ordre des acquisitions. Et qui les inscrit sur ce registre ? Le bibliothécaire. Donc, selon le changement de calligraphie dans ces pages, nous pouvons établir la succession des bibliothécaires. Maintenant prenons le catalogue par la fin, la dernière calligraphie est celle de Malachie, très gothique, comme tu vois. Et elle remplit peu de pages. L'abbaye n'a pas acquis beaucoup de livres ces trente dernières années. Après quoi commence une suite de pages écrites d'une main tremblante, j'y vois clairement la marque de Robert de Bobbio, malade. Là aussi, il s'agit de quelques pages, Robert ne reste probablement pas longtemps en charge. Et voici ce que nous trouvons à présent : des pages et des pages d'une autre calligraphie, droite et assurée, une série d'acquisitions (parmi lesquelles le groupe de livres que j'examinais il y a un instant) vraiment impressionnante. Quel travail il a dû abattre, Paul de Rimini ! Trop, si tu songes que Nicolas nous a dit qu'il devint abbé à un très jeune âge. Mais supposons qu'en peu d'années ce lecteur vorace ait enrichi l'abbaye d'autant de livres... Ne nous a-t-on pas dit qu'on l'appelait Abbas agraphicus à cause de cet étrange défaut, ou maladie, en raison de quoi il ne parvenait pas à écrire ? Et alors qui écrivait ici ? Je serais tenté de dire son aide-bibliothécaire. Mais si par hasard cet aide-bibliothécaire avait été ensuite nommé bibliothécaire, c'est donc toujours lui qui aurait continué à écrire, et nous aurions compris pourquoi il y a ici tant de pages calligraphiées de la même main. Nous aurions alors, entre Paul et Robert, un autre bibliothécaire, élu il y a environ cinquante ans, qui est le mystérieux concurrent d'Alinardo, lequel espérait succéder lui, le plus ancien, à

Paul. Celui-ci disparaît et d'une manière ou d'une autre, contre l'attente d'Alinardo et des moines, à sa place est élu Malachie.

— Mais pourquoi êtes-vous aussi certain que ce soit l'enchaînement exact ? Supposé même que cette calligraphie soit du bibliothécaire sans nom, pourquoi, au contraire, les titres des pages précédentes encore ne pourraient-ils être de Paul ?

— Parce que parmi ces acquisitions sont enregistrées toutes les bulles et les décrétales, qui ont une date précise. En somme, si tu trouves ici, comme c'est le cas, la *Firma cautela* de Boniface VII, datée de 1296, tu sais que ce texte n'est pas entré avant cette année-là, et tu peux penser qu'il n'est pas arrivé beaucoup plus tard. Grâce à quoi, j'ai comme des pierres milliaires disposées le long des ans, et si j'admets que Paul de Rimini devient bibliothécaire en 1265, et abbé en 1275, tout en trouvant ensuite que sa calligraphie, ou celle de quelqu'un d'autre qui n'est pas Robert de Bobbio, dure de 1265 à 1285, je découvre une différence de dix années. »

Mon maître avait vraiment un esprit très subtil. « Mais quelles conclusions tirez-vous de cette découverte ? demandai-je alors.

— Aucune, me répondit-il, rien que des prémisses. »

Puis il se leva et se dirigea vers Bence. Ce dernier était bravement à son poste, mais avec un air fort peu assuré. Encore à son ancienne table, il n'avait pas osé prendre celle de Malachie près du catalogue. Guillaume l'aborda avec un certain détachement. Nous n'oubliions pas la scène désagréable de la veille au soir.

« Tout puissant que tu sois devenu, sire bibliothécaire, tu voudras bien me dire une chose, j'espère. Le matin où Adelme et les autres discutèrent ici des énigmes subtiles, et Bérenger mentionna la première fois le finis Africae, quelqu'un nomma-t-il la *Coena Cypriani* ?

— Oui, dit Bence, je ne te l'avais pas dit ? Avant qu'on ne parlât des énigmes de Symphosius ce fut précisément Venantius qui fit allusion à la *Coena* et Malachie prit une colère, disant que c'était un ouvrage ignoble, et rappelant que l'Abbé en avait interdit à tous la lecture...

— L'Abbé, hein ? dit Guillaume. Très intéressant. Merci Bence.

— Attendez, dit Bence, je veux vous parler. » Il nous fit signe de le suivre hors du scriptorium, dans l'escalier qui descendait aux cuisines, de façon que les autres ne l'entendissent pas. Ses lèvres tremblaient.

« J'ai peur, Guillaume, dit-il. Ils ont tué même Malachie. Maintenant, je sais trop de choses. Et puis je suis mal vu du groupe des Italiens... Ils ne veulent plus d'un bibliothécaire étranger... Je pense que les autres ont été éliminés précisément pour cette raison... Je ne vous ai jamais parlé de la haine d'Alinardo pour Malachie, de sa rancœur...

— Quel est celui qui lui a subtilisé sa place, il y a des années ?

— Ça, je l'ignore, il en parle toujours d'une manière évasive, et puis c'est une très vieille histoire. Ils doivent être tous morts. Mais le groupe des Italiens autour d'Alinardo parle souvent... parlait souvent de Malachie comme d'un homme de paille, placé ici par quelqu'un d'autre, avec la complicité de l'Abbé... Moi, sans m'en rendre compte... je suis entré dans le jeu antagoniste de deux factions... Je ne l'ai compris que ce matin... L'Italie est une terre de conjurations, on y empoisonne les papes, figurons-nous un pauvre garçon comme moi... Hier je ne l'avais pas compris, je croyais que tout concernait ce livre, mais à présent je n'en suis plus si sûr, il ne fut qu'un prétexte : vous avez vu, le livre a été retrouvé et Malachie est mort quand même... Je dois... je veux... je voudrais m'enfuir. Que me conseillez-vous ?

— De garder ton sang-froid. Maintenant tu veux des conseils, n'est-ce pas ? Mais hier soir, tu paraissais le maître du monde. Idiot, si tu m'avais aidé hier, nous aurions empêché ce dernier crime. C'est toi qui as donné à Malachie le livre qui l'a conduit à la mort. Mais dis-moi une chose au moins. Toi, ce livre, tu l'as eu entre les mains, tu l'as touché, tu l'as lu ? Et alors pourquoi n'es-tu pas mort ?

— Je ne le sais pas. Je le jure, je ne l'ai pas touché, en vérité je l'ai touché pour le prendre dans le laboratoire, sans l'ouvrir, je l'ai caché sous ma coule et je suis allé le mettre en lieu sûr dans ma cellule, sous ma paillasse. Je savais que Malachie me surveillait et je suis revenu immédiatement dans le scriptorium. Après, lorsque Malachie m'a offert de devenir son aide, je l'ai emmené dans ma cellule et lui ai remis le livre. C'est tout.

— Ne me dis pas que tu ne l'as même pas ouvert.

— Oui, je l'ai ouvert, avant de le cacher, pour m'assurer qu'il s'agissait vraiment de celui que vous cherchiez vous aussi. Il commençait par un manuscrit arabe, suivait un autre en syrien je crois, puis il y avait un texte latin et pour finir un en grec... »

Je me rappelai les sigles que nous avions vus dans le catalogue. Les deux premiers étaient indiqués comme *ar.* et *syr.* C'était *le livre !* Mais Guillaume poursuivait sans relâche : « Tu l'as donc touché, et tu n'es pas mort. Alors on ne meurt pas à le toucher. Et du texte grec que peux-tu me dire ? L'as-tu regardé ?

— Fort peu, suffisamment pour comprendre qu'il était sans titre, il débutait comme s'il en manquait une partie...

— Liber acephalus... murmura Guillaume.

— ... j'ai tenté de lire la première page, mais en vérité je connais très mal le grec, il m'aurait fallu y passer plus de temps. Et enfin, je fus intrigué par un autre détail, justement à propos des pages en grec. Je ne les ai pas feuilletées du tout car je n'y parvins pas. Les pages étaient, comment dire, imprégnées d'humidité, elles ne se détachaient pas bien les unes des autres. Et cela parce que le parchemin était étrange... plus mou que les autres parchemins, la manière dont le premier feuillet était consumé, et se délitait presque, m'apparaissait... en somme, étrange.

— Etrange : l'expression dont se servit aussi Séverin, dit Guillaume.

— Le parchemin n'avait pas l'air de parchemin... On eût dit de l'étoffe, mais très fine... continuait Bence.

— Charta lintea, ou pergamino de pano, dit Guillaume. Tu n'en avais jamais vu ?

— J'en ai entendu parler, mais je ne crois pas en avoir vu. On dit qu'elle est très coûteuse, et fragile. Raison pour quoi on l'utilise peu. Ce sont les Arabes qui la fabriquent, n'est-ce pas ?

— Ils ont été les premiers. Mais on la fabrique ici aussi, en Italie, à Fabriano. Et aussi... Mais bien sûr, certes, bien sûr ! » Les yeux de Guillaume scintillaient. « Quelle belle, quelle intéressante révélation, bravo Bence, je te remercie ! Oui j'imagine qu'ici, dans la bibliothèque, la charta lintea est rare, car aucun manuscrit très récent n'est venu y aborder. Et puis beaucoup craignent qu'elle ne survive pas au passage des siècles, ce qui est peut-être vrai. Nous pouvons imaginer s'ils ne voulaient ici rien qui ne fût aussi éternel que le bronze... Pergamino de pano, hein ? bon, adieu. Et sois tranquille. Tu ne cours aucun danger.

— Vrai, Guillaume, vous me l'assurez ?

— Je te l'assure. Si tu restes bien à ta place. Tu en as déjà fait de vertes et de pas mûres, et cela suffit. »

Nous nous éloignâmes du scriptorium en quittant un Bence, sinon rasséréné, du moins plus calme.

« Idiot ! dit Guillaume entre ses dents tandis que nous sortions dehors. Nous pourrions avoir déjà tout résolu s'il ne s'était pas fourré dans nos jambes... »

Nous trouvâmes l'Abbé dans le réfectoire. Guillaume le prit de front et lui demanda un entretien. Abbon ne put tergiverser et il nous donna rendez-vous, d'ici un court laps de temps, dans sa résidence.

Sixième jour

NONE

Où l'Abbé se refuse à écouter Guillaume, parle du langage des gemmes et manifeste le désir qu'on n'enquête plus sur ces tristes événements.

La résidence de l'Abbé se trouvait au-dessus du chapitre et par la verrière de la salle, vaste et somptueuse, où il nous reçut, on pouvait voir, dans le jour serein et venteux, outre le toit de l'église abbatiale, les formes de l'Edifice.

L'Abbé, debout devant une fenêtre, était justement en train de l'admirer, et il nous le désigna d'un geste solennel.

« Admirable forteresse, dit-il, qui résume dans ses proportions la règle de trois qui présida à la construction de l'arche. Bâtie sur trois étages car trois est le nombre de la trinité, trois furent les anges qui visitèrent Abraham, les jours que Jonas passa dans le ventre du grand poisson, ceux que Jésus et Lazare passèrent dans leur sépulcre ; trois fois Christ demanda au Père que le calice d'amertume s'éloignât de lui, à trois reprises il s'isola pour prier avec ses apôtres. Trois fois Pierre le renia, et par trois fois il se manifesta aux siens après la Résurrection. Trois sont les vertus théologales, trois les langues sacrées, trois les parties de l'âme, trois les classes de créatures intellectuelles, anges, hommes et démons, trois les sortes de son, vox, flatus, pulsus, trois les époques de l'histoire humaine, avant, pendant et après la Loi.

— Merveilleuse harmonie de correspondances mystiques, convint Guillaume.

— Mais la forme carrée aussi, continua l'Abbé, est riche d'enseignements spirituels. Quatre sont les points cardinaux, les saisons, les éléments, et le chaud, le froid, l'humide et le sec, la naissance, la croissance, la maturité et la vieillesse, et les espèces célestes, terrestres, aériennes et aquatiques des animaux, les couleurs constitutives de l'arc-en-ciel et le nombre des années qu'il faut pour en faire une bissextile.

— Oh certes, dit Guillaume, et trois plus quatre font sept, nombre mystique s'il en fut, tandis que trois multiplié par quatre font douze, comme les apôtres, et douze par douze font cent quarante-quatre, qui est le nombre des élus. » Et sur cette dernière manifestation de connaissance mystique du monde idéal des nombres, l'Abbé n'eut plus rien à ajouter. Ce qui permit à Guillaume d'entrer dans le vif du sujet.

« Nous devrions parler des derniers événements, sur lesquels j'ai longuement réfléchi », dit-il.

L'Abbé tourna le dos à la fenêtre et fit face à Guillaume avec un air sévère : « Trop longuement, sans doute. Je vous avoue, frère Guillaume, que j'attendais davantage de votre part. Depuis que vous êtes arrivé ici, presque six jours sont passés, quatre moines sont morts, outre Adelme, deux ont été arrêtés par l'inquisition — ce fut justice, certes, mais nous aurions pu éviter cette honte si l'inquisiteur n'avait pas été contraint de s'occuper des crimes précédents — et enfin la rencontre dont j'étais le médiateur, et précisément à cause de toutes ces scélératesses, a donné de lamentables résultats... Vous conviendrez que je pouvais m'attendre à une tout autre solution de ces faits, quand je vous ai prié d'enquêter sur la mort d'Adelme... »

Guillaume se tut, embarrassé. Certes l'Abbé avait raison. J'ai dit au début de ce récit que mon maître aimait à étonner les autres par la rapidité de ses déductions, et il était bien normal qu'il se sentît blessé dans son orgueil lorsqu'on l'accusait, et point injustement d'ailleurs, de lenteur.

« C'est vrai, admit-il, j'ai déçu votre attente, mais je vous dirai pourquoi, Votre Sublimité. Ces crimes n'avaient pas pour origine une rixe ou quelque vengeance entre moines, mais ils sont liés à des faits qui prennent à leur tour origine dans l'histoire lointaine de l'abbaye... »

L'Abbé le regarda avec inquiétude : « Qu'entendez-vous dire par là ? Je comprends moi aussi que la clef ne se trouve pas dans la malheureuse histoire du cellérier, qui s'est entrecroisée avec une autre. Mais l'autre histoire, l'autre que peut-être je connais mais dont je ne puis parler... j'espérais qu'elle vous serait claire, et que vous m'en auriez parlé vous-même...

— Votre Sublimité songe à certain événement qu'elle a appris en confession... » L'Abbé détourna le regard, et Guillaume continua : « Si Votre Magnificence veut savoir si je sais, sans le savoir par Votre Magnificence, s'il y a eu des relations malhonnêtes entre Bérenger et Adelme, et entre Bérenger et Malachie, eh bien, cela n'est un secret pour personne dans l'abbaye... »

L'Abbé rougit violemment : « Je ne crois pas qu'il soit nécessaire de parler de choses semblables en la présence de ce novice. Et je ne crois pas, après la rencontre, que vous ayez encore besoin de lui comme scribe. Sors, mon garçon », me dit-il d'un ton impérieux. Humilié, je sortis. Mais, curieux comme je l'étais, je me tapis derrière la porte de la salle, que je laissai entrebâillée, de manière à pouvoir suivre le dialogue.

Guillaume reprit la parole : « Alors, ces rapports malhonnêtes, si toutefois ils ont eu lieu, n'ont pas grand' chose à voir avec ces douloureux événements. La clef est tout autre, et je pensais que vous l'imaginiez. Tout se déroule autour du vol et de la possession d'un livre, qui était caché dans le finis Africae, et qui maintenant a retrouvé sa place par les soins de Malachie, sans cependant, vous l'avez vu, que la série des crimes se soit interrompue. »

Il y eut un long silence, puis l'Abbé se remit à parler d'une voix brisée et incertaine, comme une personne surprise par des révélations inattendues. « Ce n'est pas possible... Vous... vous, comment êtes-vous au courant du finis Africae ? Vous avez violé mon interdit et vous êtes entré dans la bibliothèque ? »

Guillaume aurait dû dire la vérité, et l'ire de l'Abbé eût été terrible. Il ne voulait évidemment pas mentir. Il choisit de répondre à la question par une autre question : « Votre Magnificence ne m'a-t-elle pas dit, lors de notre première rencontre, qu'un homme tel que moi, qui avais aussi bien décrit Brunel sans l'avoir jamais vu, n'aurait pas eu de difficulté pour raisonner sur les lieux auxquels il ne pouvait accéder ?

— Il en est donc ainsi, dit Abbon. Mais pourquoi pensez-vous ce que vous pensez ?

— Comment j'en suis arrivé là, c'est long à raconter. Mais il a été commis une série de crimes pour empêcher beaucoup de découvrir une chose dont on ne voulait pas qu'elle fût découverte. Or, tous ceux qui avaient eu vent des secrets de la bibliothèque, soit par droit soit par fraude, sont morts. Il ne reste plus qu'une personne, vous.

— Vous voulez insinuer... vous voulez insinuer... » L'Abbé parlait comme quelqu'un dont se gonfleraient les veines du cou.

« Ne vous méprenez pas sur le sens de mes paroles, dit Guillaume, qui probablement avait aussi tenté d'insinuer, je dis qu'il y a quelqu'un qui sait et qui veut que personne d'autre ne sache. Vous êtes le dernier à savoir, vous pourriez être la prochaine victime. A moins que vous ne me disiez ce que vous savez sur ce livre interdit et, surtout, qui dans l'abbaye pourrait en savoir autant que vous en savez, vous, et peut-être davantage, sur la bibliothèque.

— Il fait froid ici, dit l'Abbé. Sortons. »

Je m'éloignai vivement de la porte et les attendis au sommet de l'escalier qui menait en bas. L'Abbé me vit et me sourit.

« Que de choses inquiétantes doit avoir entendues ces jours-ci notre moinillon ! Allons, mon garçon, ne te laisse pas trop troubler. J'ai l'impression qu'on a imaginé plus de trames qu'il n'y en a... »

Il éleva une main et laissa la lumière du jour illuminer un splendide anneau qu'il arborait à l'annulaire, insigne de son pouvoir. L'anneau fulgura de tous les feux de ses pierres.

« Tu le reconnais, n'est-ce pas ? me dit-il. Symbole de mon autorité, mais aussi de mon fardeau. Ce n'est pas un ornement, c'est un resplendissant raccourci de la parole divine dont je suis le gardien. » De ses doigts il toucha la pierre, c'est-à-dire le triomphe des pierres multicolores qui composaient cet admirable chef-d'œuvre de l'art humain et de la nature. « Voici l'améthyste, dit-il, qui est miroir d'humilité et nous rappelle l'ingénuité et la douceur de saint Matthieu ; voici la calcédoine, elle nous parle de charité, symbole de la piété de Joseph et de saint Jacques le Majeur ; voici le jaspe, reflet de la foi, associé à saint Pierre ; et la sardoine, signe de martyre, qui nous rappelle saint Barthélemy ; voici le saphir, espérance et contemplation, pierre de saint André et de saint Paul ; et le béryl, saine doctrine, science et longanimité, vertus propres à saint Thomas... Comme il est splendide le langage des gemmes, continua-t-il absorbé dans sa vision mystique, que les lapidaires de la tradition ont traduit du Rational d'Aaron et de la description de la Jérusalem céleste dans le livre de l'apôtre. D'autre part, les murailles de Sion étaient incrustées des mêmes joyaux qui ornaient le pectoral du frère de Moïse, sauf l'escarboucle, l'agate et l'onyx qui, cités dans l'Exode, sont remplacés dans l'Apocalypse par la calcédoine, la sardoine, la chrysoprase et par l'hyacinthe. »

Guillaume fit mine d'ouvrir la bouche, mais l'Abbé le réduisit au silence en levant une main et il poursuivit son propre discours : « Je me souviens d'un livre de litanies où chaque pierre était décrite et rimée en l'honneur de la Vierge. On y parlait de son anneau de fiançailles comme d'un poème symbolique resplendissant de vérités supérieures, manifestées dans le langage lapidaire des pierres qui l'embellissaient. Jaspe pour la foi, calcédoine pour la charité, émeraude pour la pureté, sardoine pour la placidité de la vie virginale, rubis pour son cœur saignant sur le Calvaire, chrysolithe dont le scintillement multiforme rappelle la merveilleuse variété des miracles de Marie, hyacinthe pour la charité, améthyste, avec son mélange de rose et d'azur, pour l'amour de Dieu... Mais dans le chaton étaient incrustées d'autres substances non moins éloquentes, comme le cristal qui retrace la chasteté de l'âme et du corps, le ligure, semblable à l'ambre, symbole de tempérance, et la pierre d'aimant qui attire le fer, comme la Vierge touche les cordes des cœurs pénitents avec l'archet de sa bonté. Toutes substances qui, comme vous le voyez, ornent aussi, fût-ce en infime et très humble mesure, mon joyau. »

Il tournait son anneau et m'éblouissait de son rayonnement, comme s'il voulait m'étourdir. « Merveilleux langage, n'est-ce pas ? Pour d'autres pères, les pierres signifiaient d'autres choses encore, pour le pape Innocent III, le rubis annonce le calme et la patience, et le grenat la charité. Pour saint Bruno, l'aigue-marine concentre la science théologique dans la vertu de ses très purs éclats. La turquoise signifie joie, la sardoine évoque les séraphins, la topaze les chérubins, le jaspe les trônes, la chrysolithe les dominations, le saphir les vertus, l'onyx les puissances, le béryl les principats, le rubis les archanges et l'émeraude les anges. Le langage des gemmes est multiforme, chacune exprime davantage de vérité, selon le code de lecture qu'on choisit, selon le contexte où elles apparaissent. Et qui décide du niveau d'interprétation et du juste contexte ? Tu le sais, mon garçon, on te l'a enseigné : c'est l'autorité, le commentateur entre tous le plus sûr et le plus investi de prestige, et donc de sainteté. Autrement comment interpréter les signes multiformes que le monde place sous nos yeux de pécheurs, comment ne pas achopper aux équivoques où nous attire le démon ? Garde-toi : il est singulier de voir combien le diable exècre le langage des gemmes, selon le témoignage de sainte Hildegarde. La bête immonde voit en lui un message qui s'éclaire par significations ou niveaux de science différents, et il voudrait le gauchir car lui, l'ennemi, reconnaît dans la splendeur des pierres l'écho des merveilles qu'il avait en sa possession avant la chute, et il comprend que ces fulgurations sont produites par le feu, qui est son tourment. » Il me présenta son anneau à baiser, et je m'agenouillai. Il me caressa la tête. « Or donc, toi, mon garçon, oublie les choses fausses à n'en point douter que tu as entendues ces jours-ci. Tu es entré dans l'ordre le plus grand, le plus noble d'entre tous, de cet ordre moi je suis un Abbé, toi tu es sous ma juridiction. Alors, écoute mon ordre : oublie, et que tes lèvres se scellent à jamais. Jure. »

Emu, subjugué, j'eusse certes juré. Et toi, mon bon lecteur, tu ne pourrais maintenant lire cette fidèle chronique. Mais à cet instant précis Guillaume intervint, et peut-être pas pour m'empêcher de jurer, mais par réaction instinctive, par lassitude, pour interrompre l'Abbé, pour rompre ce charme qu'il avait certainement créé.

« En quoi ce garçon est-il concerné ? C'est moi qui vous ai posé une question, moi qui vous ai averti d'un danger, moi qui vous ai demandé de me dire un nom... Voudrez-vous à présent que je baise moi aussi l'anneau et que je jure d'oublier tout ce que j'ai appris ou tout ce que je soupçonne ?

— Oh, vous... dit mélancoliquement l'Abbé, je n'attends pas d'un frère mendiant qu'il comprenne la beauté de nos traditions, ou qu'il respecte la discrétion, les secrets, les mystères de charité... oui, de charité, et le sens de l'honneur, et le vœu du silence sur quoi repose notre grandeur... Vous, vous m'avez parlé d'une histoire bizarre, d'une incroyable histoire. Un livre interdit, pour lequel on occit à la chaîne, quelqu'un qui sait ce que moi seul je devrais savoir... Contes à dormir debout, extrapolations insensées. Parlez-en, si vous voulez, personne ne vous croira. Et même si certains éléments de votre fantasque reconstruction étaient vrais... eh bien, maintenant tout retombe sous mon contrôle et ma responsabilité. Je vérifierai, j'en ai les moyens, j'en ai l'autorité. J'ai mal fait dès le début de recourir à un étranger, si sage, si digne de confiance qu'il fût, pour enquêter sur des choses qui ne relèvent que de ma compétence. Mais vous l'avez compris, vous me l'avez dit, je pensais au début qu'il s'agissait d'une violation du vœu de chasteté, et je voulais (imprudent que je fus) qu'un autre me dît ce que j'avais entendu dire en confession. Bien, maintenant vous me l'avez dit. Je vous suis très reconnaissant pour ce que vous avez fait ou avez tenté de faire. La rencontre des légations a eu lieu, votre mission ici est terminée. J'imagine qu'on vous attend avec anxiété à la cour impériale, on ne se prive pas longtemps d'un homme tel que vous. Je vous autorise à quitter l'abbaye. Peut-être aujourd'hui est-il déjà tard, je ne veux pas que vous voyagiez après le coucher du soleil, les routes sont incertaines. Vous partirez demain matin, de bonne heure. Oh, ne me remerciez pas, ce fut une joie de vous avoir frère entre mes frères et de vous honorer de notre hospitalité. Vous pourrez vous retirer avec votre novice, de façon à préparer votre bagage. Je vous saluerai encore demain à l'aube. De grand cœur, merci. Naturellement, il n'est plus besoin que vous continuiez à mener vos recherches. N'ajoutez point encore au trouble des moines. Vous pouvez disposer. »

C'était plus qu'un congé, c'était une mise à la porte. Guillaume salua et nous descendîmes les escaliers.

« Qu'est-ce que cela signifie ? » demandai-je. Je ne comprenais plus rien.

« Essaie de formuler une hypothèse. Tu devrais avoir appris comment on fait.

— En ce cas, j'ai appris que j'en dois formuler au moins deux, l'une opposée à l'autre, et toutes deux incroyables. Bien, alors... »

J'avalai ma salive : faire des hypothèses me mettait mal à l'aise. « Première hypothèse, l'Abbé savait déjà tout et imaginait que vous n'auriez rien découvert. Il vous avait chargé de l'enquête avant, c'est-à-dire juste après la mort d'Adelme, mais petit à petit il a compris que l'histoire était bien plus complexe, qu'elle le compromet en quelque sorte lui aussi, et il ne veut pas que vous mettiez la trame à nu. Seconde hypothèse, l'Abbé ne s'est jamais douté de rien (de quoi, d'ailleurs, je l'ignore, car je ne sais à quoi vous êtes en train de penser maintenant). Mais en tout cas, il continuait à croire que tout était le fruit d'un différend entre... entre moines sodomites... Cependant à présent vous lui avez ouvert les yeux, il a compris soudain quelque chose de terrible, il a pensé à un nom, il a une idée précise sur le responsable des crimes. Mais à ce point-là il veut résoudre tout seul la question et il veut vous éloigner, pour que l'honneur de l'abbaye soit sauf.

— Belle ouvrage. Tu commences à bien raisonner. Mais tu vois déjà que dans les deux cas notre Abbé est soucieux de la bonne réputation de son monastère. Assassin ou victime désignée qu'il soit, il ne veut pas que transpire par-delà ces montagnes, des nouvelles diffamatoires sur cette sainte communauté. Tue-lui ses moines, mais ne touche pas à l'honneur de cette abbaye. Ah, pour... (Guillaume laissait maintenant exploser sa colère)... Ce bâtard d'un feudataire, ce paon devenu célèbre pour avoir servi de croque-mort au D'Aquin, cette outre gonflée qui n'a d'existence que par son anneau gros comme un cul de verre ! Race d'orgueilleux, race d'orgueilleux vous tous, les clunisiens, pis que les princes, plus barons que les barons !

— Maître... me risquai-je, piqué, sur un ton de reproche.

— Tais-toi, toi qui es de la même pâte. Vous, vous n'êtes pas des simples, ni des fils de simples. S'il vous échoit un paysan, vous l'accueillerez peut-être, mais je l'ai vu hier, vous n'hésitez pas à le remettre au bras séculier. Mais l'un des vôtres non, il faut le couvrir, tout recouvrir, Abbon est capable de repérer le misérable et de le poignarder dans la crypte du trésor, et d'en distribuer les rognons dans ses reliquaires, pourvu que l'honneur de l'abbaye soit sauf... Un franciscain, un plébéien de minorite qui découvre un grouillement de vermines dans cette sainte maison ? Eh non, cet Abbon ne peut se le permettre, à aucun prix. Merci, frère Guillaume, l'empereur a besoin de vous, vous avez vu le bel anneau que j'ai, au revoir. Mais dès lors, le défi n'est pas seulement entre moi et Abbon, il est entre moi et toute cette histoire, et je ne sors pas de cette enceinte avant d'avoir su. Il veut que je parte demain matin ?

Bien, c'est lui le maître de céans, mais d'ici demain matin il faut que je sache. Il le faut.

— Il le faut ? Qui vous l'impose, désormais ?

— Personne ne nous impose de savoir, Adso. Il le faut, un point c'est tout, fût-ce au prix de mal comprendre. »

J'étais encore confus et humilié des paroles de Guillaume contre mon ordre et ses abbés. Et je tentai de justifier en partie Abbon en formulant une troisième hypothèse, art où j'étais devenu, me semblait-il, fort habile : « Vous n'avez pas considéré une troisième possibilité, maître, dis-je. Ces jours-ci nous avons remarqué, et ce matin il nous est clairement apparu, après les confidences de Nicolas et les rumeurs que nous avons surprises à l'église, qu'il y a un groupe de moines italiens supportant mal cette succession des bibliothécaires étrangers, qui accusent l'Abbé de ne pas respecter la tradition et qui, si j'ai bien compris, se cachent derrière le vieil Alinardo, en le poussant devant eux comme un étendard, pour que l'abbaye change de gouvernement. Ces choses, je les ai parfaitement comprises, parce que même un novice a l'occasion d'entendre dans son propre monastère mille discussions, et allusions, et complots de cette nature. Et alors peut-être l'Abbé craint-il que vos révélations puissent offrir une arme à ses ennemis, et veut-il vider toute la question avec grande prudence...

— C'est possible. Mais il n'en demeure pas moins une outre gonflée, et il se fera assassiner.

— Mais vous, que pensez-vous de mes conjectures ?

— Je te le dirai plus tard. »

Nous étions dans le cloître. Le vent soufflait avec toujours plus de rage, la lumière était moins claire, même si none était passée depuis peu. Le jour déclinait et il ne nous restait plus guère de temps. A vêpres, l'Abbé avertirait certainement les moines que Guillaume n'avait plus aucun droit de poser des questions et d'entrer où bon lui semblait.

« Il est tard, dit Guillaume, et quand on a peu de temps, gare si l'on perd son calme. Nous devons agir comme si nous avions l'éternité devant nous. J'ai un problème à résoudre, comment pénétrer dans le finis Africae, parce que là devrait se trouver la réponse finale. Ensuite nous devons sauver une personne, je n'ai pas encore décidé laquelle. Enfin, nous devrions nous attendre à quelque chose du côté des étables, que toi, tu ne perdras pas de vue... Regarde, il y a du mouvement... »

De fait, l'espace entre l'Edifice et le cloître s'était singulièrement animé. Peu auparavant, un novice qui provenait de la résidence de l'Abbé avait couru vers l'Edifice. A présent, Nicolas en sortait, qui prenait la direction des dortoirs. Dans un coin, le groupe de la matinée, Pacifico, Aymaro et Pierre, parlaient serré avec Alinardo, comme pour le convaincre de quelque chose.

Puis ils parurent prendre une décision. Aymaro soutint Alinardo, encore réticent, et il s'achemina avec lui vers la résidence abbatiale. Ils allaient y entrer, lorsque du dortoir sortit Nicolas, qui guidait Jorge dans la même direction. Il vit les deux autres qui entraient, susurra quelque chose à l'oreille de Jorge, le vieillard branla du chef, et ils poursuivirent quand même vers le chapitre.

« L'Abbé prend en main la situation... » murmura Guillaume avec scepticisme. De l'Edifice s'écoulait un autre flot de moines qui auraient dû se trouver dans le scriptorium, suivis sitôt après par Bence, qui se porta à notre rencontre, la mine encore plus préoccupée.

« Il y a effervescence dans le scriptorium, nous dit-il, personne ne travaille, ils parlent tous entre eux avec agitation... Qu'arrive-t-il ?

— Il arrive que les personnes sur lesquelles semblaient peser jusqu'à ce matin les soupçons les plus lourds, sont toutes mortes. Jusqu'à hier, tous se gardaient de Bérenger, sot et faux et lubrique, puis du cellérier, hérétique suspect, enfin de Malachie, si détesté de chacun... A présent, ils ne savent plus de qui se garder, et ils ont un besoin urgent de trouver un ennemi, ou un bouc émissaire. Et chacun de soupçonner l'autre, certains ont peur, comme toi, d'autres ont décidé de faire peur à quelqu'un d'autre. Tous autant que vous êtes, je vous trouve trop agités. Adso, donne de temps en temps un coup d'œil aux écuries. Moi, je vais me reposer. »

J'aurais dû m'étonner : aller se reposer quand il n'avait plus qu'une poignée d'heures à sa disposition, ne semblait pas la solution la plus sage. Mais désormais, je connaissais mon maître. Plus son corps était détendu, plus son esprit bouillonnait.

Sixième jour

ENTRE VÊPRES ET COMPLIES

Où brièvement l'on raconte de longues heures de désarroi.

Il m'est difficile de raconter ce qu'il advint dans les heures qui suivirent, entre vêpres et complies.

Guillaume était absent. Moi j'errais autour des écuries, mais sans rien remarquer d'anormal. Les gardiens de chevaux faisaient rentrer les bêtes, que le vent rendait inquiètes, mais pour le reste tout était tranquille.

J'entrai dans l'église. Ils étaient déjà tous à leur place dans les stalles, mais l'Abbé releva l'absence de Jorge. D'un geste il retarda le début de l'office. Il héla Bence pour qu'il allât le chercher. Bence n'était pas là. Quelqu'un fit observer qu'il se disposait probablement à fermer le scriptorium. L'Abbé dit, irrité, qu'il avait été établi que Bence ne fermât rien du tout parce qu'il ne connaissait pas les règles. Aymaro d'Alexandrie se leva de sa place : « Si votre paternité le consent, je vais l'appeler moi...

— Personne ne t'a demandé quoi que ce soit », dit brutalement l'Abbé, et Aymaro regagna sa place, non sans avoir lancé un regard indéfinissable à Pacifico de Tivoli. L'Abbé appela Nicolas, qui n'était pas là. Ils lui rappelèrent qu'il était en train de veiller à la préparation du repas, et il eut un geste de désappointement, comme s'il lui déplaisait fort de montrer à tout le monde qu'il se trouvait dans cet état d'excitation.

« Je veux Jorge ici, cria-t-il, cherchez-le ! Va, toi », ordonna-t-il au maître des novices.

Un autre lui fit remarquer qu'il manquait aussi Alinardo. « Je le sais, dit l'Abbé, il est malade. » Je me trouvais tout près de Pierre de Sant'Albano et je l'entendis chuchoter à son voisin, Gunzo de Nola, en une langue vulgaire de l'Italie centrale, qu'en partie je comprenais : « Je crois bien. Aujourd'hui, quand il est sorti après l'entretien, le pauvre vieux était bouleversé. Abbon se comporte comme la putain d'Avignon ! »

Les novices se trouvaient désorientés, avec leur sensibilité d'enfants ignorants, ils ressentaient toutefois la tension qui régnait dans le chœur, comme je la ressentais moi aussi. Quelques longs moments de silence et d'embarras passèrent. L'Abbé donna l'ordre de réciter des psaumes, et il en indiqua trois au hasard, qui n'étaient pas prescrits par la règle pour vêpres. Ils se regardèrent tous les uns les autres, puis ils se mirent à prier à voix basse. Revint le maître des novices, suivi de Bence qui rejoignit sa place, tête basse. Jorge n'était pas dans le scriptorium et il n'était pas dans sa cellule. L'Abbé donna l'ordre que l'office commençât.

A la fin, avant qu'ils ne descendissent tous pour le souper, je fus appeler Guillaume. Il se trouvait allongé sur son grabat, habillé, immobile. Il dit qu'il ne pensait pas qu'il était si tard. Je lui racontai en peu de mots le dernier incident. Il secoua la tête.

Sur le seuil du réfectoire nous vîmes Nicolas, qui, quelques heures auparavant, avait accompagné Jorge. Guillaume lui demanda si le vieillard était entré tout de suite chez l'Abbé. Nicolas dit qu'il avait dû attendre longuement à la porte, car dans la salle il y avait Alinardo et Aymaro d'Alexandrie. Ensuite Jorge était entré, il était resté dedans un certain temps et lui l'avait attendu. Il était sorti et s'était fait accompagner dans l'église, une heure avant vêpres, encore déserte.

L'Abbé nous aperçut, qui parlions avec le cellérier. « Frère Guillaume, réprimanda-t-il, vous êtes encore en train d'enquêter ? » Il lui fit signe de s'asseoir à sa table, selon l'usage. L'hospitalité bénédictine est sacrée.

Le souper fut plus silencieux que d'habitude, et triste. L'Abbé mangeait à contrecœur, opprimé par de sombres pensées. Finalement, il dit aux moines de se hâter pour complies.

Alinardo et Jorge étaient encore absents. Les moines se montraient la place vide de l'aveugle, en murmurant. A la fin du rite l'Abbé invita tout le monde à réciter une prière particulière pour la santé de Jorge de Burgos. On ne sut clairement s'il parlait de la santé corporelle ou de la santé éternelle. Tous comprirent qu'un nouveau malheur s'apprêtait à bouleverser la communauté. Après quoi l'Abbé ordonna à chacun de se presser, avec plus de diligence que d'habitude, vers son propre grabat. Il ordonna que personne, et il appuya sur le mot personne, ne s'attardât à circuler hors du dortoir. Les novices effrayés sortirent les premiers, le capuchon sur la face, la tête inclinée, sans s'échanger les plaisanteries, les coups de coude, les petits sourires, les malicieux et mystérieux crocs-en-jambe par quoi ils étaient accoutumés à se provoquer (car les novices, encore que moinillons, n'en demeurent pas moins toujours des enfants, et les semonces de leur maître n'ont guère d'effets, qui ne peut les empêcher de se comporter souvent en enfants, comme le veut leur âge tendre).

Lorsque les adultes sortirent je pris la file, sans en avoir l'air, du groupe « italien ». Pacifico glissait à l'oreille d'Aymaro : « Tu crois que vraiment Abbon ne sait pas où est Jorge ? » Et Aymaro répondait : « Il pourrait bien le savoir, et savoir que du lieu où il se trouve il ne reviendra plus jamais. Peut-être le vieux en a-t-il trop voulu, et Abbon n'est-il plus disposé à le laisser tirer sur la corde... »

Tandis que Guillaume et moi faisions mine de nous retirer dans l'hôtellerie, nous aperçûmes l'Abbé qui rentrait dans l'Edifice par la porte du réfectoire encore ouverte. Guillaume conseilla d'attendre un peu, puis quand l'esplanade fut vidée de toute présence, il m'invita à le suivre. Nous traversâmes rapidement les espaces vides et entrâmes dans l'église.

Sixième jour

APRÈS COMPLIES

Où, presque par hasard, Guillaume découvre le secret pour entrer dans le finis Africae.

Nous nous embusquâmes, comme deux sicaires, près de l'entrée, derrière une colonne, d'où l'on pouvait observer la chapelle des têtes de morts.

« Abbon est allé fermer l'Edifice, dit Guillaume. Quand il aura barré les portes de l'intérieur, il ne pourra plus sortir que par l'ossuaire.

— Et puis ?

— Et puis nous verrons ce qu'il fait. »

Nous ne pûmes savoir ce qu'il faisait. Une heure après, il n'était pas encore sorti. Il est allé dans le finis Africae, dis-je. C'est possible, répondit Guillaume. Exercé à formuler mainte hypothèse, j'ajoutai : peut-être est-il sorti de nouveau du réfectoire pour aller à la recherche de Jorge. Et Guillaume : c'est possible aussi. Peut-être Jorge est-il déjà mort, imaginai-je encore. Peut-être se trouve-t-il dans l'Edifice en train de tuer l'Abbé. Peut-être sont-ils tous deux ailleurs, et quelqu'un leur tend-il un guet-apens. Que voulaient les « Italiens » ? et pourquoi Bence était-il si effrayé ? N'était-ce point là peut-être un masque qu'il avait placé sur son visage pour nous tromper ? Pourquoi s'était-il attardé dans le scriptorium pendant vêpres, s'il ne savait ni comment fermer ni comment sortir ? Voulait-il tenter le chemin du labyrinthe ?

« Tout est possible, dit Guillaume. Mais une seule chose est, ou a été, ou est en train d'être. Et enfin la miséricorde divine nous enrichit présentement d'une lumineuse certitude.

— Laquelle ? demandai-je plein d'espoir.

— Que frère Guillaume de Baskerville, qui a désormais l'impression d'avoir tout compris, ne sait pas comment entrer dans le finis Africae. Aux écuries, Adso, aux écuries.

— Et si l'Abbé nous y trouve ?

— Nous ferons semblant d'être deux spectres. »

La solution ne me sembla pas praticable, mais je me tus. Guillaume devenait nerveux. Nous sortîmes par le portail septentrional et passâmes à travers le cimetière, tandis que le vent sifflait avec force, et je demandai au Seigneur de nous éviter à nous la rencontre de deux spectres, car cette nuit-là il n'y avait pas pénurie d'âmes en peine dans l'abbaye. Nous parvînmes aux écuries et entendîmes les chevaux piaffer, de plus en plus inquiets de la furie des éléments. La porte principale du bâtiment était faite, à hauteur de poitrine d'homme, d'une large grille de métal, par où l'on pouvait voir l'intérieur. Nous entrevîmes dans l'obscurité la silhouette des chevaux, je reconnus Brunel car il était le premier à gauche. A sa droite, le troisième animal de la rangée leva la tête comme il sentait notre présence, et il hennit. Je souris : « Tertius equi, dis-je.

— Quoi ? demanda Guillaume.

— Rien, je me souvenais de ce pauvre Salvatore. Il voulait faire qui sait quelle magie avec ce cheval, et avec son latin bien à lui, il le désignait comme tertius equi. Qui serait le *u*.

— Le *u ?* demanda Guillaume qui avait suivi ma divagation sans y attacher beaucoup d'attention.

— Oui, parce que tertius equi voudrait dire non pas le troisième cheval, mais le tiers du cheval, et la troisième lettre du mot cheval est le *u*. Mais c'est une bêtise... »

Guillaume me regarda, et dans l'obscurité j'eus l'impression que son visage s'altérait : « Que Dieu te bénisse, Adso ! dit-il. Mais bien sûr, suppositio materialis, il faut prendre le discours de dicto et pas de re... Quel idiot je fais ! » Il s'envoya une grande tape sur le front, la main largement ouverte, tant et si bien qu'un claquement s'ensuivit, et je crois qu'il s'était fait mal. « Mon garçon, c'est la deuxième fois aujourd'hui que par ta bouche parle la sagesse, d'abord en rêve et à présent en état de veille ! Cours, cours dans ta cellule prendre la lampe, mieux : les deux que nous avons cachées. Ne te fais pas voir, et rejoins-moi aussitôt dans l'église ! Ne pose pas de questions, va ! »

J'allai sans poser de questions. Les lampes étaient sous ma paillasse, remplies d'huile, car j'avais déjà pris soin de les alimenter. J'avais la pierre à feu dans ma coule. Avec les deux précieux instruments contre ma poitrine, je courus à l'église.

Guillaume était sous le trépied et relisait le parchemin annoté par Venantius.

« Adso, me dit-il, primum et septimum de quatuor ne signifie pas le premier et le septième des quatre, mais *du quatre*, du mot quatre ! » Je ne comprenais toujours pas, puis j'eus une illumination : « Super thronos viginti quatuor ! L'inscription ! Le verset ! Les mots qui sont gravés au-dessus du miroir !

— Allons ! dit Guillaume, peut-être pouvons-nous encore sauver une vie !

— La vie de qui ? demandai-je alors qu'il était déjà en train de s'affairer autour des crânes et d'ouvrir le passage de l'ossuaire.

— De quelqu'un qui ne le mérite pas », dit-il. Et nous étions déjà dans le boyau souterrain, les lampes allumées, vers la porte qui menait aux cuisines.

J'ai déjà dit qu'à ce point-là on poussait un huis de bois et qu'on se retrouvait dans les cuisines derrière la cheminée, au pied de l'escalier à vis qui desservait le scriptorium. Et précisément au moment où nous poussions cette porte, nous entendîmes sur notre gauche des bruits sourds dans le mur. Ils provenaient de la paroi jouxtant la porte, le long de laquelle se terminait la rangée des niches débordant de crânes et d'os. A cet endroit, au lieu de la dernière niche, il y avait un pan de paroi pleine, fait de grands blocs de pierre carrés, avec une vieille plaque au centre, qui portait gravés des monogrammes en partie effacés. Les coups provenaient, semblait-il, de derrière la plaque de pierre, ou bien de dessus la plaque, en partie derrière la paroi, en partie au-dessus de notre tête.

Si un tel bruit s'était produit la première nuit, j'eusse aussitôt pensé aux moines morts. Désormais j'étais prêt à attendre le pire de la part des moines vivants. « Qui cela peut-il être ? » demandai-je.

Guillaume ouvrit la porte et sortit derrière la cheminée. Les coups, on les entendait aussi le long de la paroi qui longeait l'escalier à vis, comme si quelqu'un était prisonnier dans le mur, autrement dit dans cette épaisseur de paroi (imposante en vérité) qui était comprise, selon toute probabilité, entre le mur intérieur de la cuisine et l'extérieur de la tour méridionale.

« Il y a quelqu'un d'enfermé là-dedans, dit Guillaume. Je m'étais toujours demandé s'il n'existait pas un autre accès au finis Africae, dans cet Edifice aux multiples passages. Evidemment, il existe ; dans l'ossuaire, avant de monter aux cuisines, s'ouvre un pan de paroi et on grimpe à travers un escalier parallèle à celui-ci, dérobé dans le mur, donnant directement dans la pièce murée.

— Mais à présent, qui y a-t-il dedans ?

— La seconde personne. L'une est dans le finis Africae, l'autre a cherché à la rejoindre, mais celle d'en haut doit avoir bloqué le mécanisme qui commande les deux entrées. C'est ainsi que le visiteur a été pris au piège. Et il doit s'agiter comme un diable, car j'imagine qu'il ne passe pas beaucoup d'air dans ce boyau.

— Et qui est-ce ? Sauvons-le !

— Qui c'est, nous le verrons d'ici peu. Et quant à le sauver, on ne pourra le faire qu'en débloquant le mécanisme d'en haut, parce que de ce côté-ci nous ne connaissons pas le secret. Donc, grimpons vite. »

Ainsi fîmes-nous ; nous montâmes au scriptorium, et de là au labyrinthe, et nous atteignîmes en très peu de temps la tour méridionale. Il me fallut, à deux reprises, brider mon élan, car le vent de ce soir-là pénétrant dans les rayères, créait des courants d'air qui, s'insinuant à travers ces fentes, parcouraient les salles en gémissant, soufflant sur les tables aux feuillets épars, et je devais protéger la flamme de ma main.

Nous fûmes promptement rendus dans la pièce au miroir, tout à fait préparés au jeu déformant qui nous attendait. Nous élevâmes nos lampes pour éclairer les versets qui bordaient le sommet du cadre, super thronos viginti quatuor... Désormais le secret était éclairci : le mot quatuor a sept lettres, il fallait actionner le *q* et le *r*. Tout excité, je pensai le faire moi-même : d'un geste vif je déposai ma lampe sur la table au centre de la pièce, mais mon mouvement fut si nerveux que la flamme lécha la reliure d'un livre qui s'y trouvait posé.

« Attention, ne fais pas l'idiot ! » cria Guillaume, et d'un souffle il éteignit la flamme. « Tu veux mettre le feu à la bibliothèque ? »

Je m'excusai et m'apprêtai à rallumer la lampe. « Peu importe, dit Guillaume, la mienne suffit. Prends-la et éclaire-moi, car l'inscription est trop haute, et toi tu n'y arriverais pas. Pressons.

— Et si dedans il y avait quelqu'un d'armé ? » demandai-je, tandis que Guillaume, presque à tâtons, cherchait les lettres fatales, se dressant sur la pointe des pieds, grand comme il était, pour toucher le verset apocalyptique.

« Eclaire-moi, par le démon, et n'aie crainte, Dieu est avec nous ! » me répondit-il sans trop de cohérence. Ses doigts touchaient le *q* de quatuor, et moi qui me trouvais quelques pas en arrière, je voyais mieux que lui ce qu'il faisait. J'ai déjà dit que les lettres des versets paraissaient gravées en creux dans le mur : d'évidence celles du mot quatuor étaient fabriquées avec des formes de métal, derrières lesquelles se trouvait encastré et muré un prodigieux mécanisme. Car, lorsqu'il fut poussé en avant, le *q* fit entendre comme un déclic sec, et il arriva de même lorsque Guillaume actionna le *r*. Le cadre entier du miroir eut comme un sursaut, et la surface vitrée se déplaça brusquement en arrière. Le miroir était une porte, qui tournait du côté gauche sur ses gonds. Guillaume glissa la main dans l'ouverture qui s'était créée entre le bord droit et le mur, et il tira à lui. En grinçant la porte s'ouvrit vers nous. Guillaume se faufila dans l'espace libre et je me coulai dans ses pas, la lampe haute au-dessus de ma tête.

Deux heures après complies, à la fin du sixième jour, au cœur de la nuit où commençait le septième jour, nous avions pénétré dans le finis Africae.

SEPTIÈME JOUR

Septième jour

NUIT

Où, à résumer les révélations prodigieuses dont on parle ici, le titre devrait être aussi long que le chapitre, ce qui est contraire à l'usage.

Nous nous trouvâmes sur le seuil d'une pièce semblable par sa forme aux trois autres pièces aveugles heptagonales, où régnait une forte odeur de renfermé et de livres macérés dans l'humidité. La lampe que je tenais haut éclaira d'abord la voûte, puis j'abaissai le bras, à droite et à gauche, et la flamme souffla de vagues clartés sur les étagères éloignées, le long des murs. Enfin nous vîmes au centre une table, chargée de parchemins, et derrière la table, une silhouette assise, qui paraissait nous attendre immobile dans le noir, si toutefois elle était encore vivante. Avant que la lumière n'en illuminât le visage, Guillaume parla.

« Bonne et heureuse nuit, vénérable Jorge, dit-il. Tu nous attendais ? »

La lampe à présent, comme nous avançâmes de quelques pas, éclairait le visage du vieux, qui nous regardait comme s'il voyait.

« C'est toi, Guillaume de Baskerville ? demanda-t-il. Je t'attends depuis cet après-midi avant vêpres, quand je vins m'enfermer ici. Je savais que tu viendrais.

— Et l'Abbé ? demanda Guillaume. C'est lui qui s'agite dans l'escalier secret ? »

Jorge eut un instant d'hésitation : « Il est encore vivant ? demanda-t-il. Je croyais que l'air lui avait déjà manqué.

— Avant que nous commencions à parler, dit Guillaume, je voudrais le sauver. Toi, tu peux ouvrir de ce côté.

— Non, dit Jorge avec lassitude, je ne le puis plus. Le mécanisme se manœuvre d'en bas en pressant sur la plaque, et ici, en haut, se déclenche un levier qui ouvre une porte là au fond, derrière cette armoire (et il fit un signe par-dessus son épaule), tu pourrais voir à côté de l'armoire une roue avec des contrepoids, qui commande le mécanisme d'en haut. Mais lorsque d'ici j'ai entendu la roue tourner, signe qu'Abbon était entré en bas, j'ai donné un coup sec à la corde qui soutient les poids, et la corde s'est rompue. A présent le passage est fermé, d'un côté comme de l'autre, et tu ne pourrais pas renouer les fils de ce dispositif. L'Abbé est mort.

— Pourquoi l'as-tu tué ?

— Aujourd'hui, quand il m'a mandé d'urgence, c'était pour me dire que grâce à toi il avait tout découvert. Il ne savait pas encore ce que j'avais voulu protéger, il n'a jamais compris exactement quels étaient les trésors, et les fins de la bibliothèque. Il m'a demandé de lui expliquer ce qu'il ne savait pas. Il voulait voir ouvrir le finis Africae. Le groupe des Italiens lui avait demandé de mettre fin à ce qu'ils appelaient le mystère alimenté par moi et par mes prédécesseurs. Ils sont tourmentés par la convoitise de choses nouvelles...

— Et toi, tu as dû lui promettre que tu viendrais ici et que tu mettrais fin à ta vie, comme tu avais mis fin à celle des autres, de manière que l'honneur de l'abbaye fût sauf et que personne ne sût rien. Ensuite tu lui as indiqué le chemin pour venir, plus tard, vérifier. En revanche, tu l'attendais pour le tuer, lui. Tu ne pensais pas qu'il pût entrer par le miroir ?

— Non, Abbon est petit de taille, il n'aurait pas été capable d'arriver tout seul au verset. Je lui ai indiqué ce passage, que moi seul connaissais encore. C'est celui que j'ai utilisé moi-même pendant tant d'années, car c'était plus simple, dans le noir. Il suffisait d'arriver à la chapelle, et puis de suivre les os des morts, jusqu'au bout du passage.

— Ainsi tu l'as fait venir ici en sachant que tu le tuerais...

— Je ne pouvais plus avoir confiance en lui non plus. Il était épouvanté. Il était devenu célèbre à Fossanova pour avoir réussi à faire descendre un corps le long d'un escalier à vis. Injuste gloire. Maintenant il est mort pour n'avoir pas réussi à faire monter le sien.

— Tu t'en es servi pendant quarante ans. Quand tu t'es aperçu que tu devenais aveugle et que tu ne pourrais pas continuer à contrôler la bibliothèque, tu as habilement manœuvré. Tu as fait élire abbé un homme auquel tu pouvais te fier, et tu as fait nommer bibliothécaire d'abord Robert de Bobbio, que tu pouvais instruire selon ton bon plaisir, puis Malachie, qui avait besoin de ton aide et ne faisait pas un pas sans te consulter. Pendant quarante ans tu as été le maître de cette abbaye. Voilà ce que le groupe des Italiens avait compris, voilà ce qu'Alinardo répétait, mais personne ne lui prêtait attention parce qu'on le considérait depuis beau temps comme un pauvre fou, n'est-ce pas ? Cependant tu m'attendais encore, et tu n'aurais pu bloquer l'entrée du miroir, car le mécanisme est muré. Pourquoi m'attendais-tu, d'où tenais-tu avec certitude que je serais arrivé ? » Guillaume questionnait, mais au ton de sa voix, on comprenait qu'il devinait déjà la réponse, et l'attendait comme un prix pour sa propre habileté.

« Dès le premier jour, j'ai compris que tu comprendrais. D'après ta voix, d'après la manière dont tu m'as amené à débattre ce dont je ne voulais pas qu'on parlât. Tu valais mieux que les autres, tu y serais arrivé de toute façon. Tu sais, il suffit de penser et de reconstruire dans son propre esprit les pensées de l'autre. Et puis j'ai entendu que tu posais des questions aux autres moines, toutes justes. Mais tu ne posais jamais de questions sur la bibliothèque, comme si tu en connaissais désormais tous les secrets. Une nuit, je suis venu frapper à ta cellule, et tu n'étais pas là. Tu étais certainement ici. Deux lampes avaient disparu des cuisines, je l'ai entendu dire par un servant. Et enfin, lorsque Séverin est venu te parler d'un livre, l'autre jour dans le narthex, j'ai eu la certitude de que tu étais sur la même piste que moi.

— Mais tu es parvenu à me soustraire le livre. Tu es allé chez Malachie, qui jusqu'alors n'avait rien compris. Agité par sa jalousie, le sot continuait d'être obsédé par l'idée qu'Adelme lui avait ravi son Bérenger adoré, qui désormais voulait de la chair plus jeune que la sienne. Il ne comprenait pas ce que venait faire Venantius dans cette histoire, et toi tu lui as encore davantage brouillé les idées. Tu lui as dit que Bérenger avait eu un rapport avec Séverin, et qu'en reconnaissance il lui avait donné un livre du finis Africae. Je ne sais exactement ce que tu lui as dit. Mais Malachie est allé chez Séverin, fou de jalousie, et l'a tué. Et il n'a pas eu le temps de chercher le livre que tu lui avais décrit, parce que le cellérier est arrivé. Est-ce bien ainsi que cela s'est passé ?

— Plus ou moins.

— Mais toi, tu ne voulais pas que Malachie mourût. Lui, il n'avait probablement jamais jeté un seul coup d'œil aux livres du finis Africae, il avait une confiance aveugle en toi, il obéissait à tes interdits. Lui, il se limitait à préparer le soir les herbes pour épouvanter les éventuels curieux. C'est Séverin qui les lui procurait. Voilà pourquoi ce jour-là Séverin laissa entrer Malachie dans l'hôpital, c'était sa visite quotidienne pour prélever les herbes fraîches, que, par ordre de l'Abbé, l'herboriste tenait prêtes chaque jour. Ai-je deviné ?

— Tu as deviné. Je ne voulais pas que Malachie mourût. Je lui dis de retrouver le livre, à tout prix, et de le ramener ici, sans l'ouvrir. Je lui dis qu'il avait le pouvoir de mille scorpions. Mais pour la première fois l'insensé voulut prendre une initiative. Je ne le voulais pas mort, c'était un exécuteur fidèle. Et ne me répète pas ce que tu sais, je le sais que tu sais. Je ne veux pas alimenter ton orgueil, tu t'en charges suffisamment toi-même. Je t'ai entendu ce matin dans le scriptorium interroger Bence sur la *Coena Cypriani*. Tu étais tout près de la vérité. Je ne sais comment tu as découvert le secret du miroir, mais quand j'ai su par l'Abbé que tu lui avais mentionné le finis Africae, j'étais certain qu'en peu de temps tu serais arrivé. C'est ainsi que je t'attendais. Et à présent que veux-tu ?

— Je veux voir, dit Guillaume, le dernier manuscrit du volume relié qui réunit un texte arabe, un syrien et une interprétation ou transcription de la *Coena Cypriani*. Je veux voir cet exemplaire en grec, établi probablement par un Arabe, ou un Espagnol, que tu as trouvé quand, aidé de Paolo de Rimini, tu as obtenu qu'on t'envoyât dans ton pays pour recueillir les plus beaux manuscrits des Apocalypses de León et de Castille, un butin qui t'a rendu célèbre et fait estimer ici dans l'abbaye, et t'a permis d'obtenir la place de bibliothécaire, alors qu'elle revenait à Alinardo de dix ans ton aîné. Je veux voir cet exemplaire grec écrit sur papier de drap, qui alors était très rare, et qu'on fabriquait précisément à Silos, près de Burgos, ta patrie. Je veux voir le livre que tu as dérobé là-bas, après l'avoir lu, car tu ne voulais pas que d'autres le lussent, et que tu as caché ici, le protégeant de façon habile, et que tu n'as pas détruit parce qu'un homme tel que toi ne détruit pas un livre, mais le garde et veille à ce que personne ne le touche. Je veux voir le deuxième livre de la *Poétique* d'Aristote, celui que tout le monde croyait perdu ou jamais écrit, et dont tu conserves peut-être l'unique exemplaire.

— Quel magnifique bibliothécaire tu aurais fait, Guillaume, dit Jorge, d'un ton mâtiné d'admiration et de regret. Ainsi tu sais vraiment tout. Viens, je crois qu'il y a un tabouret de ton côté de la table. Assieds-toi, voici ta récompense. »

Guillaume s'assit et posa la lampe, que je lui avais passée, éclairant par en dessous le visage de Jorge. Le vieillard prit un volume qu'il avait sur sa table et le lui tendit. Je reconnus la reliure, c'était celui que j'avais ouvert à l'hôpital, le prenant pour un manuscrit arabe.

« Lis donc, alors, feuillette-le, Guillaume, dit Jorge. Tu as gagné. »

Guillaume regarda le volume, mais ne le toucha pas. Il tira de sa coule une paire de gants, pas les siens avec la pointe des doigts découverte, mais ceux que portait Séverin quand nous l'avions trouvé mort. Il ouvrit lentement la reliure usée et fragile. Je m'approchai et me penchai sur son épaule. Jorge, de son ouïe très fine, entendit le léger bruit que je fis. Il dit : « Tu es là toi aussi, mon garçon ? Je te le ferai voir à toi aussi... après. »

Guillaume parcourut rapidement les premières pages. « C'est un manuscrit arabe sur les dits de quelque fol, d'après le catalogue, dit-il. De quoi traite-t-il ?

— Oh, sottes légendes d'infidèles, où l'on juge que les fols ont des mots d'esprit si subtils qu'ils en étonnent même leurs prêtres et enthousiasment leurs califes...

— Le second est un manuscrit syriaque, mais d'après le catalogue il traduit un libelle égyptien d'alchimie. Pourquoi se trouve-t-il donc dans ce recueil ?

— C'est un ouvrage égyptien du troisième siècle de notre ère. Dans la ligne de l'ouvrage qui suit, mais moins dangereux. Personne ne prêterait l'oreille aux égarements d'un alchimiste africain. Il attribue la création du monde au rire divin... » Il leva le visage et récita, avec sa prodigieuse mémoire de lecteur qui depuis maintenant quarante ans se répétait à lui-même les livres lus quand il jouissait encore de sa vue : « A peine Dieu rit-Il que naquirent sept dieux qui gouvernèrent le monde, à peine Il éclata de rire qu'apparut la lumière, au second éclat de rire apparut l'eau, et au septième jour de Son rire apparut l'âme... Folies. Y compris l'écrit qui vient après, d'un des innombrables idiots qui se mirent à gloser la *Coena*... Mais ce n'est pas là ce qui t'intéresse. »

Guillaume avait en effet passé rapidement sur ces pages et il était arrivé au texte grec. Je vis aussitôt que les feuillets étaient d'une matière différente et plus molle, presque déchiré le premier, avec une partie de la marge rongée, parsemé de taches pâles, comme d'ordinaire le temps et l'humidité en produisent sur d'autres livres. Guillaume lut les premières lignes, d'abord en grec, puis en traduisant en latin et en poursuivant dans cette langue, de façon que moi aussi je pusse apprendre comment débutait le livre fatal.

Dans le livre premier nous avons traité de la tragédie et de la manière dont en suscitant pitié et peur, elle produit la purification de tels sentiments. Comme nous l'avions promis, nous traitons maintenant de la comédie (mais aussi de la satire et du mime) et de la manière dont en suscitant le plaisir du ridicule, elle parvient à la purification de cette passion. De quelle insigne considération est digne une telle passion, nous l'avons déjà dit dans le livre sur l'âme, dans la mesure où — seul d'entre tous les animaux — l'homme est capable de rire. Nous définirons donc de quel genre d'actions la comédie est imitation, après quoi nous examinerons les manières dont la comédie suscite le rire, et ces manières sont les faits et l'élocution. Nous montrerons comment le ridicule des faits naît de l'assimilation du meilleur au pire et vice versa, de la surprise par la ruse, de l'impossible et de la violation des lois de nature, de l'insignifiant et de l'inconséquent, de l'abaissement des personnages, de l'usage des pantomimes bouffonnes et vulgaires, de la discordance, du choix des choses les moins dignes. Nous montrerons ensuite comment le ridicule de l'élocution naît des équivoques entre des mots semblables pour des choses différentes et différents pour des choses semblables, de la logorrhée et de la répétition, des jeux de mots, des diminutifs, des erreurs de prononciation et des barbarismes...

Guillaume traduisait avec difficulté, cherchant les mots justes, s'arrêtant par moments. Tout en traduisant, il souriait, comme s'il reconnaissait des choses qu'il s'attendait à trouver. Il lut à voix haute la première page, puis il cessa, comme s'il n'était pas intéressé à en savoir davantage, et il feuilleta en hâte les pages suivantes : mais après quelques feuillets, il rencontra une résistance, car sur la marge latérale supérieure, et tout le long de la tranche, les feuillets étaient unis les uns aux autres, comme il arrive lorsque — une fois humidifiée et détériorée — la mauere du papier forme une sorte de gluten poisseux. Jorge se rendit compte que le froissement des feuillets tournés avait cessé, et il exhorta Guillaume.

« Allons, lis, feuillette-le. Il est à toi, tu l'as bien mérité. »

Guillaume rit ; il paraissait plutôt amusé : « Alors, ce n'est pas vrai que tu me crois aussi subtil que ça, Jorge ! Tu ne le vois pas, mais j'ai des gants. Avec les doigts empêtrés de la sorte je ne parviens pas à détacher les feuillets. Je devrais m'exécuter les mains nues, m'humecter les doigts avec ma langue, comme il m'est arrivé de faire ce matin en lisant dans le scriptorium, alors soudain ce mystère aussi s'est éclairci pour moi, et je devrais continuer à tourner ainsi les feuillets, tant qu'une bonne dose de poison ne serait pas passée dans ma bouche. Je parle du poison que toi, un jour, il y a longtemps de cela, tu as dérobé dans le laboratoire de Séverin, peut-être alors déjà préoccupé pour avoir entendu quelqu'un dans le scriptorium manifester certaine curiosité, soit à propos du finis Africae, soit au sujet du livre perdu d'Aristote, soit pour l'un et l'autre à la fois. Je crois que tu as gardé longtemps la fiole pardevers toi, te réservant d'en faire usage quand tu sentirais un danger. Et tu l'as senti il y a quelques jours, lorsque d'un côté Venantius parvint trop près du thème de ce livre, et que de l'autre Bérenger, par légèreté, par gloriole, pour impressionner Adelme, se révéla moins secret que tu ne l'espérais. Alors tu es venu ici et tu as préparé ton piège. Juste à temps car peu de nuits après Venantius ouvrit le miroir, déroba le livre, le parcourut avec anxiété, avec une voracité quasi physique. Il ne tarda pas à se sentir mal, et courut chercher de l'aide aux cuisines. Où il mourut. Je me trompe ?

— Non, continue.

— Le reste est simple. Bérenger trouve le corps de Venantius dans les cuisines, il craint qu'il n'en découle une enquête, car au fond Venantius était venu de nuit dans l'Edifice à la suite de sa première révélation à Adelme. Il ne sait que faire, charge le corps sur ses épaules et le jette dans la jarre de sang, pensant que tout le monde serait convaincu qu'il s'était noyé.

— Et toi comment sais-tu qu'il en alla ainsi ?

— Tu le sais toi aussi, j'ai vu comment tu as réagi quand on a découvert un linge souillé de sang chez Bérenger. Avec ce linge, l'étourdi s'était nettoyé les mains après avoir mis Venantius dans le sang. Mais comme il avait disparu, Bérenger ne pouvait qu'avoir disparu avec le livre qui excitait maintenant sa propre curiosité. Et toi, tu t'attendais qu'on le retrouvât quelque part, non point ensanglanté, mais bien empoisonné. Le reste est clair. Séverin retrouve le livre, car Bérenger était allé d'abord dans l'hôpital pour le lire à l'abri des regards indiscrets. Malachie tue Séverin à ton instigation, et il meurt à son tour quand il revient ici pour savoir ce qu'il y avait de tellement interdit dans l'objet qui l'avait fait devenir un assassin. Voilà que nous avons une explication pour tous les cadavres... Quel idiot...

— Qui ?

— Moi. A cause d'une phrase d'Alinardo je m'étais convaincu que la série des crimes suivait le rythme des sept trompettes de l'Apocalypse. La grêle pour Adelme, et il s'agissait d'un suicide. Le sang pour Venantius, et ç'avait été une idée bizarre de Bérenger ; l'eau pour Bérenger lui-même, et ç'avait été un cas fortuit ; la troisième partie du ciel pour Séverin, et Malachie avait frappé avec la sphère armillaire parce que c'était la seule chose qu'il avait trouvée sous la main. Enfin, les scorpions pour Malachie... Pourquoi as-tu dit que le livre avait la force de mille scorpions ?

— A cause de toi. Alinardo m'avait communiqué son idée, puis j'avais entendu dire par quelqu'un que toi aussi tu l'avais trouvée persuasive... Alors j'ai acquis la conviction qu'un plan divin réglait ces disparitions dont je n'étais pas responsable. Et j'annonçai à Malachie que s'il ne s'était pas gardé d'être curieux, il aurait péri selon le même plan divin, comme de fait cela s'est avéré.

— C'est ainsi alors... J'ai fabriqué un schéma faux pour interpréter la stratégie du coupable et le coupable s'y est conformé. Et c'est précisément ce schéma faux qui m'a mis sur tes traces. A notre époque tout un chacun est obsédé par le livre de Jean, mais toi tu me semblais celui qui y méditait le plus, et non tant pour tes spéculations sur l'Antéchrist, mais parce que tu venais du pays qui a produit les plus splendides Apocalypses. Un jour quelqu'un m'a dit que les manuscrits les plus beaux de ce livre, ceux de la bibliothèque, c'était toi qui les avais apportés. Puis un jour Alinardo divagua sur un mystérieux ennemi qui était allé chercher des livres à Silos (m'intrigua le fait que cet ennemi, selon ses dires, était retourné prématurément dans le royaume des ténèbres : sur le moment, on pouvait penser qu'il voulait signifier par là sa mort prématurée, en revanche il faisait allusion à ta cécité). Silos est près de Burgos, et ce matin j'ai trouvé dans le catalogue une série d'acquisitions qui concernaient toutes les Apocalypses hispaniques, au cours de la période où tu avais succédé ou tu allais succéder à Paolo de Rimini. Et dans ce groupe d'acquisitions, il y avait aussi ce livre. Mais je ne pouvais être certain de ma reconstitution, jusqu'au moment où j'appris que le livre volé était en papier de drap. Alors je me souvins de Silos, et je fus sûr de moi. Naturellement, au fur et à mesure que prenait forme l'idée de ce livre et de son pouvoir vénéneux, se délitait l'idée du schéma apocalyptique, et pourtant je ne parvenais pas à comprendre comment le livre et la succession des trompettes conduisaient l'un et l'autre à toi, et j'ai mieux compris l'histoire du livre justement dans la mesure où, guidé par la succession apocalyptique, j'étais obligé de penser à toi, et à tes discussions sur le rire. A telle enseigne que ce soir, quand je ne croyais désormais plus au schéma apocalyptique, j'insistai pour contrôler les écuries, où je m'attendais à la sonnerie de la sixième trompette, et c'est précisément aux écuries, par pur hasard, qu'Adso m'a fourni la clef pour entrer dans le finis Africae.

— Je ne te suis pas, dit Jorge. Tu es fier de me montrer comment, en suivant ta raison, tu es arrivé jusqu'à moi, et cependant tu me démontres que tu y es arrivé en suivant une raison erronée. Que veux-tu me dire ?

— A toi, rien. Je suis déconcerté, voilà tout. Mais n'importe. Je suis ici.

— Le Seigneur sonnait les sept trompettes. Et toi, fût-ce dans ton erreur, tu as entendu un écho confus de ce son.

— Ça, tu l'as déjà dit dans ta prédication d'hier soir. Tu cherches à te convaincre que toute cette histoire a procédé d'un dessein divin, pour te cacher à toi-même que tu es un assassin.

— Moi, je n'ai tué personne. Chacun est tombé en suivant son destin, à cause de ses péchés. Moi, je n'ai été qu'un instrument.

— Hier tu as dit que Judas aussi fut un instrument. Cela n'empêche pas qu'il a été condamné.

— J'accepte le risque de la damnation. Le Seigneur m'absoudra, car il sait que j'ai agi pour sa gloire. Mon devoir était de protéger la bibliothèque.

— Il n'y a qu'un instant, tu étais pret à me tuer moi aussi, et même ce garçon...

— Tu es plus subtil, mais pas meilleur que les autres.

— Et à présent qu'adviendra-t-il, à présent que j'ai éventé le piège ?

— Nous verrons, répondit Jorge. Je ne veux pas nécessairement ta mort. Peut-être réussirai-je à te convaincre. Mais dis-moi d'abord, comment as-tu deviné qu'il s'agissait du deuxième livre d'Aristote ?

— Tes anathèmes contre le rire ne m auraient certes pas suffi, ni le peu que j'ai appris sur la discussion que tu eus avec les autres. J'ai été aidé par quelques notes laissées par Venantius. Je ne comprenais pas à première vue ce qu'elles voulaient dire. Mais il y avait certaines références à une pierre éhontée qui roule à travers la plaine, aux cigales qui chanteront sous la terre, aux vénérables figuiers. J'avais déjà lu quelque chose de ce genre : j'ai contrôlé ces jours-ci. Ce sont des exemples qu'Aristote donnait déjà dans son premier livre de la *Poétique*, et dans la *Rhétorique*. Je me suis rappelé ensuite qu'Isidore de Séville définit la comédie comme quelque chose qui raconte stupra virginum et amores meretricum... Peu à peu s'est dessiné dans mon esprit ce second livre comme il aurait dû être. Je pourrais te le raconter presque tout entier, sans lire les pages qui devraient m'envenimer. La comédie naît dans les komaï autrement dit dans les villages des paysans, comme célébration badine après un repas ou une fête. Elle ne parle pas des hommes fameux et puissants, mais d'êtres vils et ridicules, pas méchants cependant, et elle ne finit pas par la mort des protagonistes. Elle atteint l'effet de ridicule en montrant, chez les hommes communs, les défauts et les vices. Ici Aristote voit la disposition au rire comme une force positive, qui peut même avoir valeur cognitive, lorsque à travers des énigmes subtiles et des métaphores inattendues, tout en nous montrant les choses différentes de ce qu'elles sont, comme si elle mentait, elle nous oblige en fait à les mieux observer, et nous porte à dire : voilà, il en allait vraiment ainsi, et moi je ne le savais pas. La vérité atteinte à travers la représentation des hommes, et du monde, pires que ce qu'ils sont ou que nous les croyons, pires en tout cas que nous les voyons, tels que les poèmes héroïques, les tragédies, les vies des saints nous les ont représentés. Est-ce bien ainsi ?

— Pas mal. Tu l'as reconstitué en lisant d'autres livres ?

— Sur nombre desquels travaillait Venantius. Je crois que

Venantius était depuis beau temps à la recherche de ce livre. Il a dû lire dans le catalogue les indications que j'ai lues moi aussi, et avoir acquis la conviction que c'était bien là le livre qu'il cherchait. Mais il ne savait comment entrer dans le finis Africae. Quand il a entendu Bérenger en parler à Adelme, alors il s'est lancé comme le chien sur la piste du lièvre.

— Il en alla bien ainsi, je m'en rendis compte tout de suite. Je compris que le moment était venu, qu'il me faudrait défendre la bibliothèque avec les dents...

— Et tu as appliqué l'onguent. Cela n'a pas dû être facile pour toi... dans le noir.

— Désormais mes mains y voient mieux que tes yeux. Je lui avais soustrait aussi un pinceau, à Séverin. Et moi aussi je me suis servi de gants. Ce fut une belle idée, n'est-ce pas ? Tu as mis du temps pour y arriver...

— Oui. Je pensais à un mécanisme plus complexe, à un croc empoisonné ou à quelque chose de ce genre. Je dois dire que ta solution était exemplaire, la victime s'empoisonnait toute seule, et précisément dans la mesure où elle voulait lire... »

Non sans frémir, je m'aperçus qu'en ce moment ces deux hommes, s'affrontant en un combat mortel, s'admiraient à tour de rôle, comme si chacun d'eux n'avait agi que pour obtenir les félicitations de l'autre. Mon esprit fut traversé par la pensée que les arts déployés par Bérenger pour séduire Adelme, et les gestes simples et naturels par lesquels la jeune fille avait suscité ma passion et mon désir, n'étaient rien, quant à la ruse et à l'habileté forcenée dans la conquête de l'autre, en face de cette séduction réciproque qui avait lieu sous mes yeux à l'instant, et qui s'était déroulée sept jours durant, chacun des deux interlocuteurs donnant, pour ainsi dire, de mystérieux rendez-vous à l'autre, chacun aspirant secrètement à l'approbation de l'autre, qu'il redoutait et haïssait.

« Mais à présent dis-moi, disait Guillaume, pourquoi ? Pourquoi as-tu voulu protéger ce livre plus que tant d'autres ? Tu cachais, mais pas au prix du crime, des traités de nécromancie, des pages où l'on blasphème, peut-être, le nom de Dieu, mais pourquoi pour ces pages as-tu damné tes frères et t'es-tu damné toi-même ? Il y a tant d'autres livres qui parlent de la comédie, tant d'autres encore qui contiennent l'éloge du rire. Pourquoi celui-ci t'inspirait-il tant d'épouvante ?

— Parce qu'il était du Philosophe. Chacun des livres de cet homme a détruit une partie de la science que la chrétienté avait accumulée tout au long des siècles. Les Pères nous avaient transmis ce qu'il fallait savoir sur la puissance du Verbe, et il a suffi que

Boèce commentât le Philosophe pour que le mystère divin du Verbe se transformât en la parodie humaine des catégories et du syllogisme. Le livre de la Genèse dit ce qu'il faut savoir sur la composition du cosmos, et il a suffi qu'on redécouvrît les livres de physique du Philosophe, pour que l'univers fût repensé en termes de matière sourde et visqueuse, et pour que l'Arabe Averroès fût à deux doigts de convaincre tout le monde de l'éternité du monde. Nous savions tout sur les noms divins, et le dominicain enseveli par Abbon — séduit par le Philosophe — les a renommés en suivant les sentes orgueilleuses de la raison naturelle. Ainsi le cosmos, qui pour l'Aréopagite se manifestait à qui savait regarder en haut la cascade lumineuse de la cause première exemplaire, est devenu une réserve d'indices terrestres d'où on remonte pour nommer une abstraite cause efficiente. Avant, nous regardions vers le ciel, daignant jeter un regard courroucé à la boue de la matière, maintenant nous regardons vers la terre, et nous croyons au ciel sur le témoignage de la terre. Chaque mot du Philosophe, sur qui désormais jurent même les saints et les souverains pontifes, a renversé l'image du monde. Mais il n'est pas allé jusqu'à renverser l'image de Dieu. Si ce livre devenait... était devenu matière de libre interprétation, nous aurions franchi la dernière limite.

— Mais qu'est-ce qui t'a fait peur dans ce discours sur le rire ? Tu n'élimines pas le rire en éliminant ce livre.

— Non, certes. Le rire est la faiblesse, la corruption, la fadeur de notre chair. C'est l'amusette pour le paysan, la licence pour l'ivrogne, même l'Eglise dans sa sagesse a accordé le moment de la fête, du carnaval, de la foire, cette pollution diurne qui décharge les humeurs et entrave d'autres désirs et d'autres ambitions... Mais ainsi le rire reste vile chose, défense pour les simples, mystère déconsacré pour la plèbe. L'apôtre même le disait, plutôt que de brûler, mariez-vous. Plutôt que de vous rebeller contre l'ordre voulu par Dieu, riez et amusez-vous de vos immondes parodies de l'ordre, à la fin du repas, après avoir vidé les cruches et les fiasques. Elisez le roi des fols, perdez-vous dans la liturgie de l'âne et du cochon, jouez à représenter vos saturnales la tête en bas... Mais ici, ici... » A présent Jorge frappait du doigt sur la table, près du livre que Guillaume tenait devant lui. « Ici on renverse la fonction du rire, on l'élève à un art, on lui ouvre les portes du monde des savants, on en fait un objet de philosophie, et de perfide théologie... Tu as vu hier comment les simples peuvent concevoir, et mettre en œuvre, les plus troubles hérésies, méconnaissant et les lois de Dieu et les lois de la nature. Mais l'Eglise peut supporter l'hérésie des simples, lesquels se condamnent eux-mêmes, ruinés par leur ignorance. L'inculte folie de Dolcino et de ses pairs ne mettra jamais en crise l'ordre divin. Il prêchera la violence et mourra dans la violence, il ne laissera point de trace, il se consumera ainsi que se consume le carnaval, et peu importe si au cours de la fête se sera produite sur la terre, et pour un temps compté, l'épiphanie du monde à l'envers. Il suffit que le geste ne se transforme pas en dessein, que cette langue vulgaire n'en trouve pas une latine qui la traduise. Le rire libère le vilain de la peur du diable, parce que, à la fête des fols, le diable même apparaît comme pauvre et fol, donc contrôlable. Mais ce livre pourrait enseigner que se libérer de la peur du diable est sapience. Quand il rit, tandis que le vin gargouille dans sa gorge, le vilain se sent le maître, car il a renversé les rapports de domination : mais ce livre pourrait enseigner aux doctes les artifices subtils, et à partir de ce moment-là illustres, par lesquels légitimer le bouleversement. Alors, ce qui, dans le geste irréfléchi du vilain, est encore et heureusement opération du ventre se changerait en opération de l'intellect. Que le rire soit le propre de l'homme est le signe de nos limites de pécheurs. Mais combien d'esprits corrompus comme le tien tireraient de ce livre l'extrême syllogisme, selon quoi le rire est le but de l'homme ! Le rire distrait, quelques instants, le vilain de la peur. Mais la loi s'impose à travers la peur, dont le vrai nom est crainte de Dieu. Et de ce livre pourrait partir l'étincelle luciférienne qui allumerait dans le monde entier un nouvel incendie : et on désignerait le rire comme l'art nouveau, inconnu même de Prométhée, qui anéantit la peur. Au moment où il rit, peu importe au vilain de mourir ; mais après, quand prend fin la licence, la liturgie lui impose de nouveau, suivant le dessein divin, la peur de la mort. Et de ce livre pourrait naître la nouvelle et destructive aspiration à détruire la mort à travers l'affranchissement de la peur. Et que serions-nous, nous créatures pécheresses, sans la peur, peut-être le plus sage et le plus affectueux des dons divins ? Pendant des siècles, les docteurs et les Pères ont sécrété d'embaumantes essences de saint savoir pour racheter, à travers la pensée de ce qui est élevé, la misère et la tentation de ce qui est bas. Et ce livre, en justifiant la comédie comme miraculeuse médecine, et la satire et le mime, qui produiraient la purification des passions à travers la représentation du défaut, du vice, de la faiblesse, induirait les faux savants à tenter de racheter (dans un diabolique renversement) le haut à travers l'acceptation du bas. De ce livre découlerait la pensée que l'homme peut vouloir sur la terre (comme suggérait ton Bacon à propos de la magie naturelle) l'abondance même du pays de Cocagne. Mais c'est justement cela que nous ne devons ni ne pouvons avoir. Regarde les moinillons qui se dévergondent dans la parodie bouffonne de la

Coena Cypriani. Quelle diabolique transfiguration de l'Ecriture sainte ! Et pourtant, tout en le faisant, ils savent que cela est mal. Mais le jour où la parole du Philosophe justifierait les jeux marginaux de l'imagination déréglée, oh ! alors vraiment ce qui se trouvait en marge sauterait au centre, et du centre on perdrait toute trace. Le peuple de Dieu se transformerait en une assemblée de monstres éructés des abîmes de la terre inconnue, et c'est alors que la périphérie de la terre connue deviendrait le cœur de l'empire chrétien, les Arimaspes sur le trône de Pierre, les Blemmyes dans les monastères, les nains au gros ventre et à la tête gigantesque comme gardiens de la bibliothèque ! Les serviteurs dicteront la loi, nous (mais toi aussi, à ce compte) nous obéirons à la vacance de toute loi. Un philosophe grec (que ton Aristote cite ici, complice et immonde auctoritas) dit qu'on doit démanteler le sérieux de ses adversaires avec le rire, et le rire adverse avec le sérieux. La prudence de nos pères a fait son choix : si le rire est le plaisir de la plèbe, que la licence de la plèbe soit tenue en bride et humiliée, et sévèrement menacée. Et la plèbe n'a pas d'armes pour affiner son rire jusqu'à le faire devenir instrument contre le sérieux des pasteurs qui doivent la conduire à la vie éternelle et la soustraire aux séductions du ventre, des pudenda, de la nourriture, de ses sordides désirs. Mais si un jour quelqu'un, agitant les paroles du Philosophe, et donc parlant en philosophe, amenait l'art du rire à une forme d'arme subtile, si la rhétorique de la conviction se voyait remplacée par la rhétorique de la dérision, si la topique de la patiente et salvatrice construction des images de la rédemption se voyait remplacée par la topique de l'impatiente démolition et du bouleversement de toutes les images les plus saintes et vénérables — oh ce jour-là toi aussi et toute ta science, Guillaume, vous serez mis en déroute !

— Pourquoi ? Je me battrais, ma finesse d'esprit contre la finesse d'esprit d'autrui. Ce serait un monde meilleur que celui où le feu et le fer rougi de Bernard Gui humilient le feu et le fer rougi de Dolcino.

— Dès lors, tu serais pris toi aussi dans la trame du démon. Tu combattrais de l'autre côté du camp de l'Armageddon, où devra avoir lieu l'engagement final. Mais pour ce jour, l'Eglise doit savoir imposer encore une fois la règle du conflit. Le blasphème ne nous fait pas peur, car même dans la malédiction de Dieu nous reconnaissons l'image égarée de l'ire de Jéhovah qui maudit les anges rebelles. Elle ne nous fait pas peur, la violence de ceux qui tuent les pasteurs au nom de quelque fantaisie de renouvellement, car c'est la même violence que celle des princes qui cherchèrent à détruire le peuple d'Israël. Elles ne nous font pas peur, la rigueur du donatiste, la folie suicidaire du circoncellion, la luxure du bogomile, l'orgueilleuse pureté de l'albigeois, la soif de sang du flagellant, l'ivresse du mal chez le frère du libre esprit : nous les connaissons tous et nous connaissons la racine de leurs péchés qui est la racine même de notre sainteté. Ils ne nous font pas peur et surtout nous savons comment les détruire, mieux, comment les laisser se détruire tout seuls en enflant avec arrogance jusqu'au zénith leur volonté de mort qui naît dans les abîmes même de leur nadir. Mieux encore, leur présence nous est précieuse, elle s'inscrit dans le dessein de Dieu, car leur péché aiguillonne notre vertu, leur blasphème encourage notre chant de louange, leur pénitence déréglée règle notre goût du sacrifice, leur impiété fait resplendir notre piété, de même que le prince des ténèbres a été nécessaire, avec sa rébellion et sa désespérance, au plus grand éclat de la gloire de Dieu, principe et fin de toute espérance. Pourtant si un jour — et non plus comme exception plébéienne, mais comme ascèse du docte, confiée au témoignage indestructible de l'Ecriture — l'art de la dérision se faisait acceptable, et apparaissait noble, et libéral, et non plus mécanique ; si un jour quelqu'un pouvait dire (et être entendu) : moi, je ris de l'Incarnation... Alors nous n'aurions point d'armes pour arrêter ce blasphème, parce qu'il rassemblerait les forces obscures de la matière corporelle, celles qui s'affirment dans le pet et dans le rot, et le rot et le pet s'arrogeraient le droit qui n'appartient qu'à l'esprit, de souffler où il veut !

— Lycurgue avait fait élever une statue au rire.

— Tu l'as lu dans le libelle de Cloritius qui tenta d'absoudre les mimes de l'accusation d'impiété, et dit comment un malade fut guéri par un médecin qui l'avait aidé à rire. Pourquoi fallait-il le guérir, si Dieu avait établi que sa journée terrestre avait touché son terme ?

— Je ne crois pas qu'il l'ait guéri du mal. Il lui a appris à rire du mal.

— On n'exorcise pas le mal. On le détruit.

— Avec le corps du malade.

— Si cela est nécessaire.

— Tu es le diable », dit alors Guillaume.

Jorge parut ne pas comprendre. S'il avait pu voir, je dirais qu'il aurait fixé son interlocuteur d'un regard étonné. « Moi ? dit-il.

— Oui, on t'a menti. Le diable n'est pas le principe de la matière, le diable est l'arrogance de l'esprit, la foi sans sourire, la vérité qui n'est jamais effleurée par le doute. Le diable est sombre parce qu'il sait où il va, et allant, il va toujours d'où il est venu. Tu es le diable, et comme le diable tu vis dans les ténèbres. Si tu voulais me convaincre, tu n'as pas réussi. Je te hais, Jorge, et si je pouvais je te mènerais en bas, sur le plateau, nu avec des plumes de volatiles enfilées dans le trou du cul, et la face peinte comme un jongleur et un bouffon, pour que tout le monastère rie de toi, et n'ait plus peur. J'aimerais te couvrir de miel et puis te rouler dans les plumes, et te mener à la laisse dans les foires, pour dire à tout le monde : voilà celui qui vous annonçait la vérité et vous disait que la vérité a le goût de la mort, et vous, vous ne croyiez pas en sa parole, mais bien en sa triste figure. Et maintenant, moi je vous le dis, dans l'infini vertige des possibles, Dieu consent même que vous imaginiez un monde où l'interprète présumé de la vérité ne serait autre qu'un merle gauche, qui répète des mots appris depuis une éternité.

— Toi, tu es pire que le diable, minorite, dit alors Jorge. Tu es un baladin, comme le saint qui a accouché de vous. Tu es comme ton François qui de toto corpore fecerat linguam, qui tenait des sermons en donnant des spectacles comme les saltimbanques, qui confondait l'avare en lui glissant dans la main une pièce d'or, qui humiliait la dévotion des religieuses en récitant le *Miserere* au lieu de prêcher, qui mendiait en français, et imitait avec un morceau de bois les mouvements du joueur de viole, qui se déguisait en vagabond pour confondre les frères gloutons, qui se jetait nu sur la neige, parlait avec les animaux et les herbes, transformait le mystère même de la nativité en spectacle villageois, invoquait l'agneau de Bethléem en contrefaisant le bêlement de la brebis... Ce fut une bonne école... N'était-il pas minorite ce frère Dieutesauve de Florence ?

— Si, sourit Guillaume. Celui qui se rendit au couvent des prêcheurs et dit qu'il n'accepterait de nourriture si d'abord on ne lui donnait un morceau de la tunique de frère Jean, pour le conserver comme relique, et quand il l'eut, il s'en nettoya le derrière et le jeta dans le fumier et à l'aide d'une perche il le roulait au fond de la merde en criant : “ Hélas, aidez-moi mes frères, parce que j'ai perdu dans la fosse d'aisance les reliques du saint ! ”

— Elle t'amuse, cette histoire, me semble-t-il. Sans doute voudras-tu me raconter aussi celle de l'autre minorite, frère Paul Millemouches, qui un jour est tombé de tout son long sur la glace, et ses concitoyens le moquaient et l'un d'eux lui demanda s'il n'aurait pas voulu quelque chose de mieux à se mettre sous lui, et l'autre répondit : si, ta femme... Ainsi cherchez-vous la vérité.

— Ainsi François enseignait aux gens à regarder les choses sous un autre angle.

— Mais nous vous avons disciplinés. Tu les as vus hier, tes frères. Ils sont entrés dans nos rangs, ils ne parlent plus comme les simples. Les simples ne doivent pas parler. Ce livre eût justifié l'idée que la langue des simples est porteuse d'une certaine sagesse. C'est ce qu'il fallait empêcher, c'est ce que j'ai fait. Tu dis que je suis le diable : ce n'est pas vrai. J'ai été la main de Dieu.

— La main de Dieu crée, elle ne cache pas.

— Il est des bornes qu'il n'est pas permis de passer. Dieu a voulu que dans certains parchemins fût écrit : “ Hic sunt leones. ”

— Dieu a créé même les monstres. Même toi. Et il veut que l'on parle de tout. »

Jorge allongea ses mains tremblotantes et tira le livre à lui. Il le tenait ouvert, mais à l'envers, de façon que Guillaume continuât à le voir à l'endroit. « Alors pourquoi, dit-il, a-t-Il permis que ce texte fût perdu pendant tant de siècles, et qu'on en sauvât un seul exemplaire, que la copie de cet exemplaire, fini qui sait où, demeurât ensevelie des années durant dans les mains d'un infidèle qui ne savait pas le grec, et puis fût laissée à l'abandon dans le réduit d'une vieille bibliothèque où moi, et pas toi, je fus appelé par la Providence pour la trouver, et l'emporter avec moi, et la cacher pendant d'autres années encore ? Moi je sais, je sais comme si je le voyais écrit en lettres de diamant, avec mes yeux qui voient ce que tu ne vois pas, moi je sais que telle était la volonté du Seigneur, selon quoi j'ai agi. Au nom du Père, du Fils, et du Saint-Esprit. »

Septième jour

NUIT

Où a lieu l'ecpyrose, et à cause d'un excès de vertu prévalent les forces de l'enfer.

Le vieillard se tut. Il tenait les deux mains ouvertes sur le livre, comme pour en caresser les pages, comme s'il étalait les feuillets pour le mieux lire, ou voulait le protéger d'une prise rapace.

« Tout cela n'a de toute façon servi à rien, lui dit Guillaume. Maintenant c'est fini, je t'ai trouvé, j'ai trouvé le livre, et les autres sont morts en vain.

— Pas en vain, dit Jorge. Peut-être en nombre excessif. Et si par hasard il t'avait fallu une preuve que ce livre est maudit, tu l'as eue. Mais il ne faut pas qu'ils soient morts en vain. Et afin qu'ils ne soient pas morts en vain, une autre mort ne sera pas de trop. »

Dit-il. Et il commença de ses mains décharnées et diaphanes à déchirer, par morceaux et par bandes, les pages molles du manuscrit, se les déposant en lambeaux dans la bouche, et mâchant lentement comme s'il consommait l'hostie et voulait la faire chair de sa propre chair.

Guillaume le regardait fasciné et paraissait ne pas se rendre compte de ce qui se passait. Puis il se ressaisit et se pencha en avant en criant : « Que fais-tu ? » Jorge sourit, découvrant ses gencives exsangues, tandis qu'une bave jaunâtre coulait de ses lèvres pâles sur les poils blancs et rares de son menton.

« C'est toi qui attendais la sonnerie de la septième trompette, n'est-ce pas ? Ecoute à présent ce que dit la voix : tiens secrètes les paroles des sept tonnerres et ne les écris pas ; tiens, mange-le ; il te remplira les entrailles d'amertume, mais en ta bouche il aura la douceur du miel. Tu vois ? Maintenant je scelle ce qui ne devait pas être dit, dans la tombe que je deviens. »

Il rit, juste ciel, lui, Jorge. Pour la première fois je l'entendis rire... Il rit du fond de sa gorge, sans que ses lèvres prissent une expression de joie, et on eût presque dit qu'il pleurait : « Tu ne t'y attendais pas, Guillaume, à cette conclusion, n'est-ce pas? Ce vieux, par la grâce du Seigneur, l'emporte encore, n'est-ce pas? » Et comme Guillaume cherchait à lui soustraire le livre, Jorge, qui sentit le geste en percevant la vibration de l'air, fit un mouvement de retrait en serrant le volume sur sa poitrine de la main gauche, tandis que de la droite il continuait à en déchirer les pages et à se les mettre à la bouche.

Il se trouvait de l'autre côté de la table et Guillaume, qui ne parvenait pas à l'atteindre, tenta brusquement de contourner l'obstacle. Mais sa robe se prit dans son siège, qui tomba : et ce remue-ménage n'échappa nullement à Jorge. Le vieillard rit encore, cette fois plus fort, et avec une insoupçonnable rapidité il tendit la main droite, repérant à tâtons la lampe, guidé par la chaleur il parvint à la flamme, y pressa la main, sans craindre la douleur, et la flamme s'éteignit. La pièce fut plongée dans l'obscurité et nous entendîmes pour la dernière fois l'éclat de rire de Jorge, qui criait : « Trouvez-moi à présent, parce que là, c'est moi qui y vois le mieux ! » Puis il se tut et ne se fit plus entendre, se déplaçant de ces pas silencieux qui rendaient toujours aussi inattendues ses apparitions, et nous ne discernions par moments, en différents points de la salle, que le bruit du papier qui se déchirait.

« Adso ! cria Guillaume, veille à la porte, ne le laisse pas sortir ! »

Mais il avait parlé trop tard car moi, qui depuis quelques secondes déjà frémissais du désir de me jeter sur le vieux, à la chute des ténèbres, je m'étais lancé en avant, cherchant à contourner la table du côté opposé à celui où s'était déplacé mon maître. Trop tard je compris que j'avais donné la possibilité à Jorge de gagner la porte, parce que le vieux savait se diriger dans le noir avec une sûreté extraordinaire. Et de fait, nous perçûmes un bruit de papier déchiré dans notre dos, et plutôt affaibli, car il provenait déjà de la pièce contiguë. Et en même temps, nous entendîmes un autre bruit, un grincement laborieux et progressif, un gémissement de gonds.

« Le miroir ! cria Guillaume, il nous enferme ! » Guidés par le bruit, nous nous précipitâmes tous deux vers l'entrée, moi je butai sur un escabeau et me contusionnai une jambe, mais je n'en fis point cas, parce qu'en un éclair je compris que si Jorge nous avait enfermés, nous ne serions plus jamais sortis : dans l'obscurité totale nous n'aurions pas trouvé le moyen d'ouvrir, ne sachant ce qu'il fallait manœuvrer, où et comment.

Je crois que Guillaume agissait avec le même désespoir que moi, car je le sentis à mes côtés tandis qu'ensemble, le seuil atteint, nous nous arc-boutions au revers du miroir qui se refermait sur nous.

Nous arrivâmes à temps : la porte s'immobilisa et peu à peu céda, en se rouvrant. D'évidence, Jorge, se rendant compte que le jeu était inégal, s'était éloigné. Nous sortîmes de la pièce maudite, mais nous ne savions pas maintenant où le vieux s'était dirigé et l'obscurité était toujours d'encre. Tout à coup je me souvins :

« Maître, mais j'ai la pierre à feu sur moi !

— Et alors, qu'attends-tu, cria Guillaume, trouve la lampe et allume-la ! » Je me jetai dans le noir, retournant dans le finis Africae pour chercher la lampe à tâtons. J'y réussis aussitôt, par un miracle divin, fouillai dans mon scapulaire, trouvai la pierre à feu, mes mains tremblaient et je ratai deux ou trois fois avant de l'allumer, alors que Guillaume haletait à la porte : « Vite, vite ! » et enfin j'éclairai.

« Vite, m'exhortait encore Guillaume, sinon l'autre avale tout Aristote !

— Et il meurt ! m'écriai-je angoissé, le rejoignant et me mettant à la recherche avec lui.

— Peu me chaut s'il meurt, le maudit ! criait Guillaume scrutant l'espace tout autour de lui et se déplaçant de façon désordonnée. De toute manière, avec ce qu'il a mangé son destin est déjà arrêté. Mais moi je veux le livre ! »

Puis il s'immobilisa, et il ajouta, un peu plus calme : « Halte-là. Si nous procédons de la sorte, nous ne le trouverons jamais. Chut, un instant. » Nous nous roidîmes en silence. Et au milieu du silence nous entendîmes à une courte distance le bruit d'un corps qui heurtait une armoire, et le fracas de quelques livres qui tombaient. « Par là ! » criâmes-nous ensemble.

Nous courûmes dans la direction des bruits, mais aussitôt nous nous rendîmes compte que nous devions ralentir notre allure. En effet, en dehors du finis Africae, la bibliothèque était traversée ce soir-là par des bouffées d'air qui sifflaient et gémissaient, témoignant de la force du vent qui soufflait à l'extérieur. Multipliées par notre élan, elles menaçaient d'éteindre la lampe, reconquise de haute lutte. Comme nous ne pouvions accélérer, nous, il eût été nécessaire de ralentir Jorge. Mais Guillaume eut une intention opposée et il cria : « Nous t'avons pris, vieux, à présent nous avons la lumière ! » Et ce fut une sage résolution, car cette révélation avait probablement poussé Jorge à s'agiter, qui dut doubler le pas, compromettant l'équilibre de sa sensibilité magique de voyant dans les ténèbres. De fait, peu après, nous entendîmes un autre choc et quand, en suivant le bruit, nous entrâmes dans la salle Y de YSPANIA, nous le vîmes, tombé à terre, le livre encore dans les mains, alors qu'il cherchait à se relever au milieu des volumes dégringolés de la table, qu'il avait heurtée et renversée. Il cherchait à se relever, mais il continuait à arracher les pages, comme pour dévorer le plus vite possible sa proie.

Lorsque nous le rejoignîmes, il s'était remis sur pieds et, sentant notre présence, il nous faisait front en reculant. Son visage, à la lueur rouge de la lampe, fut alors pour nous une apparition horrible : les traits altérés, une sueur maligne striait son front et ses joues, ses yeux d'ordinaire blancs de mort s'étaient injectés de sang, de sa bouche sortaient des serpentins de parchemin comme d'une bête famélique qui se serait trop gavée et ne parviendrait plus à déglutir sa pitance. Défigurée par l'anxiété, par le poison harcelant qui désormais sinuait déjà abondamment dans ses veines, par sa détermination désespérée et diabolique, ce qui avait été la face vénérable du vieillard, apparaissait maintenant comme une chose hideuse et grotesque : en d'autres circonstances, elle aurait pu faire éclater de rire, mais nous aussi nous étions comme réduits à l'état d'animaux, des chiens qui braquent le gibier.

Nous aurions pu le saisir avec calme, en revanche nous nous précipitâmes véhémentement sur lui, il se démena, serra les mains sur sa poitrine pour défendre le volume ; moi je le tenais de la senestre, tandis que de la dextre je cherchais à maintenir toujours haut la lampe, quand de la flamme j'effleurai son visage ; il ressentit la chaleur, émit un son étouffé, un rugissement, presque, laissant choir de sa bouche des lambeaux de papier, abandonna de sa dextre la prise sur le livre, lança la main vers la lampe qu'il m'arracha d'un coup, et projeta devant lui...

La lampe alla tomber en plein sur le tas de livres dégringolés de la table, entassés les uns sur les autres avec leurs pages ouvertes. L'huile se renversa, le feu prit aussitôt à un parchemin très fragile qui flamba comme une brassée de brindilles sèches. Tout advint en un éclair, une grande flamme s'éleva des volumes, comme si ces pages millénaires aspiraient depuis des siècles à l'embrasement, et jouissaient dans la satisfaction soudaine d'une soif immémoriale d'ecpyrose. Guillaume se rendit compte de ce qui arrivait et il lâcha prise — le vieux, se sentant libre, recula de quelques pas — hésita sensiblement, trop sans doute, incertain s'il fallait reprendre Jorge ou se précipiter pour éteindre le petit bûcher. Un livre plus vieux que les autres brûla presque d'un coup, jetant bien haut une langue de feu.

Les fines lamelles de vent, qui pouvaient éteindre une faible flamme, en stimulaient par contre de plus fortes et vivaces, et même en faisaient jaillir des brandons errants.

« Eteins ce feu, vite ! s'écria Guillaume. Sinon tout va flamber ! »

Je m'élançai sur le brasier, puis m'arrêtai ne sachant que faire. Guillaume vint résolument vers moi, pour me prêter main-forte. Nous tendîmes les bras dans la direction de l'incendie, cherchâmes des yeux quelque chose avec quoi l'étouffer, j'eus comme une inspiration, j'ôtai ma robe en la passant par la tête et tentai de la jeter sur le brasier. Mais déjà les flammes étaient trop hautes, elles attaquèrent ma robe et s'en alimentèrent. Je retirai mes mains couvertes de brûlures, me tournai vers Guillaume et vis, juste dans son dos, Jorge qui s'était approché de nouveau. La chaleur était désormais si forte qu'il la ressentit parfaitement, sut avec une certitude absolue où se trouvait le feu, et il y jeta l'Aristote.

Guillaume eut un mouvement de colère et donna une violente bourrade au vieux qui piqua de la tête contre l'arête d'une armoire et tomba à terre... Mais Guillaume, que je crois avoir entendu lâcher un abominable juron, n'en eut cure. Il revint aux livres. Trop tard. L'Aristote, en somme ce qui en était resté après le repas du vieillard, avait déjà pris feu.

Entre-temps, des étincelles avaient volé vers les murs et déjà les volumes d'une autre armoire se recroquevillaient sous la fureur du feu. Dès lors non plus un, mais deux brasiers incendiaient la pièce.

Guillaume comprit que nous ne pourrions les éteindre de nos mains, et il décida de sauver les livres avec les livres. Il se saisit d'un volume qui lui sembla mieux relié que les autres, et plus compact, et il tenta de s'en servir comme d'une arme pour étouffer l'élément ennemi. Mais en frappant de la reliure ornée de ferrures et de cabochons sur le bûcher des livres ardents, il ne faisait rien d'autre que provoquer de nouvelles étincelles. Il chercha à les éparpiller à coups de pied, mais il obtint l'effet contraire, car il s'en éleva des lambeaux de parchemin presque réduit en cendres, qui voletaient comme des chauves-souris tandis que l'air, allié à son aérien compagnon, les envoyait incendier la matière terrestre d'autres feuillets.

La malchance avait voulu que ce fût là une des salles les plus désordonnées du labyrinthe. Du haut des rayons pendaient des manuscrits roulés, d'autres livres plutôt délabrés laissaient sortir de leurs couvertures, comme de lèvres béantes, des langues de peau desséchée par les ans, et la table devait avoir supporté une énorme quantité d'écrits que Malachie (alors seul depuis des jours) avait négligé de remettre en place. Si bien que la pièce, après l'écroulement provoqué par Jorge, était envahie de parchemins dans l'attente de se changer en un autre élément.

En un rien de temps, ce lieu fut un grand brasier, un buisson ardent. Les armoires participaient aussi à ce sacrifice et commençaient à crépiter. Je me rendis compte que le labyrinthe tout entier n'était rien d'autre qu'un bûcher sacrificiel, préparé pour l'heure de la première étincelle...

« De l'eau, il faut de l'eau ! disait Guillaume, pour ajouter ensuite : Et où trouver de l'eau dans cet enfer ?

— Dans les cuisines, en bas dans les cuisines ! » m'écriai-je.

Guillaume me regarda perplexe, le visage rougi par cette furieuse clarté. « Oui, mais avant que nous soyons descendus et remontés... Au diable ! cria-t-il alors, dans tous les cas cette pièce est perdue, et peut-être la suivante aussi. Descendons tout de suite, moi je cherche de l'eau, et toi tu vas donner l'alarme, il faut beaucoup de gens ! »

Nous trouvâmes la direction de l'escalier parce que la conflagration illuminait l'enfilade des pièces, encore que de plus en plus faiblement, et nous parcourûmes les deux dernières salles presque à tâtons. En bas, la lumière de la nuit jetait une clarté pâle dans le scriptorium, et de là nous descendîmes au réfectoire. Guillaume courut aux cuisines, moi à la porte du réfectoire, bataillant pour l'ouvrir de l'intérieur, et j'y parvins non sans un long effort, car l'agitation me rendait gauche et inhabile. Je sortis sur le plateau, courus vers le dortoir ; je compris alors que je n'aurais pas pu réveiller les moines un à un, et je fus bien inspiré de me précipiter à l'église où je cherchai le chemin de la tour campanaire. Comme j'y arrivai, je me suspendis à toutes les cordes, en sonnant le tocsin. Je tirais avec force et la corde du bourdon, en remontant, m'entraînait avec elle. Dans la bibliothèque, j'avais eu le dos de mes mains brûlé, mes paumes étaient encore saines, et je me les brûlai en les faisant glisser le long des cordes, jusqu'au moment où elles furent en sang et que je dus lâcher prise.

Mais j'avais fait suffisamment de bruit, je m'élançai au-dehors, à temps pour voir les premiers moines qui sortaient du dortoir, tandis qu'on entendait au loin les voix des servants qui s'agglutinaient sur le seuil de leurs logements. Je ne pus m'expliquer clairement, parce que j'étais incapable d'exprimer un mot, et les premières paroles qui me vinrent aux lèvres furent formulées dans ma langue maternelle. De ma main ensanglantée, j'indiquais les fenêtres de l'aile méridionale de l'Edifice dont l'albâtre laissait transparaître une lueur anormale. Je me rendis compte, à l'intensité de la lumière, que le temps de descendre et de sonner les cloches, le feu s'était largement propagé à d'autres pièces. Toutes les fenêtres de l'Africa et toute la façade entre l'Africa et la tour orientale brillaient maintenant de clartés intermittentes.

« Eau, apportez de l'eau ! » criai-je.

Sur le moment, personne ne comprit. Les moines étaient si

accoutumés à considérer la bibliothèque comme un lieu sacré et inaccessible, qu'ils n'arrivaient pas à réaliser qu'elle était menacée par un accident vulgaire, comme peut l'être une chaumière de paysans. Les premiers qui levèrent les yeux vers les fenêtres firent le signe de la croix en murmurant des mots d'épouvante, et je compris qu'ils croyaient à de nouvelles apparitions. Je m'accrochai à leurs robes, les implorai de comprendre, jusqu'à ce que quelqu'un traduisît mes sanglots en paroles humaines.

C'était Nicolas de Morimonde, qui dit : « La bibliothèque brûle !

— Voilà », murmurai-je, en me laissant tomber épuisé sur la terre.

Nicolas fit preuve d'une grande énergie, il cria des ordres aux servants, donna des conseils aux moines qui l'entouraient, envoya quelqu'un ouvrir toutes les portes de l'Edifice, exhorta les présents à chercher des seaux et des récipients de n'importe quel genre, envoya vers les sources et les réserves d'eau de l'enceinte. Il ordonna aux vachers d'employer les mulets et les ânes pour transporter des jarres... Si ces dispositions avaient été données par un homme investi d'autorité, on les eût exécutées sur-le-champ. Mais les servants étaient habitués à recevoir des ordres de Rémigio, les copistes de Malachie, tous de l'Abbé. Et aucun des trois n'était hélas présent. Les moines de leurs yeux cherchaient l'Abbé pour obtenir informations et réconfort, et ils ne le trouvaient pas, quand moi seul savais qu'il était mort, ou allait mourir en ce moment, muré dans un boyau asphyxiant qui se transformait à présent en un four, en un taureau de Phalaris.

Nicolas poussait les vachers d'un côté, mais quelque autre moine, animé de bonnes intentions, les poussait d'un autre côté. Certains frères avaient visiblement perdu leur calme, d'autres étaient encore engourdis de sommeil. Moi, j'essayais d'expliquer, car j'avais tout à fait recouvré l'usage de la parole, mais il est nécessaire de rappeler que j'étais quasiment nu, après avoir jeté mon froc aux flammes, et la vue du jeune homme que j'étais, ensanglanté, le visage noirci de suie, le corps tout juste recouvert de duvet, hébété maintenant par le froid, ne devait certes pas inspirer confiance.

Enfin Nicolas parvint à entraîner des frères et d'autres gens dans les cuisines, qu'entre-temps quelqu'un avait rendues accessibles. Quelqu'un d'autre eut le bon sens d'apporter des torches. Nous trouvâmes les lieux en grand désordre, et je compris que Guillaume devait l'avoir mis sens dessus dessous pour chercher de l'eau et des récipients propres au transport.

C'est alors précisément que je vis Guillaume qui paraissait à la porte du réfectoire, le visage couvert de petites brûlures, l'habit enfumé, une grande marmite dans les mains, et j'éprouvai de la pitié pour lui, pauvre allégorie de l'impuissance. Je compris que, même s'il avait réussi à transporter au second étage un chaudron d'eau sans le renverser, et même s'il l'avait fait plus d'une fois, le résultat devait avoir été bien mince. Je me souvins de l'histoire de saint Augustin, quand il voit un enfant qui tente de transvaser l'eau de la mer avec une cuillère : l'enfant était un ange et il en agissait ainsi pour se jouer du saint qui prétendait pénétrer les mystères de la nature divine. Et comme l'ange, Guillaume me parla en s'appuyant épuisé au chambranle de la porte : « C'est impossible, nous n'y réussirons jamais, fût-ce avec tous les moines de l'abbaye. La bibliothèque est perdue. » Contrairement à l'ange, Guillaume pleurait.

Je me serrai contre lui, tandis qu'il arrachait un linge d'une table et tentait de me couvrir. Nous nous arrêtâmes pour observer, défaits désormais, ce qui se passait autour de nous.

C'était une course désordonnée de gens, certains montaient les mains nues et se croisaient dans l'escalier à vis avec d'autres qui, les mains nues, poussés par une sotte curiosité, avaient déjà grimpé, et dégringolaient maintenant pour chercher des récipients. D'autres plus avisés cherchaient aussitôt chaudrons et bassines, pour s'apercevoir que dans les cuisines il n'y avait pas suffisamment d'eau. Tout à coup l'immense salle fut envahie par des mulets qui transportaient des jarres, et les vachers qui les menaient, les déchargèrent et se disposèrent à porter l'eau en haut. Mais ils ne connaissaient pas le chemin pour monter au scriptorium, et il fallut du temps avant que certains copistes les missent au courant, et quand ils montaient, ils se heurtaient à ceux qui descendaient terrorisés. Des jarres se brisèrent et l'eau se répandit à terre, d'autres furent passées le long de l'escalier à vis par des mains secourables. Je suivis le groupe et me trouvai dans le scriptorium : de l'accès à la bibliothèque provenait une fumée dense, les derniers qui avaient tenté de se risquer plus haut vers la tour orientale, revenaient déjà en toussant, les yeux rougis, et ils déclaraient qu'on ne pouvait plus pénétrer dans cet enfer.

Je vis alors Bence. Le visage altéré, il montait des cuisines avec un énorme récipient. Il entendit ce que disaient les rescapés et il les apostropha : « L'enfer vous avalera tous autant que vous êtes, tas de lâches ! » Il se tourna comme pour chercher une aide et il me vit : « Adso, s'écria-t-il, la bibliothèque... la bibliothèque... » Il n'attendit pas ma réponse. Il courut au pied de l'escalier et pénétra hardiment dans la fumée. Ce fut la dernière fois que je le vis.

J'entendis un craquement qui provenait d'en haut. Des voûtes du scriptorium tombaient des éclats de pierre mêlés à de la chaux. Une clef de voûte sculptée en forme de fleur se détacha et il s'en fallut de peu qu'elle ne s'abattît sur ma tête. Le pavement du labyrinthe était en train de céder.

A vive allure, je dégringolai au rez-de-chaussée et sortis en plein air. Quelques servants de bonne volonté avaient apporté des échelles à l'aide desquelles ils essayaient d'atteindre les verrières les plus hautes pour y jeter de l'eau. Mais les échelles les plus longues arrivaient à grand-peine aux verrières du scriptorium et qui s'y était hissé ne pouvait les ouvrir de l'extérieur. Ils firent dire de les ouvrir de l'intérieur, mais personne à présent ne s'enhardissait plus à monter.

Cependant je regardais les fenêtres du troisième étage. La bibliothèque tout entière ne devait faire désormais qu'un seul brasier à l'épaisse fumée et le feu courait de pièce en pièce ouvrant par bonds ses flammes aux milliers et milliers de pages desséchées. Toutes les fenêtres étaient maintenant illuminées, une fumée noire sortait du toit : le feu s'était communiqué aux poutrages du comble. L'Edifice, qui paraissait si solide et en tout point inébranlable, révélait en cette désastreuse circonstance sa faiblesse, ses lézardes, ses murs rongés jusqu'à l'intérieur, ses pierres déchaussées qui permettaient à la flamme d'atteindre les charpentes de bois où qu'elles fussent.

Soudain, quelques verrières se brisèrent comme sous la poussée d'une force intérieure, les étincelles jaillirent à l'extérieur, piquant de lumières errantes le noir de la nuit. Le vent, soufflant d'abord avec force, était devenu plus léger, et ce fut malchance parce que, fort, il aurait peut-être éteint les étincelles, léger, il les transportait en redoublant leur ardeur, et avec elles il faisait voltiger dans l'air des lambeaux de parchemin, frémissant de fragilité dans leur flamboiement. C'est alors qu'on entendit un violent craquement : le pavement du labyrinthe avait cédé en plusieurs points, s'effondrant avec ses poutres enflammées sur l'étage inférieur, car je vis des langues de flammes s'élever du scriptorium, lui aussi tapissé de livres et d'armoires, et rempli de feuillets libres disposés sur des tables, prêts à la levée des étincelles. J'entendis des cris de désespoir provenir d'un groupe de copistes qui s'arrachaient les cheveux et se proposaient encore de monter héroïquement, pour récupérer leurs parchemins tant aimés. En vain, car les cuisines et le réfectoire n'étaient plus qu'un carrefour d'âmes perdues s'agitant dans toutes les directions, où chacun faisait obstacle à l'autre. Les gens se heurtaient, tombaient, qui détenait un récipient en renversait le contenu salvateur, les mulets entrés dans les cuisines avaient senti la présence du feu et ils se précipitaient en ruant vers les sorties, bousculant les moines et leurs palefreniers terrorisés eux-mêmes. On voyait bien que, dans tous les cas, cette tourbe de vilains et d'hommes dévots et sages, mais inaptes au dernier degré, laissée la bride sur le cou, entraverait même les secours qui eussent pu arriver.

Tout le plateau était en proie au désordre. Mais nous n'étions qu'au début de la tragédie. En sortant par les verrières et par le toit, la nue triomphante des étincelles, portée par le vent, retombait de partout, touchant la couverture de l'église. Nul n'ignore combien de splendides cathédrales ont été vulnérables à la morsure du feu : car la maison de Dieu apparaît belle et bien défendue comme la Jérusalem céleste grâce à la pierre dont elle fait montre, mais ses murs, ses pendentifs et ses voûtes reposent sur une fragile, encore qu'admirable, architecture de bois, et si l'église de pierre rappelle les forêts les plus vénérables par ses colonnes qui se ramifient hautes dans les voûtes, audacieuses comme des chênes, de chêne elle a souvent le corps — comme elle a également de bois son mobilier, les autels, les chœurs, les planches peintes, les bancs, les chaises, les candélabres. Ainsi en alla-t-il de l'église abbatiale au superbe portail qui m'avait tant fasciné le premier jour. Elle prit feu en très peu de temps. Les moines et toute la population du plateau comprirent alors qu'était en jeu la survivance même de l'abbaye, et ils se mirent tous à courir, encore plus bravement et confusément pour affronter le danger.

L'église était certes plus accessible et donc plus défendable que la bibliothèque. La bibliothèque avait été condamnée par son impénétrabilité même, par le mystère qui la protégeait, par l'avarice de ses accès. L'église, maternellement ouverte à tous à l'heure de la prière, était ouverte à tous à l'heure du secours. Mais il n'y avait plus d'eau, ou du moins il s'en pouvait trouver fort peu et en quantité insuffisante, les sources en fournissaient avec une parcimonie naturelle et avec une lenteur non proportionnée à l'urgence de la tâche. Tous auraient voulu éteindre l'incendie de l'église, personne ne savait comment s'y prendre. En outre, le feu s'était communiqué par le haut, où il s'avérait malaisé de se hisser pour battre les flammes ou les étouffer avec de la terre et des chiffons. Et lorsque les flammes sortirent d'en bas, il était désormais inutile d'y jeter terre ou sable, car le plafond s'effondrait maintenant sur les sauveteurs dont bon nombre fut terrassé.

Ainsi aux cris de regret pour toutes les richesses dévorées par les flammes, s'unissaient à présent les cris de douleur pour les visages brûlés, les membres écrasés, les corps disparus sous l'écroulement soudain d'une voûte.

Le vent s'était fait de nouveau impétueux et plus impétueusement il alimentait la propagation des flammes. Sitôt après l'église, prirent feu les soues, les étables, les bergeries et les écuries. Les animaux terrorisés brisèrent leurs liens, abattirent les portes, se répandirent à travers le plateau en hennissant, mugissant, bêlant, grognant horriblement. Des grappes d'étincelles se prirent dans la crinière de nombreux chevaux et on vit l'esplanade sillonnée de créatures infernales, de destriers flamboyants qui renversaient tout sur leur chemin, n'avaient terme ni répit. Je vis le vieil Alinardo, qui errait éperdu sans avoir compris ce qui se passait, rouler sous les sabots du magnifique Brunel auréolé de feu, traîner dans la poussière et rester là abandonné, pauvre chose informe. Mais je n'eus ni la possibilité ni le temps de le secourir, de pleurer sa fin, car de telles scènes se répétaient maintenant de partout.

Les chevaux en flammes avaient transporté le feu là où le vent ne l'avait pas encore fait : à présent brûlaient aussi les ateliers et le logement des novices. Des troupes de personnes couraient d'un bout à l'autre de l'esplanade, sans but ou avec des buts illusoires. Je vis Nicolas, la tête blessée, l'habit en lambeaux, qui, vaincu désormais, à genoux dans l'allée principale, maudissait la malédiction divine. Je vis Pacifico de Tivoli qui, renonçant à toute idée de secours, cherchait d'empoigner au passage un mulet emballé, et comme il y réussit, il me cria d'en faire autant, et de fuir, pour échapper à ce torve simulacre d'Armageddon.

Je me demandai alors où était Guillaume et redoutai qu'il n'eût été emporté par un écroulement. Je le trouvai, après une longue recherche, aux alentours du cloître. Il tenait à la main son sac de voyage : tandis que déjà le feu prenait à l'hôtellerie, il était monté dans sa cellule pour sauver au moins son très précieux bagage. Il avait aussi emporté mon sac, où je trouvai de quoi me revêtir. Hors d'haleine, nous nous attardâmes un instant pour regarder ce qui advenait autour de nous.

L'abbaye était condamnée. Presque tous ses bâtiments étaient, peu ou prou, touchés par le feu. Ceux encore intacts ne l'auraient bientôt plus été, car tout maintenant, depuis les éléments naturels jusqu'à la besogne confuse des sauveteurs, collaborait à propager l'incendie. Restaient sauves les parties non bâties, le potager, le jardin devant le cloître... Il n'était plus possible de rien faire pour sauver les constructions, mais il suffisait d'abandonner l'idée de les sauver pour pouvoir tout observer sans danger, en restant dans une zone découverte.

Nous regardâmes l'église qui à présent brûlait lentement, car c'est le propre de ces grandes constructions que de flamber tout de suite dans leurs parties en bois et puis d'agoniser pendant des heures, voire des jours. En revanche, l'Edifice flambait encore. Là, le matériel combustible étant beaucoup plus riche, le feu se communiquait dans tout le scriptorium, et il avait maintenant envahi le niveau des cuisines. Quant au troisième étage, où naguère et pendant des centaines d'années il y avait eu le labyrinthe, il était pratiquement détruit.

« C'était la plus grande bibliothèque de la chrétienté, dit Guillaume. Désormais, ajouta-t-il, l'Antéchrist est vraiment proche car aucune science ne lui fera plus barrage. D'ailleurs, nous en avons vu le visage cette nuit.

— Le visage de qui ? demandai-je abasourdi.

— J'ai nommé Jorge. Dans ce visage ravagé par la haine de la philosophie, j'ai vu pour la première fois le portrait de l'Antéchrist, qui ne vient pas de la tribu de Judas comme le veulent ses annonciateurs, ni d'un pays lointain. L'Antéchrist peut naître de la piété même, de l'excessif amour de Dieu ou de la vérité, comme l'hérétique naît du saint et le possédé du voyant. Redoute, Adso, les prophètes et ceux qui sont disposés à mourir pour la vérité, car d'ordinaire ils font mourir des multitudes avec eux, souvent avant eux, parfois à leur place. Jorge a accompli une œuvre diabolique parce qu'il aimait d'une façon si lubrique sa vérité qu'il osa tout, afin de détruire à tout prix le mensonge. Jorge avait peur du deuxième livre d'Aristote car celui-ci enseignait peut-être vraiment à déformer la face de toute vérité, afin que nous ne devenions pas les esclaves de nos fantasmes. Le devoir de qui aime les hommes est peut-être de faire rire de la vérité, *faire rire la vérité,* car l'unique vérité est d'apprendre à nous libérer de la passion insensée pour la vérité.

— Mais maître, hasardai-je affligé, vous parlez ainsi maintenant parce que vous êtes blessé au plus profond de votre âme. Pourtant il y a bien une vérité, celle que vous avez découverte ce soir, celle à laquelle vous êtes arrivé en interprétant les traces que vous avez lues au cours des jours passés. Jorge l'a emporté, mais vous, vous l'avez emporté sur Jorge car vous avez mis à nu sa trame...

— Il n'y avait point de trame, dit Guillaume, et moi je l'ai découverte par erreur. »

L'affirmation était autocontradictoire, et je ne saisis pas si Guillaume voulait réellement qu'elle le fût. « Mais c'était vrai que les empreintes dans la neige renvoyaient à Brunel, dis-je, c'était vrai qu'Adelme s'était suicidé, c'était vrai que Venantius ne s'était pas noyé dans la jarre, c'était vrai que le labyrinthe était organisé comme vous l'avez imaginé, c'était vrai qu'on entrait dans le finis Africae en touchant le mot *quatuor*, c'était vrai que le livre mystérieux était d'Aristote... Je pourrais continuer à faire la liste de toutes les choses vraies que vous avez découvertes en vous servant de votre science...

— Je n'ai jamais douté de la vérité des signes, Adso, ils sont la seule chose dont l'homme dispose pour s'orienter dans le monde. Ce que je n'ai pas compris, c'est la relation entre les signes. Je suis arrivé à Jorge à travers un schéma apocalyptique qui semblait porter tous les crimes, cependant qu'il s'agissait d'un hasard. Je suis arrivé à Jorge en cherchant l'auteur de tous les crimes, et nous avons découvert que chaque crime avait au fond un auteur différent, ou même pas d'auteur du tout. Je suis arrivé à Jorge en suivant le dessein d'un esprit pervers et raisonneur, et il n'y avait aucun dessein, ou plutôt Jorge soi-même avait été dépassé par son propre dessein initial ; et ensuite avait commencé un enchaînement de causes, et de causes concomitantes, et de causes en contradiction entre elles, qui s'étaient développées pour leur propre compte, créant des relations qui ne dépendaient d'aucun dessein. Où gît toute ma sagesse ? Je me suis comporté en homme obstiné, poursuivant un simulacre d'ordre, quand je devais bien savoir qu'il n'est point d'ordre dans l'univers.

— Mais en imaginant des ordres erronés, vous avez tout de même trouvé quelque chose...

— Tu as dit là une chose très belle, Adso, je te remercie. L'ordre que notre esprit imagine est comme un filet, ou une échelle, que l'on construit pour atteindre quelque chose. Mais après, on doit jeter l'échelle, car l'on découvre que, si même elle servait, elle était dénuée de sens. Er muoz gelîchesame die Leiter abewerfen, sô Er an ir ufgestigen ist... On dit comme ça ?

— Cela s'exprime ainsi dans ma langue. Qui l'a dit ?

— Un mystique de tes contrées. Il l'a écrit quelque part, je ne me rappelle plus où. Et il n'est pas nécessaire que quelqu'un, un jour, retrouve ce manuscrit. Les seules vérités qui servent sont des instruments à jeter.

— Vous ne pouvez rien vous reprocher, vous avez fait de votre mieux.

— C'est le mieux des hommes, qui est peu. Il est difficile d'accepter l'idée qu'il ne peut y avoir un ordre dans l'univers, parce qu'il offenserait la libre volonté de Dieu et son omnipotence. Ainsi la liberté de Dieu est notre condamnation, ou du moins la condamnation de notre superbe. »

J'osai, pour la première et la dernière fois dans ma vie, une conclusion théologique : « Mais comment peut exister un être nécessaire totalement tissu de possible ? Quelle différence y a-t-il alors entre Dieu et le chaos originel ? Affirmer l'omnipotence absolue de Dieu et son absolue disponibilité en regard de ses choix mêmes, n'équivaut-il pas à démontrer que Dieu n'existe pas ? »

Guillaume me regarda sans qu'aucun sentiment filtrât des linéaments de son visage, et il dit : « Comment un savant pourrait-il continuer à communiquer son savoir s'il répondait oui à ta question ? » Je ne compris pas le sens de ses paroles : « Vous entendez dire, demandai-je, qu'il n'y aurait plus de savoir possible et communicable, s'il manquait le critère même de la vérité, ou bien que vous ne pourriez plus communiquer ce que vous savez parce que les autres ne vous le consentiraient pas ? »

En cet instant précis, un pan de comble du dortoir s'écroula dans un immense fracas, soufflant vers le haut une nue d'étincelles. Une partie des brebis et des chèvres, qui erraient à travers la cour, nous frôlèrent en poussant d'atroces bêlements. Des servants passèrent par bandes tout près de nous, en criant, et il s'en fallut de peu qu'ils ne nous piétinassent.

« Il y a trop de confusion ici, dit Guillaume. Non in commotione, non in commotione Dominus. »

DERNIER FEUILLET

L'abbaye brûla pendant trois jours et pendant trois nuits, et les derniers efforts ne servirent de rien. Déjà dans la matinée du septième jour de notre demeure en ce lieu, quand désormais les rescapés se rendirent compte qu'aucun bâtiment ne pouvait plus être sauvé, quand des constructions les plus belles s'effondrèrent les murs extérieurs, et que l'église, s'enroulant presque sur elle-même, engloutit sa tour, à ce point-là faillit à chacun la volonté de lutter contre le châtiment divin. Toujours plus lasses furent les courses aux quelques seaux d'eau restés, tandis qu'encore brûlait paisiblement la salle capitulaire avec la superbe résidence de l'Abbé. Lorsque le feu atteignit les extrémités des différents ateliers, les servants avaient depuis longtemps sauvé le plus de matériel possible, et ils préféraient battre la colline pour récupérer au moins une partie des animaux, qui s'étaient enfuis au-delà de l'enceinte dans la confusion de la nuit.

Je vis certains des servants s'aventurer à l'intérieur de ce qui restait de l'église : j'imaginai qu'ils cherchaient à pénétrer dans la crypte du trésor pour rafler, avant de fuir, quelques précieux objets. Je ne sais s'ils sont parvenus à leurs fins, si la crypte n'avait déjà sombré, si les coquins n'ont pas sombré dans les entrailles de la terre en tentant de s'y glisser.

Cependant des hommes du village montaient, pour prêter main-forte, ou pour chercher eux aussi à faire main basse sur quelque butin. Les morts, pour la plupart, restèrent parmi les ruines encore brûlantes. Le troisième jour, une fois soignés les blessés, enterrés les cadavres restés à découvert, les moines et tous les survivants recueillirent leurs affaires et abandonnèrent le plateau encore fumant, comme un endroit maudit. Je ne sais où ils se sont dispersés.

Guillaume et moi quittâmes ces lieux, sur deux montures trouvées dans le bois, et que nous considérâmes res nullius. Nous nous dirigeâmes vers l'orient. Parvenus de nouveau à Bobbio, nous apprîmes de mauvaises nouvelles de l'empereur. Arrivé à Rome, il avait été couronné par le peuple. Toute composition avec Jean jugée désormais impossible, il avait élu un antipape, Nicolas V. Marsile avait été nommé vicaire spirituel de Rome, mais par sa faute, ou par sa faiblesse, il se passait dans cette ville des choses fort tristes à rapporter. On torturait des prêtres fidèles au pape, qui ne voulaient pas dire la messe, un prieur des augustiniens avait été jeté dans la fosse aux lions sur le Capitole. Marsile et Jean de Jandun avaient déclaré Jean hérétique, et Louis l'avait fait condamner à mort. Mais l'empereur gouvernait mal, il se faisait détester des seigneurs locaux, distrayait les deniers du trésor public. Au fur et à mesure que nous entendions ces nouvelles, nous retardions notre descente vers Rome, et je compris que Guillaume ne voulait pas se trouver le témoin des événements qui humiliaient ses espérances.

Quand nous parvînmes à Pomposa, nous apprîmes que Rome s'était rebellée contre Louis, lequel se repliait vers Pise, alors que dans la ville papale rentraient triomphalement les légats de Jean.

Entre-temps Michel de Césène s'était rendu compte que sa présence en Avignon n'amenait aucun résultat, il craignait même pour sa vie, et il s'était enfui, rejoignant Louis à Pise. Or, l'empereur avait aussi perdu l'appui de Castruccio, seigneur de Lucques et de Pistoie, qui était mort.

Bref, prévoyant les événements, et sachant que le Bavarois se dirigerait sur Munich, nous rebroussâmes chemin et décidâmes de le précéder là-bas ; c'était qu'aussi Guillaume sentait l'Italie devenir fort peu sûre pour lui. Au cours des mois et des années qui suivirent, Louis vit l'alliance des seigneurs gibelins se défaire ; un an après, Nicolas l'antipape se rendrait à Jean, en se présentant devant lui avec une corde passée au cou.

Comme nous arrivâmes à Munich, il fallut me séparer, avec moult larmes, de mon bon maître. Son sort était incertain, mes parents préférèrent que je revinsse à Melk. Depuis cette nuit tragique où Guillaume m'avait révélé son désenchantement devant les ruines de l'abbaye, comme par un commun et tacite accord, nous n'avions plus parlé de cette histoire. Pas plus que nous n'y fîmes allusion au cours de notre douloureux adieu.

Mon maître me donna maints bons conseils pour mes études futures, et il m'offrit les verres que lui avait fabriqués Nicolas, puisque lui, il avait récupéré les siens. J'étais encore jeune, me dit-il, mais un jour ils me rendraient service (et en vérité, je les ai sur le nez, à présent que j'écris ces lignes). Puis il m'étreignit fortement, avec la tendresse d'un père, et il me donna congé.

Je ne le vis plus. J'appris beaucoup plus tard qu'il était mort pendant la grande épidémie de peste qui sévit férocement à travers l'Europe vers la moitié de ce siècle. Je prie toujours que Dieu ait accueilli son âme et lui ait pardonné les nombreux actes d'orgueil que sa fierté intellectuelle lui avait fait commettre.

Des années plus tard, homme d'un âge avancé déjà, j'eus l'occasion d'accomplir un voyage en Italie sur mandat de mon Abbé. Je ne résistai pas à la tentation : en revenant je fis un long détour pour revisiter ce qui était resté de l'abbaye.

Les deux villages au flanc du mont s'étaient dépeuplés, tout autour les terres étaient en friche. Je grimpai jusqu'au plateau : un spectacle de désolation et de mort se présenta à mes yeux baignés de larmes.

Des grandes et magnifiques constructions qui paraient ce lieu, étaient restées des ruines éparses, comme déjà il en avait été des monuments antiques dans la Rome païenne. Le lierre avait recouvert les lambeaux des murs, les colonnes, les rares architraves restées intactes. Des herbes sauvages envahissaient partout le sol, et l'on ne comprenait même plus où avait été naguère le potager et le jardin. Seul l'emplacement du cimetière était reconnaissable, d'après quelques tombes qui affleuraient encore. Unique signe de vie, de grands oiseaux de proie chassaient lézards et serpents qui, comme des basilics, se lovaient entre les pierres ou se coulaient sur les murs. Du portail de l'église étaient restés de rares vestiges rongés de moisissure. Le tympan survivait à moitié et j'y aperçus encore, dilaté par les intempéries et alangui de répugnants lichens, l'œil senestre du Christ en majesté, et quelque chose de la face du lion.

L'Edifice, sauf le mur méridional, écroulé, semblait encore tenir debout et défier le cours du temps. Les deux tours extérieures, qui donnaient sur l'à-pic, paraissaient presque intactes, mais partout les verrières donnaient l'impression d'orbites vides dont les larmes visqueuses étaient des plantes grimpantes en putréfaction. A l'intérieur, l'œuvre de l'art, détruite, se confondait avec celle de la nature, et l'œil parcourait depuis la cuisine de vastes pans de ciel, à travers la déchirure des étages supérieurs et du toit, tombés comme des anges déchus. Tout ce qui n'était pas vert de mousses apparaissait encore noirci par la fumée qui datait de plusieurs décennies.

En fouillant parmi les ruines, je trouvais de temps à autre des fragments de parchemin, envolés du scriptorium et de la bibliothèque, sauvés ainsi que des trésors ensevelis dans la terre ; et je commençai à les recueillir, comme si je devais recomposer les feuillets d'un livre. Puis je m'aperçus que de l'une des tours s'élevait encore, chancelant et presque intact, un escalier à vis vers le scriptorium, et de là, en gravissant un escarpement de décombres, on pouvait arriver à la hauteur de la bibliothèque : laquelle n'était cependant qu'une sorte de galerie à ras les murs extérieurs, qui donnait, sur toute sa longueur, dans le vide.

Contre un pan de mur, je trouvai une armoire, encore miraculeusement droite, réchappée du feu je ne sais comme, pourrie par l'eau et les insectes. A l'intérieur, se trouvaient encore quelques feuillets. Je trouvai d'autres déchiquetures en fouillant encore les ruines du bas. Ce fut une maigre moisson que la mienne, mais je passai une journée entière à glaner, comme si de ces disjecta membra de la bibliothèque devait me parvenir un message. Certains lambeaux de parchemin étaient décolorés, d'autres laissaient entrevoir l'ombre d'une image, par moments le fantôme d'un ou de plusieurs mots. Je trouvai parfois des feuillets où je pouvais lire des phrases entières, plus souvent des reliures encore intactes, protégées par ce qui avait été des garnitures de métal... Des larves de livres, apparemment saines à l'extérieur, mais dévorées à l'intérieur : pourtant quelquefois un demi-feuillet s'était sauvé, un incipit transparaissait, un titre...

Je recueillis la moindre relique que je pus trouver, et j'en remplis deux sacs de voyage, abandonnant des choses qui m'étaient utiles pour sauver ce pauvre trésor.

Tout au long de mon voyage de retour et ensuite à Melk, je passai maintes et maintes heures à tenter de déchiffrer ces vestiges. Souvent, à partir d'un mot ou d'une image survivante, je reconnus de quel ouvrage il s'agissait. Quand, au fil des ans, je retrouvai d'autres exemplaires de ces livres, je les étudiai avec amour, comme si le destin m'avait fait ce legs, comme si en avoir repéré l'exemplaire détruit avait été un signe indéniable du ciel qui disait tolle et lege. A la fin de ma patiente recomposition se profila dans mon esprit comme une bibliothèque mineure, signe de la majeure disparue, une bibliothèque composée de morceaux, citations, périodes incomplètes, moignons de livres.

Plus je relis cette liste, plus je me convaincs qu'elle est l'effet du hasard et ne contient aucun message. Mais ces pages incomplètes m'ont accompagné pendant toute la vie qui depuis lors m'est restée à vivre, je les ai souvent consultées comme un oracle, et j'ai presque l'impression que tout ce que j'ai écrit sur ces feuillets, que tu vas lire à présent, lecteur inconnu, n'est rien d'autre qu'un centon, un poème figuré, un immense acrostiche qui ne dit et ne répète rien d'autre que ce que ces fragments m'ont suggéré, et je ne sais plus si c'est moi qui ai parlé d'eux jusqu'à présent ou si ce sont eux qui ont parlé par ma bouche. Mais que ce soit l'un ou l'autre cas, plus je me récite l'histoire qui en est sortie, moins je réussis à comprendre si elle recèle une trame allant au-delà de la séquence naturelle des événements et des temps qui les relient. Et c'est dur pour un vieux moine, au seuil de la mort, que de ne point savoir si la lettre qu'il a écrite contient un certain sens caché, et si elle en contient plus d'un, beaucoup, ou point du tout.

Mais cette mienne inaptitude à voir est sans doute l'effet de l'ombre que la grande ténèbre approchant projette sur le monde vieilli.

Est ubi gloria nunc Babylonia ? Où sont les neiges d'antan ? La terre danse la danse de Macabré, il me semble par moments que le Danube est sillonné de bateaux chargés de fous qui vont vers un lieu obscur.

Il ne me reste qu'à me taire. O quam salubre, quam iucundum et suave est sedere in solitudine et tacere et loqui cum Deo ! D'ici peu, je me réunirai avec mon principe, et je ne crois plus que ce soit le Dieu de gloire dont m'avaient parlé les abbés de mon ordre, ou de joie, comme croyaient les minorites d'alors, peut-être pas même de pitié. Gott ist ein lautes Nichts, ihn rührt kein Nun noch Hier... Je m'avancerai bientôt dans ce désert immense, parfaitement plat et incommensurable, où le cœur vraiment pieux succombe, bienheureux. Je m'abîmerai dans la ténèbre divine, en un silence muet et en une union ineffable, et m'abîmant seront perdues toute égalité et toute inégalité, et en cet abîme mon esprit se perdra lui-même, et il ne connaîtra ni l'égal ni l'inégal ni rien d'autre : et seront oubliées toutes les différences, je serai dans le fondement simple, dans le désert silencieux où jamais l'on ne vit de diversité, dans l'intime où personne ne se trouve dans son propre lieu. Je tomberai dans la divinité silencieuse et inhabitée où il n'est ni œuvre ni image.

Il fait froid dans le scriptorium, j'ai mal au pouce. Je laisse cet écrit, je ne sais pour qui, je ne sais plus à propos de quoi : stat rosa pristina nomine, nomina nuda tenemus.

UMBERTO ECO

Apostille au *Nom de la rose*

traduit de l'italien par
MYRIEM BOUZAHER

Le texte italien original a paru sous le titre
« Postille al *Nome della Rosa* »
dans *Alfabeta* 49, juin 1983.

Rosa que al prado, encarnada,
te ostentas presuntüosa
de grana y carmín bañada :
campa lozana y gustosa ;
pero no, que siendo hermosa
también serás desdichada.

Juana Inés de la Cruz

Le titre et le sens

Depuis que j'ai écrit le Nom de la rose, *je reçois de nombreuses lettres de lecteurs, la plupart pour me demander ce que signifie l'hexamètre latin final et comment il a engendré le titre. Invariablement, je réponds qu'il s'agit d'un vers tiré du* De contemptu mundi *de Bernard de Morlaix, un bénédictin du* XIIe *siècle, qui s'est livré à des variations sur le thème de l'*ubi sunt *(d'où a dérivé par la suite le* mais où sont les neiges d'antan *de Villon) et a rajouté au topo courant (les grands de jadis, les villes célèbres, les belles princesses, le néant où tout finit par s'évanouir) l'idée que, bien que toutes les choses disparaissent, nous conservons d'elles de purs noms. Je rappelle aussi qu'Abélard utilisait l'exemple de l'énoncé* nulla rosa est *pour montrer à quel point le langage pouvait tout autant parler des choses abolies que des choses inexistantes. Après quoi, je laisse le lecteur tirer ses conclusions, considérant qu'un narra-*

teur n'a pas à fournir d'interprétations à son œuvre, sinon ce ne serait pas la peine d'écrire des romans, étant donné qu'ils sont, par excellence, des machines à générer de l'interprétation. Seulement voilà, tous ces beaux propos pleins de virtuosité achoppent sur un obstacle incontournable : un roman doit avoir un titre.

Or, un titre est déjà — malheureusement — une clé interprétative. On ne peut échapper aux suggestions générées par le Rouge et le Noir *ou par* Guerre et Paix. *Les titres les plus respectueux du lecteur sont ceux qui se réduisent au seul nom du héros éponyme, comme* David Copperfield *ou* Robinson Crusoé ; *et encore, la référence à l'éponyme peut constituer une ingérence abusive de la part de l'auteur.* Le Père Goriot *attire l'attention sur la figure du vieux père, alors que le roman est aussi l'épopée de Rastignac ou de Vautrin alias Collin. Peut-être faudrait-il être honnêtement malhonnête comme Dumas, dont* les Trois Mousquetaires *sont l'histoire d'un quatuor. Mais ce sont là des luxes rares que l'auteur ne peut se permettre que par erreur.*

En fait, mon roman avait un autre titre de travail, l'Abbaye du crime. *Je l'ai écarté parce qu'il insiste sur la seule trame policière et ainsi pouvait indûment amener d'infortunés acquéreurs, friands d'histoire et d'action, à se précipiter sur un livre qui les aurait déçus. Mon rêve était d'intituler le livre* Adso de Melk. *Titre très neutre, car après tout Adso était la voix du récit. Mais en Italie, les éditeurs n'aiment pas les noms propres : même* Fermo e Lucia[1] *a été recyclé, et pour le reste, il y a bien peu d'exemples —* Lemmonio Boreo, Rubè *ou* Metello... *Autant dire rien, par rapport aux légions de Cousine Bette, de Barry Lindon, d'Armance et de Tom Jones qui peuplent d'autres littératures.*

L'idée du Nom de la rose *me vint quasiment par hasard et elle me plut parce que la rose est une figure symbolique si chargée de significations qu'elle finit par n'en avoir plus*

1. C'est le titre de la première version de *I Promessi Sposi (les Fiancés)*, roman d'Alessandro Manzoni.

aucune, ou presque : la rose mystique, et rose elle a vécu ce que vivent les roses, la guerre des deux roses, une rose est une rose est une rose est une rose, les rose-croix, merci de ces magnifiques roses, la vie en rose. Le lecteur était désorienté, il ne pouvait choisir une interprétation ; et même s'il saisissait les possibles lectures nominalistes du vers final, quand justement il arrivait à lui, il avait déjà fait dieu sait quels autres choix. Un titre doit embrouiller les idées, non les embrigader.

Rien ne console plus l'auteur d'un roman que de découvrir les lectures auxquelles il n'avait pas pensé et que les lecteurs lui suggèrent. Quand j'écrivais des ouvrages théoriques, mon attitude envers les critiques était de nature « judiciaire » : ont-ils compris ou non ce que je voulais dire ? Avec un roman, c'est complètement différent. Je ne dis pas que l'auteur ne puisse découvrir une lecture qui lui semble aberrante, mais dans tous les cas il devrait se taire : aux autres de la contester, texte en main. Pour le reste, la grande majorité des lectures fait découvrir des effets de sens auxquels on n'avait pas pensé. Mais que signifie le fait de ne pas y avoir pensé ?

Une universitaire française, Mireille Calle Gruber, a déniché de subtils paragrammes qui unissent les simples *(au sens de pauvres) aux* simples *au sens d'herbes médicinales, puis elle découvre que je parle de « male plante » de l'hérésie. Je pourrais répondre que le terme « simples » est récurrent dans les deux cas dans la littérature de l'époque, ainsi que l'expression « male plante ». D'autre part, je connaissais bien l'exemple de Greimas sur la double isotopie qui naît lorsqu'on définit l'herboriste comme « ami des simples ». Avais-je ou non conscience de jouer de paragrammes ? Rien ne sert de le dire maintenant, le texte est là et il produit ses propres effets de sens.*

En lisant les critiques du roman, je frissonnais de bonheur quand j'en trouvais une (les premières ont été celles de Ginevra Bompiani et de Lars Gustaffson) qui citait une réplique prononcée par Guillaume à la fin du procès d'inquisition (page 391 de l'édition française). « Qu'est-ce qui vous effraie le plus dans la pureté ? » demande Adso. « La hâte », répond Guillaume. J'aimais beaucoup, et j'aime encore, ces deux lignes.

Et puis un lecteur m'a fait remarquer qu'à la page suivante Bernard Gui, menaçant le cellérier de torture, dit : « La justice n'agit pas avec précipitation, comme croyaient les pseudo-apôtres, et celle de Dieu a des siècles à sa disposition. » La traduction française emploie deux mots différents mais en italien on répétait deux fois le mot « fretta » (hâte). Et le lecteur, à juste titre, me demandait quel rapport j'avais voulu instaurer entre la hâte redoutée par Guillaume et l'absence de hâte célébrée par Bernard. Je me suis alors rendu compte qu'il s'était produit quelque chose d'inquiétant. L'échange de répliques entre Adso et Guillaume n'existait pas dans le manuscrit. Ce bref dialogue, je l'ai ajouté sur les épreuves : pour des raisons d'élégance de style, j'avais besoin d'insérer encore un temps fort avant de redonner la parole à Bernard. Et bien entendu, alors que je faisais haïr la hâte à Guillaume (avec beaucoup de conviction d'ailleurs, ce qui me fit aimer cette réplique), j'avais complètement oublié qu'un peu plus loin Bernard parlait de précipitation. Si on relit la réplique de Bernard sans celle de Guillaume, ce n'est rien d'autre qu'une façon de parler, c'est l'affirmation que l'on attendrait de la bouche d'un juge, c'est une phrase toute faite comme : « La justice est égale pour tous. » Seulement voilà, opposée à la hâte nommée par Guillaume, la hâte nommée par Bernard fait légitimement naître un effet de sens, et le lecteur a raison de se demander s'ils parlent de la même chose, ou si la haine de la hâte exprimée par Guillaume n'est pas insensiblement différente de la haine de la hâte exprimée par Bernard. Le texte est là et il produit ses propres effets. Que je le veuille ou non, on se trouve maintenant face à une question, à une provocation ambiguë ; quant à moi je suis bien embarrassé pour interpréter cette opposition, tout en comprenant qu'un sens (plus peut-être) est venu se nicher ici.

L'auteur devrait mourir après avoir écrit. Pour ne pas gêner le cheminement du texte.

Raconter le processus

Certes, l'auteur ne doit pas interpréter. Mais il peut raconter pourquoi et comment il a écrit. Les essais de poétique ne servent pas toujours à comprendre l'œuvre qui les a inspirés, mais ils servent à comprendre comment on résout ce problème technique qu'est la production d'une œuvre.

Poe dans sa Genèse d'un poème *raconte comment il a écrit* le Corbeau. *Il ne nous dit pas comment nous devons le lire, mais quels problèmes il s'est posés pour réaliser un effet poétique. Et je définirais l'effet poétique comme la capacité, exhibée par un texte, de générer des lectures toujours différentes, sans que jamais on en épuise les possibilités.*

L'écrivain (ou le peintre ou le sculpteur ou le compositeur) sait toujours ce qu'il fait et ce que cela lui coûte. Il sait qu'il doit résoudre un problème. Les données de départ sont peut-être obscures, pulsionnelles, obsédantes, ce n'est souvent rien de plus qu'une envie ou un souvenir. Mais ensuite le problème se résout sur le papier, en interrogeant la matière sur laquelle on travaille — matière qui exhibe ses propres lois naturelles mais qui en même temps amène avec elle le souvenir de la culture dont elle est chargée (l'écho de l'intertextualité).

Quand l'auteur nous dit qu'il a travaillé sous le coup de l'inspiration, il ment. Genius is twenty per cent inspiration and eighty per cent perspiration.

Lamartine écrivit à propos d'un de ses célèbres poèmes dont j'ai oublié le titre qu'il était né en lui d'un seul jet, par une nuit de tempête, dans un bois. A sa mort, on retrouva les manuscrits avec les corrections et les variantes : c'était le poème peut-être le plus « travaillé » de toute la littérature française !

Quand l'écrivain (ou l'artiste en général) dit qu'il a travaillé sans penser aux règles du processus il veut seulement dire qu'il travaillait sans savoir qu'il connaissait la règle. Un enfant parle très bien sa langue maternelle et pourtant il ne saurait en écrire la grammaire. Mais le grammairien n'est pas le seul à connaître les règles de la langue parce que l'enfant, sans le savoir, les connaît très bien lui aussi : le grammairien est celui qui sait pourquoi et comment l'enfant connaît la langue.

Raconter comment on a écrit ne signifie pas prouver que l'on a « bien » écrit. Poe disait que « l'effet de l'œuvre est une chose et la connaissance du processus en est une autre ». Quand Kandinsky ou Klee nous racontent comment ils peignent, ils ne nous disent pas si l'un des deux est meilleur que l'autre. Quand Michel-Ange nous dit que sculpter signifie libérer de son oppression la figure déjà inscrite dans la pierre, il ne nous dit pas si la Pietà *du Vatican est plus belle que la* Pietà Rondanini. *Il arrive que les pages les plus lumineuses sur les processus artistiques aient été écrites par des artistes mineurs qui réalisaient des effets modestes mais savaient bien réfléchir sur leurs propres processus : Vasari, Horatio Greenough, Aaron Copland...*

Le Moyen Age, bien sûr

J'ai écrit un roman parce que l'envie m'en est venue. Je pense que c'est une raison suffisante pour se mettre à raconter. L'homme est un animal fabulateur par nature. J'ai commencé à écrire en mars 1978, mû par une idée séminale. J'avais envie d'empoisonner un moine.

Je crois qu'un roman peut naître d'une idée de ce genre, le reste est chair que l'on ajoute, chemin faisant. Cette idée devait être plus ancienne. J'ai retrouvé un cahier daté de 1975 où j'avais inscrit une liste de moines vivant dans un vague couvent. Rien d'autre. Au début, je me suis mis à lire le Traité des poisons *d'Orfila — que j'avais acheté il y a vingt ans chez un bouquiniste de Paris, pour de simples raisons de fidélité à Huysmans (*Là-bas*).*

Comme aucun des poisons ne me satisfaisait, j'ai demandé à un ami biologiste de m'indiquer un remède qui ait des propriétés déterminées (être absorbé par voie cutanée, en manipulant quelque chose). J'ai aussitôt détruit la lettre où celui-ci me répondait qu'il ne connaissait pas de poison correspondant à ce que je cherchais ; ce sont là des documents qui, lus dans un autre contexte, pourraient vous conduire tout droit en prison.

Au début, mes moines devaient vivre dans un couvent contemporain (je pensais à un moine investigateur qui lisait le « Manifesto »). Mais comme un couvent, ou une abbaye, vivent encore de nombreux souvenirs médiévaux, je me suis mis à feuilleter mes archives de médiéviste en hibernation (un livre sur l'esthétique médiévale en 1956, cent autres pages sur le même sujet en 1959, quelques essais en passant, des retours à la tradition médiévale en 1962 pour mon travail sur Joyce, puis en 1972 la longue étude sur l'Apocalypse et sur les miniatures du commentaire de Beatus de Liebana : donc, le Moyen Age était toujours en activité). Je suis tombé sur un vaste matériel (fiches, photocopies, cahiers) qui s'accumulait depuis 1952, destiné à d'autres buts très imprécis : pour une histoire des monstres ou une analyse des encyclopédies médiévales ou une théorie du catalogue... A un moment donné, je me suis dit que puisque le Moyen Age était mon imaginaire quotidien, autant valait écrire un roman qui se déroule directement à cette époque. Comme je l'ai dit dans certaines interviews, je ne connais le présent qu'à travers mon écran de télévision tandis que j'ai une connaissance directe du Moyen Age. Quand, à la campagne, nous allumions des feux dans les prés, ma femme m'accusait de ne pas savoir regarder les étincelles qui s'élevaient au milieu des arbres et voletaient le long des fils de lumière. Lorsque, ensuite, elle a lu le chapitre sur l'incendie, elle m'a dit : « Mais alors, les étincelles, tu les regardais ! » J'ai répondu : « Non, mais je savais comment un moine du Moyen Age les aurait vues. »

Il y a dix ans, en joignant une lettre de l'auteur à l'éditeur à mon commentaire du commentaire de l'Apocalypse de Beatus de Liebana (pour Franco Maria Ricci), je confessais : « Quoi que l'on fasse, je suis né à la recherche en traversant des forêts symboliques peuplées de licornes et de griffons, en comparant les structures pinaculaires et carrées des cathédrales aux pointes de malice exégétique celées dans les formules tétragones des Summulae, en vagabondant de rue du Fouarre aux nefs cisterciennes, en m'entretenant aimablement avec des moines clunisiens, érudits et fastueux, tenu à l'œil par un Thomas d'Aquin grassouillet et rationaliste, tenté par Honorius d'Autun, par ses géographies fantastiques où l'on expliquait à la fois quare in pueritia coitus non contingat, *comment on arrive à l'Ile Perdue et comment on capture un basilic muni d'un seul miroir de poche et d'une inébranlable foi dans le Bestiaire.*

« Ce goût et cette passion ne m'ont jamais abandonné, même si par la suite, pour des raisons morales et matérielles (être médiéviste implique souvent une fortune considérable et la faculté de voyager de bibliothèques en bibliothèques lointaines pour faire les microfilms de manuscrits introuvables), j'ai emprunté d'autres chemins. Le Moyen Age est resté, sinon mon métier, du moins mon hobby — et ma tentation permanente, je le vois partout, en transparence, dans les choses dont je m'occupe qui semblent ne pas être médiévales et qui pourtant le sont.

« Des vacances secrètes sous les nefs d'Autun où, aujourd'hui l'abbé Grivot écrit, sur le Diable, des traités à la reliure imprégnée de soufre, des extases champêtres à Moissac et à Conques, aveuglé par les Vieillards de l'Apocalypse ou par des diables qui amoncellent les âmes damnées dans des chaudrons bouillonnants ; et parallèlement, les lectures régénératrices de Bède, le moine illuministe, les réconforts rationnels recherchés chez Occam, afin de mieux comprendre les mystères du Signe là où Saussure reste encore obscur. Et ainsi de suite, avec la continuelle nostalgie de la Peregrinatio Sancti Brandani, *les contrôles de notre pensée dans le livre de Kells, Borges revisité dans les* kenningars *celtes, les rapports ertre pouvoir et masses convaincues, soumis à vérification dans les journaux de l'évêque Suger... »*

Le masque

A la vérité, je n'ai pas seulement décidé de parler du *Moyen Age. J'ai décidé de parler* dans *le Moyen Age, et par la bouche d'un chroniqueur de l'époque. J'étais un narrateur débutant, et les narrateurs, je les avais regardés jusqu'alors de l'autre côté de la barrière. J'avais honte de raconter. Je me sentais un peu comme ce critique de théâtre qui s'exposerait tout à coup aux feux de la rampe et se verrait regardé par ceux qui jusqu'à présent avaient été ses complices au parterre.*

Peut-on dire : « C'était une belle matinée de la fin novembre » sans se sentir Snoopy ? Et si je le faisais dire à Snoopy ? C'est-à-dire si « c'était une belle matinée... », c'était quelqu'un d'autorisé à le dire qui le disait, parce que cela pouvait se faire à son époque ?

Un masque, voilà ce qu'il me fallait.

Je me suis mis à lire et à relire les chroniqueurs médiévaux, pour en acquérir le rythme et la candeur. Ils parleraient pour moi ; et moi je serais libre de tout soupçon. Libre de tout soupçon, mais pas des échos de l'intertextualité. J'ai redécouvert ainsi ce que les écrivains ont toujours su (et que tant de fois ils nous ont dit) : les livres parlent toujours d'autres livres, et chaque histoire raconte une histoire déjà racontée. Homère le savait, l'Arioste le savait, sans parler de Rabelais ou de Cervantès. C'est pourquoi mon histoire ne pouvait que commencer par le manuscrit retrouvé, c'est pourquoi cette histoire aussi serait une citation (naturellement). J'écrivis tout de suite l'introduction, plaçant ma narration à un quatrième niveau d'emboîtement, à l'intérieur de trois autres narrations : moi je dis que Vallet disait que Mabillon a dit que Adso dit...

J'étais désormais libéré de toute crainte. J'ai alors cessé d'écrire pendant un an. J'ai arrêté parce que j'ai découvert une autre chose que je savais déjà (que tout le monde savait) mais que j'ai mieux comprise en travaillant.

J'ai découvert qu'un roman n'a rien à voir, en première instance, avec les mots. Ecrire un roman, c'est affaire de cosmologie, comme l'histoire que raconte la Genèse (il faut bien se choisir des modèles, disait Woody Allen).

Le roman comme fait cosmologique

Je pense que pour raconter, il faut avant tout se construire un monde, le plus meublé possible, jusque dans les plus petits détails. Si je construisais un fleuve, deux rives et si sur la rive gauche je mettais un pêcheur, si j'attribuais à ce pêcheur un caractère irascible et un casier judiciaire pas très net, voilà, je pourrais commencer à écrire, en traduisant en mots ce qui ne peut pas ne pas arriver. Que fait un pêcheur ? Il pêche (et voilà toute une séquence de gestes plus ou moins inévitables). Et puis, que se passe-t-il ? Soit ça mord, soit ça ne mord pas. Si ça mord, le pêcheur prend des poissons et s'en retourne chez lui tout content. Fin de l'histoire. Si ça ne mord pas, étant donné qu'il est irascible, peut-être va-t-il se mettre en colère. Peut-être cassera-t-il sa canne à pêche. Ce n'est pas grand-chose, mais c'est déjà une ébauche. Or, il y a un proverbe indien qui dit : « Assieds-toi sur la rive du fleuve et attends, le cadavre de ton ennemi ne tardera pas à passer. » Et si, entraîné par le courant, passait un cadavre, puisque la possibilité en est contenue dans l'aire intertextuelle du fleuve ? N'oublions pas que mon pêcheur a un casier judiciaire chargé. Voudra-t-il courir le risque de se mettre dans de sales draps ? Que fera-t-il ? Fuira-t-il, feindra-t-il de ne pas voir le cadavre ? Sentira-t-il peser sur lui tous les soupçons, car, après tout, ce cadavre est celui de l'homme qu'il haïssait ? Irascible comme il l'est, s'emportera-t-il parce qu'il n'a pu accomplir lui-même la vengeance ardemment désirée ? Vous voyez, il a suffi de meubler le monde avec presque rien, et déjà il y a le début d'une histoire. Il y a aussi le début d'un style, parce qu'un pêcheur qui pêche devrait m'imposer un rythme narratif lent, fluvial, celui de son attente patiente mais aussi des sursauts de son impatiente irritabilité.

Il faut construire le monde, les mots viennent ensuite, presque tout seuls. Rem tene, verba sequentur. *Le contraire de ce qui, je crois, se passe avec la poésie :* verba tene, res sequentur.

La première année de travail sur mon roman a été consacrée à la construction du monde : longs régestes de tous les livres que l'on pouvait trouver dans une bibliothèque médiévale ; listes de noms et fiches d'état civil pour de nombreux personnages, dont beaucoup ont été ensuite éliminés de l'histoire (car il me fallait savoir aussi qui étaient les autres moines qui n'apparaissaient pas dans le livre ; il n'était pas nécessaire que le lecteur les connaisse, mais moi je me devais de les connaître). Qui a dit que la narrativité doit faire concurrence à l'état civil ? Peut-être doit-elle aussi faire concurrence au ministère de l'Urbanisme. D'où de longues enquêtes architecturales, sur des photos et des plans dans l'encyclopédie de l'architecture, pour établir le plan de mon abbaye, les distances, jusqu'au nombre de marches d'un escalier en colimaçon. Marco Ferreri m'a dit que mes dialogues sont cinématographiques parce qu'ils sont temporellement justes. Forcément. Quand deux de mes personnages parlaient en allant du réfectoire au cloître, j'écrivais, le plan sous les yeux, et quand ils étaient arrivés, ils cessaient de parler.

Il faut se créer des contraintes pour pouvoir inventer en toute liberté. En poésie, la contrainte peut être donnée par le pied, le vers, la rime, par ce que les contemporains ont appelé le souffle selon l'oreille... Pour la narrativité, la contrainte est donnée par le monde sous-jacent. Et cela n'a rien à voir avec le réalisme (même si cela explique jusqu'au *réalisme). On peut construire un monde totalement irréel, où les ânes volent et où les princesses sont ressuscitées par un baiser : mais il faut que ce monde, purement possible et irréaliste, existe selon des structures définies au départ (il faut savoir si c'est un monde où une princesse peut être ressuscitée uniquement par le baiser d'un prince, ou encore par celui d'une sorcière, si le baiser d'une princesse retransforme en princes les seuls crapauds ou bien aussi, mettons, les tatous).*

L'Histoire aussi faisait partie de mon monde, voilà pourquoi j'ai lu et relu tant de chroniques médiévales ; en les lisant, je me suis aperçu que devaient entrer dans mon roman des choses qui au début ne m'avaient même pas effleuré, comme les luttes pour la pauvreté ou l'inquisition contre les fraticelles.

Un exemple : pourquoi dans mon livre y a-t-il des fraticelles du XIVe *siècle ? Quitte à écrire une histoire médiévale, autant la situer au* XIII*e ou au* XII*e siècle, car je les connaissais mieux que le* XIV*e. Oui, mais j'avais besoin d'un investigateur, anglais si possible (citation intertextuelle), qui ait un grand sens de l'observation et une particulière sensibilité à l'interprétation des indices. Ces qualités, on ne les trouvait que dans le milieu franciscain, et après Roger Bacon ; en outre, on n'a une théorie développée des signes que chez les occamistes ; plus exactement, cette théorie existait avant, mais avant, soit l'interprétation des signes était de type symbolique, soit elle tendait à lire dans les signes les idées et les universaux. C'est seulement chez Bacon ou Occam qu'on utilise les signes pour aller vers la connaissance des individus. Donc, je devais situer mon histoire au* XIV*e siècle, avec beaucoup d'irritation d'ailleurs, car je m'y sentais moins à l'aise. Je fis de nouvelles lectures et découvris qu'un franciscain du* XIV*e, même anglais, ne pouvait ignorer le débat sur la pauvreté, surtout s'il était ami, disciple ou connaisseur d'Occam. (Au début, j'avais décidé que l'investigateur devait être Occam lui-même, mais j'y ai renoncé parce que, humainement, le Vénérable Inceptor m'est antipathique !)*

Mais pourquoi tout se passe-t-il à la fin du mois de novembre 1327 ? Parce qu'en décembre Michel de Césène est déjà en Avignon (voilà ce que signifie meubler un monde dans un roman historique : certains éléments, comme le nombre des marches, dépendent d'une décision de l'auteur, d'autres, comme les déplacements de Michel, dépendent du monde réel qui, dans ce type de roman, vient parfois coïncider avec le monde possible de la narration).

Or, novembre, c'était trop tôt. En effet, j'avais aussi besoin de tuer un cochon. Pourquoi ? Mais c'est tout simple, pour pouvoir fourrer, la tête la première, un cadavre dans une jarre de sang. Et pourquoi ce besoin ? Parce que la seconde trompette de l'Apocalypse dit que... Je n'allais tout de même pas changer l'Apocalypse, elle faisait partie du monde. Il ne me restait qu'à situer l'abbaye en montagne, de façon à avoir déjà de la neige. Autrement, mon histoire aurait pu se dérouler en plaine, à Pomposa ou à Conques.

C'est le monde construit qui nous dit comment l'histoire doit avancer. Tout le monde me demande pourquoi mon Jorge évoque, par son nom, Borges et pourquoi Borges est si malfaisant. Mais je ne sais pas ! Je voulais un aveugle gardien d'une bibliothèque (ce qui me semblait être une bonne idée narrative) et bibliothèque plus aveugle ne peut donner que Borges, parce qu'aussi il faut bien payer ses dettes. Quand j'ai mis Jorge dans la bibliothèque, je ne savais pas encore que c'était lui l'assassin. Il a pour ainsi dire tout fait tout seul. Et qu'on n'aille pas penser qu'il s'agit là d'une position « idéaliste » — les personnages ont une vie propre et l'auteur, presque en transes, les fait agir en fonction de ce qu'ils lui suggèrent : ce sont des sottises, tout juste bonnes pour un sujet de dissertation au baccalauréat. Non. La vérité est que les personnages sont contraints d'agir selon les lois du monde où ils vivent et que le narrateur est prisonnier de ses prémisses.

Le labyrinthe fut aussi pour moi une belle aventure. Tous les labyrinthes dont j'avais eu connaissance, et j'avais entre les mains la splendide étude de Santarcangeli, étaient des labyrinthes à ciel ouvert. Ils pouvaient être très compliqués et pleins de circonvolutions. Mais moi, j'avais besoin d'un labyrinthe fermé (a-t-on jamais vu une bibliothèque à ciel ouvert ?) et s'il était trop compliqué, avec beaucoup de couloirs et de salles internes, il n'y avait plus une aération suffisante. Et une bonne aération était nécessaire pour alimenter l'incendie (que l'Edifice dût brûler à la fin, cela était très clair pour moi, pour des raisons cosmologico-historiques : au Moyen Age, les cathédrales et les couvents brûlaient tels des fétus de paille ; imaginer une histoire médiévale sans incendie, c'est comme imaginer un film de guerre dans le Pacifique sans un avion de chasse en flammes qui tombe en piqué). C'est pourquoi j'ai travaillé deux ou trois mois à la construction d'un labyrinthe adapté, et à la fin j'ai dû y ajouter des meurtrières, sinon l'air aurait toujours été insuffisant.

*J'avais de nombreux problèmes. Je voulais un lieu clos, un univers concentrationnaire, et pour le mieux fermer, il fallait que j'introduise, outre les unités de lieu, les unités de temps (étant donné que l'unité d'action était incertaine). Donc, ce serait une abbaye bénédictine à la vie scandée par les heures canoniales (peut-être mon modèle inconscient était-il l'*Ulysses *à cause de la structure très stricte en heures du jour ; mais aussi* la Montagne magique, *pour le lieu rocheux et sanatorial où tant de conversations allaient devoir se passer).*

Les conversations me posaient de gros problèmes que j'ai résolus en écrivant. Il est une thématique, peu traitée par les théories de la narrativité, qui est celle des turn ancillaries, *c'est-à-dire les artifices grâce auxquels le narrateur passe la parole aux différents personnages. Voyons quelles différences il y a entre ces cinq dialogues :*

1. — Comment vas-tu ?

— Pas mal, et toi ?

2. — Comment vas-tu ? dit Jean.

— Pas mal, et toi ? dit Pierre.

3. — Comment, dit Jean, comment vas-tu ?

Et Pierre, aussitôt : — Pas mal, et toi ?

4. — Comment vas-tu ? s'empressa Jean.

— Pas mal, et toi ? ricana Pierre.

5. — Jean dit : — Comment vas-tu ?

— Pas mal, répondit Pierre d'une voix incolore.

Puis, avec un sourire indéfinissable : — Et toi ?

A l'exception des deux premiers cas, on observe dans les autres ce que l'on définit comme « instance de l'énonciation ». L'auteur intervient par un commentaire personnel pour suggérer le sens que peuvent prendre les paroles des deux personnages. Mais une telle intention est-elle vraiment absente des solutions apparemment arides des deux premiers cas ? Et le lecteur ? Est-il plus libre dans les deux cas aseptisés, ne pourrait-il y subir, à son insu, une charge émotive (que l'on pense à l'apparente neutralité du dialogue chez Hemingway !) ou bien est-il plus libre dans les autres cas où, au moins, il sait à quel jeu joue l'auteur ?

C'est un problème de style, un problème idéologique, un problème de « poésie », autant que le choix d'une rime, d'une assonance ou l'introduction d'un paragramme. Il s'agit de trouver une certaine cohérence. Peut-être étais-je aidé par le fait que tous les dialogues sont rapportés par Adso et que, bien évidemment, Adso impose son point de vue à toute la narration.

Les dialogues me posaient aussi un autre problème. Jusqu'à quel point pouvaient-ils être médiévaux ? En d'autres termes, je me rendais compte, à l'écriture, que le livre prenait une structure de mélodrame bouffe, avec de longs récitatifs et d'amples arias. Les arias (la description du portail, par exemple) se référaient à la grande rhétorique de l'Age Moyen, et là les modèles ne manquaient pas. Mais les dialogues ? A un moment donné, j'ai craint que les dialogues ne soient de l'Agatha Christie quand les Arias étaient du Suger ou du saint Bernard. Je suis allé relire les romans médiévaux, j'entends par là l'épopée chevaleresque, et je me suis aperçu que, malgré quelque licence de mon fait, je respectais un usage narratif et poétique qui n'était pas inconnu au Moyen Age. Mais la question m'a longtemps harcelé, et je ne suis pas sûr d'avoir résolu ces changements de registre entre aria et récitatif.

Un autre problème : l'emboîtement des voix ou instances narratives. Je savais que j'étais en train de raconter (moi) une histoire avec les mots d'un autre, après avoir averti dans la préface que les mots de cet autre avaient été filtrés par au moins deux autres instances narratives, celle de Mabillon et celle de l'abbé Vallet ; et l'on pouvait bien sûr supposer que ceux-ci avaient œuvré en philologues sur un texte non manipulé (mais qui va croire ça ?). Pourtant, le problème se reposait à l'intérieur même de la narration faite à la première personne par Adso. Celui-ci raconte à quatre-vingts ans ce qu'il a vécu à dix-huit ans. Qui parle, l'Adso de dix-huit ans ou l'Adso octogénaire ? Tous les deux, c'est évident et c'est voulu. Le jeu consistait à mettre en scène continuellement Adso vieux qui raconte ce qu'il se rappelle avoir vu et entendu en tant qu'Adso jeune. Mon modèle (mais je ne suis pas allé relire le livre, de lointains souvenirs me suffisaient) était le Serenus Zeitblom du Doctor Faustus. *Ce double jeu énonciatif m'a fasciné et terriblement passionné. Parce que en plus, pour en revenir à ce que je disais sur le masque, en dédoublant Adso, je dédoublais une fois encore la série de cloisons, d'écrans mis entre moi en tant que personnalité biographique, ou moi en tant qu'auteur qui raconte, je narrateur, et les personnages racontés y compris la voix narrative. Je me sentais toujours plus protégé, et toute cette expérience m'a rappelé (j'ai envie de dire charnellement, avec l'évidence d'une madeleine trempée dans du tilleul) certains jeux enfantins sous les couvertures, quand je me sentais comme dans un sous-marin et que de là je lançais des messages à ma sœur, enfouie sous les couvertures d'un autre lit, tous deux isolés du monde extérieur et totalement libres d'inventer de longues courses au fond des mers silencieuses.*

Adso a été très important pour moi. Dès le début, je voulais raconter toute l'histoire (avec ses mystères, ses événements politiques et théologiques, ses ambiguïtés) par la voix de quelqu'un qui traverse les événements, les enregistre avec la fidélité photographique d'un adolescent, mais qui ne les comprend pas (et qui, même vieux, ne les comprendra pas pleinement, si bien qu'il choisira une fuite dans le néant divin, qui n'était pas celle que lui avait enseignée son maître).

Faire tout comprendre par les mots de quelqu'un qui ne comprend rien. En lisant les critiques, je me rends compte que c'est l'un des aspects du roman qui a le moins impressionné les lecteurs cultivés (personne, ou presque, ne l'a relevé). Mais je me demande si cela n'a pas été un des éléments qui a déterminé la lisibilité du roman de la part de lecteurs non érudits. Ils se sont identifiés à l'innocence du narrateur, ils se sont sentis disculpés quand ils ne comprenaient pas tout. Je les ai renvoyés à leurs émois face au sexe, aux langues inconnues, aux difficultés de la pensée, aux mystères de la vie politique... Ce sont là des choses que je comprends maintenant, après coup, *mais peut-être alors transférais-je sur Adso nombre de mes émois d'adolescent, surtout dans ses palpitations d'amour (avec toujours cependant la garantie de pouvoir agir par personne interposée : en effet, Adso ne vit ses souffrances d'amour qu'à travers les mots que les docteurs de l'Eglise employaient pour parler de l'amour). L'art, c'est la fuite hors de l'émotion personnelle, Joyce comme Eliot me l'avaient enseigné.*

La lutte contre l'émotion fut un combat difficile. J'avais écrit une belle prière, modelée sur l'Eloge de la Nature d'Alain de Lille, à mettre dans la bouche de Guillaume, à un moment d'émotion. Et puis j'ai compris que nous nous serions émus tous les deux, moi comme auteur et lui comme personnage. Moi, en tant qu'auteur, je ne le devais pas, pour des raisons de poétique. Lui, en tant que personnage, il ne le pouvait pas, parce qu'il était fait d'une autre pâte et que ses émotions étaient toutes mentales, ou très retenues. J'ai donc éliminé cette page. Après avoir lu le livre, une amie m'a dit : « Ma seule objection, c'est que Guillaume n'a jamais un mouvement de pitié. » J'ai rapporté cela à un autre ami qui m'a répondu : « C'est bien, c'est cela le style de sa pietas. » Peut-être en était-il ainsi. Et ainsi soit-il.

La prétérition

Adso m'a servi à résoudre une autre question. J'aurais pu inscrire mon histoire dans un Moyen Age où tout le monde sait de quoi on parle. Dans une histoire contemporaine, si un personnage dit que le Vatican n'approuverait pas son divorce, il est inutile d'expliquer ce qu'est le Vatican et pourquoi il n'approuverait pas le divorce. Mais dans un roman historique, il n'en va pas de même. On raconte aussi pour éclairer les contemporains sur ce qui s'est passé et pour dire en quel sens ces événements lointains ont une importance actuelle.

On court alors le risque du « salgarisme ». Les personnages de Salgari fuient dans la forêt, traqués par des ennemis et trébuchent sur une racine de baobab : et voilà que le narrateur suspend l'action pour nous faire une leçon de botanique sur les baobabs. C'est devenu maintenant un topos, plaisant comme les vices d'une personne que l'on a aimée, mais à éviter.

J'ai récrit des centaines de pages pour échapper à cet écueil ; mais je ne me rappelle pas m'être jamais aperçu comment je résolvais le problème. Je m'en suis rendu compte deux ans après seulement, quand j'essayais de m'expliquer pourquoi le livre était lu aussi par des personnes qui ne pouvaient certes pas aimer des livres si « cultivés ». Le style narratif d'Adso est basé sur cette figure de rhétorique que l'on appelle prétérition. C'est le fameux exemple : « Je pourrais vous faire remarquer qu'elle connaissait si bien la beauté des ouvrages de l'esprit... mais pourquoi m'étendre » (Bossuet). On dit ne pas vouloir parler d'une chose que tout le monde connaît très bien, et en le disant on parle de cette chose. C'est un peu la façon dont Adso fait allusion à des personnages et des événements considérés comme bien connus, tout en en parlant. Quant à ces personnages et à ces événements que le lecteur d'Adso, allemand de la fin du siècle, ne pouvait pas connaître parce qu'ils avaient existé ou s'étaient produits en Italie au début du siècle, Adso n'a aucune réticence à en parler. Et même à le faire sur un ton didactique, parce que tel était le style du chroniqueur médiéval, tant il était désireux d'introduire des notions encyclopédiques chaque fois qu'il nommait quelque chose. Après avoir lu le manuscrit, une amie (pas la même que tout à l'heure) me dit qu'elle avait été frappée par le ton journalistique du récit, non le ton du roman, mais celui d'un article de l'Espresso, *ce furent ses mots, si ma mémoire est bonne. De prime abord, je le pris assez mal, puis je compris ce qu'elle avait saisi, mais sans le reconnaître. C'est ainsi que racontent les chroniqueurs de ces siècles, et si aujourd'hui nous parlons de chronique, c'est qu'alors on en écrivait beaucoup.*

Le souffle

Les longs passages didactiques avaient aussi une autre raison d'être. Après avoir lu le manuscrit, mes amis de la maison d'édition me suggérèrent de raccourcir les cent premières pages, qu'ils trouvaient trop absorbantes et fatigantes. Je n'eus aucune hésitation, je refusai. Je soutenais que si quelqu'un voulait entrer dans l'abbaye et y vivre sept jours, il devait en accepter le rythme. S'il n'y arrivait pas, il ne réussirait jamais à lire le livre dans son entier. Donc, les cent premières pages avaient une fonction pénitentielle et initiatique. Tant pis pour qui n'aimerait pas : il resterait au flanc de la colline.

Entrer dans un roman, c'est comme faire une excursion en montagne : il faut opter pour un souffle, prendre un pas, sinon on s'arrête tout de suite. C'est ce qui se passe en poésie. Et dieu qu'ils sont insupportables ces poèmes dits par des acteurs qui, pour « interpréter », ne respectent pas la mesure du vers, font des enjambements récitatifs comme s'ils parlaient en prose, suivant le contenu et non le rythme. Pour lire un poème en hendécasyllabes et tercets, il faut prendre le rythme chanté voulu par le poète. Mieux vaut réciter Dante comme si c'était les rimes des comptines de notre enfance que de courir à tout prix après le sens.

En narrativité, le souffle n'est pas confié aux phrases mais à des macropropositions plus amples, à des scansions d'événements. Il est des romans qui respirent comme des gazelles et d'autres comme des baleines ou des éléphants. L'harmonie ne réside pas dans la longueur du souffle mais dans sa régularité : et si, à un moment donné, le souffle s'interrompt et qu'un chapitre (ou une séquence) s'achève avant la fin complète de la respiration, cela peut jouer un rôle très important dans l'économie du récit, marquer un point de rupture, un coup de théâtre. C'est du moins ce que font les grands auteurs : « La malheureuse répondit » — point, à la ligne — n'a pas le même rythme que « Adieu, monts », mais quand cela arrive, c'est comme si le beau ciel de Lombardie se couvrait de sang[1]*. Un grand roman, c'est celui où l'auteur sait toujours à quel moment accélérer, freiner, comment doser ces coups de frein ou d'accélérateur dans le cadre d'un rythme de fond qui reste constant. En*

1. Référence à deux passages célèbres des *Fiancés* de Manzoni (N.d.T.)

musique on peut « jouer rubato », mais point trop n'en faut, sinon on en arrive à ces mauvais exécutants qui croient que, pour faire du Chopin, il suffit de forcer sur le rubato. Je ne suis pas en train de dire comment j'ai résolu mes problèmes, mais comment je me les suis posés. Et si je devais dire que je me les posais consciemment, je mentirais. Il y a un esprit de la composition qui pense même à travers le rythme des doigts qui frappent les touches de la machine.

Je voudrais donner un exemple de cette idée que raconter, c'est penser avec les doigts. Il est évident que la scène de l'accouplement dans la cuisine est construite tout entière avec des citations de textes religieux, du Cantique des Cantiques à saint Bernard et Jean de Fécamp, en passant par sainte Hildegarde de Bingen. Qui n'a pas de pratique de la mystique médiévale mais un brin d'oreille s'est au moins aperçu de cela. Cependant, si l'on me demande maintenant de qui sont les citations, où finit l'une et où commence l'autre, je suis dans l'incapacité de le dire.

En effet, j'avais des dizaines et des dizaines de fiches avec tous les textes, parfois des pages de livre et des photocopies, beaucoup plus que je n'en ai utilisé par la suite. Mais quand j'ai écrit la scène, je l'ai fait d'un seul jet (ce n'est qu'après que je l'ai polie, comme si j'y avais passé un vernis homogénéisateur pour atténuer les raccords). Donc, j'écrivais, à côté de moi j'avais tous les textes épars et je jetais un coup d'œil tantôt sur l'un, tantôt sur l'autre, copiant un passage puis le reliant aussitôt à un autre. C'est le chapitre que j'ai, à la première rédaction, écrit le plus rapidement. J'ai compris, après, que j'essayais de suivre des doigts le rythme de l'accouplement, et que par conséquent je ne pouvais m'arrêter pour choisir la bonne citation. Ce qui rendait juste la citation que j'insérais à ce moment-là, c'était le rythme avec lequel je l'insérais, j'écartais des yeux celles qui auraient cassé le rythme de mes doigts. Je ne peux pas dire que la rédaction de l'événement ait duré autant que l'événement (bien qu'il y ait des accouplements très longs), mais j'ai essayé d'abréger au maximum la différence entre temps de l'accouplement et temps de l'écriture. Et j'entends écriture non pas au sens barthesien, mais bien au sens dactylographique, je parle de l'écriture comme acte matériel, physique. Et je parle de rythmes du corps, pas d'émotions. L'émotion, désormais filtrée, existait au tout début, dans ma décision d'assimiler extase mystique et extase érotique, dans le moment où j'avais lu et choisi les textes à utiliser. Après, plus aucune émotion, c'était Adso qui faisait l'amour, pas moi ; moi, je devais seulement traduire son *émotion dans un jeu d'yeux et de doigts, comme si j'avais décidé de raconter une histoire d'amour en jouant du tambour.*

Construire le lecteur

Rythme, souffle, pénitence… Pour qui, pour moi ? Non, bien sûr, pour le lecteur. On écrit en pensant à un lecteur. Tout comme le peintre peint en pensant au spectateur du tableau. Après avoir donné un coup de pinceau, il recule de deux ou trois pas et étudie l'effet : il regarde le tableau comme devrait le regarder, dans des conditions de lumière appropriée, le spectateur quand il l'admirera, accroché au mur. Quand l'œuvre est finie, le dialogue s'instaure entre le texte et ses lecteurs (l'auteur est exclu). Au cours de l'élaboration de l'œuvre, il y a un double dialogue : celui entre ce texte et tous les autres textes écrits auparavant (on ne fait des livres que sur d'autres livres et autour d'autres livres) et celui entre l'auteur et son lecteur modèle. J'ai théorisé cela dans des ouvrages comme Lector in fabula *ou avant encore dans* l'Œuvre ouverte, *et ce n'est pas moi qui l'ai inventé.*

Il se peut que l'auteur écrive en pensant à un certain public empirique, comme le faisaient les fondateurs du roman moderne, Richardson, Fielding ou Defoe, qui écrivaient pour les marchands et leurs femmes ; mais Joyce aussi écrit pour un public, lui qui pense à un lecteur idéal atteint d'une insomnie idéale. Dans les deux cas, que l'on croie s'adresser à un public qui est là, devant la porte, prêt à payer, ou que l'on se propose d'écrire pour un lecteur à venir, écrire c'est construire, à travers le texte, son propre modèle de lecteur.

Que signifie penser à un lecteur capable de surmonter l'écueil pénitentiel des cent premières pages ? Cela veut exactement dire écrire cent pages dans le but de construire un lecteur adéquat pour celles qui suivront.

Y a-t-il un écrivain qui écrive pour la seule postérité ? Non, même s'il l'affirme, parce que, comme il n'est pas Nostradamus, il ne peut se représenter la postérité que sur le modèle de ce qu'il sait de ses contemporains. Y a-t-il un auteur qui écrive pour peu de lecteurs ? Oui, si par là on entend que le Lecteur Modèle qu'il se représente a, dans ses prévisions, peu de chances d'être incarné par la majorité. Mais, même dans ce cas, l'auteur écrit avec l'espoir, pas si secret que ça, que son livre crée le nombre, qu'il y ait beaucoup de nouveaux représentants de ce lecteur désiré et recherché avec tant de méticulosité artisanale, postulé et encouragé par son texte.

La différence, s'il y en a une, peut résider entre le texte qui veut produire un lecteur nouveau et celui qui cherche à aller à la rencontre des désirs des lecteurs de la rue. Dans le second cas, nous avons un livre écrit et construit selon une recette pour produits de série, l'auteur faisant une sorte d'analyse de marché et s'y adaptant. Ce travail à coups de formule se révèle à l'analyse sur une longue distance : on examine les différents romans écrits et l'on remarque que dans tous, après avoir changé les noms, les lieux et les physionomies, l'auteur raconte toujours la même histoire. Celle que le public demandait déjà.

Mais quand l'écrivain opte pour le nouveau et projette un lecteur différent, il ne se veut pas analyste de marché faisant la liste des demandes exprimées, mais philosophe qui entrevoit intuitivement les trames du Zeitgeist. *Il veut révéler à son public ce que celui-ci* devrait *vouloir, même s'il ne le sait pas. Il veut révéler le lecteur à lui-même.*

Si Manzoni avait voulu écouter la demande du public, il avait une formule toute prête : le roman historique de l'époque médiévale, avec des personnages illustres, comme dans la tragédie grecque, des rois et des princesses (n'est-ce pas ce qu'il *fait dans l'*Adelchi *?), de grandes et nobles passions, des entreprises guerrières et la célébration des gloires italiques en un temps où l'Italie était terre des forts. N'en ont-ils pas fait autant, avant lui, avec lui et après lui, tous ces romanciers historiques plus ou moins malheureux, de l'artisan d'Azeglio au fougueux et vaseux Guerrazzi, en passant par l'illisible Cantù ?*

Et que fait Manzoni au contraire ? Il choisit le XVIIe *siècle : et une époque d'esclavage, et des personnages vils, et un spadassin, un seul mais félon, et pas de batailles racontées, et le choix courageux d'alourdir son histoire avec des documents et des cris... Et ça plaît, ça plaît à tout le monde, érudits et incultes, grands et humbles, bigots et mangeurs de curés. Parce qu'il avait senti que les lecteurs de son temps devaient avoir* cela, *même s'ils ne le savaient pas, même s'ils ne le demandaient pas, même s'ils ne croyaient pas que ce fût consommable. Et que de travail, à coups de lime, de scie et de marteau, de lavage et de toilettage, pour rendre son produit doux au palais ! Pour obliger les lecteurs empiriques à devenir le lecteur modèle qu'il avait désiré.*

Manzoni n'écrivait pas pour plaire au public tel qu'il était mais pour créer un public auquel son roman ne pouvait pas ne pas plaire. Et malheur s'il n'avait pas plu. Voyez l'hypocrisie et la sérénité avec laquelle il parle de ses vingt-cinq lecteurs. Vingt-cinq millions, il en voulait.

Quel lecteur modèle voulais-je quand j'écrivais ? Un complice, bien sûr, qui joue mon jeu. Je voulais devenir complètement médiéval et vivre le Moyen Age comme si c'était mon époque (et vice versa). Mais en même temps, je voulais de toutes mes forces que se dessine une figure de lecteur qui, après avoir surmonté l'initiation, devienne ma proie ou la proie du texte et pense ne plus vouloir autre chose que ce que le texte lui offrait. Un texte veut être une expérience de transformation pour son lecteur. Tu crois vouloir du sexe, et des trames criminelles où à la fin on découvre le coupable, et beaucoup d'action, mais en même temps tu aurais honte d'accepter une véritable pacotille faite de Fiacre n° 13 et du Forgeron de la Court-Dieu. *Eh bien, moi, je te donnerai du latin, et peu de femmes, et de la théologie à gogo et du sang par litres comme au Grand Guignol, afin que tu t'écries : « Mais c'est faux ! je ne joue plus ! » Alors, alors tu devras être mien, tu éprouveras le frisson de l'infinie toute-puissance divine qui rend vain l'ordre du monde. Et puis, si tu es doué, tu t'apercevras de la façon dont je t'ai attiré dans le piège : après tout, je te le disais à chaque pas, je t'avertissais bien que je t'entraînais vers la damnation, mais le beau des pactes avec le Diable, c'est qu'on les signe en sachant parfaitement avec qui on traite. Sinon, pourquoi être récompensé par l'Enfer ?*

Et puisque je voulais que soit considérée comme agréable la seule chose qui nous fasse frémir, à savoir le frisson métaphysique, il ne me restait plus qu'à choisir (parmi les modèles de trames) celle qui est la plus métaphysique et philosophique, le roman policier.

La métaphysique policière

Ce n'est pas un hasard si le livre débute comme un polar (et si, jusqu'à la fin, il dupe le lecteur naïf au point que celui-ci peut ne pas s'apercevoir qu'il s'agit d'un policier où l'on ne découvre presque rien et où le détective est tenu en échec). Je crois que les gens aiment les polars non parce qu'il y a des assassinats ni parce que l'on y célèbre le triomphe de l'ordre final (intellectuel, social, légal et moral) sur le désordre de la faute. Si le roman policier plaît, c'est qu'il représente une histoire de conjecture à l'état pur. Mais un diagnostic médical, une recherche scientifique, une interrogation métaphysique sont aussi des cas de conjecture. Au fond, la question de base de la philosophie (comme de la psychanalyse) est la même que celle du roman policier : à qui la faute ? Pour le savoir (pour croire le savoir) il faut présumer que tous les faits ont une logique, la logique que leur a imposée le coupable. Chaque histoire d'enquête et de conjecture nous raconte une chose auprès de laquelle nous habitons depuis toujours (citation pseudo-heideggérienne). On comprend alors clairement pourquoi mon histoire de base (qui est l'assassin ?) se ramifie en tant d'autres histoires, toutes des histoires d'autres conjectures, toutes tournant autour de la conjecture en tant que telle.

Le monde abstrait de la conjecture, c'est le labyrinthe. Et il y a trois types de labyrinthe. Le premier est grec, c'est celui de Thésée. Il ne permet à personne de s'égarer : vous entrez et vous arrivez au centre, puis vous allez du centre à la sortie. C'est pourquoi au centre, il y a le Minotaure, sinon l'histoire perdrait toute sa saveur, ce serait une simple promenade de santé. Oui, mais vous ne savez pas où vous allez arriver, ni ce que fera le Minotaure. Et la terreur naîtra peut-être. Mais si vous déroulez le labyrinthe classique, vous vous retrouvez avec un fil à la main, le fil d'Ariane. Le labyrinthe classique, c'est le fil d'Ariane de soi-même.

Le second est le labyrinthe maniériste : si vous le mettez à plat, vous avez entre les mains une espèce d'arbre, une structure en forme de racines, avec de nombreuses impasses. La sortie est unique mais vous pouvez vous tromper. Vous avez besoin d'un fil d'Ariane pour ne pas vous perdre. Ce labyrinthe est un modèle de trial-and-error process.

Enfin, il y a le réseau, ou ce que Deleuze et Guattari appellent rhizome. Le rhizome est fait de telle sorte que chaque chemin peut se connecter à chaque autre chemin. Il n'a pas de centre, pas de périphérie, pas de sortie parce qu'il est potentiellement infini. L'espace de la conjecture est un espace en rhizome. Le dédale de ma bibliothèque est encore un labyrinthe maniériste, mais le monde où Guillaume s'aperçoit qu'il vit est déjà structuré en rhizome : il est structurable mais jamais définitivement structuré.

Un jeune garçon de dix-sept ans m'a dit qu'il n'avait rien compris aux discussions théologiques mais qu'elles agissaient comme des prolongements du labyrinthe spatial (comme si c'était une musique thrilling *dans un film de Hitchcock). Et je crois bien qu'il s'est produit quelque chose de ce genre : même le lecteur naïf a flairé qu'il se trouvait face à une histoire de labyrinthe, mais où les labyrinthes n'étaient pas spatiaux. Ainsi, curieusement, les lectures les plus naïves étaient les plus*

« structurales ». Le lecteur naïf est entré en contact direct, sans la médiation des contenus, avec le fait qu'il est pensé que, malgré tout, un roman doit divertir aussi et surtout à travers la trame.

Si un roman divertit, il obtient l'approbation d'un public. Or, pendant un certain temps, on a pensé que cette approbation était un indice négatif. Si un roman rencontre la faveur du public, c'est qu'il ne dit rien de nouveau et qu'il donne au public ce que celui-ci attendait déjà.

Je crois pourtant qu'il est différent de dire « si un roman donne au lecteur ce qu'il attendait, il reçoit son approbation » et « si un roman reçoit l'approbation du lecteur c'est parce qu'il lui donne ce qu'il attendait ».

La seconde affirmation n'est pas toujours vraie. Il suffit de penser à Defoe ou à Balzac, pour en arriver au Tambour *ou à* Cent ans de solitude.

*On dira que l'équation « approbation = valeur négative » a été encouragée par certaines positions polémiques prises par nous, ceux du groupe 63, et même avant 1963, quand on identifiait le livre à succès au livre commercial et le roman commercial au roman à intrigue, alors qu'on célébrait l'œuvre expérimentale qui fait scandale et qui est refusée par le grand public. Tout cela a été dit et cela avait un sens de le dire. Ce sont ces choses qui ont le plus scandalisé les lettrés bien-pensants, ce sont celles que les chroniqueurs n'ont jamais oubliées, précisément parce qu'elles étaient formulées pour obtenir cet effet-là, en pensant aux romans traditionnels fondamentalement commerciaux et dépourvus de la moindre innovation intéressante eu égard à la problématique du XIX*e*.*

Alors fatalement, des coalitions se formèrent, on fit flèche de tout bois, parfois pour des raisons de guerre de clans. Je me souviens que nos ennemis étaient Lampedusa, Bassani et Cassola. Aujourd'hui, j'introduirais de subtiles différences entre eux. Lampedusa avait écrit un bon roman hors du temps, et nous polémiquions contre la célébration qui en était faite comme s'il ouvrait une nouvelle voie à la littérature italienne, quand au contraire il en fermait glorieusement une autre. Je n'ai pas changé d'avis sur Cassola. Sur Bassani, en revanche, je serais beaucoup, mais beaucoup plus prudent et si j'étais en 1963, je l'accepterais volontiers comme compagnon de route. Mais là n'est pas le problème dont je veux parler.

Le problème, c'est que tout le monde a oublié ce qui s'est passé en 1965 quand, de nouveau, le groupe s'est réuni à Palerme pour débattre du roman expérimental (et dire que les actes figurent encore au catalogue Feltrinelli, sous le titre Il romanzo sperimentale, *avec deux dates : 1965 en couverture, achevé d'imprimé en 1966).*

Or, ce débat fourmillait d'idées intéressantes. D'abord, le rapport initial de Renato Barilli, alors théoricien de tous les expérimentalismes du Nouveau Roman, qui à cette époque réglait ses comptes avec le nouveau Robbe-Grillet, avec Grass et Pynchon (n'oublions pas que Pynchon est aujourd'hui cité parmi les initiateurs du post-moderne, mais ce mot n'existait pas alors, du moins en Italie ; John Barth faisait ses débuts en Amérique) ; et Barilli citait Roussel redécouvert, qui aimait Verne, et il ne citait pas Borges parce que sa réhabilitation n'avait pas encore commencé. Et que disait-il, Barilli ? Il disait que jusqu'alors on avait privilégié la fin de l'intrigue et le blocage de l'action dans l'épiphanie et dans l'extase matérialiste, mais que s'ouvrait une nouvelle phase de la narrativité, avec la revalorisation de l'action, fût-ce d'une action autre.

Moi, j'analysais l'impression que nous avions éprouvée le soir précédent en assistant à un curieux collage cinématographique de Baruchello et Grifi, Verifica incerta, *une histoire faite de morceaux d'histoires, de situations standard, de* topoi *du cinéma commercial. Et je remarquais que là où le public avait réagi avec le plus de plaisir, c'était les points où, quelques années auparavant, il aurait été scandalisé, c'est-à-dire là où les conséquences logiques et temporelles étaient éludées et où ses attentes semblaient être violemment frustrées. L'avant-garde se faisait tradition, les dissonances d'autrefois se faisaient miel pour les oreilles et les yeux. Une seule conclusion s'imposait : l'inacceptabilité du message n'était plus le critère roi pour une narrativité (pour tout art) expérimentale, car l'inacceptable était désormais codifié comme aimable. Un retour concerté à de nouvelles formes d'acceptable et d'aimable se profilait. Et je rappelais que si au temps des soirées futuristes de Marinetti, il était indispensable que le public sifflât, « aujourd'hui au contraire, la polémique qui consiste à considérer qu'une expérience est un échec par le simple fait qu'elle est acceptée comme normale est sotte et improductive : c'est se référer au schéma axiologique de l'avant-garde historique, et l'éventuel critique avangardiste n'est autre qu'un " marinettien " attardé. Répétons que l'inacceptabilité du message pour le récepteur n'est devenue une garantie de valeur qu'au cours d'une période historique très précise... Peut-être nous faudra-t-il renoncer à cette arrière-pensée qui domine constamment tous nos débats, à savoir que le scandale devrait être la preuve de la validité d'un travail. La dichotomie entre ordre et désordre, entre œuvre de consommation et œuvre de provocation, tout en ne perdant rien de sa valeur, devra elle aussi être réexaminée sous un autre angle : je crois qu'il sera possible de trouver des éléments de rupture et de contestation dans des œuvres qui apparemment sont de consommation facile, et de s'apercevoir en revanche que certaines œuvres, qui semblent provocatrices et font encore bondir le public, ne contestent absolument rien... Ces jours-ci, j'ai rencontré quelqu'un qui était envahi de soupçons et de doute parce qu'un produit* lui avait trop plu... » *Et ainsi de suite.*

1965. C'était le début du pop-art, et donc les années où les distinctions traditionnelles entre art expérimental, non figuratif, et art de masse, narratif et figuratif, devenaient caduques. Les années où Pousseur, parlant des Beatles, me disait : « Ils travaillent pour nous », sans s'apercevoir qu'il travaillait pour eux (et Cathy Berberian allait venir qui nous montrerait que les Beatles, arrivés à Purcell, comme il se devait, pouvaient être interprétés en concert, aux côtés de Monteverdi et Satie).

Le post-moderne, l'ironie, l'aimable

Depuis 1965, deux idées se sont définitivement clarifiées. On pouvait retrouver l'intrigue sous forme de citation d'autres intrigues, et la citation pouvait être moins conventionnelle et commerciale que l'intrigue citée (1972 : ce sera l'almanach Bompiani, consacré au Retour de l'intrigue, *où Ponson du Terrail et Eugène Sue seront revisités d'une manière tout à la fois ironique et éblouie, où certaines grandes pages de Dumas forceront l'admiration, à peine teintée d'ironie). Pouvait-on avoir un roman commercial, assez problématique, et pourtant aimable ?*

Cette soudure, ces retrouvailles avec l'intrigue et l'amabilité, les théoriciens américains du post-modernisme allaient l'accomplir.

Malheureusement, « post-moderne » est un terme bon à tout faire *(et je pense à post-moderne comme catégorie littéraire proposée par les critiques américains, non à la notion plus générale de Lyotard). J'ai l'impression qu'aujourd'hui on l'applique à tout ce qui plaît à celui qui en use. Il semble, d'autre part, qu'il y ait une tentative de lui faire subir un glissement rétroactif : avant, ce terme s'adaptait à quelques écrivains ou artistes de ces vingt dernières années, petit à petit on est remonté au début du siècle, puis toujours plus en arrière, et bientôt cette catégorie arrivera à Homère.*

Je crois cependant que le post-moderne n'est pas une tendance que l'on peut délimiter chronologiquement, mais une catégorie spirituelle, ou mieux un Kunstwollen, *une façon d'opérer. On pourrait dire que chaque époque a son post-moderne, tout comme chaque époque aurait son maniérisme (si bien que je me demande si post-moderne n'est pas le nom moderne du maniérisme en tant que catégorie méta-historique). Je crois qu'à toute époque on atteint des moments de crise tels que ceux qu'a décrits Nietzsche dans les* Considérations inactuelles *sur le danger des études historiques. Le passé nous conditionne, nous harcèle, nous rançonne. L'avant-garde historique (mais ici aussi j'entendrais la catégorie d'avant-garde comme catégorie méta-historique) essaie de régler ses comptes avec le passé. « A bas le clair de lune », mot d'ordre futuriste, est le programme typique de toute avant-garde, il suffit de remplacer clair de lune par quelque chose d'approprié. L'avant-garde détruit le passé, elle le défigure :* les Demoiselles d'Avignon, *c'est le geste typique de l'avant-garde. Et puis l'avant-garde ira plus loin, après avoir détruit la figure, elle l'annule, elle en arrive à l'abstrait, à l'informel, à la toile blanche, à la toile lacérée, à la toile brûlée ; en architecture, ce sera la condition minimum du* curtain wall, *l'édifice comme stèle, parallélépipède pur ; en littérature, ce sera la destruction du flux du discours, jusqu'au collage à la Burroughs, jusqu'au silence, jusqu'à la page blanche ; en musique, ce sera le passage de l'atonalité au bruit, au silence absolu (en ce sens, le Cage des origines est moderne).*

Mais vient un moment où l'avant-garde (le moderne) ne peut pas aller plus loin, parce que désormais elle a produit un métalangage qui parle de ses impossibles textes (l'art conceptuel). La réponse post-moderne au moderne consiste à reconnaître que le passé, étant donné qu'il ne peut être détruit parce que sa destruction conduit au silence, doit être revisité : avec ironie, d'une façon non innocente. Je pense à l'attitude post-moderne comme à l'attitude de celui qui aimerait une femme très cultivée et qui saurait qu'il ne peut lui dire : « Je t'aime désespérément » parce qu'il sait qu'elle sait (et elle sait qu'il sait) que ces phrases, Barbara Cartland les a déjà écrites. Pourtant, il y a une solution. Il pourra dire : « Comme dirait Barbara Cartland, je t'aime désespérément. » Alors, en ayant évité la fausse innocence, en ayant dit clairement que l'on ne peut parler de façon innocente, celui-ci aura pourtant dit à cette femme ce qu'il voulait lui dire : qu'il l'aime et qu'il l'aime à une époque d'innocence perdue. Si la femme joue le jeu, elle aura reçu une déclaration d'amour. Aucun des deux interlocuteurs ne se sentira innocent, tous deux auront accepté le défi du passé, du déjà dit que l'on ne peut éliminer, tous deux joueront consciemment et avec plaisir au jeu de l'ironie... Mais tous deux auront réussi une fois encore à parler d'amour.

Ironie, jeu métalinguistique, énonciation au carré. De sorte que si, avec le moderne, ne pas comprendre le jeu, c'est forcément le refuser, avec le post-moderne, on peut ne pas comprendre le jeu et prendre les choses au sérieux. Ce qui est d'ailleurs la qualité (le risque) de l'ironie. Il y a toujours des gens pour prendre au sérieux le discours ironique. Je pense que les collages de Picasso, de Juan Gris et de Braque étaient modernes : c'est pourquoi les gens normaux ne les acceptaient pas. En revanche, les collages que faisait Max Ernst, ces montages de morceaux de gravures du XIXe, *étaient post-modernes : on peut aussi les lire comme un récit fantastique, comme le récit d'un rêve, sans s'apercevoir qu'ils représentent un discours sur la gravure et peut-être sur le collage lui-même. Si le post-moderne c'est cela, on comprend alors pourquoi Sterne ou Rabelais étaient post-modernes, pourquoi Borges l'est certainement, pourquoi dans un même artiste peuvent cohabiter, ou se succéder rapidement, ou alterner, le moment moderne et le moment post-moderne. Voyez Joyce.* Le Portrait *est l'histoire d'une tentative moderne.* Les Dubliners, *même s'ils sont antérieurs, sont plus modernes que le* Portrait. Ulysses *est à la limite.* Finnegans Wake *est déjà post-moderne, ou, du moins, il ouvre le discours post-moderne, il requiert, pour être compris, non point la négation du déjà dit mais une nouvelle réflexion ironique.*

On a déjà presque tout dit sur le post-moderne, dès le début (c'est-à-dire à partir d'essais comme « la Littérature de l'épuisement » de John Barth, qui date de 1967 et qui a été récemment publié dans le numéro 7 de Calibano *sur le post-moderne américain). Ce n'est pas que je sois totalement d'accord avec les bons points que les théoriciens du post-modernisme (Barth y compris) distribuent aux écrivains et aux artistes, en établissant qui est post-moderne et qui ne l'est pas encore. Ce qui m'intéresse, c'est le théorème que les théoriciens de la tendance tirent de leurs prémisses : « Mon écrivain post-moderne idéal n'imite et ne répudie ni ses parents du* XXe *ni ses grands-parents du* XIXe. *Il a digéré le modernisme, mais il ne le porte pas sur ses épaules, comme un poids... Peut-être cet écrivain ne peut-il pas espérer atteindre ou émouvoir les amateurs de James Michener et Irving Wallace, sans parler des analphabètes lobotomisés par les mass media, mais il devrait espérer toucher et divertir, quelquefois au moins, un public plus vaste que le cercle de ceux que Thomas Mann appelait les premiers chrétiens, les dévots de l'Art... Le roman post-moderne idéal devrait dépasser les querelles entre réalisme et irréalisme, formalisme et contenuisme, littérature pure et littérature de l'engagement, narrativité d'élite et narrativité de masse... Je préfère l'analogie avec le bon jazz ou avec la musique classique : en réécoutant ou en analysant une partition, on découvre une foule de choses que l'on n'avait pas saisies la première fois, mais la première fois doit savoir vous ravir au point de vous faire désirer la réécouter, ceci étant valable pour les spécialistes comme pour les profanes. » (Barth, en 1980, qui reprend ce thème, cette fois sous le titre « la littérature de la plénitude ».) Bien entendu, le discours peut être repris avec un plus grand goût du paradoxe, ce que fait Leslie Fiedler, dans un essai de 1981 et dans un débat récent sur* Salmagundi *avec d'autres auteurs américains. Fiedler fait de la provocation, c'est évident. Il glorifie* le Dernier des Mohicans, *la narrativité d'aventure, le Gothic, toute cette masse d'écrits, méprisés par les critiques, qui a su créer des mythes et peupler l'imaginaire de plus d'une génération. Il se demande si on publiera de nouveau quelque chose comme* la Case de l'Oncle Tom *qui puisse être lu avec une égale passion à la cuisine, au salon et dans la chambre des enfants. Il met Shakespeare du côté de ceux qui savaient divertir, dans le même sac qu'*Autant en emporte le vent. *Nous savons tous que c'est un critique trop fin pour y croire. Il veut simplement abattre cette barrière érigée entre art et amabilité. Il comprend intuitivement que toucher un vaste public et peupler ses rêves, c'est peut-être cela aujourd'hui faire de l'avant-garde et que cela nous laisse encore libres de dire que peupler les rêves des lecteurs ne signifie pas nécessairement les bercer. Ça peut vouloir dire les obséder.*

Le roman historique

Depuis deux ans, je refuse de répondre à des questions oiseuses. Du style : ton œuvre est-elle une œuvre ouverte ou pas ? Mais est-ce que je sais, moi ! C'est votre affaire, pas la mienne ! Ou alors : auquel de tes personnages t'identifies-tu ?

Mon Dieu, mais à qui s'identifie un auteur ? Aux adverbes, bien sûr.

La question la plus oiseuse de toutes est celle de ceux qui suggèrent que raconter le passé c'est une façon de fuir le présent. Est-ce vrai ? me demandent-ils. C'est probable, dis-je ; si Manzoni a raconté le XVIIe *siècle, c'est que le* XIXe *ne l'intéressait pas ; le* Sant'Ambrogio *de Giusti parle aux Autrichiens de son époque, alors qu'évidemment le* Giuramento de Pontida *de Berchet parle des fables du temps jadis.* Love Story *est de son temps, alors que* la Chartreuse de Parme *ne raconte que des événements survenus vingt-cinq ans plus tôt...*

*A quoi bon dire que tous les problèmes de l'Europe moderne se forment, tels que nous les ressentons aujourd'hui, au Moyen Age, de la démocratie des communes à l'économie bancaire, des monarchies nationales aux cités, des nouvelles technologies aux révoltes des paysans : le Moyen Age est notre enfance à laquelle il nous faut toujours revenir pour faire une anamnèse. Mais on peut aussi parler du Moyen Age dans le style d'*Excalibur. *Et donc, le problème est ailleurs, et on ne peut l'éluder. Que veut dire écrire un roman historique ? Je crois qu'il y a trois façons de raconter sur le passé. L'une est le* romance, *du cycle breton aux histoires de Tolkien, où l'on trouve aussi la « Gothic novel » qui n'a rien de la* novel *et tout du* romance. *Le passé est alors scénographie, prétexte, construction de la fable et donne libre cours à l'imagination. Pour sa part, la science-fiction est souvent un pur* romance. *Le* romance, *c'est l'histoire d'un* ailleurs.

Puis vient le roman de cape et d'épée, comme celui de Dumas. Le roman de cape et d'épée se choisit un passé « réel » et reconnaissable : pour y parvenir, il le peuple de personnages déjà enregistrés par l'encyclopédie (Richelieu, Mazarin) auxquels il fait accomplir des actions que l'encyclopédie n'enregistre pas (avoir rencontré Milady, avoir eu des contacts avec un certain Bonacieux) mais qui ne la contredisent pas. Naturellement, pour corroborer l'impression de réalité, les personnages historiques feront aussi (avec l'assentissement de l'historiographie) ce qu'ils ont fait (assiéger La Rochelle, avoir eu des relations intimes avec Anne d'Autriche, avoir eu affaire avec la Fronde). Dans ce cadre (« vrai »), viennent s'insérer les personnages de fiction ; cependant, ceux-ci manifestent des sentiments qui pourraient être attribués à des personnages d'autres époques. Ce que d'Artagnan fait en récupérant à Londres les bijoux de la Reine, il aurait pu le faire aussi bien au XVIe *qu'au* XVIIIe *siècle. Il n'est pas nécessaire de vivre au* XVIIe *pour avoir la psychologie de d'Artagnan.*

Par contre, dans le roman historique il n'est pas obligatoire qu'entrent en scène des personnages reconnaissables en termes d'encyclopédie commune. Dans les Fiancés, *le personnage le plus connu est le cardinal Federigo, qu'avant Manzoni très peu de gens connaissaient (l'autre Borromée, saint Charles, était bien plus connu). Mais tout ce que font Renzo, Lucia ou Fra Cristoforo ne pouvait qu'être accompli dans la Lombardie du* XVIIe *siècle. Les agissements des personnages servent à faire mieux comprendre l'histoire, ce qui s'est passé, et bien qu'ils soient inventés, ils en disent plus, et avec une clarté sans pareille, sur l'Italie de l'époque, que les livres d'histoire consacrés.*

En ce sens, je voulais certainement écrire un roman historique, non parce qu'Ubertin ou Michel avaient vraiment existé et disaient plus ou moins ce qu'ils avaient vraiment dit, mais parce que tout ce que disaient des personnages fictifs comme Guillaume aurait dû *être dit à cette époque-là.*

Je ne sais pas à quel point j'ai été fidèle à ce propos. Je ne crois pas à quelque manquement de ma part quand je déguisais des citations d'auteurs postérieurs (comme Wittgenstein) en les faisant passer pour des citations de l'époque. En ce cas, je savais très bien que ce n'étaient pas mes médiévaux qui étaient modernes, mais plutôt les modernes qui pensaient médiéval. Pourtant, je me demande si parfois je n'ai pas prêté à mes personnages fictifs une capacité d'assembler, à partir des disiecta membra *de pensées totalement médiévales, certaines chimères conceptuelles que, comme telles, le Moyen Age n'aurait pas reconnues siennes. Mais je crois qu'un roman historique doit aussi faire cela : il doit déterminer dans le passé les causes de ce qui est advenu après, mais aussi dessiner le processus par lequel ces causes ont évolué lentement pour produire leurs effets.*

Si un de mes personnages, en comparant deux idées médiévales, en tire une troisième idée plus moderne, il fait exactement ce que la culture a fait par la suite, et si personne n'a jamais écrit ce qu'il dit, il est certain que quelqu'un, fût-ce d'une façon confuse, aurait dû commencer à le penser (même sans le dire, pris par dieu sait quelles craintes et pudeurs).

En tout cas, il est une chose qui m'a beaucoup amusé : chaque fois qu'un critique ou un lecteur a écrit ou dit qu'un de mes personnages affirmait des choses trop modernes, et bien, dans tous les cas, dans ceux-là justement, j'avais utilisé des citations textuelles du XIVe *siècle.*

Et il y a des pages où le lecteur a savouré comme délicieusement médiévales des attitudes que moi je ressentais comme illégitimement modernes. C'est que chacun a sa propre idée, souvent corrompue, du Moyen Age. Nous seuls, moines d'alors, savons la vérité. Mais la dire nous conduirait au bûcher.

Pour finir

J'ai retrouvé — deux ans après avoir écrit le roman — des notes datées de 1953.

« Horace et son ami font appel au comte de P. pour résoudre le mystère du spectre. Comte de P., gentilhomme excentrique et flegmatique. En revanche, un jeune capitaine des gardes danoises qui use de méthodes américaines. Développement normal de l'action selon les lignes de la tragédie. Au dernier acte, le comte de P., ayant réuni sa famille, explique le mystère : l'assassin est Hamlet. Trop tard, Hamlet meurt. »

Des années après, j'ai découvert que Chesterton avait eu quelque part une idée de ce genre. Il paraît que le groupe de l'Oulipo a récemment construit une matrice de toutes les situations policières possibles et a trouvé qu'il reste à écrire un livre : celui où l'assassin serait le lecteur.

Morale : il existe des idées obsédantes, elles ne sont jamais personnelles, les livres parlent entre eux, et une véritable enquête policière doit prouver que les coupables, c'est nous.

TABLE

QUATRIÈME JOUR

Achevé d'imprimer en février 1995
sur presse CAMERON,
dans les ateliers de B.C.I.
à Saint-Amand-Montrond (Cher)
pour le compte de France Loisirs
123, boulevard de Grenelle, Paris

N° d'Édition : 24907. N° d'Impression : 1/293.
Dépôt légal : février 1995.

Imprimé en France